*Essai sur l'art chinois de l'écriture et ses fondements*

JEAN FRANÇOIS BILLETER

*Essai sur l'art chinois de l'écriture et ses fondements*

ÉDITIONS ALLIA
16, RUE CHARLEMAGNE, PARIS IVᵉ
2010

"Das Ich hat eine hieroglyphistische Kraft."
Novalis [1]

PRÉFACE

VOICI un ouvrage inclassable, car il s'adresse aux sinologues et aux curieux de la Chine, mais à d'autres lecteurs aussi, qui ne lisent ni n'écrivent le chinois. Avant d'aborder l'art de l'écriture, ou la calligraphie si l'on préfère, il présente en effet l'écriture chinoise, dans sa structure et dans ses formes, et montre à quelles exigences formelles il faut répondre pour l'écrire lisiblement. Bien écrire a toujours été une sorte d'art, en Chine plus qu'ailleurs, dont la calligraphie proprement dite a été le prolongement et le développement naturel. Cet ouvrage fournit des bases qui font défaut ailleurs.

Il montre aussi que la calligraphie, comprise comme l'art de *magnifier l'écriture* ou comme le moyen d'exprimer à travers elle une sensibilité particulière, a joué un rôle éminent dans la culture de la Chine impériale, et le joue encore maintenant dans une certaine mesure. S'intéresser à la calligraphie, c'est donc s'intéresser à des pratiques et des conceptions qui ont été centrales sous l'Ancien Régime et sont encore vivantes dans la Chine d'aujourd'hui.

Cet art mérite également de retenir l'attention par un autre côté. L'écriture chinoise constitue un monde de formes qui mérite d'être étudié en tant que tel. La technique du pinceau, si étonnante pour qui la découvre, présente un intérêt du point de vue des techniques humaines en général. J'ai pris soin, dans cet ouvrage, de décrire de façon précise et ces formes, et cette technique.

J'ai décrit en outre l'expérience de la calligraphie, d'après celle que j'ai acquise moi-même et d'après ce qu'en ont dit les calligraphes. Ils étaient des lettrés et beaucoup ont laissé, sur la pratique de leur art, des écrits qui forment une littérature considérable, allant des environs de l'an 200 de notre ère à nos jours [2]. Aucun autre art n'a été analysé et commenté de cette façon par ses praticiens, que ce soit en Chine ou ailleurs [3].

J'ai aussi été amené à étudier la façon dont les calligraphes ont décrit leur expérience et les idées dont ils se sont servis

1. Novalis, *Werke*, Munich, Beck, 1981, p. 296. Le caractère *long* 龍 "dragon" calligraphié en sigillaire par Deng Shiru (1743-1805, Qing).

2. Sur cette littérature, voir le début de la note bibliographique qui figure à la fin de ce volume, p. 391.

3. Aucun art plastique, devrais-je dire, car la réflexion sur l'art littéraire a en Chine une histoire tout aussi longue, voire plus longue – comme d'ailleurs en Europe.

pour en rendre compte. J'ai présenté ces idées, ainsi que leur soubassement intellectuel, mais j'ai aussi développé un langage indépendant du leur, mieux à même de rendre intelligibles au lecteur européen les phénomènes décrits. En fait, ce ne sont pas seulement des termes que j'ai jugé nécessaire d'introduire pour cela. Ce sont des idées, des propositions philosophiques portant sur le sujet, le rapport entre la perception et l'activité, sur les diverses formes de notre activité, etc. Il le fallait pour mettre en lumière les ressorts qui sont au cœur de l'art calligraphique et qui sont aussi au cœur de plusieurs des arts que nous connaissons, tel, par exemple, celui de l'exécution musicale.

Si ce livre est inclassable, c'est donc peut-être parce que je me suis efforcé de prendre en considération toutes les dimensions de mon sujet. Je lui ai donné le nom d'*essai* parce que j'ai exposé, de mon mieux, la compréhension que j'en ai personnellement.

Cet ouvrage est une refonte de celui qui a paru aux éditions Skira à Genève en 1989 [1]. La perspective a changé. Les conclusions sont différentes. J'ai exprimé mes vues nouvelles en remaniant les chapitres 7 et 8 et en réécrivant le chapitre 9. Les thèses philosophiques que je présente dans le chapitre 6 [2], sur lesquelles reposent tous les développements des chapitres suivants et qui forment à mes yeux le cœur de l'ouvrage, ne m'ont pas paru devoir être retouchées. Les premiers chapitres n'ont subi que des modifications mineures.

L'illustration est restée la même. On s'est contenté de l'adapter à la dimension plus réduite de cette nouvelle édition. À cause de son extrême dépouillement, la calligraphie est difficile à reproduire dans un livre. Les nuances d'encrage, de grain et de ton du papier y ont une grande importance. À cela s'ajoute une autre difficulté, celle des formats. Pour montrer des rouleaux horizontaux ou verticaux, il faut les réduire à l'extrême ou se résoudre à n'en montrer que des parties et sacrifier la continuité de l'œuvre, qui est pourtant aussi importante en calligraphie qu'en musique. La calligraphie est en outre un art du geste, comme l'exécution musicale. Pour rendre le geste sensible, les reproductions devraient être à l'échelle des originaux, comme un enregistrement musical doit respecter le *tempo* de l'exécution reproduite. Cela n'a généralement pas été

1. Ce premier ouvrage a été réédité sans grands changements par la nouvelle maison Skira de Milan en 2001 et 2005, augmenté d'une postface. La version anglaise de la première édition, *The Chinese Art of Writing*, publiée par Skira à Genève et Rizzoli à New York en 1990, n'a pas été rééditée. L'ouvrage a reçu en 1990 le prix Stanislas Julien, de l'Académie des Inscriptions et Belles-Lettres.

2. En particulier aux p. 186-189.

possible. Il a fallu faire des choix et retenir les solutions les meilleures possibles dans un livre de cette dimension. Malgré ces difficultés, j'espère que l'illustration fera pressentir les joies que l'amateur éprouve devant les œuvres originales.

J'ai remplacé l'ancienne bibliographie, qui datait, par une note de synthèse sur les sources bibliographiques de ce livre. J'y présente les ouvrages qui m'ont servi à l'époque, et ceux-là seuls. C'était à la fois le plus simple et le plus utile. J'ai signalé çà et là dans les notes quelques publications plus récentes.

Dans le corps de l'ouvrage, j'ai maintenu la transcription *pinyin* du chinois, qui a la faveur des sinologues et des sinisants à cause de sa clarté et de son économie, mais qui crée un obstacle infranchissable pour les non sinisants. Pour ces derniers, j'ai ajouté en marge, lorsque c'était possible et que cela m'a paru utile, une transcription française des mots, des noms et des titres chinois. Elle est brièvement présentée à la page suivante. Le lecteur non sinisant trouvera là les indications nécessaires à une prononciation à peu près juste des mots chinois ainsi transcrits.

Les caractères chinois cités dans le texte, les notes et les index sont présentés dans leur forme simplifiée parce qu'à petite échelle, elle est plus lisible que leur forme classique.


J'exprime ici ma reconnaissance à Gérard Berréby, le directeur des éditions Allia, sans l'esprit d'initiative et la ténacité de qui cette nouvelle édition n'aurait jamais vu le jour, et à Danielle Orhan, sa collaboratrice, qui s'est très élégamment acquittée de la tâche difficile d'en faire la maquette. Je me souviens avec bonheur, en écrivant ces lignes, des journées passées avec M. Lauro Venturi, lorsque nous faisions celle de la première édition, aux anciennes éditions Skira. Je renouvelle mes remerciements aux amis qui ont mis à ma disposition des documents, notamment Jean-Marie Simonet et André Kneib, lui-même un calligraphe audacieux, ainsi que Soheil Azzam, qui a refait certains schémas et diagrammes.

POUR prononcer de manière à peu près juste les mots chinois, le lecteur tiendra compte des points suivants :

1. L'apostrophe marque une forte libération du souffle, comme en connaissent l'anglais et l'allemand. *Ta* et *t'a* sont deux syllabes très différentes.

2. En début de syllabe, les *h-* se prononcent de façon fortement gutturale, "raclée" comme par exemple en arabe.

3. Les *-n* et *-ng* ne créent pas de nasalisation et se prononcent de façon très légère. Ainsi *Tch'en* (le nom de famille) se prononce-t-il avec une forte libération du souffle, un *e* semblable au *e* muet français et un *-n* à peine audible.

4. Dans tous les cas, des voyelles qui se succèdent dans une même syllabe se fondent pour former une diphtongue ou une triphtongue bien arrondie. *Mao* ne compte pas deux syllabes, mais une seule syllabe brève.

5. Le *-o* représente un *o* ouvert, le *-ô* un *o* (*au, eau*) fermé. Entre les deux valeurs, le contraste est net.

6. Il faut distinguer les syllabes en *-e* et les syllabes en *-eu*. Les premières (*tse, ts'e*, etc.) se terminent par un *e* muet français bien formé, mais sans bouche en cul de poule. Dans les secondes (*tseu, ts'eu*, etc), la terminaison *-eu* indique que la consonne ou les consonnes initiales sont prononcées seules, de façon plus ou moins sonore, sans voyelle à leur suite. Ce sont des syllabes (*tseu, ts'eu, tcheu, tch'eu, seu, cheu, jeu*) qui n'ont pas d'équivalent en français. *Tseu* résonne comme le bourdonnement d'une mouche prisonnière dans un verre.

Au lecteur qui s'étonnera que tant de mots se ressemblent en chinois, je rappellerai que, dans cette langue, chaque mot porte un ton et que le système des tons (il y en a quatre en mandarin, plus le ton neutre) introduit une différenciation qui n'est pas visible dans cette transcription. [1]

1. À mes collègues sinologues : cette transcription est une mise à jour de la transcription du *Bulletin de l'École Française d'Extrême-Orient*, dont certaines particularités créent aujourd'hui des difficultés inutiles (*ts'i* noté *k'i* par exemple). Elle est perfectible. J'hésite moi-même encore sur certains points. Il serait bon que les sinologues de langue française la discutent et la fixent, lorsqu'elle sera satisfaisante, afin qu'ils disposent d'un instrument fiable pour s'adresser aux non sinologues.

# I. LES CONDITIONS DE LA LISIBILITÉ

### POINT DE DÉPART

L'ART de l'écriture est traditionnellement considéré en Chine comme l'un des beaux-arts. Il est mis sur le même pied que la musique, la poésie, la peinture et parfois même au-dessus d'elles. "Calligraphie" s'est imposée quand il s'est agi de lui trouver un nom dans nos langues, mais cette désignation présente l'inconvénient de confondre sous un même vocable deux phénomènes de nature différente. La calligraphie chinoise n'a en effet pas grand-chose à voir avec ce qu'on appelle "calligraphie" en Europe : soit une écriture stylisée, appliquée, particulièrement régulière, soit une écriture enjolivée de paraphes ou d'autres ornements superfétatoires, soit encore certains jeux typographiques du genre des *Calligrammes* d'Apollinaire. Art mineur, cette calligraphie-là se borne à cultiver la belle ouvrage, le goût, la trouvaille. Dans l'ensemble, la calligraphie occidentale est impersonnelle : elle élimine les traits individuels, elle réfrène les impulsions élémentaires qui impriment à l'écriture le sceau d'une personnalité et lui donnent son caractère spontané.

LETTRE, XVIIIᵉ SIÈCLE. JEAN DUBUFFET, *LETTRINE M*, 1960.

La calligraphie chinoise n'est ni une écriture appliquée, ni une écriture enjolivée. Elle bannit la stylisation arbitraire des formes et plus encore le rajout décoratif. L'unique préoccupation du calligraphe chinois est de donner vie aux caractères, de les animer sans les forcer en rien. Il met sa sensibilité au service de l'écriture puis en vient, par un renversement subtil, à se servir de l'écriture pour exprimer sa sensibilité personnelle. C'est à la faveur de ce renversement que l'écriture chinoise devient un moyen d'expression d'une richesse et d'une finesse extrêmes.

Elle se prête pour deux raisons à ce genre de développement : d'abord parce qu'elle offre un répertoire de formes quasiment inépuisable, avec lequel ne peut rivaliser aucun alphabet, ensuite parce que le pinceau n'est pas un outil fruste comme la plume, mais un instrument qui enregistre avec la fidélité d'un séismographe les infléchissements les plus légers du geste aussi bien que ses écarts les plus soudains. Le calligraphe chinois s'en sert pour capter des forces qui viennent du plus profond de lui-même. Tandis que la calligraphie occidentale produit des formes arrêtées, la calligraphie chinoise est par essence un art du mouvement.

Le terme de "calligraphie" s'applique d'autant plus mal à l'art chinois de l'écriture qu'il suggère par son étymologie l'idée de "belle écriture" ou d'une écriture "embellie". Les Chinois ne parlent pas de "belle écriture", mais simplement de l'"art d'écrire" ou de "l'art de l'écriture", *shufa* 书法 [1]. En langue classique, ils disent simplement *shu* 书 "l'écriture", comme nous disons "la danse" et "la musique" [2]. En français, "l'art de l'écriture" convient beaucoup mieux que "calligraphie" et j'aurais voulu m'en servir non seulement dans le titre, mais dans le corps de cet ouvrage. Si j'y ai renoncé, c'est que "calligraphie" est d'un maniement plus pratique et possède les dérivés "calligraphe" et "calligraphique", dont il est difficile de se passer.

Tant que le pinceau a été l'instrument universel de l'écriture en Chine, nul n'a songé à distinguer, sur le plan terminologique, la technique de l'écriture et la calligraphie. Le grand nombre utilisait l'écriture à des fins pratiques, certains s'en servaient pour exprimer une sensibilité particulière, mais tous le faisaient avec les mêmes matériaux, le même instrument, la même technique et suivant le même canon esthétique. La plupart étudiaient un grand maître afin de se faire la main et d'acquérir un style, certains en étudiaient successivement plusieurs, multipliaient les expériences et développaient une expression personnelle, mais le rapport entre la pratique des uns et celle des autres restait étroit. Il s'est rompu lorsque l'usage du stylo s'est généralisé dans la vie quotidienne, au XXᵉ siècle. L'écriture courante au stylo et l'écriture au pinceau, pratiquée comme un art, forment désormais deux domaines

*chou-fa*

1. *Shu* 书 signifie "écrire", *fa* 法 "méthode", "manière de faire" ou "art de faire". Le terme *shuxue* 书学, "étude de l'écriture", a aussi été utilisé dans le passé, mais il est aujourd'hui désuet. Les Japonais se servent du terme *shodo* (*shudao* 书道 en chinois), la "voie de l'écriture". Notons que dans la langue courante actuelle, *shu* ne signifie plus "écrire", mais "l'écrit", "le livre".

2. Nous n'éprouvons en effet pas le besoin de dire "belle musique" ou "belle danse" pour désigner ces formes d'expression. Si nous parlons des "belles lettres", c'est pour distinguer la littérature de l'histoire et de la philologie, qui font également partie des lettres. Nous disons "beaux-arts", mais c'est parce qu'on distinguait autrefois les beaux-arts des arts pratiques et des arts mécaniques.

distincts. La conséquence de cette situation nouvelle est double. D'une part, l'écriture courante se dégrade parce qu'elle n'est plus soutenue par la discipline sévère du pinceau ; moins maîtrisée du point de vue de la forme, elle est de plus en plus marquée par l'empreinte graphologique individuelle. Faute de manier continuellement le pinceau, d'autre part, les amateurs de calligraphie sont de moins bons techniciens que les lettrés d'antan. Mais la calligraphie est maintenant cultivée pour elle-même. Les moyens modernes de reproduction permettent à un nombre grandissant de graphomanes d'étudier les grandes œuvres du passé. La découverte de l'art occidental contemporain suscite en outre un renouveau de la réflexion sur l'essence de la calligraphie. Elle est aujourd'hui un art florissant.

La Chine a eu de grands calligraphes au XXᵉ siècle et regorge de talents. Parce que la calligraphie ne pouvait être soumise aux canons du réalisme socialiste, elle a moins souffert que les autres beaux-arts des vicissitudes de la vie politique en République populaire de Chine. Après l'avoir longtemps considérée comme une survivance inoffensive, les autorités l'ont encouragée à partir des années 80. Des revues ont été créées. Des expositions locales, provinciales, nationales et internationales sont organisées, des prix décernés. De nombreux ouvrages sont publiés, principalement de reproduction et de vulgarisation. La pratique de cet art, dont la transmission continue à se faire dans des relations de maître à élève traditionnelles, reste une affaire essentiellement privée, mais les écoles des Beaux-Arts l'incluent dans leurs programmes. L'étude de l'histoire de la calligraphie donne lieu à des publications savantes. Il eût été intéressant de présenter quelques calligraphes actuels, jeunes et moins jeunes, mais cela m'aurait entraîné trop loin de mon propos.

Notons que les Chinois ont développé au XXᵉ siècle, pour les besoins de l'édition et de la publicité, divers types de caractères stylisés où se fait sentir l'influence des arts graphiques occidentaux. Ces *meishuzi* 美术字 "caractères artistiques" [1], constituent *mei-chou-tseu*

1. De *meishu* "beaux-arts" et *zi* "caractères".

à certains égards un équivalent de la calligraphie occidentale. Il n'est jamais venu à l'esprit d'un Chinois de les inclure dans le domaine de la calligraphie.

Pour bien comprendre la calligraphie chinoise, il faut remonter de la situation actuelle à la situation traditionnelle, où le pinceau était l'instrument unique de l'écriture. C'est dans ces conditions qu'elle est née et s'est développée jusque dans un passé tout récent, que se sont formées sa technique et son esthétique ; c'est d'elles qu'il faut partir pour comprendre les exigences auxquelles obéissent cette technique et cette esthétique.

La première de ces exigences est purement pratique : une écriture doit être lisible. Qu'il soit scribe, greffier, graveur ou calligraphe, celui qui fait profession de bien écrire procède toujours de la même manière. Il élimine les formes susceptibles d'induire le lecteur en erreur, il évite les ambiguïtés. En accroissant la clarté du texte par des procédés plus fins, il permet au lecteur d'aller plus vite en se fatiguant moins. Poussant plus loin la recherche, il s'efforce parfois de réaliser une lisibilité parfaite au moyen d'une écriture esthétiquement accomplie. Ces degrés se retrouvent dans toutes les formes d'écriture. Ce qui distingue l'écriture chinoise de la nôtre, c'est l'extraordinaire variété de ses formes et l'effort plus grand qu'elle exige par conséquent de celui qui veut écrire lisiblement. Pour maîtriser ce foisonnement et en tirer un texte clair, il faut un savoir-faire plus développé, un sens plus affiné des formes. Je vais tenter de montrer que l'art chinois de l'écriture répond en premier lieu à cette exigence de lisibilité. Mais pour en faire la démonstration, il faut que nous examinions d'abord comment l'écriture chinoise est faite.

## L'ÉCRITURE CHINOISE

ELLE se compose de milliers de caractères qui correspondent chacun à un mot. La prononciation du mot varie selon les lieux et les époques, ses acceptions peuvent évoluer ou se diversifier mais le caractère ne change pas : il garantit l'identité du mot, il en est l'emblème invariable. On peut donner une première idée de sa fonction en l'assimilant au chiffre arabe : le chiffre 5 désigne un nombre sans préjuger de la manière dont un Français, un Italien, un Espagnol, etc., appelleront ce nombre dans leurs langues respectives – *cinq, cinque, cinco*, etc. Le caractère chinois désigne un mot ou l'idée d'un mot (son "signifié", pour parler en termes précis) sans préjuger de la manière dont le mot peut être prononcé par des Chinois originaires de différentes parties de la Chine, parlant différents dialectes, ou de la manière dont il a été prononcé à différents moments du passé. Le caractère est une sorte de chiffre indépendant du temps et du lieu, soustrait aux vicissitudes de l'histoire et aux effets de l'humaine diversité. La foule des prononciations l'affecte aussi peu que les miroitements sémantiques dus aux contextes. Il constitue un repère immuable dans cette infinité d'impondérables. Le signe écrit a de ce fait valeur d'institution dans la tradition chinoise beaucoup plus que dans la nôtre. Nous avons bien les chiffres et les lettres, mais les premiers ne renvoient qu'à des nombres, c'est-à-dire à des grandeurs abstraites, et les secondes ne représentent que des sons, c'est-à-dire des éléments du langage qui n'ont pas de sens en eux-mêmes. Ni les uns ni les autres n'évoquent la multiplicité des êtres et des choses. Le signe chinois par contre, comme le dit Claudel, "développe, pour ainsi dire, le chiffre : et, l'appliquant à la série des êtres, il en différencie indéfiniment le caractère" [1]. L'écriture chinoise sert de repère invariable à la réalité tout entière.

Notons que l'identité du caractère n'est en rien affectée par les variations de sa réalisation graphique, pas plus que l'identité d'une lettre de l'alphabet ne change selon qu'on l'écrit en romain, en italique ou en gothique par exemple. Tout comme on peut écrire la lettre *L* de dix manières sans qu'elle cesse d'être la lettre *L*, on peut exécuter de dix manières le caractère *yu*, "pluie", sans qu'il cesse de signifier "pluie" :

雨　雨　雨　雨　雨

Ces cinq formes sont de celles qu'on trouve dans un logiciel courant d'aujourd'hui. [2]

1. "Religion du signe", poème en prose contenu dans *Connaissance de l'Est*, Paris, Mercure de France, 1960, p. 87.

2. Le lecteur trouvera à la fin du chapitre, p. 34, un extrait d'un dictionnaire de calligraphie montrant comment ce caractère a été exécuté par divers calligraphes au cours des siècles.

Contrairement à ce qu'a cru Leibniz, les caractères chinois ne constituent cependant pas une algèbre universelle [1]. On peut certes se servir du caractère 鱼, prononcé *yu*, pour noter le français "poisson" – mais "poisson" exige un article et, comme il n'y a pas d'articles en chinois, il n'existe pas de caractères pour "un" ou "le". Le caractère 来 , prononcé *lai*, peut servir à noter le verbe "venir" mais, les verbes chinois étant invariables, l'écriture chinoise n'offre aucun moyen de transcrire la terminaison de la forme française "venons". C'est dire qu'on ne peut aller très loin dans la notation du français ou d'autres langues au moyen de l'écriture chinoise [2].

Les caractères ne renvoient donc pas à des universaux, mais seulement aux idées de la langue chinoise. Les mots du chinois ont le plus souvent un équivalent exact ou approximatif dans les autres langues, mais peuvent aussi ne pas en avoir : l'écriture chinoise est faite pour noter de manière naturelle et complète le vocabulaire chinois et celui-là seul. Elle est en outre conçue pour reproduire la structure du chinois. Entre la suite des caractères de la phrase écrite et la chaîne des monosyllabes de la phrase parlée, l'équivalence est parfaite et constante, non seulement parce qu'à chaque caractère correspond un mot d'une syllabe et vice versa, ce qui assure déjà un puissant arrimage des deux séries, mais aussi parce que la phrase écrite et la phrase dite se présentent de la même manière à l'esprit de celui qui cherche à les comprendre : sous la forme d'une suite d'éléments homogènes uniformément juxtaposés que l'esprit ausculte pour dégager les relations significatives, les figures sous-jacentes du discours [3].

1. Leibniz (1646-1716) s'est imaginé un moment que les caractères chinois exprimaient les choses et leurs relations d'une manière abstraite, indépendante de la langue parlée. Cette idée a contribué à lui faire concevoir la possibilité de la logique mathématique. Voir par exemple Étiemble, *L'Europe chinoise I : de l'Empire romain à Leibniz*, Paris, Gallimard, 1988, p. 382-395.

2. Lorsque les Japonais ont découvert et adopté l'écriture chinoise, au VIe siècle, ils ont dû l'adapter aux caractéristiques de leur langue, très différente du chinois. Les mots du chinois sont monosyllabiques et invariables, la syntaxe y est essentiellement affaire d'ordre des mots dans la phrase tandis que le japonais est une langue polysyllabique dont les mots sont modifiés par l'adjonction de terminaisons et de suffixes précisant les relations syntaxiques. Il était facile d'adopter le caractère 鱼 pour noter *sakana*, "poisson", ou le caractère 来 pour noter *kuru*, "venir", mais il a fallu créer un syllabaire pour noter les suffixes et les terminaisons que le chinois ne pouvait transcrire : pour noter par exemple le suffixe *wa* qui indique que le poisson est le thème de la phrase dans l'expression *sakana wa* 鱼 わ ou pour noter la terminaison *ru* du verbe *kuru* 来 る. Il en est résulté un système composite qui est resté en usage jusqu'à aujourd'hui.

3. L'équivalence entre l'écrit et la parole est loin d'être aussi étroite dans d'autres langues. En français, la phrase écrite donne des indications grammaticales que la phrase parlée ne fournit guère. Les terminaisons muettes rendent la structure d'une phrase lue plus évidente que celle d'une phrase entendue. Les espaces blancs qui séparent les mots écrits indiquent beaucoup plus clairement les subdivisions de la phrase que ne le fait la chaîne parlée. Il n'y a donc qu'une symétrie relative entre l'écrit et le parlé en français tandis que la symétrie est complète en chinois. Notons que dans la langue chinoise d'aujourd'hui, les mots composés de deux ou de plusieurs monosyllabes sont très nombreux. Comme aucun espacement particulier n'isole ces composés du reste de la phrase, le lecteur doit deviner quels sont, dans la chaîne des caractères, ceux qui désignent des monosyllabes valant pour eux-mêmes et ceux qui désignent des monosyllabes

Alors que nos écritures phonétiques utilisent un jeu de vingt et quelques lettres pour noter les sons des mots, sans tenir compte de leur sens, l'écriture chinoise prévoit un signe différent pour chaque mot. Ce signe renvoie soit directement au sens du mot, sans dénoter le son d'aucune manière, soit au sens et au son mais en donnant seulement, quant au son, une indication très approximative, soit encore au son seul, de manière également approximative.

Voici un exemple du premier cas : le caractère 川 signifie "rivière" et se prononce *chuan* (prononcer *tch'ouanne*, avec une forte aspiration). Rien n'indique qu'il doive être prononcé ainsi, il faut l'avoir appris. Sa forme évoque une rivière qui coule vers le bas mais, pour être sûr que telle est bien sa signification, il faut aussi l'avoir apprise. Dès qu'ils sont connus, cependant, le caractère, sa prononciation et sa signification s'associent dans la mémoire une fois pour toutes. Ce qu'il y a de particulier dans cette association, c'est que le signifiant graphique 川 et le signifiant phonique *chuan* n'ont aucun trait commun et sont uniquement reliés par le fait qu'ils se rapportent à un même signifié. Leur rapport est arbitraire, et c'est pour cela qu'il frappe l'imagination.

Voici un exemple du deuxième cas, d'un caractère qui renvoie à la fois au sens et au son. Un lecteur chinois qui rencontre pour la première fois le caractère 榕 y voit tout de suite une combinaison de 木 et de 容. Le caractère 木, qui se prononce *mu* *mou* et signifie "l'arbre", lui fournit une indication de sens, car les composés qui comportent cet élément désignent généralement

associés. Mais cette absence de démarcation est encore une fidélité à la structure de la langue, car les composés chinois sont instables : ils se forment avec une grande facilité et se redécomposent tout aussi facilement. En formant des composés, les monosyllabes s'associent de manière plus ou moins étroite et plus ou moins durable. La seule façon de tenir compte de cette mobilité est d'espacer les caractères de manière uniforme et de laisser à l'intuition du lecteur le soin de percevoir les divers degrés d'association des mots dans la phrase. Les Chinois se sont si bien fiés à cette intuition (secondée par le rythme, qui joue un rôle essentiel dans la langue classique) qu'ils n'ont pendant longtemps pas éprouvé le besoin de ponctuer les textes. Ils ont commencé à publier des textes ponctués à la fin des Ming, aux XVIe et XVIIe siècles, mais la ponctuation n'est devenue d'usage général qu'au XXe siècle.

des variétés d'arbres, des parties de l'arbre, des objets de bois ou des constructions de bois, etc. Il reconnaît d'autre part le caractère 容, qui se prononce *rong* et signifie "contenir". Il comprend qu'il figure ici, non pour son sens, mais pour sa valeur phonétique et que le composé désigne un arbre ou un objet de bois appelé *rong* : il devine qu'il s'agit de *rong*, le "banian". S'il ne trouve pas ou s'il n'est pas sûr de son fait, il lui faut demander autour de lui ou consulter un dictionnaire. L'indication phonétique est souvent fort vague : ainsi le caractère 松 *song* "le pin" se compose-t-il de l'arbre et d'un caractère prononcé *gong* ; le caractère 槐 *huai*, le "sophora", de l'arbre et d'un caractère prononcé *gui*. Le pin est en quelque sorte noté par "l'arbre dont le nom rime avec *gong*" et le sophora par "l'arbre dont le nom se prononce un peu comme *gui*". On appelle "clé" ou "radical" l'élément qui, comme l'arbre dans ces exemples, donne une indication de sens et "phonétique" celui qui fournit une indication relative à la prononciation [1].

*jong* (en marge, ligne ~3)

*song* (en marge)

*kong, houai* (en marge)
*kouei* (en marge)

Le troisième cas, celui des caractères ne renvoyant qu'au son, est plus rare. Ce sont les "caractères empruntés" dont il sera question plus bas, à la page 26.

Les caractères qui renvoient à la fois au sens et au son notent le son des mots d'une manière moins précise que nos écritures phonétiques, mais représentent le mot d'une façon plus complète puisqu'ils tiennent compte de sa double nature [2]. Ceux qui négligent le son et ne renvoient qu'au sens vont directement à l'idée, c'est-à-dire à l'essentiel. Contrairement à nos écritures, qui obligent le lecteur à passer des lettres aux sons et des sons aux idées, qui cachent par conséquent les idées derrière les deux barrières successives des lettres et des sons, l'écriture chinoise semble manifester directement l'idée, représentée par un caractère distinct qui lui donne une physionomie propre. Le caractère qui ne renvoie qu'au sens semble en être la manifestation visible et muette, celui qui renvoie au sens et au son semble en être une manifestation visible accompagnée, pour ainsi dire, de l'écho plus ou moins précis de la prononciation qui lui est associée : dans les deux cas, l'idée semble parler directement à l'esprit. Claudel a bien exprimé cela. Après s'être rendu dans un temple de Confucius et y être tombé en arrêt devant une stèle d'où se détachaient quatre grands caractères,

1. "Clé" est le terme propre en français, "radical" vient de l'anglais. En regroupant les caractères ainsi composés d'après leur phonétique, on a trouvé jusqu'à 1260 séries de caractères apparentés du point de vue phonétique.

2. Rappelons que, pour les linguistes, le mot est une entité double qui comporte une forme audible et une signification ou, en d'autres termes, un signifiant et un signifié. Les deux sont indissociables. Ils forment comme les deux faces d'une médaille.

il note : "L'écriture a ceci de mystérieux qu'elle parle. Nul moment n'en marque la durée, ici nulle position, le commencement du signe sans âge : il n'est bouche qui le profère. Il existe, et l'assistant face à face considère le nom lisible." [1]    1. *Op. cit.*, p. 89.

LE CARACTÈRE *FO* 佛 "BOUDDHA" gravé dans un bloc de rocher situé derrière le Nan Putuosi d'Amoy (Xiamen), l'un des principaux sanctuaires bouddhiques de la Chine du sud : le signe écrit tient lieu de représentation de la divinité. La gravure date de 1905 et reproduit un original exécuté sur du papier ou sur une toile étalée sur le sol, au moyen d'un pinceau géant tenu des deux bras.

Puisqu'il y a autant de caractères dans l'écriture que d'idées simples dans la langue, les caractères semblent révéler la réalité dans toute sa diversité. Les écritures alphabétiques, qui réduisent les mots à leur plus petit dénominateur commun, sons et lettres, occultent au contraire la diversité du réel. Comme la monnaie, qui réduit tous les produits de la nature et de l'industrie humaine au dénominateur commun de la valeur d'échange, l'alphabet ramène la richesse infinie de la réalité sensible aux combinaisons de quelques signes dénués de valeur propre. On devine les incidences de ces deux systèmes sur les formes de pensée : parce qu'elle dissocie le signe et la chose pensée, l'écriture alphabétique suggère qu'il existe au-delà des signes visibles un domaine des idées, un monde d'identités abstraites que nos sens ne peuvent atteindre, mais que notre esprit peut concevoir. Elle invite à se représenter comme une ascension vers la vérité le passage des sons aux mots, des mots aux pensées, des pensées aux idées en soi. Associant au contraire étroitement le signe et la chose pensée, l'écriture chinoise fait plutôt concevoir le signe comme une pensée et la pensée comme un signe, ou le signe comme une chose perçue et la chose perçue comme un signe. Elle incite moins à chercher derrière les signes visibles des réalités abstraites qu'à étudier les relations, les configurations, les récurrences de phénomènes qui sont des signes et de signes qui sont des phénomènes, à s'interroger sur la dynamique de leurs apparitions et de leurs disparitions. Elle engage la réflexion dans des voies différentes des nôtres, mais tout aussi fécondes.

Pour faire correspondre un caractère à chaque mot, il a fallu créer des milliers, voire des dizaines de milliers de caractères. Ce qui est remarquable, c'est que les Chinois n'ont pas seulement su créer un vocabulaire graphique d'une pareille richesse, mais qu'ils ont su faire en sorte qu'il reste assimilable, c'est-à-dire qu'il n'exige pas de la mémoire un effort démesuré. Ils y sont parvenus grâce à la combinaison souple de plusieurs procédés. Xu Shen 许慎 (30-124, Han or.), auteur du *Shuowen jiezi* 说文解字 [1], le premier grand dictionnaire étymologique de l'écriture chinoise, en a distingué six d'après lesquels on a pris l'habitude de classer les caractères en six catégories :

1. Ce titre signifie littéralement : "Explication (*shuo*) des caractères primitifs (*wen*) et analyse (*jie*) des caractères dérivés (*zi*)". Xu Shen donne l'étymologie graphique et la signification de 9353 caractères et mentionne 1163 variantes. Son dictionnaire constitue depuis deux mille ans une référence obligée. Les critiques, les commentaires, les compléments qui lui ont été ajoutés au cours des siècles forment une littérature considérable et les spécialistes actuels de l'histoire de l'écriture continuent d'y puiser, même lorsqu'ils n'en acceptent pas les analyses. Sur cet ouvrage fondamental et sur la place qu'il occupe dans l'histoire de la pensée chinoise, voir Marc Winter, *"… und Cang Jie erfand die Schrift"*, *Ein Handbuch für den Gebrauch des Shuo Wen Jie Zi*, Bern, Peter Lang, 1998.

Su Chen
*Chouo-wen tsié-tseu*

1. Ceux de la première catégorie sont appelés *xiangxingzi* 象形字, "caractères représentant la forme extérieure". Ce sont des dessins simplifiés d'objets ou de phénomènes naturels devenus signes conventionnels, autrement dit des *pictogrammes* [1]. Ils forment le fond le plus ancien de l'écriture chinoise et n'ont jamais existé qu'en nombre restreint. Xu Shen en mentionne 364, qui sont conservés pour la plupart dans l'écriture actuelle. Leur forme première a été plus ou moins modifiée par l'évolution des techniques d'écriture et par les standardisations stylistiques intervenues successivement au cours de l'histoire, de sorte que certains sont devenus méconnaissables. Voici à titre d'exemple l'homme (au sens générique) (a), la femme (b), l'enfant (c), la bouche (d), le soleil (e), la lune (f), la montagne (g), la rivière (h), l'eau (i), la pluie (j), le bambou (k), l'arbre (1), l'oiseau à courte queue (m). Chaque caractère est donné dans sa forme archaïque, dans une forme stylisée ancienne (sigillaire) et dans sa forme régulière actuelle :

*siang-sing-tseu*

1. Il n'y a pas de dénominations uniformément acceptées en français pour ces six catégories. J'ai adopté ici celles qui m'ont paru les plus simples et les plus immédiatement intelligibles.

|   |   |   |   |   |   |   |   |   |   |   |   |   |
|---|---|---|---|---|---|---|---|---|---|---|---|---|
| 人 | 女 | 子 | 口 | 日 | 月 | 山 | 川 | 水 | 雨 | 竹 | 木 | 佳 |
| a | b | c | d | e | f | g | h | i | j | k | l | m |

Ces pictogrammes sont simples, d'autres le sont moins. Il faut dix traits [2] pour écrire le cheval (a), onze pour le poisson (b) et l'oiseau (c), seize pour le dragon (d), dix-sept pour la tortue (e). Lors de la réforme de l'écriture de 1956, leur forme a été simplifiée, le nombre des traits a été réduit et ce qui restait de la représentation visuelle a été sacrifié à la rapidité d'exécution. On voit à droite leur forme archaïque, leur forme stylisée ancienne, leur forme régulière classique et, en bas, leur forme simplifiée récente.

2. Dans l'écriture régulière classique.

|   |   |   |   |   |
|---|---|---|---|---|
| 馬 | 魚 | 鳥 | 龍 | 龜 |
| a | b | c | d | e |
| 马 | 鱼 | 鸟 | 龙 | 龟 |

2. Les caractères de la deuxième catégorie sont appelés *zhishizi* 指事字, "caractères désignant un état de choses". Au lieu de représenter un objet, un être vivant ou un phénomène naturel, ils expriment une idée plus abstraite. Ces *idéogrammes simples* font également partie du fond le plus ancien. Xu Shen en mentionne 125, qui sont pour la plupart conservés dans l'écriture actuelle. En voici des exemples, qui signifient un (a), deux (b), trois (c), dessus (d), dessous (e), l'origine (f), l'extrémité, la fin (g). Les deux derniers caractères sont des dérivés de 木, l'arbre : un trait a été ajouté en bas pour désigner la racine (f), d'où l'idée d'"origine", et en haut pour désigner la cime (g), d'où l'idée de "fin".

一　二　三　上　下　本　末
a　　b　　c　　d　　e　　f　　g

Aujourd'hui la distinction entre idéogrammes simples et pictogrammes paraît problématique car, tout compte fait, les idéogrammes simples comportent un élément visuel (emprunté à la forme ou à la position d'objets) tout comme les pictogrammes, tandis que les pictogrammes renvoient à une *idée* au même titre que les idéogrammes. L'ambiguïté apparaît dans le cas du pictogramme archaïque 彳, par exemple, qui représente un carrefour, mais signifie "cheminer", "marcher" (il s'écrit aujourd'hui 行), ou dans le cas du pictogramme 止, qui représente un pied, mais signifie "s'arrêter" : s'agit-il d'images concrètes ou de signes abstraits ? Les caractères 日 et 月 sont des pictogrammes lorsqu'ils signifient "soleil" et "lune", mais le sont-ils encore lorsqu'ils sont pris dans le sens dérivé de "jour" et de "mois" ? Il s'agit heureusement là d'une difficulté toute théorique, qui n'empêche nullement ces catégories de remplir leur fonction pratique. Notons que Xu Shen place les idéogrammes simples en tête de son classement et les pictogrammes en deuxième position.

3. La troisième catégorie est celle des *huiyizi* 会意字, "caractères produits par rencontre de deux significations". Nous les appellerons *idéogrammes composés*, car ils sont produits par la combinaison de deux caractères simples des catégories 1 et 2 : leur signification est suggérée par l'association de deux idées.

Ce procédé, qui a été appliqué dès la période la plus ancienne, a permis d'augmenter considérablement le nombre des caractères sans accroître celui des éléments de base et donc sans demander d'effort supplémentaire à la mémoire visuelle. Xu Shen en répertorie 1168. En voici quelques-uns : deux arbres (a) représentent *lin* "la forêt" ; trois arbres (b) représentent *sen* "forêt dense" ou "forêt vierge" ; le soleil se levant derrière un arbre (c) représente *dong* "l'est" ; un oiseau sur un arbre (d) représente *ji* "se rassembler" ; une main au-dessus d'un arbre (e) représente *cai* "cueillir" ; un homme à côté d'un arbre (f) représente *xiu* "se reposer" ; le feu sous deux arbres, c'est-à-dire sous du bois (g), représente *fen* "brûler" :

林 森 東 集 采 休 焚
a   b   c   d   e   f   g

*tsi*

*ts'ai, siô*

Voici d'autres exemples : la céréale et le feu (a) représentent *qiu* "l'automne", saison où rougeoient les champs mûrs ; le soleil et la lune (h) représentent *ming* "la lumière" ; une femme et un enfant (c) représentent *hao* "aimer" ; un enfant sous un toit (d) représente *zi* "enfanter" ; un enfant et un melon (e), c'est-à-dire un enfant posé par terre comme un melon, représentent *gu* "l'orphelin" ; un oiseau au-dessus d'une montagne (f) représente *dao* "l'île" ; deux oiseaux à courte queue perchés sur un support (g) représentent *shuang* "la paire" :

*ts'iô*

*tseu*

*kou*

秋 明 好 字 孤 島 雙 爨
a   b   c   d   e   f   g   h

Le caractère (h) se prononce *cuan* et signifie "cuire", "préparer à manger" : il représente, du haut en bas, des mains qui tiennent une marmite, le haut du fourneau, un tas de bois, une grille sur laquelle tient le bois, puis le feu ; il faut 30 traits pour l'écrire. Il est classé parmi les idéogrammes composés, mais pourrait aussi être considéré comme un pictogramme.

*ts'ouan*

4. Les trois premiers procédés de formation des caractères offraient des ressources restreintes. Si l'on avait indéfiniment

augmenté le nombre des caractères simples, cela eût fini par exiger de la mémoire un effort trop grand. Leur nombre devant rester limité, le nombre des combinaisons possibles le restait aussi. Le procédé de l'association d'idées ne pouvait en outre s'appliquer dans tous les cas. Si l'écriture chinoise a pu franchir ces premières limites, c'est grâce à l'introduction d'un nouveau type de caractère composé, le *xingshengzi* 形声字, "caractère à forme et à son" ou *idéo-phonogramme*. Ce caractère est composé d'un élément pictographique simple donnant une indication de sens et d'un caractère préexistant (simple ou déjà composé, peu importe) pris pour sa valeur phonétique et fournissant une indication de son. Les caractères *rong* "banian", *song* "pin" et *huai* "sophora", cités plus haut, en étaient des exemples [1]. Ce procédé a permis de multiplier rapidement le nombre des caractères sans recourir à aucun élément graphique nouveau et de former des milliers de composés facilement assimilables. Cette extension du vocabulaire écrit s'est faite au cours de l'Antiquité chinoise et s'est achevée pour l'essentiel au début de notre ère. Depuis lors, plus des neuf dixièmes des caractères en usage sont de ce type.

L'écriture chinoise a atteint son plein développement au début de l'ère chrétienne et n'a plus changé ensuite. L'exécution des caractères a varié dans le détail, leur forme a évolué, certains sont tombés en désuétude, quelques composés nouveaux ont été formés, mais le système n'a plus été modifié [2].

sing-cheng-tseu

1. La formation des idéo-phonogrammes s'est faite en deux étapes dans la plupart des cas : un mot pour lequel il n'existait pas encore de caractère a d'abord été noté au moyen d'un caractère homophone, puis une clé lui a été adjointe pour distinguer l'emploi second de l'emploi premier. Ainsi le caractère 容, par exemple, qui se prononçait *rong* et signifiait "contenir", a-t-il servi, faute de mieux, à noter *rong*, le "banian". Plus tard, la clé de l'arbre lui a été adjointe (榕) dans les cas où il signifiait "banian" pour éviter toute confusion.

2. La fixation de l'écriture au début de notre ère n'a nullement arrêté l'évolution de la langue : le sens des mots et leur prononciation ont continué à évoluer comme dans les autres langues. La prononciation se modifiant, les indications phonétiques contenues dans les idéo-phonogrammes ont souvent perdu de leur valeur, mais sans se déprécier tout à fait. Cependant, n'étant pas affectée par l'évolution linguistique, l'écriture a donné à l'histoire de la langue chinoise une continuité particulière. En Europe, une langue qui avait évolué devait tôt ou tard être notée d'une manière nouvelle et le passage à la notation nouvelle provoquait une rupture : le bas latin n'est plus le latin classique, le français n'est plus le bas latin. Aucune cassure de ce genre ne s'est produite en Chine. Les Chinois peuvent lire, dans une écriture soustraite pour l'essentiel aux vicissitudes de l'histoire, une littérature s'étendant sur près de trois millénaires. Ils n'ont pas besoin d'apprendre de langues anciennes pour remonter aux sources de leur civilisation. La difficulté qu'ils rencontrent est autre : elle tient à la richesse de sens que les mots ont acquis au cours de leur longue histoire, à l'accrétion d'un nombre

La réforme de l'écriture promulguée en République populaire de Chine a simplifié la graphie d'une partie des caractères, mais n'a pas touché aux fondements du système [1].

La multiplication des idéo-phonogrammes a permis de mettre au point un système commode de classement des caractères, qui consiste à réunir sous une même rubrique ceux qui ont en commun le même élément pictographique – l'élément de l'arbre par exemple – et à les classer ensuite selon le nombre des traits qui s'ajoutent à l'élément classificateur. Ce système est moins précis que le classement alphabétique, mais fonctionne de manière satisfaisante en pratique [2]. Les dictionnaires récents notent la prononciation des caractères en alphabet latin et adoptent l'ordre alphabétique dans le corps de l'ouvrage, mais ajoutent un index de type traditionnel pour permettre au lecteur de retrouver les caractères dont il ne connaît pas la prononciation.

Les idéo-phonogrammes paraissent beaucoup plus compliqués au néophyte qu'ils ne le sont en réalité. Cela tient à ce que leur partie phonétique est souvent un caractère composé lui-même de deux ou trois caractères plus simples. Que le lecteur veuille bien tourner la page. Là où le débutant voit trois ou quatre caractères ou plus (à gauche), le lecteur habitué n'en voit que deux (à droite) : la clé d'une part (en noir) et l'élément phonétique de l'autre (en gris), qu'il perçoit comme un signe indiquant une prononciation.

parfois très élevé d'acceptions et au risque, par conséquent, de commettre des anachronismes dans l'interprétation des textes.

1. Les dirigeants chinois attendaient de cette réforme une démocratisation de l'éducation, certains y voyaient même une première étape vers l'abolition des caractères et leur remplacement final par l'écriture alphabétique. Il n'est plus question de cette abolition aujourd'hui et si la réforme, réalisée par étapes à partir de 1956, n'est pas remise en question, ses résultats font cependant l'objet d'appréciations critiques. Plus faciles à écrire, les caractères simplifiés ne sont pas nécessairement plus faciles à reconnaître. Une grande partie de l'information étymologique contenue dans les formes anciennes ayant été sacrifiée, leur mémorisation est plutôt devenue plus difficile. La lecture des livres et d'autres documents en caractères non simplifiés est maintenant l'apanage du petit nombre, ce qui est contraire aux intentions initiales des réformateurs. Le fait est d'autant plus fâcheux que, pour éviter certaines ambiguïtés, on réimprime de plus en plus les textes classiques en caractères non simplifiés. À l'heure de l'ouverture sur le monde extérieur, les caractères simplifiés forment en outre un obstacle à la communication avec les communautés chinoises d'outre-mer et le Japon.

2. Xu Shen, qui semble avoir inventé ce système, a établi une liste de 540 éléments classificateurs. Elle a été remplacée au XVIIe siècle par une liste réduite de 214 éléments qui est restée en usage jusqu'à nos jours. Ces "clés" sont présentées dans un premier tableau, classées selon le nombre de leurs traits. En regard de chacune d'elles figure un renvoi à la rubrique correspondante de l'index des caractères, par exemple à la rubrique de tous les caractères comportant la clé de l'arbre. On trouve dans cette rubrique une liste de plusieurs dizaines ou de plusieurs centaines de caractères, selon les cas, classés cette fois-ci d'après le nombre des traits qui s'ajoutent à la clé. On parcourt cette liste pour repérer le caractère recherché et l'on trouve, en regard, un renvoi à la page du dictionnaire. Cette recherche en deux temps peut sembler compliquée, mais elle permet à une personne entraînée de toucher presque aussi rapidement au but que dans nos dictionnaires.

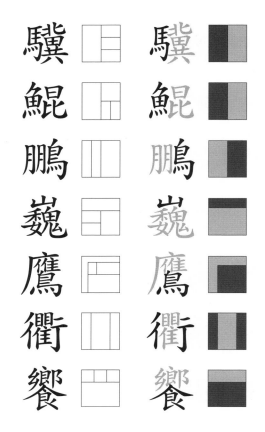

Les caractères appartiennent tous à l'une ou l'autre des quatre catégories que nous venons de passer en revue. Les deux dernières, qui sont de moindre importance, n'apportent pas de nouveaux procédés de composition, mais deux procédés de dérivation :

*tsia-tsié-tseu* 5. On est en présence d'un *jiajiezi* 假借字, "caractère emprunté", c'est-à-dire d'un emprunt, lorsqu'un même caractère est utilisé pour noter deux mots homophones qui n'ont aucun rapport entre eux du point de vue du sens. Ainsi le caractère du haut, sur la page de droite, qui désignait le scorpion, *wan*, a-t-il servi à noter le nombre "dix mille", qui se prononçait aussi *wan*, et le

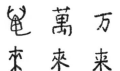 caractère du bas, qui désignait le blé, *lai*, a-t-il servi à noter le verbe "venir", également prononcé *lai*. De gauche à droite, la forme archaïque, la forme classique et la forme simplifiée actuelle des deux caractères. Par la suite, le mot *wan* "scorpion" est tombé en désuétude et le caractère n'a plus servi qu'à noter "dix mille". *Lai* "blé" est sorti de l'usage, de sorte que le caractère n'est plus utilisé aujourd'hui que pour noter "venir".

6. On est en présence d'un *zhuanzhu* 转注, "glose réciproque", autrement dit d'un doublet, lorsque deux caractères dérivent d'un même caractère plus ancien et gardent des acceptions voisines. Le caractère *lao* "vieux", à gauche, et le caractère *kao* "défunt", à droite, proviennent d'un caractère archaïque représentant un vieillard chenu appuyé sur une béquille. Ce sont des doublets  graphiques comme "hôtel" et "hôpital", qui proviennent tous deux du latin *hospitalis*, sont des doublets phonétiques. Il peut y avoir aussi des triplets ou des quadruplets.

*tchouan-tchou*

Dans son principe, l'écriture chinoise est donc un art combinatoire qui permet de tirer d'un nombre limité d'éléments premiers un nombre virtuellement illimité de composés, du fait que les combinaisons sont formées selon deux procédés combinables entre eux et que tout composé peut à son tour servir d'élément dans un composé plus complexe. Cette combinatoire merveilleusement souple n'a pas été conçue d'un coup pour satisfaire quelque esprit de système, mais développée progressivement pour résoudre les problèmes pratiques de la notation de la langue. Chaque mot pouvait être envisagé du point de vue de sa signification ou du son, ou des deux à la fois, et noté de différentes manières dans chacun de ces cas, de sorte que tout caractère est à la fois une création rationnelle et une création arbitraire : la combinaison retenue a sa raison d'être, mais d'autres étaient possibles. Même dans le cas des caractères les plus simples, une certaine représentation de l'objet ou du phénomène a été adoptée, mais d'autres pouvaient l'être aussi.

1. Il a été maintenu au cours de l'histoire : les lexicographes et les fonctionnaires chargés de réglementer l'usage ont réduit la part de l'arbitraire en condamnant les formes aberrantes et en remaniant les caractères difficiles à classer. Mais l'arbitraire s'est d'autre part accru du fait de l'évolution de l'écriture, qui a souvent brouillé l'évidence étymologique, et des modifications de la prononciation qui ôtaient une partie de leur pertinence aux éléments phonétiques.

2. Le *Grand Dictionnaire des caractères chinois, Hanyu da zidian,* 汉语大字典 (Chengdu / Wuhan, 1990) recense plus de 60 000 caractères, mais ce chiffre n'a aucune valeur pratique, car beaucoup sont rarissimes ou désuets, ou de simples variantes graphiques. À l'époque de mes études à Pékin, dans les années soixante, les spécialistes parlaient de 6300 caractères d'usage courant, de 2400 caractères d'usage fréquent et de 560 caractères de base. Les 6300 caractères d'usage courant étaient ceux que tout typographe avait dans sa casse et qu'un esprit cultivé reconnaissait à la lecture. Les 2400 caractères d'usage fréquent étaient ceux qu'un Chinois utilisait

Cet équilibre entre le rationnel et l'arbitraire est un trait essentiel de cette écriture [1]. Du fait qu'il est constitué d'éléments familiers, assemblés pour une raison plus ou moins évidente, chaque composé apparaît lié à un système plus vaste. Simple ou composé, chaque caractère résulte en même temps d'un choix qui a quelque chose d'irréductible et fait que le caractère s'impose poétiquement : "Je suis comme cela, semble-t-il dire, ne cherchez pas plus loin." Sans cet équilibre, cette écriture n'eût pas été viable. Jamais personne ne serait parvenu à mémoriser des milliers de caractères s'ils formaient un bric-à-brac absolument disparate, dans lequel rien n'était apparenté à rien, ou au contraire un système de formes abstraites déduites les unes des autres selon une logique uniforme et sans faille [2].

Ce système explique les qualités les plus remarquables de l'écriture chinoise. L'individualité si marquée des caractères tient à l'arbitraire qui a présidé à leur création tandis que la variété et la complexité des formes résultent du principe combinatoire [3]. Ces qualités sont celles qu'il faut respecter et maîtriser pour rendre l'écriture lisible : il faut que chaque caractère soit immédiatement reconnaissable et s'affirme pour cela dans son individualité, mais qu'il ne résulte pas de là une diversité trop grande, qui menacerait la clarté et la continuité du texte.

couramment lorsqu'il avait bénéficié d'une scolarité complète et qu'il avait gardé l'habitude d'écrire ; ils permettaient de couvrir 99 % de ce qui s'imprimait en Chine, certaines publications techniques ou scientifiques mises à part. Ce pourcentage élevé s'explique par le fait qu'une grande partie du vocabulaire usuel est faite de mots composés produits par combinaison de deux ou plusieurs monosyllabes, et donc notés par une suite de deux ou plusieurs caractères. On a constaté qu'il suffisait de 3730 caractères pour noter les 44 300 mots les plus fréquents. Les 560 caractères de base, enfin, constituaient le vocabulaire écrit considéré

comme indispensable à tout citoyen adulte dans la vie quotidienne. Il permettait de noter un grand nombre de mots composés. Je n'ai pas pu me procurer les chiffres actuels. Il semble qu'on parle de 3500 caractères fréquents (au lieu de 2400), de 3000 caractères moins fréquents (mais utiles) et de 5000 caractères rares (mais tout de même en usage).

3. Beaucoup de composés comptent entre vingt et trente traits, certains plus de trente. Cependant, toutes catégories confondues, ce sont les caractères de dix, onze et douze traits qui sont les plus nombreux.

CET équilibre n'est pas facile à trouver. Lorsqu'elle est mal maîtrisée, l'écriture chinoise est en effet menacée par deux formes
de désordre : la confusion et la discontinuité.

La confusion se produit quand les caractères composés se
désagrègent, se mêlent entre eux et perdent leur identité. Ils peuvent se disloquer tout en restant alignés : les composés se défont,
leurs composants reprennent leur autonomie ou s'accolent aux
caractères voisins. Ce genre de confusion, fréquent au début de l'apprentissage, produit des phrases incompréhensibles, parsemées de composés inconnus. La phrase (a), de six caractères *nühaizi hao congming*, signifie "les fillettes sont

malines". Si les composés se désagrègent, il en résulte une suite (b) de dix caractères simples qui ont tous une prononciation et une signification mais qui, associés de la sorte, n'ont pas de sens intelligible. S'ils sont regroupés arbitrairement comme en (c), il en résulte deux composés inconnus. L'identité des caractères se perd évidemment aussi lorsqu'ils forment une masse trop compacte (d).

Un autre genre de confusion se produit à droite, quand l'alignement disparaît à son tour, que les composants dérivent en tous sens et flottent dans des positions indécises. Le texte se défait dans l'espace et cesse d'être lisible. C'est ce qui arrive à la phrase qu'on voit se désagréger, *lingshan you yi xiaolong*, à droite : "il y a un petit dragon dans la montagne enchantée". On ne sait plus, à la fin, combien de caractères on a sous les yeux. L'arrimage des signes écrits à la parole a cédé. Il ne reste que de l'écriture dissoute, une nébuleuse de signes démembrés.

Le moyen d'éviter ces différentes formes de confusion est évidemment de conférer à chaque caractère une unité distincte immédiatement identifiable dans la chaîne écrite. Mais il faut aussi que cette chaîne soit régulière et continue, de manière à ce que la lecture se fasse sans heurt. La difficulté est de créer une suite régulière avec des caractères très dissemblables. Que l'on mesure le contraste entre la simplicité des premiers caractères et la complexité des trois derniers :

一 二 三 人 也 共 不 鬱 龜 驤

De tels écarts dépassent de loin ceux de notre alphabet, qui ne vont pas au-delà de la différence entre un *i* et un *m*. Pour créer un effet de continuité à partir de formes aussi variées, la première idée pourrait être d'imposer à tous les caractères un même gabarit, comme ceci (*bu ying ye bu shu* "on ne gagne ni ne perd") :

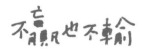

mais cela ne fait qu'accentuer les contrastes. On pourrait imaginer de répartir également l'espacement intérieur, sans tenir compte des différences de grandeur qui en résultent :

mais l'effet n'est pas satisfaisant non plus ; une certaine continuité de texture est créée, mais les différences de taille sont gênantes et l'enchaînement régulier des caractères, qui devrait être l'équivalent visible de l'enchaînement des syllabes, ne s'impose pas avec l'évidence nécessaire.

Le fait est qu'il n'y a pas de solution simple et que, pour éviter à la fois la confusion et la discontinuité, il faut créer des formes qu'aucune règle ne saurait définir d'avance et une fois pour toutes. Pour maîtriser le foisonnement des caractères et produire un texte ordonné, qui se lise aisément, il est nécessaire de satisfaire à deux exigences simultanées : il faut conférer à chaque caractère une unité propre immédiatement identifiable, afin d'éviter toute forme de confusion, et doter en même temps chaque caractère de propriétés qui fassent de lui l'élément d'une chaîne continue, de manière à prévenir tout effet de discontinuité. Ces deux exigences sont à la fois complémentaires et contradictoires. La première veut que le caractère soit aussi indépendant que possible du contexte, la seconde qu'il s'y intègre autant qu'il est possible. La première requiert qu'il affirme son autonomie et sa singularité, la seconde qu'il contribue à créer au-delà de lui-même, de concert avec les autres caractères, une continuité qui les dépasse et les englobe. L'une est une exigence d'autonomie, l'autre une exigence d'intégration à l'ensemble. Nous allons voir que toute l'esthétique de l'écriture chinoise naît de cette tension féconde.

L'importance de cet équilibre se manifeste à l'évidence dans les écritures où il n'est pas réalisé. Le lecteur va voir à la page suivante une page de cahier d'un écolier de cinq ou six ans. Les caractères mal dégrossis suggèrent une bousculade, un vaste chahut plutôt que la continuité d'un texte. L'enfant n'est pas encore parvenu à leur faire produire un effet d'ensemble. À titre de comparaison, un extrait de la copie d'examen d'un étudiant de lettres. L'habitude de l'écriture a créé une forte continuité, mais la lecture est malaisée parce que l'individualité des caractères disparaît dans la masse. Tandis que la discontinuité règne dans le premier cas, nous sommes proches de la confusion dans le second. Le troisième document, à droite, montre une écriture équilibrée, dans laquelle l'autonomie du caractère et la continuité du texte se contrebalancent. Il s'agit d'une lettre écrite au pinceau par la main sûre d'un calligraphe.

On objectera que les écritures alphabétiques doivent aussi être faites de lettres assez distinctes pour être immédiatement identifiables et suffisamment accordées entre elles pour produire un texte continu. Le principe est le même, en effet, mais

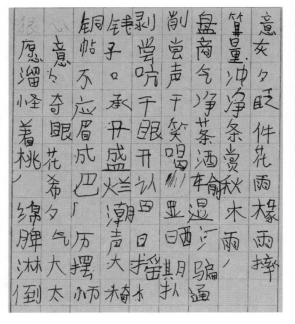

EXERCICE D'ÉCOLIER, à gauche.
Ci-dessus, notes d'un étudiant.
À droite, lettre adressée à l'auteur
par un ami calligraphe, exécutée
rapidement, sans souci de style,
mais d'une main sûre.

son application est beaucoup plus simple : il suffit que chaque lettre se distingue des vingt-cinq autres lettres alors que chaque caractère doit pouvoir être identifié du premier coup d'œil parmi plusieurs milliers. Pour assurer la continuité d'une écriture alphabétique, il suffit de régulariser l'espacement, la largeur et la hauteur des lettres ainsi que l'inclinaison des axes. Dans l'écriture chinoise, par contre, la régularité géométrique ne suffit à garantir ni la cohérence interne des caractères, ni la continuité du texte, et doit donc faire place à des procédés plus complexes. La tension engendrée par les deux exigences contraires y est incomparablement plus forte que dans nos écritures. Parce qu'elle y rend à la fois plus nécessaire et plus délicate la recherche de la forme juste, elle est aussi beaucoup plus féconde.

Dans l'écriture chinoise, en un mot, l'esprit de géométrie doit faire place à l'esprit de finesse. Nous allons voir dans les chapitres 2 et 3 quels sont les procédés de l'esprit de finesse et comment il opère.

畢来德先生阁下：炎夏有幸在北京与你们

全家相聚，十分高與。然而我這呢主僅以西瓜

與苦瓜相待，雖然客人能与主人同甘共苦可

我继以招待不用而深感抱歉。若蒙不弃，年後

请再臨寒舍共甘苦。惠贈法帖，早已收到，

屡次為我破鈔费事，顺不知如何感谢為好。因

事忙，回待及時復信（僅托李惜君特告）失禮

之至，诚乞恕谅。新春将至，邮上中國掛曆一

份，以表日思遠朋之情，顺颂

　闔家康樂

　　　　永龍敦上 廿首

EXTRAIT DU *SHOGEN* (p. 1487), dictionnaire montrant comment les caractères ont été exécutés au cours des siècles. À partir du haut à droite, on voit le caractère *yu* "pluie" écrit en régulière, en courante et en cursive, puis en chancellerie, en petite et en grande sigillaire. La source est chaque fois indiquée, ainsi que le nom du calligraphe quand il est connu. Les grands genres de l'écriture seront présentés au chapitre 3. Sur le *SHOGEN*, voir p. 393.

## II. L'AGENCEMENT DES CARACTÈRES

LES deux parties principales de la technique calligraphique sont la manœuvre du pinceau et l'agencement des caractères. Les manuels chinois les présentent généralement dans cet ordre, qui se justifie du point de vue pratique puisqu'il faut savoir manier un pinceau pour pouvoir tracer un caractère et songer à bien l'agencer. Je préfère pourtant l'inverser car, du point de vue de l'élaboration des formes, l'agencement précède : il représente le gros œuvre, la manœuvre du pinceau, le façonnage.

Les Chinois appellent l'agencement *jiezi* 结字, "former le caractère", ou *jieti* 结体, "former le corps" du caractère. Ces *tsié-t'i* termes sont plus expressifs que ne le suggèrent leurs traductions françaises, car *jie* est un verbe riche de sens qui signifie d'abord *tsié* "nouer", "relier" ou, plus généralement, "produire une organisation serrée et résistante" ; il peut aussi, selon les cas, signifier "prendre forme", "se former", en parlant d'un fruit par exemple, ou "nouer" une relation, "contracter" une alliance. Les Chinois utilisent aussi l'expression *jianjia* 间架, "espacer et charpenter", *tsien-tsia* pour désigner l'art de charpenter solidement les caractères en proportionnant bien leurs espacements intérieurs. Ces trois expressions sont anciennes et pratiquement synonymes. *Jiegou* *tsié-kô* 结构, "structure", " composition ", est un terme plus récent.

tsié-tseu<br>
tsié-t'i<br>
<br>
tsié<br>
<br>
<br>
<br>
<br>
<br>
tsien-tsia<br>
<br>
tsié-kô

### PROCÉDÉS

L'AGENCEMENT a pour fin principale d'assurer la cohérence du caractère, et donc son autonomie. Mais cette autonomie est garantie en premier lieu par deux procédés simples et d'application constante : le premier consiste à inscrire uniformément chaque caractère dans un carré ou un rectangle d'égale grandeur, imaginaire ou effectivement tracé sur la feuille, le second à centrer chaque caractère au milieu de ce carré. L'agencement vient compléter et renforcer l'effet obtenu.

Chaque caractère est placé dans un carré ou un rectangle d'égale grandeur, quelles que soient sa forme et ses dimensions. Les écoliers ont des cahiers divisés en grands carrés rouges ou verts dans lesquels ils tracent en noir leurs premiers caractères. Ils ont ensuite des carrés plus petits, comme ceux que l'on voit à la page 32. Les adultes utilisent fréquemment des feuilles qui ne sont pas quadrillées à la manière occidentale, mais couvertes de suites horizontales ou verticales de petits carrés séparées par des interlignes blancs. Lorsqu'ils se servent de papier ligné ou de feuilles blanches, ils continuent à placer les caractères dans des carrés imaginaires de dimension à peu près constante. Les calligraphes font de même tout en prenant certaines libertés avec la règle, plus ou moins grandes selon le genre qu'ils pratiquent.

C'est évidemment ce principe de base qui permet d'écrire indifféremment le chinois en lignes verticales ou horizontales : les carrés dans lesquels s'inscrivent les caractères peuvent être juxtaposés sans inconvénient dans les deux sens. Traditionnellement le chinois s'est toujours écrit de haut en bas, en colonnes se succédant de la droite vers la gauche. Cette disposition a été adoptée dès l'origine et a prévalu jusque dans un passé récent. Les manuscrits anciens, montés en rouleau, se parcouraient de droite à gauche. Les livres commençaient là où les nôtres finissent et se feuilletaient à l'envers. À Hong Kong, à Taiwan et parmi les Chinois d'outre-mer, cet usage se maintient, mais on a progressivement adopté en Chine populaire la ligne horizontale, lue de gauche à droite comme la nôtre. Les lignes étant plus courtes, le saut d'une ligne à l'autre se fait de manière plus sûre. Dans les livres anciens, gravés en grands caractères, l'œil ne se trompait pas, mais il lui arrive de s'égarer dans la typographie moderne, qui utilise souvent de très petits corps. En Chine populaire, les publications d'usage courant sont désormais imprimées en lignes horizontales et se feuillettent comme les nôtres. Seuls les textes anciens et certains ouvrages d'érudition continuent à être imprimés en colonnes. Dans la mise en page des journaux, les typographes combinent avec bonheur les deux ordres. Cette double pratique présente tout de même un inconvénient : une inscription horizontale se lit traditionnellement de droite à gauche, mais de gauche à droite si elle obéit au principe de la typographie nouvelle. Cela veut dire qu'une enseigne horizontale, par exemple, se lit de droite à gauche à Hong Kong et Taiwan, mais de gauche à droite en Chine populaire.

Cependant, en Chine populaire comme ailleurs, la verticale reste de règle en calligraphie. Cela s'explique sans doute par le fait que les œuvres du passé dont s'inspirent les calligraphes sont toutes écrites ainsi et, plus profondément, par la valeur expressive qui est inhérente à la verticale : il y a entre la colonne écrite et l'homme qui se tient face à elle une équivalence que le calligraphe ne peut rompre sans priver son art de l'un de ses ressorts essentiels. Lorsque le calligraphe aligne quelques grands caractères à l'horizontale, il va normalement de droite à gauche, dans le sens traditionnel. En Chine populaire, cependant, s'il s'agit d'une inscription destinée à orner un bâtiment, par exemple, il les calligraphiera de gauche à droite.

À la différence des caractères chinois, qui gardent chacun son indépendance parce qu'il est casé dans son carré visible ou imaginaire, les lettres latines sont enchaînées les unes aux autres. Elles forment de petites cohortes qui défilent devant nos yeux et se présentent donc de profil – moins dans le romain peut-être, dont les lettres font face dans une certaine mesure, mais de manière manifeste dans l'italique et particulièrement dans l'italique lié. Claudel a raison de noter que "la lettre chinoise est vue de face, la lettre latine est vue de profil"[1]. Le caractère chinois semble dévisager, immobile, le spectateur arrêté devant lui. Il paraît d'autant plus centré sur lui-même que son axe est toujours d'aplomb. Alors que l'inclinaison des verticales est habituelle dans nos écritures et qu'elle y paraît naturelle, conforme à la course incessante du discours, elle est ressentie comme une anomalie dans l'écriture chinoise dont l'esthétique repose sur le face à face immobile du signe et de celui qui le contemple[2].

Le deuxième procédé consiste à centrer chaque caractère, c'est-à-dire à faire coïncider son centre de gravité avec le milieu du carré où il est inscrit. Il en résulte un effet visuel différent de celui que produit notre alphabet : parce que nos lettres sont alignées, c'est-à-dire rangées sur une ligne réelle ou imaginaire, elles ont l'air d'objets posés sur un support horizontal,

1. *Journal*, Paris, Bibliothèque de la Pléiade, Gallimard, 1968, tome 1, p. 742.

2. On peut percevoir un rapport entre cette esthétique et celle des portraitistes chinois, qui ont presque toujours représenté leurs modèles de face. Les portraits peints par Chen Hongshou (1599-1652, fin des Ming) sont caractéristiques à cet égard. L'une de ses plus belles œuvres est reproduite plus loin, aux p. 223, 288-291.

et donc d'objets inanimés, cependant que les caractères chinois, parce qu'ils sont centrés, semblent se maintenir dans l'espace en vertu de leur propre énergie.

Pour apprendre à les centrer, on se sert traditionnellement de feuilles où sont imprimés des carrés subdivisés en neuf carrés plus petits ou des lignes rayonnant à partir du centre. On appelle les uns *mizige* 米字格, "carrés en caractère mi", par analogie avec le caractère *mi* 米 "le riz", et les autres *jiugongge* 九宮格, "carrés en neuf palais" :

*mi-tseu-ke*
*tsiô-kong-ke*

Exemples : *zu* "le pied" et *dan* "cinabre", exécuté en quatre traits.

L'élève a devant lui un modèle d'écriture manuscrit ou imprimé sur du papier de ce genre et le reproduit comme ci-dessus, en se servant de la grille pour repérer l'emplacement et les proportions de chaque élément. Lorsqu'il se met à reproduire le caractère d'un seul élan, la grille lui sert à le comparer après coup au modèle et à repérer les endroits par où pèche sa copie. Cet exercice développe en même temps sa capacité de situer le centre de gravité de chaque caractère et de le placer

Ts'i Kong

juste. Le calligraphe pékinois Qi Gong (1912-2005) a proposé une grille d'analyse différente, centrée sur quatre points au lieu d'un [1]. Elle donne une perception différente du champ de

*ts'i*

forces qui sous-tend le caractère (à droite, *qi* 氣 "le souffle", "l'énergie") et présente des avantages, mais ne rend pas de services plus importants que les autres. De toute manière, ces adjuvants ne

1. Voir *Shufa gailun*, publié sous sa direction, Pékin, Beijing Shifan daxue, 1986, p. 44-48.

sont utiles qu'au début de l'initiation.

L'inscription du caractère dans un carré et son centrage sont deux procédés nécessaires, mais qui n'assurent que les conditions extérieures de son autonomie. Pour que cette autonomie soit pleinement réalisée, il faut qu'elle procède du caractère lui-même, qu'elle soit un effet de son organisation interne. L'agencement est l'art de lui conférer une unité organique immédiatement perceptible. Tout comme l'organisme constitue un système complet, clos et indépendant du milieu ambiant dans le règne de la nature, le caractère doit constituer dans le domaine des formes un système complet, clos et indépendant de l'espace environnant. Il doit être l'équivalent d'un être vivant. Examinons quelques-uns des procédés mis en œuvre pour atteindre ce but.

Un premier consiste à donner autant que possible au caractère une définition extérieure simple – ronde, elliptique ou trapézoïdale par exemple. On confère aux éléments des proportions telles que les points saillants du caractère s'inscrivent dans cette figure, le dotant ainsi d'une silhouette unifiée et régulière.

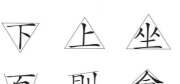

Un autre procédé consiste à modifier la forme de chaque élément de manière qu'il s'intègre à l'ensemble. Observons par exemple les modifications que subit l'élément de l'arbre dans différents composés. On voit la forme que le scripteur lui donne en fonction des éléments qui lui sont associés :

L'élément de l'arbre prend dans chaque cas une dimension et une forme différentes. Cette adaptation continuelle des parties au tout exige une attention soutenue au début de l'apprentissage, puis se fait plus facilement, voire même d'une manière quasiment automatique, du moins dans l'exécution des caractères d'usage fréquent. Mais quand se présente un caractère rare et de forme complexe, le scripteur le mieux entraîné doit à nouveau faire un effort d'attention. On conçoit que ce subtil équilibrage contribue grandement à donner à l'écriture chinoise les caractéristiques du vivant.

Voici encore, à titre d'exemple, deux séries de caractères simples et les mêmes en composition. Dans le premier des deux caractères composés, *ying* "la mallette", la clé du bambou (en noir) est associée à un phonétique *ying* (en gris) ; dans le second, *ying* "le perroquet", la clé de l'oiseau (en noir) est associée à une autre phonétique *ying* (en gris) :

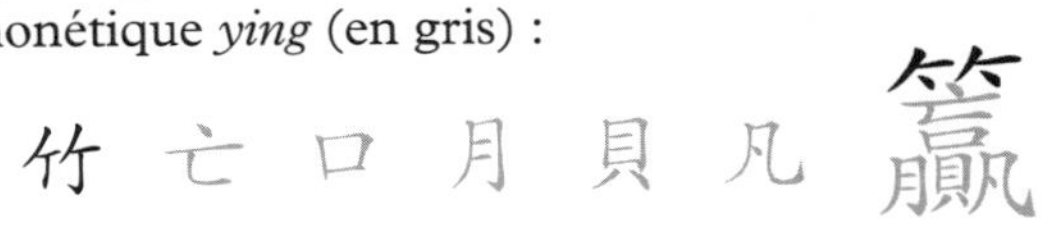

竹 亡 口 月 貝 凡 籯

貝 貝 女 鳥 鸚

Il convient d'autre part d'éviter toute géométrisation rigide pour ne pas faire apparaître le caractère comme la manifestation locale d'une structure répétitive plus étendue (rangée du haut). Le simple fait d'exécuter les verticales de manière rigoureusement verticale et d'incliner légèrement les horizontales suffit à introduire

目 口 田

mu　　kou　　tian

*mou* le jeu nécessaire (en bas). Exemple : le caractère *mu* "l'œil". Dans d'autres cas, on corrige en outre la rigueur géométrique de la forme en arrondissant légèrement les droites ou en les

*k'ô* faisant converger vers le bas : voir les caractères *kou* "bouche" et
*t'ien* *tian* "champ".

En répétant mécaniquement un même élément, comme certains caractères invitent à le faire (rangée du haut), on suggérerait la poursuite de cette

三 昌 品 林 竹

répétition au-delà des limites du caractère. Pour éviter cet effet, on varie la forme de l'élément répété ; on introduit une ou plusieurs dissymétries qui créent entre les parties une tension et, par voie de conséquence, une cohésion (en bas).

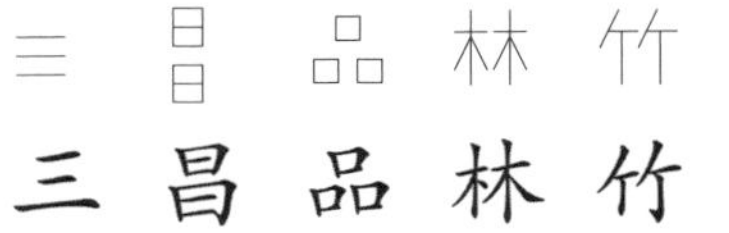

De manière générale, l'unité résulte de la hiérarchisation des éléments, autrement dit de leur inégalité. Dans les caractères en deux parties, on cultivera la dissymétrie : l'une sera plus grande que l'autre, ou légèrement décalée vers le haut ou le bas (voir à droite). Quand les caractères

吾 拜 却

comportent deux axes principaux, on développera l'un plus que l'autre. Dans le caractère *wo* 我 "moi" (sur la page de droite), par exemple, l'axe vertical de gauche, plus court, a la même fonction que la jambe de soutien dans la statuaire classique tandis que celui de droite, recourbé et plus développé, correspond à la jambe de jeu. La répétition est proscrite dans certains cas, mais pas dans tous : elle est un facteur d'ordre indispensable à l'intérieur de certains caractères complexes (ceux de gauche, ci-dessous) ou dans l'étagement régulier des horizontales (caractères de droite).

繼 纘    壽 臺 畫

Quand plusieurs lignes se rejoignent en un point, ce point aspire les énergies du caractère et le vide de sa substance. Au lieu d'un système clos doué d'une vie propre, nous n'avons plus sous les yeux qu'un lieu géométrique où se rejoignent des droites : voir, dans l'ordre, les caractères *ge* "pièce", *bu* "négation", *yi* "vête- *ke, pou, yi* / *mao, mou* ment", *mao* "lance", *mu* "arbre", tels qu'ils sont exécutés dans la rangée supérieure. Pour éviter cette déperdi- tion de substance, on désarticule le centre par de légers décrochements des lignes convergentes. Au lieu d'un point de fuite, ce centre devient le foyer d'énergies qui animent le caractère entier et lient ses parties. Le dynamisme émanant du centre est sensible dans les exécutions de la seconde rangée.

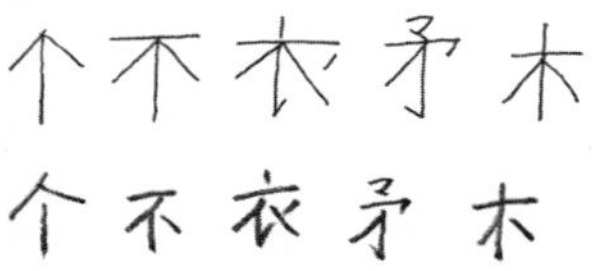

Les lignes confluentes entraînent une déperdition analogue : elles drainent vers l'extérieur les énergies qui devraient rester à l'intérieur du caractère et lui donner vie. Pour éviter cet écoulement, il faut que deux lignes qui forment un angle ne confluent pas, mais s'opposent comme les poutres d'une charpente. Aussi ne donne-t-on pas aux carac- tères *ge* "pièces", *ren* "homme", *mu* "arbre" et *ke, jen, mou* / *he* *he* "joindre", par exemple, la forme grêle qu'ils ont dans la rangée du haut, mais la forme solide et ramassée qu'ils ont dans celle du bas.

On prend également soin de ne pas donner un profil concave aux droites qui forment le cadre d'un caractère pour qu'elles ne confluent pas aux angles et ne laissent pas s'échapper l'énergie qu'elles ont mission de contenir ; on évite ainsi un profil efflanqué qui paraîtrait laid. En donnant au contraire à ces droites une forme légèrement convexe et au caractère un profil un rien rebondi, on suggère au contraire la plénitude, la sève, la santé :

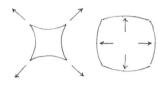

Il n'est pas nécessaire d'allonger l'énumération de ces procédés, car ils se ramènent finalement tous à un seul principe : il s'agit toujours d'écarter ceux qui affaiblissent l'indépendance du caractère et de conjuguer le plus grand nombre possible de ceux qui la renforcent. Il s'agit toujours de créer un jeu d'énergies qui agissent puissamment les unes sur les autres tout en se contenant réciproquement. Tel est le moyen de faire de chaque caractère l'équivalent d'un organisme vivant. Habité par une vie plus intense que le milieu ambiant, il s'en détache pour vivre de sa vie propre. Son degré d'autonomie dépend de la complexité que le calligraphe a su lui donner – non de sa complication, mais de l'équilibre entre les formes qui *ordonnent*, assurant la clarté, et celles qui *animent et relient*, conférant les qualités du vivant. Cet équilibre est subtil, même dans les caractères simples, parce qu'il résulte de la combinaison toujours changeante de symétries et de dissymétries, d'équilibres et de déséquilibres, de structures statiques et dynamiques, d'éléments dominants et subordonnés, de formes ouvertes et fermées, carrées et arrondies, continues et discontinues, denses et clairsemées, centripètes et centrifuges, etc. Par l'agencement, le calligraphe multiplie ainsi les contrastes et les correspondances internes. Nous verrons que le pinceau lui sert à en accroître encore le nombre et la finesse.

Les formes proscrites que j'ai passées en revue compromettent l'autonomie du caractère et réduisent par conséquent la lisibilité ; de plus, elles paraissent laides. De manière générale, il semble que le manque de cohérence et le défaut d'énergie déplaisent tandis que la cohérence et la plénitude d'énergie sont agréables. Si cette relation se confirme, cela signifiera que la lisibilité et la qualité esthétique ont partie liée et que les formes les plus lisibles sont aussi, dans une certaine mesure, celles qui nous paraissent les plus belles. Il faudra voir si nous ne tenons pas là l'un des critères de la beauté calligraphique.

Mais comment appliquer de cas en cas le principe général que nous venons de définir ? Comment combiner en pratique les divers procédés énumérés ? Les Chinois se sont efforcés depuis longtemps de formuler des règles qui puissent guider le débutant dans cette délicate entreprise. *Les Trente-six manières (Sanshiliu fa)* du calligraphe Ouyang Xun (557-641, Tang) sont le plus ancien recueil de règles connu [1]. Ce sont trente-six formules lapidaires suivies chacune d'un bref commentaire où sont donnés des exemples du type de caractère auquel la formule s'applique. *Les Quatre-vingt-quatre manières d'agencer les grands caractères (Dazi jiegou bashisi fa)* de Li Chun, lettré de la dynastie des Ming (1368-1644), sont le recueil le plus souvent reproduit de nos jours [2]. Voici à titre d'exemple quelques-unes des règles qu'il donne :

Ô-yang Sun

[1]. On les trouvera dans *Lidai*, p. 99-104. Il en existe plusieurs éditions commentées, notamment celle de Deng Sanmu, *Ouyang jieti sanshiliu fa quanshi.* Hong Kong, Taiping shuju, 1971.

Li Tch'oun

[2]. Par exemple dans l'opuscule de Wu Shuzheng, *Hanzi shufa jiaoxue.* Jinan, Shandong renmin, 1964, p. 15-29.

1. Le Ciel recouvre : le haut recouvre le bas.

2. La Terre porte : le bas porte le haut.

31. La barre domine : allonger la barre horizontale, mais sans en faire une palanche.

32. L'axe domine : l'axe doit être parfaitement vertical.

81. Se faire face : les deux parties se font face, mais sans trop se rapprocher aux extrémités.

82. Se tourner le dos : les deux parties se tournent le dos, mais sans s'adosser, de manière que le pouls puisse passer.

Il s'agit moins de règles que de recettes, qui forment une collection plutôt qu'un système. Tout l'ordre que l'auteur est parvenu à y mettre est d'avoir placé en tête l'évocation du Ciel et de la Terre, conformément aux conceptions philosophiques chinoises, et d'avoir groupé deux par deux celles qui se complétaient d'une manière ou d'une autre. Ces règles ont le mérite de signaler certaines difficultés et d'indiquer au débutant les solutions que leur ont traditionnellement apportées les calligraphes. Elles forment donc le regard et l'imagination. Elles constituent une espèce de solfège qui développe le sens des formes, à un certain stade, mais ne le crée pas.

L'analyse des formes est un exercice nécessaire, mais limité puisqu'il dissocie inévitablement des opérations d'équilibrage que le calligraphe accomplit simultanément et d'un seul élan. L'esprit de géométrie peut isoler chacune de ces opérations mais ne saurait rendre compte de leur combinaison, que seul l'esprit de finesse peut pénétrer. À cela s'ajoute que l'analyse se fait nécessairement *a posteriori* et ne saisit donc jamais le processus d'engendrement lui-même. On peut analyser des caractères déjà écrits et mettre successivement en évidence certaines de leurs propriétés formelles, mais on n'appréhende nullement, de la sorte, l'activité organisatrice qui les a produites au moment de l'écriture. Or c'est cette activité qu'il nous faut comprendre si nous voulons pénétrer les ressorts intimes de l'art de l'écriture. Il nous faut saisir en quoi consiste le sens de la forme qui permet au calligraphe de donner corps au caractère – quelle est sa source, comment il se développe et comment il opère. Puisque ce sens de la forme est la capacité de "donner corps", nous l'appellerons *sens du corps*.

## LE SENS DU CORPS

POUR saisir ce qu'est le sens du corps, voyons quelques-unes des formes auxquelles il donne naissance en calligraphie. Celles que l'on voit à droite sont tirées des inscriptions dites des *Tambours de pierre (Shiguwen)*, le plus ancien exemple connu d'écriture gravée sur pierre en même temps que l'un des plus beaux. On y sent l'autonomie de chaque caractère assurée par une organisation interne puissante, suggérant des énergies bandées mais circulant, revenant sur elles-mêmes en une sorte de mouvement perpétuel. Chaque signe est doué d'une vie plus intense encore que l'objet auquel il renvoie et semble donc posséder, pour l'esprit, un degré de réalité plus élevé, une présence plus forte. Il en est, pour ainsi dire, le chiffre vivant. Cette écriture est inspirée par une égale volonté de sauvegarder l'évocation

---

*Cheu-kou-wen*

À droite, ESTAMPAGE D'UN PASSAGE DES *INSCRIPTIONS SUR TAMBOURS DE PIERRE (SHIGUWEN)*, bel exemple de l'écriture dite "grande sigillaire" (*dazhuan*), IV<sup>e</sup> siècle avant notre ère. Les écritures plus anciennes sont gravées sur os ou coulées dans le bronze. Celle-ci est gravée sur des pierres de forme cylindrique et trapue qu'on a appelées "tambours" faute de savoir quelle était leur fonction. Les caractères sont disposés sur leur flanc par colonnes de six ou sept, parfois de quatre seulement. Ce sont des poèmes qui chantent les vertus des ducs de Qin (Ts'in, ancienne principauté située dans le Shânxi actuel) ou célèbrent leurs parties de chasse ou de pêche. Les inscriptions datent probablement des années 335-325. Les poèmes sont plus anciens et rappellent ceux du *Livre des poèmes (Shijing)*.
Ces "tambours", au nombre de dix, ont été retrouvés par hasard sous les Tang et ont frappé les esprits. Han Yu (768-824) leur a consacré un long poème qui est resté célèbre. Ils sont devenus une source d'inspiration pour les calligraphes, surtout à partir du XVIII<sup>e</sup> siècle (voir p. 353-357). Ils sont conservés au Palais impérial de Pékin. Sur les 645 caractères que comptaient les dix poèmes, il n'en subsiste que 483 ; les autres manquent ou sont illisibles. Cette "grande sigillaire" préfigure déjà nettement la "petite sigillaire" qui sera imposée un

siècle plus tard au monde chinois par le roi de Qin, devenu premier empereur en - 221.

Le passage reproduit dit : "les seigneurs les pêchent. Là où l'on traverse à gué, il y a des alevins qui s'ébattent et ondoient. De blancs poissons brillent…" On reconnaît en haut à droite la forme ancienne de *zi* "enfant", "fils", puis le verbe *yu* 漁 "pêcher", composé de l'eau qui coule à gauche, du poisson 魚 à droite et, au-dessous, d'une main qui a disparu dans la graphie actuelle. Viennent ensuite le pronom *zhi* 之, puis le verbe *wan* "passer à gué", composé de l'eau qui coule à gauche et du scorpion à droite, pris pour sa valeur phonétique (cf. p. 27) ; ce verbe est sorti de l'usage. En tête de la deuxième colonne, une main, l'actuel caractère *you* 又, utilisé ici pour noter *you* 有 "avoir", "il y a", puis un caractère composé de 小 "petit" en haut et de 魚 "poisson" en dessous, signifiant "alevin". Viennent ensuite le pronom *qi* 其 et le verbe *you* 游 "évoluer", "s'ébattre", écrit sans la clé de l'eau. Dans la colonne de gauche, on distingue notamment un *bo* 帛 qui représente une quenouille et signifie "soierie", mais qui est utilisé ici pour noter *bai* 白 "blanc", puis *yu* 魚 le "poisson". Cette écriture n'est pas difficile à lire, une fois qu'on l'a un peu étudiée.

imagée d'objets concrets et de transformer ces images en signes abstraits, agissant par la vertu de la forme pure. Elle réalise un équilibre miraculeux entre les deux tendances. On ne peut qu'admirer l'autorité avec laquelle l'artiste a imposé une unité de style aux caractères pour créer une continuité favorable à la lecture et d'autre part l'imagination, voire l'audace avec laquelle il a exploité les différences de forme et de densité des caractères, varié les orientations et les équilibres.

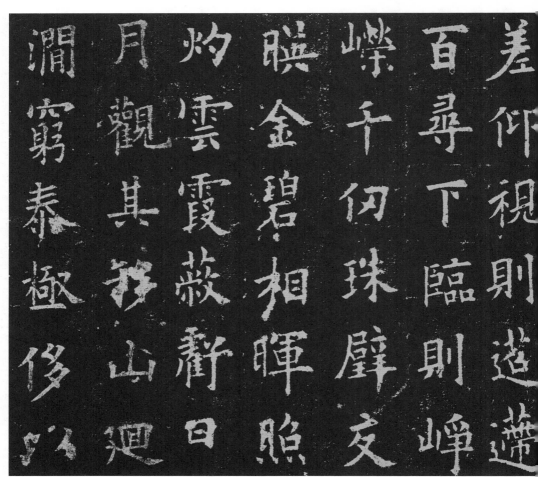

L'*Inscription du Palais neuf fois parfait* (*Jiuchenggong liquan-ming*), ci-dessous, est un autre chef-d'œuvre de la calligraphie chinoise, une œuvre en écriture dite "régulière" de Ouyang Xun (557-641), l'un des grands maîtres du classicisme Tang. Contrairement à la "grande sigillaire" des *Tambours de pierre*, où prévalent les formes arrondies, la régulière, qui atteint son plein développement sous les Tang, privilégie la droite, le carré, le rectangle : elle est beaucoup plus architecturée. Les méandres,

Ô-yang Sun

OUYANG XUN (557-641, TANG), DEUX PASSAGES DE L'*INSCRIPTION DU PALAIS NEUF FOIS PARFAIT* (*JIUCHENGGONG LIQUANMING*)

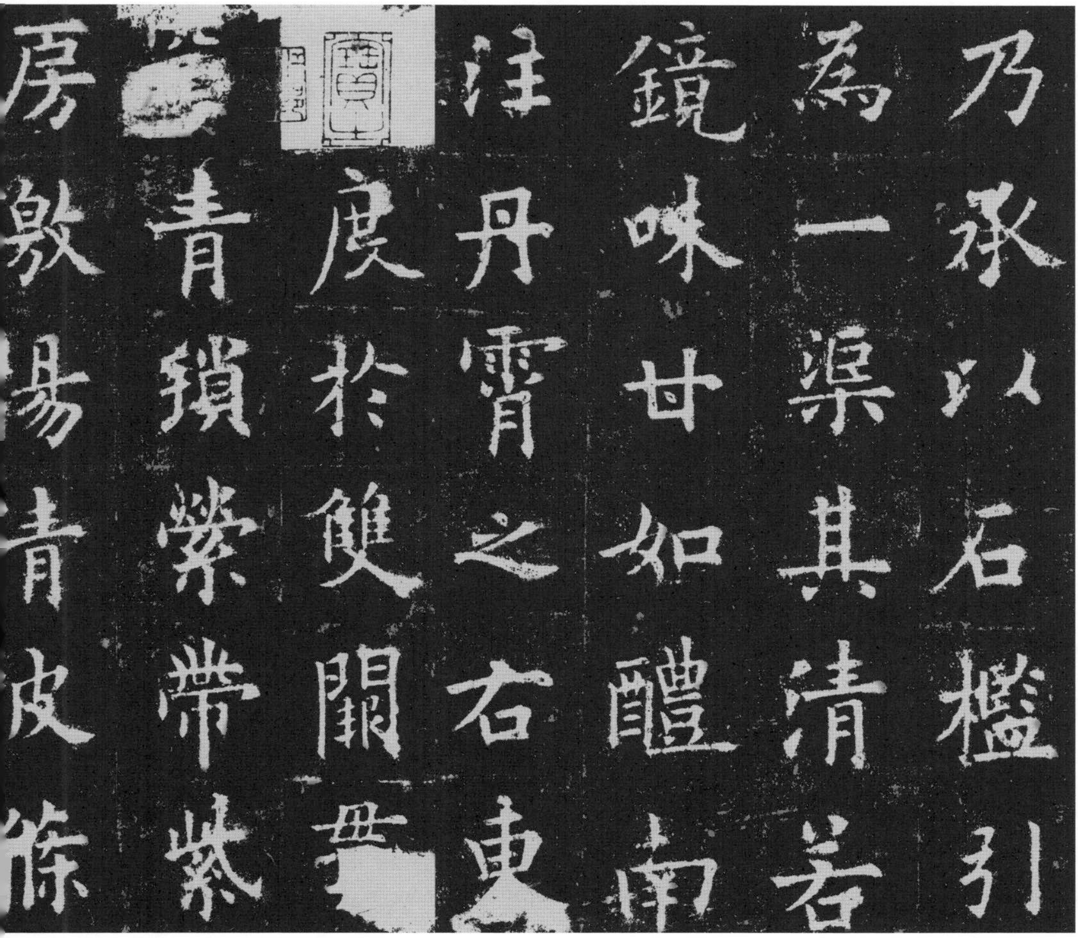

1. Le titre complet signifie "Inscription de la source du Palais neuf fois parfait". Il s'agit d'une œuvre du début des Tang. L'empereur Taizong (r. 626-649) ayant fait reconstruire en 631 le palais d'été des souverains Sui à Linyou, au nord-ouest de Chang'an (l'actuelle Xi'an), on y a trouvé l'année suivante une source, découverte qui fournit à Wei Zheng (580-643), conseiller de l'empereur, l'occasion de composer un éloge de la source, du palais rénové et de la vertu du souverain. Cette composition a été calligraphiée par Ouyang Xun, qui était attaché à la cour, et gravée sur une stèle qui se trouve aujourd'hui encore à Linyou. Le texte est disposé en 24 colonnes de 50 caractères. La stèle a été tellement usée par les innombrables estampages qui en ont été faits qu'à partir des Song, la gravure a été retouchée à plusieurs reprises, parfois de manière maladroite. À en juger d'après les estampages Song conservés aujourd'hui, elle semble avoir été, à l'origine, d'une extraordinaire précision. Dans les estampages, le texte est généralement recomposé en colonnes de six caractères. On voit que le texte n'est pas ponctué.

2. Lettres à Sophie Volland, lettre du 2 septembre 1762, Paris, Gallimard, 1930, 3 vol., vol. 2, p. 142-147.

les courbures parallèles, les inclinaisons audacieuses des *Tambours de pierre* sont remplacés par une structure beaucoup plus statique, uniformément verticale, élancée, élégante. La régularité domine, mais elle n'est jamais monotone parce qu'elle est renouvelée de l'intérieur par une invention permanente des formes. Le bonheur des solutions apportées par le calligraphe aux questions de proportion et d'équilibre est constant, l'intérêt ne fléchit pas un instant. Avec des moyens d'une extrême richesse, mais dont il use de manière discrète, voire secrète, l'artiste crée un univers où tout est "ordre et beauté, luxe, calme et volupté". L'impression produite est celle de l'apaisement, mais aussi de la transparence, de l'intelligibilité parfaite. L'image concrète, si présente encore dans la grande sigillaire des *Tambours de pierre*, s'est effacée. Ce qu'il y avait de démoniaque dans l'écriture ancienne a disparu.[1]

Ces deux calligraphes ont fait preuve d'un puissant sens du corps. La réussite esthétique est si évidente que la tentation est forte de nous incliner devant elle et de nous arrêter là. En agissant ainsi, cependant, nous nous arrêterions avant d'être partis et le voyage annoncé n'aurait pas lieu. Le plus difficile est parfois de continuer à s'interroger là où la clarté semble régner et de pénétrer dans l'obscurité qui est au-delà – de se demander, dans le cas présent, d'où vient au calligraphe cette faculté de donner corps aux caractères avec autant de sûreté et de constance au moment même de leur exécution. Diderot nous fournit un premier élément de réponse dans une lettre à Sophie Volland[2]. Il y parle de la création des formes en architecture, mais ce qu'il en dit s'applique à la calligraphie. Comme à l'accoutumée, il rapporte à son amie une conversation animée qu'il a eue la veille :

> Avant que de reprendre mon journal, je voudrois bien pouvoir vous rendre compte d'une conversation qui fut amenée par le mot *instinct*, qu'on prononce sans cesse, qu'on applique au goût et à la morale, et qu'on ne définit jamais. Je prétendis que ce n'étoit en nous que le résultat d'une infinité de petites expériences, qui avoient commencé au moment où nous ouvrîmes les yeux à la lumière jusqu'à celui où, dirigés secrètement par ces essais dont nous n'avions pas la mémoire, nous prononcions que telle chose était bien ou mal, belle ou laide, bonne ou mauvaise, sans avoir aucune raison présente à l'esprit de notre jugement favorable ou défavorable.

Michel-Ange cherche la forme qu'il donnera au dôme de l'église de Saint-Pierre de Rome ; c'est une des plus belles formes qu'il fût possible de choisir. Son élégance frappe et enchante tout le monde. La largeur étoit donnée ; il s'agissoit d'abord de déterminer la hauteur. Je vois l'architecte tâtonnant, ajoutant, diminuant de cette hauteur jusqu'à ce qu'enfin il rencontrât celle qu'il cherchait et qu'il s'écriât : *La voilà.* Lorsqu'il eut trouvé la hauteur, il fallut après cela tracer l'ovale sur cette hauteur et cette largeur. Combien de nouveaux tâtonnements ! combien de fois il effaça son trait pour en faire un autre plus arrondi, plus applati ; plus renflé, jusqu'à ce qu'il eût rencontré celui sur lequel il a achevé son édifice ! Qui est-ce qui lui a appris à s'arrêter juste ? Quelle raison avait-il de donner la préférence, entre tant de figures successives qu'il dessinait sur son papier, à celle-ci plutôt qu'à celle-là ? Pour résoudre ces difficultés, je me rapellai que M. de La Hire [1], grand géomètre de l'Académie des Sciences, arrivé à Rome dans un voyage d'Italie qu'il fit, fut touché comme tout le monde de la beauté du dôme de Saint-Pierre. Mais son admiration ne fut pas stérile ; il voulut avoir la courbe qui formait ce dôme ; il la fit prendre, et il en chercha les propriétés par la géométrie. Quelle ne fut pas sa surprise, lorsqu'il vit que c'était celle de la plus grande résistance ! Michel-Ange, cherchant à donner à son dôme la figure la plus belle et la plus élégante, après avoir bien tâtonné, étoit tombé sur celle qu'il aurait fallu lui donner s'il eût cherché à lui donner le plus de résistance et de solidité.

À ce propos, deux questions : Comment se fait-il que la courbe de plus grande résistance dans un dôme, dans une voûte, soit aussi la courbe d'élégance et de beauté ? Comment se fait-il que Michel-Ange ait été conduit à cette courbe de plus grande résistance ? Cela ne se conçoit pas, disoit-on ; c'est une affaire d'instinct. – Et qu'est-ce que l'instinct ? – Oh ! Cela s'entend de reste [2]. Je dis à cela que Michel- Ange, polisson au collège, avait joué avec ses camarades ; qu'en luttant, en poussant de l'épaule, il avait bientôt senti quelle inclinaison il fallait qu'il donnât à son corps pour résister le plus fortement à son antagoniste ; qu'il était impossible que cent fois dans sa vie il n'eût pas été dans le cas d'étayer des choses qui chanceloient, et de chercher l'inclinaison de l'étai la plus avantageuse ; qu'il avait quelquefois posé des livres les uns sur les autres, que tous se débordaient, et qu'il avait fallu en contrebalancer les efforts, sans quoi la pile se seroit renversée ; et qu'il avait appris de cette manière à faire le dôme de Saint-Pierre de Rome sur la courbe de plus grande résistance.

Un mur est sur le point de se renverser, envoyez chercher un charpentier ; lorsque le charpentier aura posé les étais, envoyez chercher

1. Philippe de La Hire (1640-1718), savant géomètre.

2. Autrement dit : cela n'a pas besoin d'explication.

d'Alembert ou Clairaut ; et, l'inclinaison du mur étant donnée, proposez à l'un ou à l'autre de ces géomètres de trouver l'inclinaison selon laquelle l'étai appuiera le plus fortement, vous verrez que l'angle du charpentier et du géomètre sera le même.

Selon Diderot, nous tirons de l'expérience une connaissance intuitive et cependant précise des lois de la physique qui nous met non seulement en état d'agir conformément à ces lois, mais aussi de créer hors de nous, par l'effet d'une sorte de projection, des formes répondant exactement à leurs exigences. Or il se trouve, selon Diderot, que les formes justes que nous concevons ainsi, les plus adaptées et les plus résistantes, sont aussi les plus belles : "C'est que la solidité et plus généralement la bonté, écrit-il, est la raison continuelle de notre approbation." Il suffit que cette excellence soit visible dans un produit de l'art pour que ce produit soit beau : "Cette bonté peut être dans un ouvrage et ne pas paroître, alors l'ouvrage est bon, mais il n'est pas beau. Elle peut y paroître et n'y pas être, alors l'ouvrage n'a qu'une beauté apparente comme il n'a qu'une bonté apparente. Mais si la bonté y est en effet, et qu'elle y paroisse, alors l'ouvrage est vraiment beau et bon." [1]

Si nous suivons Diderot, nous pouvons donc enrichir la notion de "sens du corps" d'une dimension nouvelle et voir tout à la fois en lui un sens qui permet au calligraphe de "donner corps" au caractère et un sens *appartenant au corps*. La notion de "sens du corps" prend ainsi une signification double.

Voici maintenant, à droite, une autre célèbre pièce d'époque Tang, en régulière comme la précédente, mais d'un caractère très différent : le *Diplôme autographe (Zishu gaoshen)* du grand calligraphe Yan Zhenqing (709-785). Il s'agit d'un document officiel par lequel le jeune empereur Dezong (r. 779-804) nommait Yan Zhenqing précepteur du prince héritier, en 780, et que Yan Zhenqing, qui était alors président du ministère de la Fonction publique, écrivit de sa main [2]. Son écriture a une rondeur, elle est empreinte d'une générosité et d'un abandon au regard desquels celle de Ouyang Xun n'est pas loin de paraître étroite et guindée. La touche large, l'encrage onctueux, la position dansante de certains caractères, les différences de taille créent un effet plus détendu, où la spontanéité a une plus grande part.

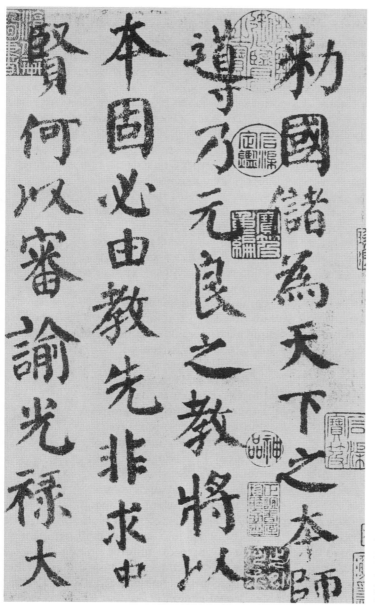

des Tang et créé des formes d'expression plus libres et plus personnelles ; il est l'une des plus fortes personnalités de cette génération. Son œuvre est principalement connue par des stèles ou des estampages de stèles. Le *Diplôme autographe*, un rouleau horizontal portant 32 colonnes de texte, est l'une des deux pièces manuscrites d'authenticité certaine qui subsistent de lui ; l'autre est l'*Éloge funèbre pour un neveu* reproduit plus loin, p. 132-133. Le *Diplôme* est conservé au Musée de la calligraphie de Tokyo, l'*Éloge* au Musée du Palais impérial de Taipei.

DÉBUT DU *DIPLÔME AUTO-GRAPHE (ZISHU GAOSHEN)* DE YAN ZHENQING (709-785, TANG). La partie principale de ce manuscrit célèbre est un texte de 24 colonnes dont on voit ici les quatre premières. La planche de la p. 55 reproduit un passage proche de la fin du texte. Les caractères montrés à la p. 52-53 sont extraits de cette même partie principale.

L'imagination, qui fournissait les moyens de créer une régularité supérieure, se mue ici en fantaisie. Chaque caractère semble préoccupé de lui-même plus que de la belle ordonnance de l'ensemble. Si ceux de Ouyang Xun faisaient penser à de belles constructions, ceux-ci font irrésistiblement songer à des personnages de corpulence et de complexion variées, saisis dans des postures, des attitudes et des gestes momentanés. Certaines maladresses d'exécution accentuent la liberté prise avec la convention, la diversité de l'expression.

*yuen*      Les caractères *nai* "alors" et *yuan* "origine" (à gauche) se ressemblent, mais ne se tiennent pas de la même manière :

le premier est arc-bouté, le second est moins stable, prêt à s'en aller. Le caractère *liang* "bon" (à droite) bascule un peu vers la gauche, mais reste en équilibre grâce à l'élément allongé qui dépasse en bas à droite et fait contrepoids comme la jambe de qui se

*tcheu*   balancerait sur une chaise. Le quatrième, *zhi* (particule) a l'allure de quelque oiseau aquatique qui fendrait l'eau en

*ts'in*   se hâtant vers la gauche. *Qin* "être proche"

(à gauche) suggère un personnage dont l'attitude serait double, faite à gauche d'une avance déférente et à droite d'un mouvement de réserve ;

*sien*   *xian* "les sages", un homme saluant à l'ancienne, le bras droit replié devant lui, celui de gauche rejeté en arrière, un pied pointé en avant comme l'exige la révérence. Certains caractères font plutôt songer à des scènes : *san* "se défaire" (à droite) évoque une fille se jetant au

*lou*   cou d'un garçon qui esquisse un mouvement de recul ; *lu* "prébende", deux marcheurs venant vers nous d'un pas vif et conversant tout en marchant, la tête tournée l'un vers l'autre ; *yi* "au moyen de", l'échange animé de deux causeurs qui se

sont arrêtés pour mieux discuter. D'autres caractères font penser à des tours d'adresse : *shu* "conter" à un objet qu'on ferait tenir debout dans la paume de la main, *dao* "conduire" à des objets disparates qu'un funambule ferait tenir les uns sur les autres en défiant les lois de l'équilibre. Chaque spectateur interprète selon sa propre imagination.

Nul besoin de représentation littérale du corps humain, donc, pour en exprimer les masses, les équilibres et les expressions : les caractères sont le moyen d'en donner une

image tout à fait concrète et parfois d'autant plus saisissante qu'ils font abstraction, justement, de la représentation littérale. On en trouve une confirmation chez Bonnard qui, dans ses dessins, réduit les personnages qu'il observe dans la rue à une masse, un profil,

un mouvement et rend ainsi, avec une extraordinaire acuité, la dynamique de la réalité perçue. *Les Enfants de l'école* ne sauraient être plus vrais et drôles, ni plus justement saisie *La Petite Lingère* chargée de son encombrant panier. *Au cirque…* est un bel exemple de l'art consommé avec lequel il saisit *le corps en mouvement* : les deux croquis reproduits à la page suivante rendent avec un bonheur inégalé la dynamique du galop et les mouvements souples que l'écuyère fait pour en contrebalancer les effets et rester droite sur sa monture. Je n'ai trouvé chez aucun autre artiste occidental une pareille aptitude à saisir visuellement le mouvement et à le *sentir* en même temps par une sorte

PIERRE BONNARD,
*PETITES SCÈNES
FAMILIÈRES : AU CIRQUE...
LA HAUTE ÉCOLE*, 1893.
Détail.

d'empathie corporelle. La plupart réduisent le mouvement à une image arrêtée ou à une pose. Ce sens du corps en mouvement est ce qui confère aux personnages de Bonnard une si extraordinaire présence. C'est ce même sens qui donne toute leur présence aux caractères de Yan Zhenqing.

Ce rapprochement avec Bonnard suggère que le "sens du corps" pourrait avoir une dimension supplémentaire : ce ne serait pas seulement un sens propre au corps, et permettant de "donner corps" à une forme, mais en outre un sens permettant de faire de cette forme *une représentation de notre corps*. S'il s'avère que ces trois dimensions sont liées et que, sous la diversité de ses acceptions, le "sens du corps" désigne une faculté unique, nous devrions pouvoir comprendre, semble-t-il, d'où naissent les formes calligraphiques et comment le calligraphe accomplit, dans le moment de l'exécution, la très complexe opération d'intégration des formes dont résultent la cohérence interne du caractère, son autonomie et par conséquent sa lisibilité. Mais l'étude de ce ressort caché de l'activité calligraphique dépasse la matière de ce chapitre-ci, de sorte que nous allons la reprendre plus loin, au chapitre 6.

Contentons-nous pour l'instant d'admettre que ce n'est finalement ni par l'observation de règles plus ou moins nombreuses, ni par l'analyse des formes, mais grâce à notre sens du corps que nous agençons les caractères, que nous leur conférons

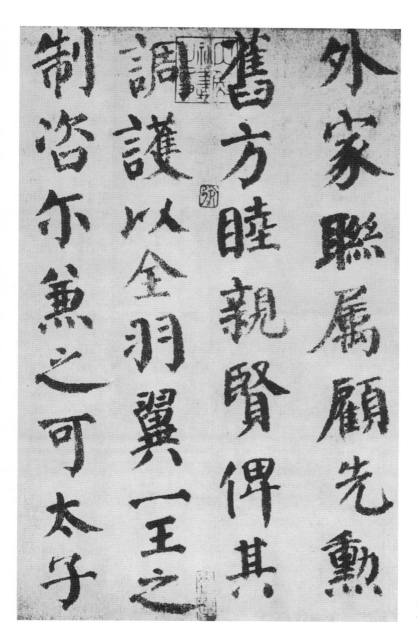

leur unité organique et que nous satisfaisons à la première des deux exigences fondamentales de la lisibilité, celle de l'autonomie. Admettons que c'est grâce à ce même sens du corps que nous satisfaisons à la deuxième exigence, celle de la continuité : en nous faisant produire avec constance des caractères également autonomes, il nous fait du même coup produire des caractères qui se valent et forment naturellement une chaîne régulière, donc un texte aisé à lire. Il ne nous met pas seulement en mesure de satisfaire simultanément à ces deux exigences, mais aussi de réaliser le difficile équilibre des deux, équilibre dont dépend en définitive, comme nous l'avons vu, la lisibilité de l'écriture chinoise. C'est encore ce sens-là qui nous fait intuitivement saisir le centre de gravité des caractères et nous permet de les centrer de manière sûre, autrement dit de créer sans peine une ordonnance satisfaisante de la page malgré la grande diversité des formes.

# III. LA MANŒUVRE DU PINCEAU

LA MANŒUVRE du pinceau, seconde partie de la technique, est l'art de se servir du pinceau pour donner corps à chaque élément. C'est la partie la plus difficile des deux, et la plus importante puisque c'est par elle que le caractère prend vraiment forme et devient une réalité sensible.

Les Chinois l'appellent soit *bifa* 笔法 "technique du pinceau" soit, plus souvent, *yongbi* 用笔 "utiliser le pinceau" ou *yunbi* 运笔 "faire tourner le pinceau". Ce dernier terme est le plus éloquent parce que le verbe *yun* 运, qui signifie "se mouvoir en rond", "circuler", "graviter" et, transitivement, "mouvoir en rond", "faire tourner", "faire virer", exprime parfaitement l'essence d'une technique qui consiste à faire tourner et virer sur elle-même la pointe de l'instrument. J'aurais pu parler du "maniement" du pinceau, mais "manœuvre" m'a paru mieux fait pour suggérer la complexité de l'opération et son caractère indirect. Le mot a en outre une connotation militaire tout à fait opportune puisque, nous le verrons, l'écriture a souvent été assimilée à une bataille [1].

1. Voir chapitre 5, p. 172 ; chapitre 7, p. 230-231.

## LE PINCEAU

À PREMIÈRE VUE, la principale vertu du pinceau semble être de produire les pleins et les déliés nécessaires pour alléger les parties complexes et donner du poids aux parties simples d'un caractère, afin de leur donner une densité semblable, comme dans le caractère de droite, *li* "le rite", ou pour réduire la masse d'un caractère composé tout en accroissant celle d'un caractère simple, de manière qu'ils aient un poids comparable, comme dans les deux exemples de la page suivante.

Mais l'idée du plein et du délié ne rend pas adéquatement compte des formes que produit le pinceau. Il possède en effet

UN CARACTÈRE DU *DIPLÔME* DE YAN ZHENQING : équilibrage des parties.

un registre incomparablement plus large que nos plumes d'oie et nos plumes d'acier les plus souples. S'il est grand et de bonne qualité, il permet de passer sans transition d'un trait de moins d'un millimètre à un trait de deux ou trois centimètres de large, comme cela se voit ci-dessous :

Il y a ensuite cette raison plus fonda-mentale que les pleins et les déliés sont dans notre esprit des *traits* mais qu'à la différence de nos plumes, le pinceau n'est pas conçu pour produire des traits :  il est fait pour engendrer des formes d'un autre ordre. Pour comprendre la manœuvre du pinceau, c'est sur la nature et la fonction de ces formes qu'il faut que nous nous interrogions en premier lieu.

Comme l'indique l'étymologie du mot, un trait est quelque chose que l'on *tire*. Pour tracer un trait, nous *tirons* un crayon ou une plume, l'architecte *tire* son tire-ligne et ces instruments *suivent* notre mouvement. Un trait régulier représente en pre-mier lieu dans notre esprit une ligne, c'est-à-dire la limite d'une surface, l'intersection de deux surfaces ou l'arête d'un volume.

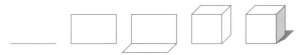

La ligne est une abstraction géométrique qui nous sert à concevoir intellectuellement l'espace. Pour qu'un trait de plume ou de crayon représente cette abstraction de manière satisfai-sante, il doit être fin et dépouillé, exempt de toute variation et

de tout accident visibles, pareil à un fil : *linea* vient de *linum*,
"fil de lin". Dans un dessin qui figure au début de son recueil
*Le Labyrinthe*, Steinberg illustre cette vertu de la ligne : un dessinateur impassible trace d'une main sûre une ligne horizontale.
Cette ligne s'étend à droite. Elle continue, toujours égale, sur la
page suivante et celles qui viennent après – sept pages en tout.
Elle est d'abord chose mentale : forme pure, elle engendre, en
vertu de diverses fonctions mathématiques, d'autres formes
pures. Puis, sans changer de forme, elle change de fonction :
elle crée un espace à trois dimensions que concrétise le passage
d'un monstre à deux pattes jetant son ombre sur le sol. Il n'en
faut pas plus pour qu'elle se mue en horizon et que, dans le
désert que suggère alors la page blanche, apparaisse une pyra-
mide jetant elle aussi son ombre sur le sol, puis des palmiers,
puis un sphinx à grande queue et quelques autres bestioles.
L'horizon se mue ensuite en ligne d'eau. À la fantasmagorie
égyptienne succède une vision vénitienne : des palais, un pont,
un *vaporetto*, une église baroque se mirent dans le canal. La
ligne change encore de fonction (à la page suivante) : elle délimite un trottoir et une façade new-yorkaise vus en surplomb ;
tout en bas, un passant curieux lève le nez. Elle continue et se
mue en corde à lessive où pend du linge, puis en bord de table :
on voit un dossier de chaise et, sur la table, un encrier, un dessin de Steinberg terminé, une rose dans un vase. Après quoi la

SAUL STEINBERG,
*THE LINE*, 1959.
(PREMIÈRE PARTIE)

LA MANŒUVRE DU PINCEAU | 59

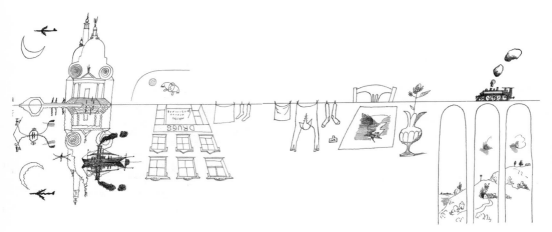

ligne, toujours la même, devient profil d'un pont sur lequel passe une locomotive à vapeur et dont les arches élevées encadrent un paysage de collines. Dans la suite (non reproduite ici), elle devient limite d'un panneau cachant à moitié un homme et une femme qui se regardent, limite supérieure du côté de l'homme, inférieure du côté de la femme. Elle se poursuit, imperturbable, à travers un fragment de carte géographique où elle figure une voie de chemin de fer, puis fait office de ligne de flottaison d'une dame à chapeau qui, sous l'eau, est sirène, etc. Dans cette séquence, une ligne, qui est une abstraction, engendre une série d'espaces divers que l'imagination de Steinberg peuple allégrement de souvenirs et de fantasmes.

Un trait ne représente cependant pas toujours une ligne abstraite. Celui qu'on trace à la plume pour écrire une lettre de l'alphabet a une fonction différente et remplira mieux son office si on lui donne des pleins et des déliés. Celui qu'on jette sur le papier quand on croque le contour d'un objet, comme Bonnard le fait à la page 53, remplit encore une autre tâche et la remplira mieux s'il est modulé ou brisé. Les traits que Léonard de Vinci ajoute pour hachurer une partie du dessin et donner corps à l'objet, dans son étude de la *Vierge aux rochers*, sont encore autre chose. Il n'en reste pas moins que l'idée que nous concevons le plus clairement et dont nous partons le plus volontiers dans nos raisonnements est celle de la ligne abstraite, représentée par le trait régulier du tire-ligne, de la plume ou du crayon.

Cela tient à l'influence que la géométrie d'Euclide a exercé sur l'esprit européen. La conceptualisation euclidienne de l'espace a déterminé aussi bien nos conceptions esthétiques que notre classification des beaux-arts, voire nos techniques. Nous avons pris l'habitude de distinguer le dessin, art du trait

pratiqué avec des outils tels que la plume et le crayon, propres à tracer des lignes, et la peinture, art de la surface pratiqué avec des outils tels que le pinceau, la brosse ou la truelle, propres à répartir de la couleur. Idéalement, la ligne n'a ni corps, ni couleur, ni grain, ni aucune autre qualité sensible, parce qu'elle est de nature intellectuelle : son rôle est de séparer, de définir, d'ordonner, de mesurer, d'exprimer le nombre et la proportion. La surface est au contraire le domaine des qualités sensibles (couleur, texture, grain, patine, etc.), qui ne sont pas mesurables mais rendent les objets présents à nos sens. Ces oppositions entre dessin et peinture, entre ligne et surface, entre le rationnel et le sensible ont fourni son ossature à la réflexion esthétique

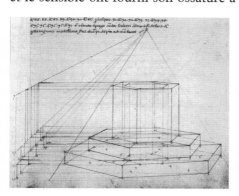

de la Renaissance. Comme le montre une étude de Baxandall [1], les marchands de la Renaissance faisaient grand usage de calculs de volumes dans leur métier, ils étaient amateurs de géométrie et souhaitaient la retrouver dans les tableaux qu'ils commanditaient.

1. Michael Baxandall, *L'Œil du Quattrocento*, Paris, Gallimard, 1985.

Leur goût pour les polyèdres et les sphères rejoignait en outre des conceptions religieuses touchant la vision parfaite dont les élus étaient censés jouir au paradis, conceptions que développait une théologie d'inspiration néo-platonicienne. Le *Portrait de Luca Pacioli*, attribué à Jacopo de' Barbari, reproduit à la page 314, exprime magnifiquement ce moment de l'histoire où la géométrie a pu apparaître simultanément comme une rationalité transcendante et comme un instrument donné à l'homme pour dominer pratiquement le monde.

Les oppositions dont il vient d'être question étaient une vue de l'esprit, assurément, mais une vue de l'esprit qui a orienté toute l'époque et s'est imposée aux peintres. Le paradoxe est qu'en cherchant à lui donner corps dans leurs œuvres, il leur a fallu non point séparer, mais réunir ce que la pensée opposait. Leur principale tâche a été d'accomplir la synthèse du dessin et de la peinture, de l'intelligibilité de la ligne et des qualités sensibles de la couleur, et de réaliser une représentation de l'espace, des volumes et des corps aussi satisfaisante pour la raison que pour les sens. Les deux grandes inventions de l'époque de la Renaissance poursuivaient ce but : la perspective, en créant au moyen de la géométrie un espace entièrement intelligible ; le *chiaroscuro* et le *sfumato*, en complétant par des effets de couleur la géométrisation des volumes et des corps.

Les grands maîtres de la Renaissance ont accompli cette synthèse en prenant pour point de départ le dessin plutôt que la peinture, les lignes plutôt que les couleurs. Il n'est que de voir travailler Léonard de Vinci : dans son esquisse pour l'*Adoration des Mages*, à droite, il commence par construire un espace abstrait, lui donne ensuite corps en colorant les surfaces des éléments d'architecture et l'anime finalement en y plaçant les végétaux, les animaux et les personnages de la scène qu'il a mission d'illustrer. En commençant par construire son espace au moyen de la perspective, il procède tout compte fait de la même manière que Steinberg, qui définit le sien au moyen d'une ligne : ils partent l'un et l'autre d'un espace abstrait, antérieur à tout objet et à toute sensation. Le génie de Léonard est d'avoir cependant pressenti dès le début que la géométrie ne pouvait pas épuiser le réel et que la perspective était un procédé de figuration dans lequel il ne fallait par conséquent pas se

LÉONARD DE VINCI, *ESQUISSE DE PERSPECTIVE*
*POUR L'ADORATION DES MAGES*, 1481.

*ADORATION DES MAGES*, 1481-1482, DÉTAIL.

LA MANŒUVRE DU PINCEAU | 63

1. Voir chapitre 8, p. 314-315.

laisser enfermer. Nous verrons que cela lui a inspiré des œuvres dans lesquelles l'espace perspectif fait l'objet d'une sorte de subversion et de ressourcement intérieur [1]. Mais Steinberg révèle aussi, à sa manière, que cet espace est en fin de compte une vue de l'esprit et que nous sommes libres de le révoquer quand bon nous semble.

GEORGES DE LA TOUR, *LA DISEUSE DE BONNE AVENTURE*, VERS 1635. DÉTAIL.

Les peintres ont rapidement atteint la perfection dans le maniement de la perspective. Ils ont tiré de la géométrisation des corps un parti dont on trouve chez Georges de La Tour quelques-uns des exemples les plus parfaits. Ces sommets une fois atteints, leurs recherches devaient les amener à rétablir l'équilibre au profit de ce qui était d'abord resté subordonné : la couleur, la sensation et le mouvement. Ils se sont peu à peu libérés de la perspective classique, qui leur était devenue un carcan, et ont mis au point des techniques qui ne devaient plus grand-chose aux oppositions anciennes. Ainsi la touche a-t-elle fini par s'émanciper et par rendre caduque la notion classique de surface tandis que la ligne se libérait, se colorait, se mettait à vibrer et que les tons purs étaient chargés de créer un espace plus fidèle à notre perception spontanée que celui de la perspective. Mais quels qu'aient été les bouleversements apportés par les peintres, surtout depuis la seconde moitié du XIXe siècle, nous restons tributaires de notre tradition intellectuelle dans nos idées et dans notre vocabulaire.

On s'en aperçoit quand il s'agit de trouver un mot français pour désigner les formes que le pinceau produit en calligraphie : ce ne sont ni des traits, ni des touches, ni des aplats. Elles n'entrent ni dans la catégorie de la ligne, ni dans celle de la surface et sont donc étrangères à notre classification. La terminologie chinoise confirme qu'elles constituent un ordre à part puisqu'elle leur réserve des termes particuliers. Elle a d'une part des mots qui correspondent approximativement aux nôtres : *dao* 道 (littéralement le "chemin") pour le grand trait ou la raie, *xian* 线 (littéralement le "fil") pour la ligne géométrique ou toute ligne qui délimite et définit, *xiantiao* 线条 pour les lignes d'un dessin, les traits du visage, etc. Elle désigne par d'autres termes les formes que produit le pinceau du calligraphe, des termes simples mais difficiles à rendre en français. Elle leur applique le mot *hua* 画, qui signifie tantôt "peindre" ou "dessiner", tantôt "peinture" ou "dessin", et appelle une forme calligraphique *yi hua* 一画, "un *hua*". Le chinois leur applique aussi le mot *bi* 笔, "pinceau", parle de *yi bi* 一笔, "un pinceau", c'est-à-dire d'un "coup de pinceau", et combine les deux expressions dans le composé *bihua* 笔画, les "*hua* faits au pinceau". Le terme qui désigne le mieux les formes calligraphiques dans leur ensemble est *dianhua* 点画, "les points et les *hua*" ; par opposition aux *dian* 点, points ou éléments ramassés, les *hua* 画 sont alors les éléments allongés, développés. "Tracer" l'une de ces formes se dit également *hua* 画, "peindre" ou "dessiner". Tel est en gros le vocabulaire actuel. Celui des textes classiques n'en diffère que sur des points de détail.

Si nous étendions cet aperçu terminologique au domaine de la peinture, nous nous apercevrions tout de suite d'un fait important. Depuis la fin des Tang (618-906) et les Song (960-1279), époque où s'est développée ce qu'on appelle faute de mieux la peinture au lavis – une peinture produite par application

*tao*

*sien*

*sien-t'iao*

*houa*

*pi-houa*

*tien-houa*

PEINTURE *XIEYI* :
WANG JIU (XVIII<sup>e</sup> SIÈCLE),
*FEUILLET D'ALBUM*,
ENCRE SUR PAPIER.

PEINTURE *GONGBI* :
ANONYME D'ÉPOQUE
SONG (XII<sup>e</sup> SIÈCLE ?),
*AUBERGE*, PEINTURE
SUR SOIE, DÉTAIL.

1. Shitao, *Les "Propos sur la peinture" du moine Citrouille-amère*,
traduction et commentaire de
Pierre Ryckmans (1970), Paris,
Hermann, 1984.

*sié-yi*

*kong-pi*

d'encre plus ou moins délayée sur la soie ou le papier, sans dessin préalable –, les artistes chinois ont pris l'habitude de
l'opposer à la peinture qui part d'un dessin fait au trait, avec un
pinceau fin, et qui est ensuite coloriée. Ils ont appelé *xieyi* 写意,
littéralement "noter une impression", le premier genre, plus
impressionniste, et *gongbi* 工笔, littéralement "pinceau travaillé", le second, plus descriptif et plus attentif au détail. Ce
qui est remarquable, c'est que dans le genre *gongbi*, le peintre
commence par tracer des "lignes", *xian* 线, alors que dans le
genre *xieyi*, il n'est jamais question de *xian*, mais toujours de *bi*,
de *hua* ou de *dianhua* comme en calligraphie. Ce vocabulaire
commun révèle une affinité étroite, à la fois esthétique et technique, entre le second genre et l'art de l'écriture : ils se servent
d'éléments graphiques appartenant au même ordre.

La question est de savoir comment désigner ces éléments en
français. Dans sa traduction des *Propos sur la peinture* de Shitao [1],
Pierre Ryckmans traduit *hua* par "trait de pinceau" mais, en
matière de calligraphie, il nous paraît préférable d'éviter autant
que possible le mot "trait" à cause de la confusion qu'il risque
d'entretenir sur la nature des formes calligraphiques. "Coup de
pinceau" ne vaut pas mieux parce qu'il induit en erreur quant
à la nature du geste calligraphique. Mieux vaut se contenter
d'un terme neutre, de parler simplement d'un "élément" et de
définir progressivement la morphologie par laquelle se définis-
sent les "éléments" calligraphiques.

Résumons : le pinceau n'est donc pas seulement un instrument susceptible de produire des pleins et des déliés plus
contrastés qu'une plume. Il est un instrument conçu pour produire des formes d'un autre ordre, qui n'entrent pas dans nos
catégories esthétiques et qu'il va falloir que nous définissions.
Mais voyons d'abord le pinceau lui-même, qui ne ressemble
qu'en apparence aux pinceaux des artistes occidentaux.

2. On a retrouvé des pinceaux
de ce type datant du III^e ou
IV^e siècle avant notre ère ; voir
T.H. Tsien, *Written on Bambou
and Silk*, University of Chicago
Press, 1962, p. 161.

*sin*

Il est plus facile de faire comprendre ses propriétés en expli-
quant d'abord quelle a été sa facture ancienne. De l'époque des
Royaumes combattants (de 453 à 221 avant notre ère) jusqu'au
X^e siècle environ (fin des Tang, début des Song), sa tête était
faite de plusieurs couches de poils concentriques [2]. Dans le cas
le plus simple, elle était composée d'un cœur (*xin* 心), d'un

ventre (*fu* 腹) et d'un manteau (*bei* 背) [1]. Le cœur était une touffe de poils relativement longs liée à sa base par un fil de soie, le ventre une masse de poils plus courts disposés autour de la base de la première touffe pour lui "donner du ventre", le

manteau une couche de poils plus longs disposés autour du ventre de manière à le cacher et à rejoindre, sans la recouvrir tout à fait, la pointe de la touffe centrale. Le ventre et le manteau étaient chacun liés à leur base par un nouveau fil de soie. La tête du pinceau ainsi constituée était fichée et collée dans un manche de bambou ou d'un autre matériau. La touffe centrale était parfois renforcée par une première enveloppe avant de recevoir son ventre. La tête des grands pinceaux pouvait

comporter deux ou trois manteaux différents et finir par ressembler, en coupe, à une sorte d'oignon.

Le fonctionnement du pinceau était le même dans tous les cas : appliquée sur la pierre à encre, sa tête s'ouvrait en éventail, se remplissait d'encre par l'effet de la capillarité ; lorsqu'elle était enlevée, elle se refermait sous l'effet de la force cohésive du liquide et de l'élasticité du poil et l'encre s'accumulait dans l'espace réservé entre le cœur, le ventre et le manteau.

Cette structure a été décrite par R. H. van Gulik dans son *Chinese Pictorial Art as Viewed by the Connoisseur* d'après un ouvrage japonais du XVIIIe siècle dont l'auteur avait disséqué des pinceaux chinois d'époque Tang [2]. Van Gulik semble avoir admis que les pinceaux avaient continué à être fabriqués de la même manière jusqu'au XXe siècle ; si l'on comprend bien, il s'était fait confirmer la chose par des artisans de Shanghai et de Pékin. Parce que son ouvrage fait autorité et que sa description est restée la seule jamais publiée en une langue occidentale, son opinion a été largement acceptée, mais repose sur une information très insuffisante. Un homme du métier, responsable de la Fabrique de pinceaux de Pékin, à qui je demandais en 1984 quelques précisions sur les données fournies par R. H. van Gulik,

1. Les termes actuels sont plutôt *bixin* 笔心, "cœur du pinceau", ou *bitai* 笔胎, "pièce intérieure du pinceau", et *gaimao* 盖毛, "couverture".

2. Voir R. H. van Gulik, *Chinese Pictorial Art as Viewed by the Connoisseur*, Rome, Istituto per il Medio ed Estremo Oriente, 1998, p. 347-350. L'ouvrage japonais cité par R. H. van Gulik est le *Kanjô-jifu* de Hosoi Kôtaku (1658-1735), publié à Edo en 1834. R. H. van Gulik présente cet opuscule à la p. 502.

m'a répondu que la technique décrite par cet auteur avait été abandonnée à la fin des Tang ou au début des Song, c'est-à-dire au X$^e$ siècle, et remplacée par une technique supérieure pratiquée jusqu'à aujourd'hui. Je lui ai fait observer que le fait semblait être inconnu des sinologues occidentaux, y compris des spécialistes de l'art chinois (cela n'a pas paru l'émouvoir), et lui ai demandé si la méthode nouvelle était décrite quelque part, dans un ouvrage ancien ou récent. Il m'a répondu qu'aucune description du procédé n'avait jamais été publiée à sa connaissance et m'en a donné une que je n'ai pas pu inclure dans cet ouvrage [1].

L'essentiel tient en quelques mots : le progrès a consisté à mélanger les poils plus ou moins longs qui forment la tête du pinceau de manière que l'encre ne s'accumule plus dans un seul grand réservoir circulaire, mais soit retenue dans des milliers de réservoirs minuscules répartis dans la masse homogène de la touffe, à tous les endroits où un poil plus court se trouve pris entre des poils plus longs. L'encre est mieux distribuée, ce qui fait que la force cohésive du liquide s'exerce également partout. Par opposition à l'ancien procédé, appelé *juanxinfa* 卷心法, "technique du cœur enrobé", le nouveau s'appelle *huntiefa* 混贴法, "technique des couches mélangées". Plus délicats, les anciens pinceaux se désagrégeaient plus facilement tandis que les nouveaux sont plus résistants du fait de leur structure compacte.

Le fonctionnement du pinceau est le même : appliquée de biais sur la pierre à encre, sa tête se gorge d'encre et la retient ensuite dans ses innombrables petites cavités jusqu'au moment où la pointe touche le papier. Dès que le contact est établi, l'encre commence à s'écouler par la pointe. La quantité qui s'écoule est proportionnelle à la pression exercée sur la pointe par la main du calligraphe. Quand cette pression augmente, la pointe s'ouvre et livre passage à plus de liquide ; lorsqu'elle décroît, l'élasticité du poil et la cohésion du liquide rendent à la pointe sa forme première et réduisent l'écoulement d'autant. Encrage et largeur étant déterminés par une même pesée de la main, le pinceau relâche à chaque instant une quantité d'encre exactement proportionnée à la largeur du trait. On voit qu'en vertu de sa structure et de sa capacité d'absorption, qui est considérable, le pinceau chinois se prête idéalement à la modulation d'éléments continus. Ce passage d'un rouleau de Yang

1. J'espérais la publier ailleurs un jour, mais je ne l'ai jamais fait. J'espère que quelqu'un d'autre s'en chargera après une enquête plus poussée que la mienne.

*tsuen-sin-fa*
*houn-t'ié-fa*

Yang Wei-tchen

Weizhen, qu'on retrouvera dans l'extrait reproduit aux pages 122-123, donne une idée de la quantité d'encre qu'il peut contenir.

La qualité du pinceau dépend avant tout de la qualité de son poil. Les poils les plus fréquemment utilisés sont ceux de la chèvre, du lièvre et de la martre. Ceux de la queue de la martre sauvage mâle abattue en automne sont parmi les plus appréciés (ceux de la martre élevée en captivité n'ont pas la même qualité) : on en fait des pinceaux qui réagissent avec vigueur à la pression et donnent du nerf à l'écriture, mais la rendent anguleuse et dure quand ils sont maniés par une main peu experte. On appelle conventionnellement *langhao* 狼毫, "poils de loup", ces pinceaux à poil brun, qu'ils soient de martre ou d'autres animaux apparentés. On fait avec du poil de chèvre des pinceaux de couleur blanche qui ont moins de ressort,

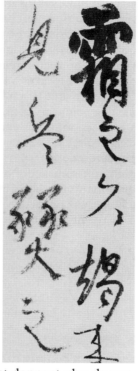

mais sont d'un maniement plus facile et donnent plus de rondeur aux formes. Ce sont les pinceaux les plus courants, ceux qu'utilisent aussi les peintres. Ils sont appelés *yanghao* 羊毫, "poil de chèvre", même quand le poil provient d'un autre animal. Aujourd'hui, les fabricants proposent de plus en plus des *jianhao* 兼毫 "poil mêlé" combinant les avantages de plusieurs sortes de poil. Les pinceaux faits d'une seule sorte de poil sont devenus l'exception et la mention *chunlang* 纯狼 "pur loup" signifie simplement, aujourd'hui, que les poils longs de la touffe sont de martre authentique. Un pinceau de fabrication pékinoise, le *Dabaiyun* 大白云 "Grand nuage blanc", fait d'un tiers de chèvre, d'un tiers de martre et d'un tiers de chat sauvage, est très apprécié. À en juger d'après certaines écritures anciennes, notamment des Tang et des Song, il a dû exister dans le passé des pinceaux d'une qualité qu'on s'efforce en vain d'égaler

*tsien-hao*

*tch'oun-lang*

LA MANŒUVRE DU PINCEAU | 69

aujourd'hui. Notons que si certains bons pinceaux sont relativement chers, il n'est pas vrai que tous les pinceaux chers soient bons : leur prix tient souvent plus à la finition de leur manche qu'à leur qualité intrinsèque. Beaucoup de calligraphes se servent de pinceaux relativement bon marché, dont ils ont découvert les vertus à l'usage.

Il importe que les poils les plus longs de la touffe, ceux qui forment la pointe, aient un égal degré de souplesse ou de résistance à la pression, qu'ils soient très droits et parfaitement ajustés, c'est-à-dire qu'ils se terminent exactement au même niveau, de manière que leurs forces réunies puissent porter sur un seul point. Ce sont là des qualités qui dépendent du savoir-faire et du soin mis dans leur fabrication. Lorsqu'ils sont mis en vente, les pinceaux ont la tête dure et pointue comme des crayons ; elle a été rigidifiée au moyen d'un peu de colle diluée afin d'être pro-

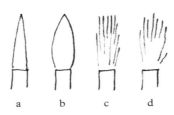

a      b      c      d

tégée des coups (a). Avant le premier usage, il faut l'ouvrir en la trempant dans de l'eau tiède et en la mordillant délicatement à partir de la pointe jusqu'à ce qu'environ deux tiers de sa longueur soient libérés. Chargée d'encre, elle prend une forme légèrement bombée (b). Après usage, il importe de la rincer soigneusement, car l'encre qui durcirait dans la touffe l'abîmerait irrémédiablement. Il convient de laisser sécher le pinceau à plat ou suspendu par la petite boucle qui orne parfois le bout de son manche afin que l'humidité subsistant dans la touffe n'aille pas attaquer la colle qui la maintient fixée au manche. Lorsqu'elle a séché, elle prend un aspect duveteux et l'on peut alors voir, s'il s'agit d'un bon pinceau en bon état, les poils longs former un profil parfaitement plat (c). Un pinceau en mauvais état présente un profil irrégulier (d). Même soumis à un usage constant, un bon pinceau dure des mois, voire des années.

Pour bien écrire, il faut un pinceau dont la pointe soit fine, plie dans n'importe quelle direction sans jamais fourcher et se reforme aussitôt que la pression se relâche. Le papier sur lequel on écrit doit avoir des qualités particulières : une légère rugosité d'abord, qui crée une friction et freine légèrement la marche du pinceau, de manière que la main perçoive bien le contact entre la pointe et le papier et puisse jouer au mieux de la pointe contre le papier. Il doit ensuite avoir la capacité d'absorber une grande quantité d'encre sans que l'encre ne se répande jamais au-delà de la surface touchée par le poil : il doit absorber l'encre comme du papier buvard, mais en saisissant de manière précise, instantanée et définitive la forme déterminée par le pinceau. Les Chinois fabriquent depuis longtemps des papiers qui ont ces qualités et sont en outre extraordinairement résistants et durables.

Les plus renommés sont les *xuanzhi* 宣纸, les "papiers de Xuan" fabriqués dans la région de Xuancheng (l'ancienne Xuanzhou), dans le sud-est de l'Anhui, notamment à Jingxian [1].

*suen-tcheu*

Il importe aussi que l'encre ne soit ni trop épaisse, pour ne pas engourdir la pointe du pinceau, ni trop liquide, pour qu'elle ne s'écoule pas toute seule. Le calligraphe règle son degré de fluidité de telle sorte qu'elle ne diminue en rien la mobilité du pinceau et ne quitte cependant jamais le pinceau sans qu'il l'ait voulu. Jusque dans un passé récent, l'encre se présentait toujours sous la forme de bâtons faits de suie fine, recueillie après combustion de certaines essences de bois ou d'huiles végétales et mélangée à de la résine, puis moulée, séchée et décorée à la main, souvent de

motifs argentés et dorés. Pour produire de l'encre liquide, on tenait le bâton verticalement entre trois doigts et on le frottait d'un mouvement circulaire, lent et régulier, en exerçant une

1. Lorsqu'on écrit en grand et que beaucoup d'encre passe dans le papier, le papier se gondole et prend en séchant, surtout s'il s'agit de papier mince, un déplaisant aspect bosselé. Pour l'aplatir, on le met sous presse. Si cela ne suffit pas, on humecte entièrement son envers d'eau claire (l'encre, une fois sèche, ne craint plus l'eau) et on le laisse sécher sur la table ou suspendu. Pour véritablement faire valoir une pièce d'écriture, il faut la monter (*biao* 裱, *biaobei* 裱褙 ou *zhuang-biao* 装裱), c'est-à-dire la coller sur un support de papier plus fort qui prend le plus souvent la forme d'un rouleau vertical à suspendre ou d'un rouleau horizontal à dérouler sur une table. Ce montage (ou marouflage) est une opération délicate, qui exige de la dextérité et de l'expérience, surtout lorsqu'il s'agit de grands formats, et qui est généralement confiée à des

artisans spécialisés. L'un des secrets de leur métier est de savoir doser la colle de telle manière qu'elle reste souple une fois sèche et que l'on puisse enrouler et dérouler le rouleau sans qu'elle ne casse. Les rouleaux bien montés restent souples pendant des siècles et sont absolument plats dès qu'on les suspend ou qu'on les étale. La qualité du montage importe d'autant plus que les œuvres de valeur ne sont jamais exposées en permanence comme les tableaux des peintres occidentaux. Leur propriétaire les conserve enroulées et les sort à l'occasion pour en jouir avec des amis ou pour les contempler seul et tout à son aise. La qualité du montage est aussi une affaire de goût : l'artisan doit savoir choisir les proportions des surfaces dont il entoure l'œuvre, la teinte du papier ou de la soie dont il les recouvre pour l'encadrer, enfin les éléments de la finition – bordure de papier ou de soie d'une autre teinte, papier ou soie de la face extérieure du rouleau, pommeaux de bois précieux, ruban, etc. Les artisans les plus experts exécutent aussi les travaux de restauration : ils détachent l'œuvre de son ancien support pour la fixer sur un nouveau. Les estampages de stèles sont soit montés sur rouleaux verticaux, soit découpés et recomposés en colonnes de quelques caractères, puis montés sur des dépliants qui ont l'avantage de pouvoir être soit feuilletés comme un livre, soit entièrement dépliés. L'*Inscription du Palais neuf fois parfait* de Ouyang Xun, reproduite dans le chapitre précédent (p. 46-47), est un exemple d'estampage recomposé et monté de cette manière. R. H. van Gulik a minutieusement décrit toutes ces pratiques dans *Chinese Pictorial Art as Viewed by the Connoisseur*. Il faut ajouter qu'au Moyen Âge et sous les Tang, les calligraphes comme les peintres ont souvent travaillé sur de fins tissus de soie grège plutôt que sur du papier. À partir des Song, ce matériau continue à avoir la faveur des peintres, mais devient de plus en plus rare en calligraphie. Exemple de peinture sur soie grège, voir p. 65 ; de calligraphie sur soie grège, voir p. 125. *Les Mille caractères* en cursive de l'empereur Huizong, dont un extrait est reproduit à la p. 109, sont écrits sur une belle soie damassée jaune.

pression légère sur la surface d'une pierre où l'on avait préalablement déposé un peu d'eau. Cette technique permet de donner à l'encre le degré de fluidité souhaitable. Comme la quantité d'encre ainsi produite est réduite, même avec un gros bâton et sur une pierre de grande dimension, la plupart des pierres comportent un bassin, creusé à l'une de leurs extrémités, dans lequel le liquide est versé lorsqu'il est prêt : il suffit d'incliner la pierre pour l'y faire couler. Le calligraphe recommence plusieurs fois l'opération jusqu'à ce que le bassin – ou quelque autre récipient plus grand – soit rempli. Les marchands, les fonctionnaires, les lettrés faisaient broyer leur encre par un aide, mais les calligraphes préféraient souvent remplir cette tâche euxmêmes, à la fois pour se calmer l'esprit avant d'écrire, pour s'assouplir le bras par le lent mouvement circulaire du broyage et pour régler eux-mêmes la qualité de l'encre.

On produit maintenant au Japon et en Chine de l'encre en bouteille que les calligraphes utilisent de plus en plus, surtout dans leurs exercices quotidiens. Cette encre, qu'il ne faut pas confondre avec ce qu'on appelle de l'encre de Chine chez nous, est relativement épaisse à cause de la gomme qu'on y a mêlée pour l'empêcher de se coaguler et doit être diluée : on la coupe d'un peu d'eau après l'avoir versée sur une pierre à encre d'usage courant (on épargne cela aux pierres de prix) ou simplement dans une soucoupe. Comme ces encres préfabriquées n'ont pas la qualité des belles encres broyées, ni du point de vue de leur couleur et de leur patine, ni du point de vue de leur durabilité, les calligraphes reviennent généralement à l'encre broyée quand ils s'apprêtent à produire une œuvre de quelque importance. Les peintres, eux, continuent à broyer leur encre en toutes circonstances.

Le prix d'un bâton d'encre peut varier dans une proportion d'un à dix au moins. Les bâtons bon marché ne se diluent pas toujours d'une manière régulière, cassent facilement et produisent un noir tirant sur le gris. Les bâtons de bonne qualité ont un grain fin, régulier, ils se défont de manière douce et rapide et donnent des beaux noirs profonds. Ces noirs dépendent des substances qui sont entrées dans leur fabrication. Le prix peut varier du simple au centuple lorsqu'il s'agit d'encres anciennes, qui sont parfois d'une qualité inégalée, mais sont aussi collectionnées comme objets d'art, à cause de la finition extérieure du bâton.

La qualité de l'encre dépend aussi de la pierre sur laquelle elle est broyée. La pierre à encre, *yan* 研 ou *yantai* 研台 en chi- *yen, yen-t'ai* nois, est l'objet le plus durable et généralement le plus précieux qu'utilise le calligraphe, celui pour lequel il ressent souvent un attachement particulier. Une bonne pierre se distingue d'abord par la finesse et la régularité de son grain. Elle a une douceur, un moelleux que l'on éprouve en la caressant de la paume de la main ; elle a un éclat satiné. Grâce à ces qualités, elle "saisit" l'encre au passage du bâton, ce qui accélère le broyage et donne une encre fine et dense. Une partie infinitésimale de son grain passe en outre dans l'encre, dit-on, et lui donne une patine supérieure. Sur une pierre trop dure, le bâton n'est pas "saisi" mais repoussé ; il glisse, le broyage se fait de manière irrégulière et l'encre est moins belle.

PIERRE À ENCRE EN PIERRE
NOIRE DE YIXIAN, dans le
Hebei, que j'ai achetée dans une
rue de Pékin. La pierre est de
qualité médiocre, mais l'ouvrage
est beau. Selon une conception
ancienne, la tortue sortant des
flots symbolise l'émergence des
signes primordiaux ; elle révèle,
par les motifs de sa carapace,
les configurations des forces qui
sont à l'œuvre dans l'univers.
Hauteur : 22 cm.

Touan-si
Si-tsiang
Tchao-ts'ing
*touan-yen*

Che-sien

Yi-sien

La meilleure pierre est celle des carrières de Duanxi 端溪,
situées sur la rive sud des gorges du Xijiang, dites Lingyangxia,
en aval et à l'est de la ville de Zhaoqing, dans le Guangdong.
Les pierres à encre faites de cette pierre, appelées *duanyan*
端研, sont les plus appréciées depuis le VIIIᵉ siècle (Tang). On
les reconnaît à leur coloration bronzée, parfois légèrement vio-
lacée, et à leur lustre particulier. Le lecteur en verra une belle,
de facture récente, au chapitre 7, page 224. D'autres pierres de
grande qualité proviennent de Shexian, dans l'extrême sud de
l'Anhui, d'autres du Jiangxi, du Sichuan et du Hebei. Celle qui
est reproduite ici provient de Yixian, dans le Hebei ; elle est sans
grande valeur, mais joliment sculptée. Beaucoup de pierres à

encre sont des chefs-d'œuvre de finesse, de goût et d'imagination, par leur forme et par les motifs qui y sont sculptés. Elles
sont collectionnées, certaines sont des pièces sans prix. L'artisan
tire parfois parti des taches et des veines de la pierre pour animer
son motif, comme dans nos camées. En Chine, des monographies
ont été consacrées à ces pierres depuis une époque ancienne.
En Occident, la seule publication est, à ma connaissance, la traduction anglaise d'un bref traité de Mi Fu (1051-1107, Song)
publiée par R. H. van Gulik en 1938. [1]

1. *Mi Fu on Inkstones*, Pékin, H. Vetch, 1938.

Notons que la pierre ne sert pas seulement au calligraphe à
broyer l'encre et à charger son pinceau, mais aussi à le débar-
rasser d'une éventuelle surcharge d'encre et à affûter la pointe
quand elle en a besoin. Il accomplit ces deux opérations en
effleurant du flanc de son pinceau la partie sèche de la pierre.

Le pinceau du calligraphe se distingue donc de tous les
instruments qu'utilisent les peintres et les dessinateurs occidentaux. Nos truelles, brosses, pinceaux, plumes, crayons et fusains
servent à déposer et à répartir de la couleur sur la toile ou à laisser
une trace d'encre, de graphite ou de charbon sur la feuille : ils agissent par simple contact ou par frottement, sous l'effet d'une
pression qui varie, mais qui s'exerce toujours d'une manière
directe et dans un seul sens. Le pinceau du calligraphe agit
différemment : les formes qui naissent sur le papier quand le
calligraphe écrit ne sont pas le résultat d'une action mécanique
directe, mais l'effet indirect d'une opération complexe. Le pinceau
n'est pas un *outil*, mais un véritable *instrument*, doué d'un pouvoir
transformateur : il convertit les gestes du calligraphe, qui se développent au-dessus de la feuille dans un espace à trois dimensions,
en mouvements de deux dimensions dont naissent, au contact du
papier, les formes écrites. Le calligraphe agit moins sur la feuille
que sur son instrument. Il en joue comme un musicien, il en tire
des formes comme un violoniste tire des sons de son violon. De
même que celui du violoniste, son art consiste à faire prendre vie
à l'instrument et à faire surgir de lui, par une action indirecte qui
semble s'exercer à distance, des formes continûment renouvelées.
L'effet a quelque chose de miraculeux pour lui-même autant
que pour le spectateur : les formes ne semblent résulter d'aucun
travail, elles donnent l'impression de naître d'elles-mêmes.

Mais quelles formes tire-t-on de cet instrument ? Quel genre d'éléments lui fait-on produire ? Voici un ensemble tiré d'un manuel d'initiation à la régulière de Liu Gongquan (778-865), l'un des maîtres de la fin des Tang. Chaque type d'élément y est

Liô Kong-ts'uen

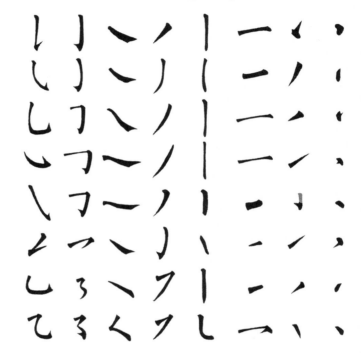

accompagné de son nom, mais cette nomenclature a été omise ici. On voit que ce sont tous des *éléments modulés* qui ont pour caractéristique commune de *faire corps* : ils sont formés de manière à suggérer des corps situés dans l'espace, des objets physiquement présents devant nous. Nous ne les prenons pas pour ce qu'ils sont en fait, de petites surfaces noires, mais pour des corps semblant appartenir à l'espace familier où nous évoluons nous-mêmes. Tous les sortilèges de la calligraphie tiennent à cette transformation d'une surface plane en une réalité imaginaire en profondeur. L'art calligraphique résulte tout entier de cette transmutation que j'appellerai "l'effet calligraphique". Nous dirons qu'un élément calligraphique est un élément modulé de manière à produire "l'effet calligraphique", c'est-à-dire de manière à suggérer immédiatement un corps situé dans l'espace. Nous admettrons en même temps que, le pinceau chinois étant le seul instrument qui puisse moduler ainsi les formes, il ne saurait y avoir de calligraphie chinoise hors de lui.

Transposant dans notre domaine la notion de l'"objet convenable" proposée par Pierre Schaeffer dans son *Traité des objets musicaux*, je dirai que les éléments qui produisent l'effet calligraphique sont "convenables" [1]. Ceux-ci suggèrent des objets prêts à être saisis dans la main : ils sont calligraphiquement convenables.

1. Voir Michel Chion, *Guide des objets sonores. Pierre Schaeffer et la recherche musicale*, Paris, Buchet-Chastel, 1983, p. 97.

Mais un élément peut être convenable sans être beau. C'est le cas lorsqu'il suggère un objet comportant un vice de conformation manifeste. Les manuels énumèrent huit ou neuf types de ces éléments défectueux : la "tête de bœuf", la "queue de rat", la "taille de guêpe" (en haut), la "patte de grue", la "section de bambou", la "châtaigne d'eau" (au milieu), la "branche cassée" et la "palanche" (en bas) :

Ces éléments sont difformes, ils menacent de casser ou de blesser la main qui les saisirait. Un bel élément a par contre la solidité, la simplicité et la rondeur d'un manche d'outil par exemple, qui offre une prise ferme et remplit bien sa fonction. Dans le tableau des éléments de Liu Gongquan, à la page précédente, le 2e élément de la colonne de gauche a le profil d'un arc tendu, le 5e celui d'un arc au repos, le 7e rappelle la pièce maîtresse d'un traîneau. Le 1er élément de la 2e colonne évoque une sorte de puissant pied-de-biche, le 5e la barre d'un gouvernail. Dans la 3e colonne, le 5e a la courbure de certaines godilles, le dernier élément de la 5e colonne rappelle la proue d'une gondole. Dans la 6e colonne, le 1er évoque une palanche, le 2e un canoë.

Le pinceau chinois est fait pour produire ces éléments calligraphiquement convenables, mais il ne les produit pas tout seul, en vertu de sa construction. Il faut pour cela une technique

1. Dans *Le Petit Monde de Pablo Picasso* de David Douglas Duncan (Hachette, Paris, 1959), aux p. 94 et 96-97, on voit Picasso se servir de pinceaux chinois pour l'exécution d'une série d'aquatintes sur le thème de la corrida, série reproduite ici à la p. 265. Il me semble avoir lu quelque part que ces pinceaux lui avaient été offerts par le peintre Zhang Daqian (1899-1983) lors d'une visite en France ; Duncan lui-même ne donne pas d'indication là-dessus. Les photographies qu'il a publiées et la série de la corrida datent de 1957 tandis que le torero reproduit ici est de 1959. Je n'ai pas la preuve que Picasso se servait encore à ce moment-là des mêmes pinceaux chinois mais, à voir son aquatinte, cela me semble quasi certain.

particulière qui ne se déduit pas de sa forme et à laquelle il faut avoir été initié. Picasso s'est servi de pinceaux chinois dans ses séries d'aquatintes sur la tauromachie, à la fin des années cinquante, mais pas à la manière chinoise : l'écriture effilochée, les encrages plats de ce *torero* montrent qu'il n'a tenté à aucun moment de faire jouer la pointe, qu'il s'est contenté d'écrire et d'étaler l'encre à la manière occidentale [1]. Il ne suffit pas de tenir en main un pinceau chinois pour savoir s'en servir.

L'art de manœuvrer la pointe du pinceau constitue le véritable secret de la calligraphie, le précieux savoir que chaque calligraphe hérite de ses devanciers et lègue à ses successeurs. Parce qu'il ne s'agit pas de connaissances intellectuelles mais de questions de métier, la transmission s'est toujours faite de manière directe et se fera toujours ainsi. Il s'agit d'un certain nombre de tours de main que le langage – surtout le langage écrit – ne peut décrire de manière satisfaisante et dans lesquels on n'entre que par l'expérimentation personnelle. Si l'art de manœuvrer le pinceau a été entouré de mystère, notamment au Moyen Âge, c'est d'abord pour cette raison-là. Dans le présent ouvrage, je vais tenter d'apporter à la difficulté la solution la moins mauvaise possible : je vais analyser brièvement ces gestes, définir leur logique et leurs principaux moments – et prier le lecteur de se rappeler à chaque instant que le langage de l'analyse, inévitable ici, rend compliqués des actes qui paraissent tout simples quand on les a maîtrisés et qu'on les appréhende du dedans. Mais avant d'aborder la manœuvre du pinceau proprement dite, il faut dire quelques mots de l'usage que le calligraphe fait de son corps.

CE QUI IMPORTE avant tout en calligraphie, c'est de contrôler le jeu de la pointe de manière que la forme laissée sur le papier soit toujours celle qu'on a voulue, non celle qu'impose l'instrument. C'est d'être à tout instant libre de tirer de l'instrument tous les effets qu'il est susceptible de produire. Le calligraphe doit pouvoir partir à n'importe quel moment dans n'importe quelle direction et donner à l'élément qu'il trace n'importe quel calibre, n'importe quelle modulation. Rien d'extérieur, ni dans la position du pinceau, ni dans celle de la main, du bras ou du corps, ne doit restreindre cette liberté.

Le calligraphe observe pour cela plusieurs règles. La première est qu'il tient toujours son pinceau dans une position parfaitement verticale ou qu'il y revient aussitôt s'il en dévie un instant. Seule cette position lui permet en effet d'éprouver le jeu de la pointe, de le renouveler et de le contrôler en permanence. Seule cette position lui permet de se déplacer librement et de garder dans toutes les directions une égale liberté d'action. En tenant son pinceau incliné, il perdrait son emprise sur la pointe et sa liberté d'agir de la même façon dans toutes les directions. L'instrument lui imposerait certains axes au détriment d'autres, comme c'est le cas de nos plumes, de sorte qu'il se trouverait asservi à l'instrument dont il est censé jouer souverainement. La technique calligraphique vise à préserver l'équivalence de toutes les orientations tandis que nos plumes et nos stylos penchés nous dictent des suites de barres inclinées selon un même angle, des parallèles indéfiniment répétées qui font la trame de nos écritures.

Pour qu'aucun empêchement mécanique n'entrave ses mouvements, le calligraphe écrit normalement le bras levé. Au lieu de garder le coude près du corps, il le maintient en suspens à l'extérieur, à peu près à la hauteur de la main qui tient le pinceau et place donc son avant-bras en position horizontale. Il transforme ainsi son bras en une sorte de grand pantographe grâce auquel il déplace son pinceau dans un vaste espace et le ramène au besoin tout près de lui. Son geste ne subit aucune contrainte et n'a pas d'autre limite que la longueur du bras. Cette technique de l'écriture "le coude levé" (*xuanzhou* 悬肘) donne le

*suen-tchô*

sentiment de dominer tout l'espace que l'on a devant soi – il suffit d'essayer avec un crayon pour en faire l'expérience. Cette technique s'impose aussi pour une autre raison. En écrivant, le calligraphe ne cesse de combiner des gestes horizontaux, par lesquels il déplace son pinceau, et les gestes verticaux par lesquels il fait jouer la pointe et module les éléments. Or ces gestes verticaux, qui partent du coude, ne peuvent se faire de manière aisée et précise que si le coude est à la même hauteur que le poignet. Un bref essai aura vite fait d'en convaincre le lecteur.

LETTRÉ CHINOIS S'EXERÇANT À REPRODUIRE UNE ŒUVRE.

Le calligraphe travaille même le bras levé quand il écrit de petits caractères. S'il doit écrire très petit, il maintiendra son avant-bras au contact de la table, mais plus pour la sentir que pour prendre appui sur elle. S'il s'appuyait vraiment, cela entraînerait un relâchement du corps qui est incompatible avec la technique calligraphique. Pour exécuter de tout petits caractères, il appuiera son poignet droit sur sa main gauche posée à plat sur la table et n'écrira plus alors qu'avec les mouvements des doigts, comme nous le faisons habituellement ; même dans ce cas-là, cependant, il gardera son pinceau vertical. Cette manière d'écrire la main droite appuyée sur la main gauche ou sur un support d'épaisseur comparable était commune autrefois, lorsqu'on se servait du pinceau pour toutes les écritures quotidiennes.

La main du calligraphe a surtout pour fonction de tenir fermement le pinceau et de lui communiquer les impulsions du bras. C'est par synecdoque que l'on parle de gestes de la main, car il n'écrit pas de la main, mais du bras. C'est par synecdoque que les Chinois parlent de la "force du poignet" (*wanli* 腕力), qu'ils considèrent comme un des atouts majeurs du bon calligraphe, car le poignet ne fait que transmettre des forces qui viennent de plus haut. Si le calligraphe joue du poignet, c'est tout au plus en infléchissant passagèrement la verticalité du pinceau dans le but de mieux contrôler la pointe.

Nous manions nos plumes du pouce, de l'index et du majeur en prenant appui sur l'annulaire et l'auriculaire. Dans l'écriture chinoise, les cinq doigts sont immobiles et servent uniquement à tenir la hampe du pinceau, qu'ils enserrent par trois côtés : le pouce à gauche, l'index et le majeur devant, l'annulaire et l'auriculaire à l'intérieur. L'index embrasse et retient la hampe à la même hauteur que le pouce, le majeur se place au-dessous de l'index dans une position analogue. L'annulaire,

légèrement recroquevillé, arrête la hampe de l'intérieur en s'arc-boutant contre elle, aidé dans cette fonction par l'auriculaire qui s'arc-boute en position seconde, sans être en contact avec le pinceau. Les doigts entourent le pinceau de toutes parts, la prise est parfaite. Le poignet a pour tâche de transmettre directement au pinceau les impulsions du bras. Pour qu'il remplisse le mieux possible cet office, le calligraphe relève la main et adopte la position qu'on voit à gauche, qui a le triple avantage 1° de bloquer le poignet

*tcheu cheu tchang su*

1. Les avis divergent sur ce qu'il vaut mieux recommander à un Européen qui s'initie : écrire le bras levé dès le début malgré la difficulté que cela représente au commencement, ou s'appuyer sur le coude ou tout l'avant-bras afin de se concentrer dans un premier temps sur le jeu de la pointe et l'agencement des caractères. La voie juste est peut-être dans une combinaison des deux. Ce qui est nécessaire, c'est que l'apprenti explore tout de suite la posture et les gestes du calligraphe. Il est excellent de le faire d'abord à vide, sans se soucier d'écrire réellement. Il suffit de s'installer devant une table, de se tenir comme l'exige la technique, de saisir un grand pinceau selon les règles de l'art et de lui faire parcourir en tous sens l'espace qu'on a devant soi, notamment de lui faire lentement décrire des cercles aussi grands et aussi réguliers que possible. On s'abstiendra d'encrer le pinceau et l'on concentrera toute son attention sur le fonctionnement du corps, sur l'aplomb assuré par les pieds, sur la tranquillité qu'apporte la respiration profonde, sur la souplesse et la disponibilité du dos, la liberté des mouvements de l'épaule et du bras, la fermeté de la prise et la verticalité du pinceau. On reprendra fréquemment l'exercice, ne serait-ce qu'une minute chaque fois, pour

et de soumettre étroitement le pinceau aux mouvements du bras, 2° de rapprocher le pinceau du poignet et d'accroître par conséquent la précision avec laquelle il transcrit ces mouvements, 3° d'obliger la main à se creuser et s'arrondir, ce qui renforce l'emprise des doigts sur la hampe du pinceau et répartit mieux l'effort entre eux. Comme le veut une formule consacrée, il a "les doigts pleins et la paume creuse" (*zhi shi zhang xu* 指实掌虚), c'est-à-dire les doigts fermes et la paume si bien creusée qu'on pourrait y loger une grosse prune. En travaillant ainsi, il a le sentiment que l'énergie de son bras ne passe pas dans le pinceau par le détour de ses doigts, mais traverse le vide qui est au cœur de sa main.

Je viens de décrire la technique classique, celle que pratiquent la plupart des calligraphes et que doivent commencer par apprendre tous les débutants s'ils veulent réussir à contrôler le pinceau et en exploiter les ressources [1]. Il va sans dire qu'une fois parvenu à la maîtrise de l'instrument, l'artiste est libre d'adapter cette technique à ses besoins personnels. La technique classique exclut par exemple toute rotation du pinceau sur son axe, mais certains grands calligraphes ont pratiqué la rotation et modifié en conséquence leur manière de tenir le pinceau [2]. Les calligraphes japonais contemporains ont une sensibilité esthétique particulière, orientée vers l'accidentel et le discontinu, et prennent volontiers des libertés avec la technique traditionnelle, abandonnant notamment la position verticale du pinceau et jouant du poignet pour modifier continuellement son inclinaison. Certains pinceaux demandent à être maniés de

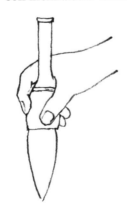

manière particulière. Les gros pinceaux à manche court appelés "pinceaux à empoigner" (*zhabi* 揸笔) ou "pinceaux boisseaux" (*doubi* 斗笔) à cause de leur grande capacité d'encre sont saisis à pleine main comme une pomme.

Notons que les peintres, de leur côté, se servent de leurs pinceaux de manière beaucoup plus variée, tantôt selon la plus stricte méthode calligraphique, tantôt en les inclinant, en les couchant, en les écrasant ou en les prenant à rebrousse-poil.

Les mouvements verticaux que le calligraphe imprime à son pinceau partent du coude tandis que les mouvements plus grands qui déplacent le pinceau dans l'espace émanent de l'épaule et donc du dos, où ils ont à la fois leur assise et leur source. Le calligraphe doit donc avoir le dos entièrement actif et adopter pour cela une posture tout à fait droite. S'il s'adossait ou s'appuyait du coude gauche sur la table, l'aisance et l'assurance de son geste seraient tout de suite compromises, la musculature du dos se relâcherait et cesserait de fournir l'énergie nécessaire à l'acte d'écrire. Pour donner à son torse un socle large et stable, il écarte les jambes et plante ses pieds sur le sol de part et d'autre de l'axe central. Ce contact avec le sol lui permet de contrôler la verticalité de sa posture, de se passer de tout appui au-dessus de la taille et d'avoir une complète liberté de mouvement dans le haut du corps. Cette posture a l'avantage de faire concourir toute la musculature au maintien et donc de réduire, par la meilleure répartition possible de l'effort, la contribution de chaque partie du corps. La musculature est à la fois active, coordonnée dans ses mouvements et prête à mettre la plus grande part de ses ressources au service du geste. Cette manière de se tenir favorise une respiration régulière et profonde qui concourt également à soulager la musculature, d'abord parce que les poumons portent une grande partie du poids de la tête, des épaules et des bras et, plus encore, parce qu'elle exerce sur l'ensemble de l'activité un effet régulateur. Elle l'apaise et l'unifie, elle crée un calme dont va pouvoir surgir un geste sûr et puissant. Aucune impulsion désordonnée ne trouble plus le calme qui précède le geste, ni le geste lui-même.

La main gauche joue un rôle effacé, mais indispensable. Posée à plat sur le papier, non loin du pinceau, elle permet au calligraphe de situer exactement le plan sur lequel il écrit. Cette indication lui est utile, car il ne peut pas toujours garder les yeux rivés sur la pointe de son pinceau : de temps à autre, il faut qu'il embrasse du regard l'espace blanc de la feuille et les formes qu'il vient d'y inscrire pour prévoir où et comment y inscrire les suivantes. Le contact de la main gauche avec le plan de la table lui donne de l'assurance dans ces instants de survol. Pendant l'exécution, son regard ne quitte évidemment pas le papier : il suit les formes qui naissent sous son pinceau ou met

découvrir progressivement les vertus du geste calligraphique et créer une accoutumance. On s'amusera ensuite à tremper le pinceau dans de l'eau claire et à en faire jouer la pointe sur la table ou dans la paume ouverte de la main gauche, afin de découvrir sa manière de réagir aux mouvements grands et petits, appuyés et légers, prestes et lents du bras. Le moment venu, on tentera de combiner la posture, le geste et le contrôle de la pointe, puis d'encrer le pinceau et de commencer à produire des formes. On le fera sur de vieux journaux pour ne pas gaspiller le papier. Le papier journal se prête très bien aux exercices de calligraphie.

2. C'est notamment le cas de He Shaoji (1799-1873, Qing) ; des exemples de son écriture sont reproduits aux pages 116 et 355. – La technique classique dont il est question ici semble avoir été fixée sous les Tang. Tout porte à croire que les calligraphes du Moyen Âge, Wang Xizhi (321-379, Jin or.) par exemple, tenaient leur pinceau d'une manière beaucoup plus libre ; ils écrivaient assis par terre, leur feuille posée sur le sol.

à profit le bref intervalle séparant l'exécution de deux caractères pour prendre du champ. Les calligraphes exercés combinent continûment les deux opérations : ils peuvent se permettre de quitter du regard la pointe de leur pinceau sans cesser d'écrire.

On voit que la technique calligraphique tire admirablement parti des ressources du corps humain et les fait toutes concourir à une fin unique, celle du geste calligraphique. Nous étudierons au chapitre 7 l'influence qu'elle a sur l'expérience subjective de celui qui écrit. Cette technique est également remarquable par la relation qu'elle crée entre l'axe vertical du corps, l'axe vertical du pinceau et l'axe vertical de la colonne de caractères. Cette relation favorise un phénomène de projection qui est fondamental et sur lequel je reviendrai au chapitre 6. Le contraste avec notre écriture est frappant : nous écrivons penchés en avant, notre plume inclinée à droite et sur des feuilles tournées à gauche, de sorte que les trois axes restent sans rapport entre eux.

Pour exécuter de grands caractères ou pour être tout à fait libres de leurs mouvements, les calligraphes écrivent parfois

LE PEINTRE ET CALLIGRAPHE LIU HAISU (1895-1994) écrivant debout.

debout. Ils ont le buste légèrement incliné au-dessus de la table et, plutôt que de poser la main gauche à plat sur le papier, ils touchent la table de leurs cinq doigts dressés. À part cela, la technique est la même. Lorsqu'ils écrivent de grandes pièces verticales, ils ont besoin d'un assistant qui déplace le papier à mesure qu'ils avancent et le tend devant eux pour leur donner une vue d'ensemble de ce qu'ils ont écrit. Certains lettrés avaient autrefois des tables élevées, spécialement conçues pour ce genre d'exercice.

Forts de ce que nous savons désormais du pinceau et de son maniement, nous pouvons aborder maintenant la manœuvre proprement dite.

## LA MANŒUVRE DU PINCEAU

UN ÉLÉMENT calligraphique comporte trois parties : une attaque, un développement et une terminaison. Ces termes désignent à la fois les trois moments de son exécution et les trois principaux aspects de sa forme.

### L'attaque

L'attaque, appelée en chinois *xiabi* 下笔 ou *luobi* 落笔, "abaisser le pinceau", ou encore *qibi* 起笔, "commencer le coup de pinceau", est l'opération par laquelle le calligraphe assure son contrôle sur le pinceau et détermine en même temps le profil qu'aura la tête de son élément.

Pour que la pointe puisse remplir sa fonction, le calligraphe doit la recourber au moment de l'attaque et la maintenir ensuite dans cette position. Grâce à l'élasticité du poil, elle convertira en modulations du trait les variations de la pression et se redressera au plus léger relâchement.

Pour cela, le calligraphe doit créer dès le premier instant dans la pointe un jeu de forces antagonistes dont il contrôlera la résultante. Il abaisse son pinceau verticalement et fait un rapide et léger mouvement latéral à l'instant où la pointe rejoint le papier pour que celle-ci se courbe et réponde. L'opération est simple, mais demande de la dextérité. Si le geste est trop lent, la pointe risque de se défaire sous l'effet de la pression et de perdre son mordant. Le geste doit être assez vif pour prendre le pinceau de vitesse. Les textes anciens la comparent à la foudre ou au faucon qui fond sur sa proie.

Si le calligraphe se contente de faire un léger mouvement de retrait vers le sud-est au moment où la pointe touche le papier, il obtient une attaque en pointe que les Chinois appellent *lufeng* 露锋, "en lame qui dépasse", et que nous appellerons "attaque directe". En courante et en cursive, ce genre d'attaque est

*sia-pi, louo-pi ts'i-pi*

*lou-feng*

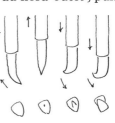

apprécié pour sa vivacité (ci-contre, en haut). En régulière, le calligraphe préfère effacer la trace du premier contact entre le pinceau et le papier. Il cherche à renforcer l'effet calligraphique en éliminant tout indice susceptible de trahir les conditions dans lesquelles l'élément a réellement été produit. Il veut aussi pouvoir varier la forme de l'attaque et lui donner un profil plus doux, plus arrondi ou plus massif selon les cas. *ts'ang-feng* Il pratique alors l'attaque que les Chinois appellent *cangfeng* 藏锋, "en lame cachée", et que nous appellerons "attaque indirecte" (au-dessous). Pour qu'il ne subsiste pas de trace visible du premier contact entre la pointe et le papier, il attaque à l'intérieur, c'est-à-dire en un endroit qui sera ensuite englobé dans l'élément et recouvert d'encre. Au lieu d'abattre tout de suite son pinceau vers le sud-est, il l'abat d'abord dans le sens opposé, en le poussant brièvement dans la direction du nord-ouest ; puis, d'un brusque renversement, il le rabat vers lui, en direction du sud-est en augmentant subitement la pression et en maintenant cette fois-ci fermement son pinceau sous contrôle :

De cette opération en deux temps, qui exige de la décision et de la dextérité, résulte une forme sans pointe, ni barbe ou bavure d'aucune sorte, arrondie et fermée sur elle-même. *ni-jou* Les calligraphes appellent cette technique *niru* 逆入, "pénétrer à contresens", et la résument dans l'adage *yu you xian zuo, yu xia xian shang* 欲右先左，欲下先上 "pour partir à droite, commencer par aller à gauche ; pour descendre, commencer par monter".

L'attaque indirecte est essentielle puisque c'est grâce à elle que le calligraphe peut abolir toute trace de son travail et faire apparaître l'élément calligraphique comme l'œuvre d'une géné-

ration spontanée. L'attaque indirecte lui permet aussi de varier le profil de l'élément. Exécutée en deux temps, comme dans la description que nous venons d'en donner, elle permet déjà de varier ce profil de dix ou vingt manières différentes, comme on le voit à gauche ou, par exemple, à la page 115. Mais le nombre des variations possibles s'accroît du fait que l'attaque peut aussi bien se faire en trois ou quatre temps : le calligraphe déplace à trois ou quatre reprises son instrument en modifiant chaque fois l'angle et la pression. Il donne au spectateur l'impression de faire danser son pinceau sur place. Son bras, sa main se meuvent à peine, mais on les sent habités un instant par une activité intense, animés par un tremblement qui rappelle celui d'une main de violoniste imprimant aux cordes un imperceptible trémolo. Inutile de dire que cette suite d'oscillations et d'ajustements subtils exige une main sûre et alerte ainsi qu'une grande sensibilité aux réactions du pinceau, un "toucher" très développé.

Le choix de l'attaque dépend du genre de calligraphie qu'on pratique et du style que l'on donne à l'écriture. L'attaque directe prédomine dans la courante et la cursive à cause de sa rapidité d'exécution et de son caractère primesautier. L'attaque indirecte est de règle dans le genre régulier bien que le calligraphe soit libre d'y introduire çà et là des attaques apparentes. Notons que dans ces trois genres, l'angle d'attaque est toujours incliné dans le même sens, vers la gauche (ci-contre, en haut). Lorsqu'un élé-

ment est relié au suivant par un trait continu, ce qui est fréquent en courante et en cursive, l'attaque ne disparaît pas, mais se fait à l'intérieur du trait continu (au milieu). Dans le genre dit de "chancellerie", l'angle d'attaque est inversé, incliné à droite (en bas) ; il en va parfois de même en "cursive ancienne", forme de cursive dérivée de la "chancellerie".

Pour la commodité, appelons "attaque positive" l'attaque inclinée à gauche et " attaque négative" l'attaque caractéristique de la "chancellerie", inclinée à droite.

L'attaque indirecte présente un avantage supplémentaire : elle permet au calligraphe d'éprouver la pointe de son pinceau contre le papier avant de s'engager pour de bon dans l'exécution d'un nouvel élément. Si elle ne s'est pas bien reformée après l'opération précédente, si elle est restée légèrement ouverte, recourbée ou fourchue, il peut l'affûter d'un ou deux petits mouvements rapides dont la trace sera ensuite recouverte. Ce genre d'ajustement est souvent nécessaire quand on écrit avec un grand pinceau chargé d'encre peu fluide.

*Le développement*

À l'attaque succède le développement, appelé en chinois *xingbi* 行笔 "faire aller le pinceau". C'est l'opération au cours de laquelle le calligraphe exécute le corps de l'élément et lui donne son galbe. Tandis que l'attaque est toujours rapide, le développement se fait d'un mouvement régulier et relativement lent. Techniquement, il ne s'agit plus de créer un jeu de forces antagonistes à l'intérieur de la pointe et de s'en assurer le contrôle, mais d'en tirer parti pour moduler la partie centrale de l'élément.

Le jeu de forces antagonistes que le calligraphe exploite pendant le développement résulte de la pression exercée sur la pointe du pinceau et de la force contraire que l'élasticité du poil oppose à cette pression, mais aussi de l'angle d'attaque : au cours du développement, le calligraphe maintient en effet le  pinceau dans la position oblique qu'il lui a donnée au moment de l'attaque et tire de cette position oblique un jeu de forces supplémentaire ainsi qu'un contrôle accru sur les évolutions de la pointe. Si la pointe ne faisait que suivre le déplacement du pinceau, elle se mettrait à la traîne comme une barque à la remorque d'un bateau et ne serait plus suffisamment contrôlable. Une autre comparaison fera comprendre de quoi il s'agit. La course d'un bateau à voile résulte de la combinaison de forces contraires, celle que le vent exerce sur la voile et celle que le pilote impose à son gouvernail. En ajustant ces deux forces et grâce au rôle stabilisateur de la quille, il peut même remonter le vent. Le callligraphe agit de façon analogue. Par l'attaque oblique, il crée dans la pointe une tension qu'il maintient tout au long du développement et qui renforce le pouvoir qu'il a sur elle. Sa maîtrise de l'instrument est proportionnelle à la tension qu'il y a créée et qu'il y maintient.

Le moment délicat est celui de l'amorce du développement. La difficulté est de ne pas perdre à cet instant-là la tension créée lors de l'attaque et de ne pas laisser le pinceau se mettre à la traîne, ce dont résulterait une forme veule. Il s'agit de conserver au contraire la tension créée, de maintenir la pointe dans sa position oblique et de produire de la sorte une forme tendue. Il faut, pour cela, contraindre la pointe à passer tout

près de l'endroit désigné par la flèche. Il importe en outre de séparer nettement le temps de l'attaque et celui du développement, c'est-à-dire d'attaquer très vivement pour prendre le pinceau de vitesse, d'éprouver un instant la force de la pointe, et de s'engager ensuite seulement dans le développement. Le geste du développement doit être ferme et mesuré. Il doit être "tenu" comme une note de violon ou comme une note chantée. Il importe qu'à une attention soutenue s'associe une volonté infaillible de maintenir et de dominer la tension jusqu'au bout. Au cours du développement, le calligraphe ressent la résistance que le pinceau lui oppose du fait de sa courbure, de sa position oblique et de la rugosité du papier. Les textes anciens qualifient cette sensation par le mot *se* 澀 "âpre", "qui ne glisse pas", "qui retient " [1].

Les calligraphes résument l'art d'attaquer et d'amorcer le développement par la formule *niru pingchu* 逆入平出 "pénétrer à contresens et dégager à plat". À la suite du dégagement, la pression de la partie active de la pointe ne s'exerce généralement pas au milieu de l'élément, mais près de son bord supérieur quand il est horizontal, comme l'indiquent les hachures des croquis précédents, ou près de son bord gauche quand il est vertical.

Lorsqu'on écrit sur du papier mince et qu'on regarde ensuite l'envers de la feuille, on doit pouvoir discerner l'endroit où la pesée du pinceau a été la plus forte : l'encrage y est plus intense et suggère la présence d'un os à l'intérieur de l'élément (à droite). Lorsqu'on écrit sur certains papiers

avec une encre un peu sèche, cette ossature est visible à l'endroit (ci-contre).

Les calligraphes estiment que, même quand l'encrage est très noir et que cette ossature ne transparaît pas, elle est cependant présente dans la masse d'encre et confère à l'élément son volume et sa solidité.

1. On trouve dans l'*Aperçu des arts* (*Yigai*) de Liu Xizai (1813-1881, Qing), chapitre 5, quelques aphorismes qui résument bien cet aspect de la technique. § 173 : "Le maniement du pinceau tient en trois mots : attaquer à contresens, développer avec retenue (*se*), ramener serré (…)." § 188 : "Ce que les Anciens ont dit du maniement du pinceau se ramène à la prestesse (*ji*) et la retenue (*se*). Se retenir ne signifie pas être lent, pas plus qu'être preste signifie aller vite (…)." § 189 : "On entend toujours parler de retenue (*se*) à propos de maniement du pinceau, mais beaucoup ne comprennent jamais en quoi consiste cette retenue. En fait, il suffit que, au moment où le pinceau amorce le développement, quelque chose semble lui résister et qu'on le fasse avancer, de toutes ses forces, contre cette résistance : cette retenue apparaîtra d'elle-même (…)." Cf. *Lidai* p. 708, 710. Sur *Lidai* et d'autres abréviations analogues, voir la note bibliographique, p. 391.

La position de cette ligne de force varie selon les styles, selon la manière du calligraphe, selon les propriétés du pinceau. Elle peut se trouver plus près du bord ou plus près du milieu. Les calligraphes parlent à ce propos de *cefeng* 侧锋, "pointe oblique" (littéralement : prise de flanc) qui fait passer la ligne de force près du bord, et de *zhongfeng* 中锋, "pointe centrée" qui la fait passer près du milieu [1]. Quand la pointe est centrée, elle confère à l'élément une structure symétrique, une rondeur et un encrage plus égal et plus noir qui conviennent à certaines formes de régulière et à la sigillaire. Lorsqu'elle est décentrée, elle produit des éléments de structure asymétrique qui ont moins de corps, mais plus de nerf et qui conviennent à la courante et à la cursive. Dans les cas extrêmes, les deux bords de l'élément prennent un aspect contrasté évoquant le dos et le tranchant d'une lame : le côté dos plus massif et poli, le côté lame plus léger et moins net, voire finement dentelé.

On comprend pourquoi la technique classique exclut en principe la rotation du pinceau sur lui-même : elle n'est pas compatible avec le maintien de la position oblique de la pointe et affaiblirait en outre l'emprise de la main sur le pinceau.

### La terminaison

Après l'attaque et le développement vient le troisième et dernier moment, celui de la terminaison ; il est appelé *shoubi* 收笔 "ramener le pinceau" [2], ou *zhibi* 执笔 "arrêter le pinceau". La terminaison est en tous points une attaque inversée. Par l'attaque, le calligraphe a donné une forme au commencement de l'élément ; par la terminaison, il donne à sa fin une forme qui répond à celle du début. Après avoir créé une tension, il apporte une résolution. Il ferme l'élément sur lui-même pour en faire un corps autonome et complet.

La terminaison importe autant que les deux premiers moments, mais elle est plus facile à exécuter car, s'il s'agissait de créer un jeu de forces antagonistes au moment de l'attaque et de le maintenir durant le développement, la terminaison amène le relâchement des forces et l'abandon du contrôle. Au début de l'apprentissage, la tentation est d'abandonner le contrôle avant que la terminaison ne soit faite et de renoncer à bien former la fin de l'élément. Il faut lui résister, mener

*ts'e-feng*
*tchong-feng*

1. Ces deux termes ont fait l'objet de nombreuses discussions dans le passé et continuent d'alimenter la controverse parmi les spécialistes aujourd'hui. L'imbroglio provient du fait qu'ils ont différentes acceptions qui varient d'un auteur à l'autre : ils désignent tantôt diverses manières de manœuvrer le pinceau, tantôt différentes propriétés morphologiques de l'élément écrit. Ainsi tel auteur entend-il par *zhongfeng* la "pointe centrée" qui passe au milieu de l'élément, tel autre la ligne de force que la pointe du pinceau trace, non pas "au milieu" mais "à l'intérieur" de chaque élément ; un troisième désigne par ce terme le "pinceau centré", c'est-à-dire le pinceau tenu verticalement. L'imbroglio est encore compliqué par d'autres termes d'acception voisine qui paraissent synonymes des deux premiers dans certains cas et semblent introduire des distinctions supplémentaires dans d'autres. Je n'ai fort heureusement pas à entrer ici dans ces questions de vocabulaire, car notre tâche n'est pas d'interpréter des textes mais de décrire ce que les calligraphes font en pratique. Quand ils observent ce qu'ils font, ils tombent d'accord pour dire 1° que chaque élément doit avoir une ligne de force ou une ossature (c'est le sens de l'adage *bibi zhongfeng* 笔笔中锋 "une pointe centrée dans chaque élément") et 2° que le pinceau est plus puissant et mieux contrôlé

le développement à son terme, s'arrêter et passer ensuite à la terminaison comme à une opération distincte : le temps de la terminaison doit être séparé de celui du développement comme le temps du développement est séparé de celui de l'attaque.

Si le calligraphe se contentait d'arrêter son pinceau et d'exercer une pression à l'endroit où il s'est arrêté, sa terminaison serait décentrée par rapport à l'axe de l'élément et aurait l'air tombant (1er et 2e croquis). Pour éviter cela, il arrête son pinceau, le soulève, le déplace vers le haut et l'abat ensuite de manière à ce que la masse de la terminaison soit placée dans l'axe du développement (3e croquis). Par ce décrochement, il met la terminaison en accord avec l'attaque. Ensuite, il enlève le pinceau d'un mouvement preste qui fait retour sur l'élément achevé et part donc vers la gauche (4e croquis). Ce mouvement arraché remplit une double fonction : il interrompt net le débit d'encre qui, prolongé, risquerait de faire tache et d'inonder la feuille ; il évite en même temps que le pinceau ne laisse une trace visible de son départ, une bavure ou une barbe. Par le mouvement en retour, ces traces accidentelles sont prises dans la masse noire de l'élément fini. Il résulte de cette opération en trois temps (arrêt, décrochage et pression, arrachage en retour) une terminaison "cachée" ou "indirecte" qui correspond à l'attaque indirecte décrite plus haut.

La terminaison donne lieu à autant de variations que l'attaque. Elle peut également être directe (1er croquis) ou indirecte (2e croquis). En courante et en cursive, elle peut être prise dans un trait reliant un élément achevé à l'élément suivant (3e croquis). Elle est orientée de manière positive en régulière, en courante et en cursive, mais de manière négative en "chancellerie" (4e croquis). Elle peut être simple ou composée.

Les terminaisons en crochet sont de deux sortes. En courante et en cursive, les crochets sont généralement naturels, c'est-à-dire formés par la trace que le pinceau laisse au moment de passer d'un élément à l'autre (1er et 2e croquis de la page suivante).

quand sa tête est maintenue en position plus ou moins oblique. Une partie des problèmes épineux posés par le vocabulaire technique des auteurs anciens est analysée avec beaucoup d'intelligence dans la thèse, hélas inédite, de Jean-Marie Simonet (voir note bibliographique, p. 392).

2. L'expression *shoubi* est plus courante. Le verbe *shou* "ramener" évoque le geste de ramener vers soi ce qui a été déployé au dehors, de rassembler ce qui a été dispersé ou de recueillir pour mettre à l'abri. Il est associé aux idées de récolte et d'engrangement : dans la formule *sheng zhang shou cang* 生长收藏 "naître, croître, ramener et cacher", qui résume traditionnellement le cycle annuel de la nature, il correspond à l'automne. Il exprime, plus abstraitement, le retour à l'état de latence. L'attaque est parfois assimilée au printemps, le développement à l'été, la terminaison à l'automne ; le moment de l'hiver est celui de l'activité non manifeste qui se situe entre l'achèvement d'un élément et le commencement de l'élément suivant. L'exécution d'un élément calligraphique apparaît ainsi comme un cycle complet dans lequel la terminaison a une importance égale à l'attaque et au développement : rien n'est bien fait qui n'a été mené jusqu'à son terme.

En régulière, ils résultent par contre d'une adjonction inten-
tionnelle (3ᵉ et 4ᵉ croquis). Ce sont parfois de véritables pièces

rapportées, ajoutées à une terminaison déjà achevée. Cette
manière de faire est particulièrement manifeste dans le 5ᵉ croquis, qui est emprunté à Yan Zhenqing et caractéristique de sa
manière. Le lecteur en trouvera des exemples dans les extraits
du *Diplôme autographe* reproduit aux pages 51 et 55. On en trouvera aussi un exemple au bas du caractère *xue* 学 "étudier" de
Mi Fu qui figure à la fin de ce chapitre, page 110.

Ajoutons que la terminaison indirecte offre un avantage
technique analogue à celui de l'attaque indirecte : elle permet
d'exécuter un ou deux petits mouvements visant à reformer
ou à redresser la pointe en
vue de l'attaque suivante.
Les traces de cette opération restent noyées dans la
masse de l'élément.

Cette analyse de l'attaque,
du développement et de la
terminaison rend approxi-
mativement compte de la
mécanique de ces trois
opérations, mais ne peut
évidemment communiquer
la dynamique du geste qui
les produit. Un calligraphe
qui écrit en donne une
idée, mais ne permet pas
non plus de la comprendre
réellement, car ses mouvements sont trop rapides
pour être décomposés à
l'œil nu, surtout ceux des
attaques et des terminaisons.
Les manuels proposent

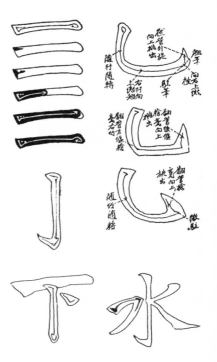

aux débutants des schémas dans lesquels le parcours de la pointe du pinceau est indiqué par une ligne coudée (voir page de gauche). Cette présentation est instructive, mais a l'inconvénient de suggérer un itinéraire plat, se déroulant sur un plan, alors que le pinceau ne cesse de s'abattre et de s'élever ; elle suggère de plus un rythme constant tandis que le pinceau s'attarde, bondit, s'arrête, repart. Ces schémas suggéreraient mieux cette danse dans l'espace s'ils étaient discontinus comme

ici à gauche. Mais aucun graphisme ne représentera jamais adéquatement le geste réel du calligraphe, ni surtout le jeu de la pointe du pinceau. On peut donc tirer profit des manuels, mais à la condition de s'en méfier et de ne pas perdre de vue que l'expérimentation personnelle, faite sous la direction d'un maître expérimenté, constitue la seule source de savoir en la matière. Un calligraphe, à qui je faisais un jour la démonstration d'une difficulté technique sur laquelle je butais depuis longtemps, m'a interrompu en me disant : "Je vois que vous avez trop lu."

Les calligraphes ont toujours considéré que le secret de la technique tenait dans ces trois opérations et que tout le reste en découlait par variation ou par combinaison. Tout le reste, c'est-à-dire l'ensemble des éléments d'un genre donné, qu'ils soient droits, courbés, coudés ou abrégés en points, mais aussi l'ensemble des genres d'écriture qui sont apparus dans l'histoire et qui font aujourd'hui partie du répertoire calligraphique [1].

Il est facile de montrer qu'une même attaque peut être suivie de développements très variés. La pointe du pinceau reste normalement placée du même côté mais, dans le dernier élément incurvé à droite, elle change de côté en cours de route.

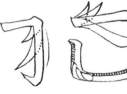

Les éléments coudés sont produits par emboîtement d'une terminaison et d'une attaque : en décrochant et rabattant le pinceau pour terminer la première partie de l'élément, le calligraphe crée simultanément l'attaque de la seconde. La ligne de force, qui était en haut, se retrouve ensuite à gauche ou

1. C'est le sens d'une formule souvent citée de Zhao Mengfu (1254-1322, Yuan) : *yongbi qiangu bu yi* 用笔千古不易 "la manœuvre du pinceau ne varie pas à travers les siècles". La manœuvre reste inchangée dans son principe, en dépit de nombreuses variations secondaires.

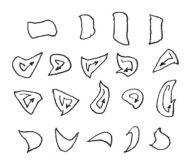

vice versa. Ces coudes sont de véritables articulations et présentent le même aspect, quand ils sont bien faits, qu'un vrai coude, qu'une épaule, qu'un genou.

Quant aux "points", ils sont de deux sortes : ce sont soit des éléments faits d'une attaque, d'un développement et d'une terminaison, mais dont le développement est abrégé à l'extrême (rangée du haut), soit des éléments composés d'une attaque et d'une terminaison télescopée, autrement dit d'une sorte de masse articulée en plusieurs temps (2ᵉ rangée). En régulière, on combine plutôt des attaques et des terminaisons indirectes (3ᵉ rangée), en courante et en cursive de préférence des attaques et des terminaisons directes (4ᵉ rangée).

Les "points" se prêtent en fait à d'infinies variations. Ils possèdent un pouvoir d'animation particulier, notamment lorsque le calligraphe s'en sert comme d'un contrepoint aux éléments continus du caractère. Ils sont l'équivalent du *pizzicato* en musique ou des monosyllabes et des exclamations en poésie. Lorsqu'ils dominent dans l'agencement d'un caractère, ils suggèrent un jaillissement ou même un éclatement. Les caractères reproduits à droite sont un bel exemple de ce genre d'efflorescence – un exemple d'autant plus frappant qu'ils sont tirés de la très austère *Inscription du Palais neuf fois*

TROIS CARACTÈRES
DE OUYANG XUN
(557-641, TANG)

*parfait* de Ouyang Xun. L'affinité de ces formes avec celles des *Acanthes* de Matisse est évidente. Quand ils écrivent en cursive et se laissent gagner par l'ivresse du mouvement, certains calligraphes s'expriment de manière de plus en plus discontinue et ne font par moments plus que des points : tel un danseur exalté, ils ne touchent plus terre que pour rebondir et s'élever dans l'espace.

Plusieurs passages de l'œuvre de Huang Tingjian reproduite au chapitre 8, pages 300-301 et 302, sont la trace de tels emportements.

ACANTHES
DE HENRI MATISSE,
GOUACHE DÉCOUPÉE,
1953.

Depuis une époque ancienne [1], les pédagogues présentent le caractère *yong* 永, "éternel", comme un condensé de la technique calligraphique. Il ne contient pas tous les éléments de base (il lui manque une vraie barre horizontale, par exemple), mais réunit toutes les

1. Le plus ancien manuel fondé sur l'analyse du caractère *yong*, le *Yongzi bafa* (*Les huit mouvements du caractère "yong"*), date vraisemblablement de la fin des Tang, mais la tradition est plus ancienne ; voir *Lidai*, p. 875-882.

opérations essentielles : celles du point (a), de l'attaque suivie d'un développement horizontal (b), du coude qui est en même temps l'attaque d'un développement vertical (c), du développement droit (d), de la terminaison en crochet (e) ; il se termine par un élément coudé et courbé à gauche (f), par un élément oblique à droite (g) et finalement par un élément doublement articulé que nous appellerons une "cuisse" (h).

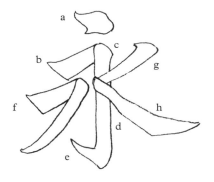

Notons que l'exécution de ce genre de cuisse est difficile parce que la pointe finale, sorte de grand crochet situé dans le prolongement de l'élément au lieu de former un angle aigu avec lui, ne peut être exécutée que très lentement, de manière à laisser à la pointe du pinceau le temps de se reformer progressivement.

LA TECHNIQUE de l'attaque, du développement et de la terminaison est la clé de tous les grands genres calligraphiques.
Nous allons rapidement passer en revue ces genres, qui sont
au nombre de cinq si l'on s'en tient aux principaux, afin
d'observer comment la technique fondamentale est adaptée
aux exigences particulières de chacun d'eux. Je n'entrerai pas
dans le détail de l'évolution de la technique, je ne parlerai pas
des hypothèses que les historiens font sur la manière dont tel
genre d'écriture a pu être exécuté à telle époque : je me bornerai
à décrire brièvement comment les calligraphes d'aujourd'hui
les pratiquent. Ils suivent en la matière des traditions fermement établies depuis des centaines d'années.

### La sigillaire

Le premier des grands genres est celui de la sigillaire, ainsi
nommée en français parce qu'après avoir été remplacée par
d'autres genres d'écriture à l'époque des Han, elle est restée en
usage, jusqu'à aujourd'hui, dans la gravure des sceaux ; elle est
appelée *zhuanshu* 篆书 en chinois. Elle n'est pas la forme la plus
ancienne de l'écriture chinoise [1], mais la plus ancienne de celles
qui sont encore communément pratiquées par les calligraphes
aujourd'hui. Elle s'est développée sous la dynastie des Zhou, fondée au XIᵉ siècle avant notre ère, et en est devenue l'écriture
officielle vers l'an - 800. La plupart des exemples qu'on en a sont
des inscriptions placées dans le creux de vases cultuels en bronze :
après avoir été gravées dans le moule, elles étaient fondues dans
le fond du récipient pour être portées à la connaissance des
ancêtres ou des dieux qui étaient censés venir consommer les
offrandes. *Le Vase de l'envoyé Song*, reproduit à la page 341, en est
un bel exemple. Les formes de la sigillaire sont arrondies, ramas-
sées, souvent symétriques, leur ordonnance est relativement libre.
Certains caractères sont encore immédiatement reconnaissables
aujourd'hui, d'autres ne sont plus guère identifiés que par les historiens de l'écriture, les épigraphistes et les calligraphes.

La sigillaire s'étant par la suite développée dans un certain
désordre, suivant des voies propres à chacune des principautés de

*tchouan-chou*

1. Sur les formes les plus
anciennes de l'écriture chinoise,
voir p. 337.

l'époque des Royaumes combattants (453-221), elle a été standardisée par décision de Qin Shihuang (r. 221-210), le premier empereur, peu après la fondation de l'empire en l'an - 221. Par opposition à cette forme nouvelle, qui aurait été arrêtée par Li Si, son premier ministre, et qui fut appelée "petite sigillaire" (*xiao zhuan*), les formes plus anciennes furent nommées "grande sigillaire" (*dazhuan*). Un fragment de stèle conservé à Tai'an, dans le Shandong, et reproduit à la page 134, porte quelques caractères en petite sigillaire attribués à la main même de Li Si. Ce nouveau type d'écriture se distingue par des formes plus régulières, plus carrées, uniformément inscrites dans des rectangles en hauteur. Le style des *Tambours de pierre*, dont un exemple a été donné au chapitre 2, à la page 45, préfigure déjà cette géométrisation des formes et ces proportions caractéristiques.

Ts'in Cheu-houang

Li Seu

*siao-tchouan*
*ta-tchouan*

WU CHANGSHUO (1844-1927), *COPIE LIBRE DE L'INSCRIPTION DU TRIPODE DU DUC DE LU (LIN LUGONGDING MING)*, 1916. Exemple d'interprétation moderne d'une inscription ancienne en grande sigillaire.

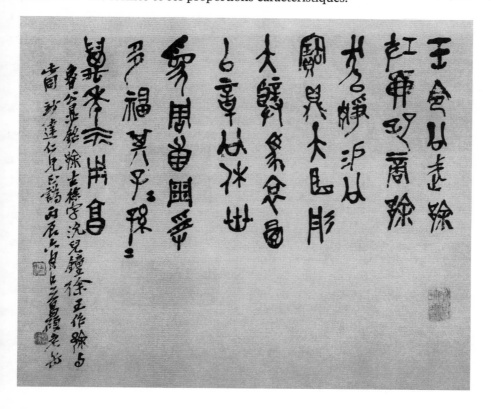

Après être progressivement tombée en désuétude sous les Han (- 206 à 220) et n'avoir plus servi que dans la gravure des sceaux et quelques autres fonctions ornementales, la sigillaire est redevenue un genre calligraphique au VIIIᵉ siècle, sous les Tang. Pratiquée épisodiquement par certains calligraphes à partir de ce moment-là, elle a été élevée au rang d'un genre majeur par les calligraphes de l'époque mandchoue, aux XVIIIᵉ et XIXᵉ siècles. Les œuvres de Wu Changshuo (1844-1927), reproduites aux pages 239 et 356, les caractères de Deng Shiru (1743-1805) qui figurent à la page 354 sont de magnifiques exemples de cette sigillaire moderne. On remarquera que le trait n'est pratiquement pas modulé et que les attaques et les terminaisons sont arrondies ; elles sont du type indirect, mais produites par un mouvement circulaire du pinceau plutôt que par une suite de mouvements distincts comme en régulière. L'ordre dans lequel s'exécutent les traits n'est pas le même que dans les autres genres d'écriture.

L'ORDRE DES TRAITS EN SIGILLAIRE : *mu* 木 "l'arbre", *ri* 日 "le soleil", *yue* 月 "la lune".

### La "chancellerie"

*li-chou*

Le deuxième genre est celui qu'on appelle *lishu* 隶书 en chinois, "l'écriture des scribes", et que j'appelle la "chancellerie". Cette nouvelle forme d'écriture aurait été mise au point par un certain Cheng Miao pendant dix années passées en prison sous Qin Shihuang, le premier empereur. La petite sigillaire avait déjà fortement contribué à estomper le caractère imagé de l'écriture chinoise. La chancellerie fait un pas de plus dans cette voie en créant un langage graphique plus simple, d'exécution plus rapide, destiné à la pratique administrative. Elle se répand rapidement sous les Han, mais sans détrôner tout de suite la petite sigillaire, qui reste longtemps prédominante dans les usages solennels ; elle s'impose tout à fait sous les Han or. (25-220). Elle nous est connue par des stèles commémoratives de la fin des Han et du début du Moyen Âge (IIᵉ et IIIᵉ siècles) qui

*Tch'eng Miao*

ont survécu aux hasards de l'histoire et sont toutes dues à des calligraphes anonymes, par exemple celles dont des extraits figurent ci-dessous et à la page 159, à gauche. Certaines sont des chefs-d'œuvre de vigueur et d'équilibre. L'écriture courante des Han nous est d'autre part connue par les textes écrits au pinceau sur lamelles de bambou, appelés *hanjian* 汉简, que les archéologues retrouvent dans les tombes de l'époque et dont on voit un exemple à droite.

C'est au II<sup>e</sup> siècle, sous les Han orientaux, qu'apparaît pour la première fois le trait modulé ou "trait ondé", comme il est alors appelé (*bozhe* 波折, littéralement "cuisse" ondée). Cette innovation semble avoir été rendue possible par un perfectionnement de la construction du pinceau. Les calligraphes tirent bientôt

DÉTAIL CARACTÉRISTIQUE D'UNE INSCRIPTION D'ÉPOQUE HAN SUR LAMELLE DE BAMBOU.

*han-tsien*

*po-tche*

STÈLE DE KONG ZHOU (KONG ZHOU BEI), dite aussi *Stèle du Seigneur Kong, Gouverneur militaire du Taishan, sous les Han (Han Taishan duwei Kongjun zhi bei).* Cette stèle gravée en 164, sous les Han orientaux, et qui se trouve dans l'enceinte du Temple de Confucius à Qufu, au Shandong, est considérée comme l'un des grands classiques de la chancellerie. On voit ici trois parties d'un estampage d'époque Ming conservé au Musée du Palais impérial de Pékin.

CARACTÈRES AU PINCEAU
INSPIRÉS DE LA *STÈLE DE
KONG ZHOU*, reproduite à la
page précédente. Exemples
tirés, comme ceux de la p. 98,
d'un essai sur l'étude des
œuvres classiques : Zhu Jia,
*Linshu congtan*, Hong Kong,
Zhonghua shuju, 1977,
p. 140-142.

de cette nouveauté des effets audacieux, surtout dans l'exécution des éléments horizontaux très allongés qui sont caractéristiques de la chancellerie. De manière générale, la chancellerie se distingue par le profil particulier des caractères, tout en largeur, et par les attaques et les terminaisons négatives des éléments horizontaux, faites selon une technique inversée que je ne détaillerai pas ici. Les éléments horizontaux sont placés de manière *strictement* horizontale.

La chancellerie a été progressivement remplacée par la régulière à partir du III^e siècle dans l'usage courant, mais a continué à être pratiquée occasionnellement par les calligraphes. Comme la sigillaire, elle a été remise à l'honneur et replacée au rang des genres majeurs par les artistes des XVIII^e et XIX^e siècles. Elle n'est pas toujours aisée à lire pour quelqu'un qui n'a pas de culture calligraphique, mais se lit beaucoup plus facilement que la sigillaire.

*La régulière*

k'ai-chou

tchen-chou

Tchong Yô

La régulière est appelée en chinois *kaishu* 楷书, "écriture modèle", ou *zhenshu* 真书, "écriture véritable". Elle est née au III^e siècle d'une transformation de la chancellerie, transformation dans laquelle Zhong You (151-230, Han or.) semble avoir joué un rôle déterminant. L'étalement en largeur et les horizontales élongées sont abandonnés, le caractère est à nouveau inscrit dans un carré ou un rectangle en hauteur. Certains éléments courbes sont remplacés par des droites ou des droites coudées, de sorte que les formes rectilignes dominent désormais nettement, cependant que les profils anguleux de la chancellerie disparaissent au profit d'une exécution plus douce, plus enveloppée, rendue possible par la nouvelle technique de l'attaque et de la terminaison indirectes. Les crochets, produits de la même technique, font leur apparition. De négatives, les attaques et les terminaisons deviennent positives. Les éléments horizontaux sont inclinés, ils s'élèvent légèrement vers la droite.

La régulière atteint une première perfection au IVᵉ siècle,
notamment chez Wang Xizhi
(321-379, Jin or.), et continue
d'évoluer ensuite, sous les Dynasties du Nord et du Sud (420-581),
époque pendant laquelle elle
donne lieu à une floraison de variations stylistiques. On trouvera
deux exemples caractéristiques à
la page 153 (à gauche) et à la
page 159 (à droite). Après la réu-
nification de l'empire accomplie
par les Sui (581-618), les grands
maîtres du début des Tang
(Ouyang Xun, 557-641, Yu Shinan, 558-638, Chu Suiliang,
596-658 et d'autres) lui donnent
sa forme classique et définitive.
D'autres grands calligraphes
Tang (en particulier Yan Zhenqing, 709-785, et Liu Gongquan,
778-865) étendront encore ses
pouvoirs expressifs, mais sans
plus modifier sa structure. Ce
sont les calligraphes Tang qui
ont définitivement établi la tech-
nique classique. Cette fixation des formes de l'écriture et de la
technique répond aux besoins de l'administration impériale, qui
atteint simultanément sous les Tang une étendue, une complexité
et un degré de centralisation sans précédents et ne profite pas
encore des facilités de l'imprimerie, qui ne sera inventée qu'à la
fin des Tang et dont l'usage ne commencera à se généraliser que
sous les Song (960-1279). Fixée au début des Tang, la régulière
est restée la forme normale de l'écriture chinoise et n'a plus varié
jusqu'à la simplification de l'écriture introduite en Chine populaire à partir de 1956.

La régulière des grands calligraphes Tang nous est connue par
un petit nombre de manuscrits originaux sur papier ou sur soie

RÉGULIÈRE DE SHEN
CHUANSHI (769-827, TANG).

Chen Tch'ouan-cheu

Wang Si-tcheu

Ôyang Sun, Yu Cheu-nan

Tch'ou Souei-liang

Yen Tchen-ts'ing

Liô Kong-ts'uen

et par un nombre plus élevé de stèles ou d'estampages de stèles. La régulière de la période antérieure ne nous est pratiquement accessible que par des stèles ou des estampages de stèles, parfois par des copies manuscrites faites à la main sous les Tang.

### La courante

*sing-chou*
La courante, *xingshu* 行书, n'est pas ainsi nommée parce qu'elle court, mais parce qu'elle est d'usage courant dans la vie quotidienne : *xing* signifie "marcher", mais aussi "mettre en

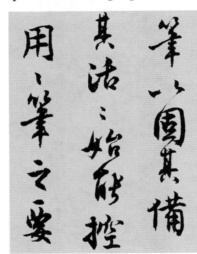

COURANTE DE SHEN YINMO
(1883-1971).

pratique", "pratiquer couramment". Elle est une régulière liée : le calligraphe donne aux caractères les mêmes proportions et le même agencement qu'en régulière, mais relie la terminaison d'un élément à l'attaque du suivant, il recourt à une sorte d'exécution continue au cours de laquelle la pointe de son pinceau ne quitte pas la feuille, ou la quitte moins qu'en régulière. Il abrège parfois tel élément ou telle suite d'éléments, mais sans que le raccourci ne modifie l'aspect général du caractère. Il utilise la même technique qu'en régulière, mais délaisse plus volontiers les attaques et les terminaisons indirectes au profit des directes. Pour qui n'a pas encore une main sûre, la courante est plus difficile parce qu'elle oblige à renoncer aux repentirs et aux ajustements de la manière indirecte, ainsi qu'aux pauses que la régulière permet de faire entre un élément et le suivant. Elle est d'exécution plus rapide, mais davantage par l'enchaînement des mouvements et la simplification des attaques et des terminaisons que par l'allure à laquelle sont faits les développements. On recourt à la courante pour aller plus vite, dans la vie pratique, mais cela ne veut pas dire que le calligraphe, lui, exécute toujours la courante plus rapidement que la régulière.

La courante est plus ou moins liée selon les cas. Les *Mille caractères en courante* de Ouyang Xun, dont un passage est reproduit à la page 154 (à droite), sont un exemple classique de courante à peine liée et se distinguant donc peu de la régulière. La *Lettre à une tante* de Wang Xizhi, à la page 125, est plus libre, elle a plus d'allant. Cette œuvre du IVe siècle illustre le fait que la courante s'est développée parallèlement à la régulière et qu'elle a atteint en même temps son plein développement.

### La cursive

Ce serait une erreur de croire que la cursive, le cinquième et dernier genre, dérive de la courante comme la courante dérive de la régulière : elle est un genre à part, composé de caractères modifiés pour la notation rapide, c'est-à-dire une sténographie. Elle est appelée *caoshu* 草书, "écriture brouillon", littéralement "écriture de paille" – destinée à être brûlée, comme les objets qui accompagnent les défunts dans l'au-delà.

*ts'ao-chou*

Les archéologues ont révélé qu'il existait à l'époque des Royaumes combattants (453-221), notamment dans le royaume de Chu, une cursive dérivée de la sigillaire. Sous les Han (- 206-220), cette cursive s'est transformée pour devenir une forme abrégée de chancellerie. Le *Pingfutie* de Lu Ji (261-303, Jin occ.), dont un passage est reproduit à droite, est l'un des très rares exemples de cette deuxième forme de cursive qui soient parvenus jusqu'à nous sous leur forme manuscrite originale. Il comporte encore, fait curieux et qui reste inexpliqué, un certain nombre d'abréviations dérivées de la sigillaire. Cette cursive fondée sur la chancellerie est appelée *zhangcao* 章草 ; le sens exact du terme est controversé et nous parlerons simplement de "cursive ancienne", appellation qui convient

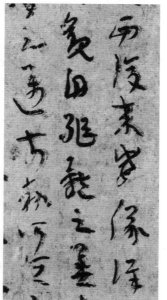

*PINGFUTIE* DE LU JI (261-303, Jin occ.), détail : exemple de cursive ancienne, dérivée de la chancellerie.

*tchang-ts'ao*

d'autant mieux que les Chinois lui opposent la "cursive moderne", *jincao* 今草, qui est née à la fin du IIe siècle, sous les Han toujours, d'une transformation de la précédente [1]. La tradition attribue à Zhang Zhi (mort vers 192) un rôle déterminant dans la création de la cursive moderne ; il excellait également, dit-on, dans l'ancienne et la moderne. Tandis que dans la première, les caractères sont régulièrement espacés et d'une grandeur à peu près égale, dans la seconde le calligraphe varie beaucoup plus librement leur disposition et leurs dimensions relatives, et les relie parfois par de grands enjambements qui font de la colonne une sorte de danse continue.

La cursive moderne a très vite eu la faveur des calligraphes. Le plus ancien texte sur la calligraphie, intitulé *Contre la cursive* (*Fei caoshu*), est un pamphlet dans lequel un certain Zhao Yi, contemporain de Zhang Zhi, dénonce la futilité des lettrés qui passent leur temps à pratiquer cette forme d'écriture. Cet engouement ne s'est pas démenti et la cursive s'est rapidement développée, s'affranchissant bientôt des traits qui la rattachaient encore à la chancellerie. Une nouvelle étape est franchie au IVe siècle grâce à

Wang Si-tcheu
Wang Sien-tcheu

Wang Xizhi (321-379) et son fils Wang Xianzhi (344-388, Jin or.), qui lui donnent une liberté d'allure accrue. La lettre de Wang Zhi (460-513, Liang) reproduite à la page 131, admirable de force et d'aisance, montre les sommets que le genre a atteints au Moyen Âge. On voit apparaître dès cette époque une forme particulière-

k'ouang-ts'ao
Tchang Su
Houai-sou

ment débridée de cursive appelée *kuangcao* 狂草, "cursive folle", genre dans lequel deux grands calligraphes Tang, Zhang Xu (environ 658-748) et Huaisu (VIIIe siècle), créeront des œuvres d'une exubérance extraordinaire. Nous les rencontrerons plus loin.

Dans la cursive, la technique du pinceau est la même qu'en courante et en régulière. Les attaques et les terminaisons directes prédominent mais, comme on le voit par exemple dans l'extrait des *Mille caractères en cursive* de l'empereur Huizong à la page 109, une attaque ou une terminaison indirecte n'est pas exclue à l'occasion. La ligne de force produite par l'extrême pointe du pinceau est souvent décentrée et proche du bord. La cursive est conçue pour écrire vite, mais les calligraphes ont souvent le geste mesuré ou même lent lorsqu'ils la pratiquent pour eux-mêmes. En cursive comme dans les autres genres, il faut rester maître du rythme pour bien écrire.

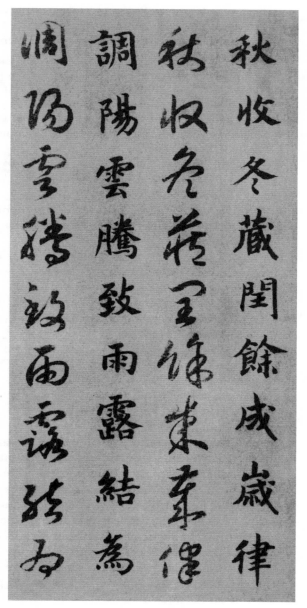

Certains caractères cursifs découlent de la forme régulière du caractère : il suffit de connaître l'ordre des traits de la forme régulière, d'enchaîner leur exécution et d'accélérer le geste qui en résulte pour produire la forme abrégée. C'est ainsi que cela se passe dans le cas du caractère *he* 河, "le fleuve" :

Dans certains cas, celui de *ming* 明 "clair" par exemple, la simplification est extrême mais n'en résulte pas moins, par une sorte d'ellipse gestuelle, de la forme régulière :

Il arrive que l'ordre des traits soit modifié pour permettre une plus grande économie du geste, ou que soit modifié l'ordre dans lequel sont exécutées les parties d'un caractère composé. Il en est ainsi dans le cas du caractère *ye* 野, "terre sauvage" :

Certaines formes cursives usuelles ne dérivent pas de la régulière, mais de la chancellerie ou même de la sigillaire. D'autres, enfin, sont de pures conventions sténographiques. *Lai* 來 "venir" et *cheng* 成 "devenir" en sont deux exemples :

On voit que la cursive est un genre touffu, difficile, qui exige non seulement une technique très sûre, mais aussi une excellente connaissance de l'histoire de l'écriture en général – et de la cursive en particulier, car un même caractère peut avoir plusieurs formes abrégées, inventées par différents calligraphes à divers moments du passé. Yu Youren (né en 1878, mort à Taiwan en 1964), l'un des plus grands calligraphes contemporains et maître de la cursive avant tout, a inlassablement œuvré en faveur d'un réaménagement : il a fait un choix parmi les innombrables variantes héritées du passé et proposé une cursive allégée et décantée. Sa *Cursive standardisée* (*Biaozhun caoshu*), qu'il a publiée pour la première fois à Shanghai en 1936 et remise de nombreuses fois sur le métier par la suite, est devenue un classique [1].

Yu Yô-jen

1. Il y en a eu diverses éditions. Citons celle de Taibei, Zhong-yang wenwu gongyingshe, 1978 (10e éd.) et celle de Shanghai, Éditions Shanghai, 1983.

Il n'y a pas de moyen simple d'apprendre à déchiffrer la cursive. Pour pouvoir la lire, il faut l'avoir pratiquée. Comme il est fréquent que, par souci d'économie, plusieurs composantes de caractère ou plusieurs caractères soient notés par une même abréviation, il faut bien connaître le vocabulaire graphique et savoir juger d'après le contexte. L'*Introduction to Chinese Cursive Script* de Wang Fang-yü [1] fournit une première initiation à la cursive utilisée dans la vie courante. Bien qu'il n'y soit pas question de cursive calligraphique, faite au pinceau, ce manuel peut rendre service à l'amateur.

1. New Haven, Yale University Press, 1958.

Il faudrait tout un volume pour faire l'historique des genres et des techniques. Il en faudrait un autre pour présenter en détail la pratique actuelle et les matériaux. Contentons-nous ici de cet aperçu, qui avait pour but de donner une première idée des grands genres et de faire ressortir l'unité de la calligraphie du point de vue technique : on a vu que l'art de l'attaque, du développement et de la terminaison donne accès à toutes les formes calligraphiques.

L'unité de l'art calligraphique se manifeste aussi d'une autre manière. Le premier critère utilisé dans l'appréciation de la qualité esthétique est toujours celui de la force, *li* 力, que ce soit en parlant d'une œuvre, d'un caractère ou d'un élément isolé. On dit qu'un caractère ou qu'un élément "a de la force" quand il possède une cohérence évidente, qu'il fait corps et semble chargé d'énergie. On dit d'un calligraphe qu'il met de la force dans son écriture lorsque ses éléments, ses caractères, ses compositions produisent ce même effet. On recommande toujours au débutant d'user de sa force en maniant l'instrument : comme le veut l'adage, il faut que la pointe de son pinceau "pénètre d'un tiers de pouce dans le bois" de la table, *ru mu san fen* 入木三分. La force qu'il est censé engager dans le geste de l'écriture n'est évidemment pas une force brute, qui aurait vite fait d'écraser le pinceau, mais une action ferme et décidée qui soumet la pointe du pinceau à toute la pression qu'elle est susceptible de soutenir et y instaure un jeu de forces aussi serré et tendu que possible. Il est invité à agir sans timidité sur l'instrument pour pleinement tirer parti de ses ressources. On lui demande en même temps de mobiliser complètement ses propres

*jou mou san fen*

À DROITE, LES *MILLE CARAC-TÈRES EN CURSIVE (CAOSHU QIANZIWEN)* ÉCRITS PAR HUI-ZONG, huitième empereur des Song du Nord (r. 1100-1125), encre sur soie jaune ornée de nuages et de dragons, extrait. Les quatre caractères de la colonne de gauche (*qiu shou dong cang* 秋收冬藏 "en automne on moissonne, en hiver on conserve caché") sont les mêmes que les quatre premiers de la colonne de droite, à la page 105. Ce rapprochement montre l'ampleur des variations de style possibles en cursive. On voit d'autre part à quel point la technique du pinceau du calligraphe est proche de celle du peintre exécutant les feuilles de l'orchidée, ci-dessous.

ZHENG SIXIAO (1239-1316, SONG/YUAN), *ORCHIDÉE*, couleurs sur papier, 1306.

forces ; non de fournir un gros effort musculaire, mais d'éprouver de manière intense le jeu des forces qu'il utilise pour écrire. Lorsque le débutant apprend à mettre ainsi l'ensemble de ses forces dans le geste calligraphique, il a effectivement l'impression de faire pénétrer sa pointe dans le bois et produit en effet des éléments puissamment organisés.

Ce n'est pas un hasard si certains éléments calligraphiques bien formés ont souvent l'aspect de troncs séculaires. La forme d'un vieux tronc résulte de forces qui ont lutté en lui pendant des centaines d'années. Les éléments calligraphiques résultent de forces qui se sont opposées pendant un instant seulement, mais l'effet est le même, car c'est cette lutte qui compte, non la durée du processus ou la grandeur absolue des forces en présence. Il suffit de comparer, par exemple, la base de mélèzes qui ont poussé à flanc de rocher, en haute montagne, et se sont redressés pour croître verticalement, et le bas de certaines verticales se terminant en crochet dans l'écriture régulière (croquis de gauche). On peut aussi comparer ces crochets aux épines de rose – les formes sont les mêmes, à droite.

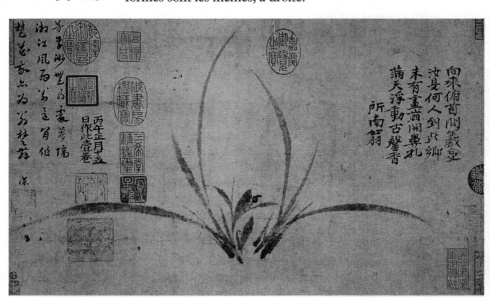

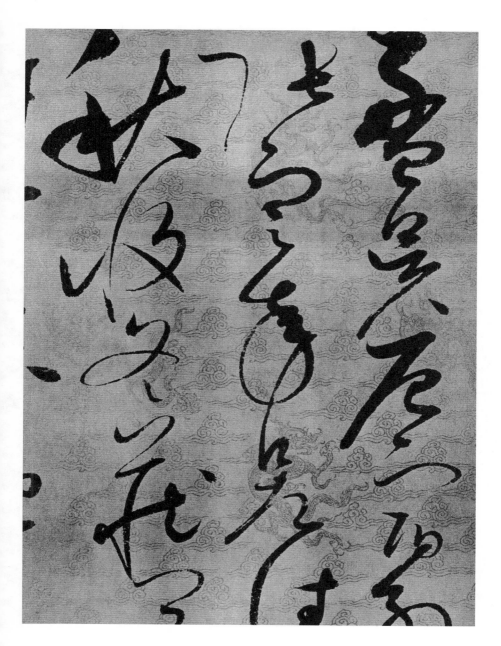

Tels sont l'agencement du caractère et la manœuvre du pinceau. Les manuels s'arrêtent généralement là parce que leur visée est purement pratique : ils laissent au débutant qui se met au travail le soin de découvrir par lui-même comment l'agencement et le maniement du pinceau se combinent en pratique. Mais mon but étant de faire comprendre au lecteur comment opère le calligraphe et comment naît l'œuvre calligraphique, je ne peux pas m'arrêter à mi-chemin : il faut que je montre comment ces deux aspects de la technique, que j'ai dissociés pour la commodité de l'analyse, s'unissent au moment de l'écriture. Il faut que je rende compte de l'acte même d'écrire et c'est à quoi je vais consacrer le chapitre 4.

LE CARACTÈRE *XUE* 学 "ÉTU-DIER" ÉCRIT PAR MI FU (1051-1107, Song du Nord), tiré de son autographe *Poèmes de Hongxian (Hongxianshi)*, de 1106. À cause de l'encre relativement sèche, on distingue en plusieurs endroits la trace du travail du pinceau. La terminaison de la barre horizontale du bas est bien visible. Au bas du caractère, on voit l'endroit où le pinceau s'est arrêté en exerçant une forte pression et son échappée vers la gauche, dont a résulté une grande barbe tenant lieu de crochet final.

## IV. L'EXÉCUTION

### UN ART DU GESTE

LES CARACTÈRES chinois s'écrivent chacun selon un ordre des traits immuable. Apprendre à écrire un caractère, c'est apprendre à en tracer les éléments dans un ordre prescrit, qui découle d'un certain nombre de règles. Avec le temps, la main se fait à la séquence et l'exécute sans plus d'hésitation, la transformant en un geste unique. Un caractère appris est un geste disponible qui, comme tout geste, répond immédiatement à une intention et l'exprime.

Pour concevoir comment il est possible de retenir des centaines ou des milliers de caractères, il faut avoir compris que ce sont des gestes que l'on apprend plus que des images, que c'est à la mémoire motrice que l'on fait appel plus qu'à la mémoire visuelle. Or les ressources de la mémoire motrice sont plus riches que celles de la mémoire visuelle. Sa fiabilité est bien supérieure.

Cette supériorité s'explique. Notre mémoire travaille d'autant mieux que nous sommes plus engagés dans notre activité. Quand nous nous mettons tout entiers dans chaque geste, en écrivant, la mémoire retient les caractères sans qu'il faille la solliciter pour cela. Elle travaille moins bien dès que notre activité diminue, que notre corps se démobilise. Les pédagogues chinois ont toujours su qu'au commencement de l'écriture était le geste. Aussi les enfants chinois commencent-ils traditionnellement leur apprentissage en exécutant les caractères en l'air, à grands gestes et en cadence. Ils nomment un à un les éléments qu'ils tracent (une barre, une jambe, un point...) et donnent à la fin la prononciation du caractère. Quand ce geste est appris vient l'exécution écrite, qui se fait aussi d'abord en grand, en cadence et en chœur. Le souci de la forme, c'est-à-dire de la conformité avec un modèle, ne vient qu'après, lorsque le geste est devenu assez sûr pour ne plus requérir l'attention. Le passage à une exécution plus rapide et plus petite se fait ensuite de manière naturelle.

1. En écrivant ces lignes, je pensais aux *adultes* qui ont l'habitude de notre écriture alphabétique et aux difficultés qu'ils rencontrent quand ils se mettent à l'écriture chinoise. Je ne tenais pas compte des efforts que chacun de nous a fourni quand il était enfant et que rappelle Aline Rouèche, professeur de didactique à Lausanne : "Écrire met en jeu tout le corps. Apprendre à écrire, c'est comme apprendre à nager. Il faut trouver la bonne posture, le geste le plus efficace, celui que l'on pourra répéter longtemps sans se fatiguer. En apprenant à écrire, on apprend aussi à canaliser son énergie. C'est un exercice de concentration utile pour tous les apprentissages ultérieurs." Mais oui, ajoute la journaliste qui a recueilli ces propos : il n'y a pas que la calligraphie chinoise qui vaille la peine que l'on s'extasie. *Le Temps* du 29 août 2009, p. 3.

2. Voir par exemple le Père Régis-Evariste Huc, *L'Empire chinois* (1854), Monaco, Éditions du Rocher, 1980, p. 177-180.

On ne parviendrait évidemment pas à cette parfaite intégration du geste sans la rigueur de l'ordre des traits. Dans l'écriture chinoise comme dans la nôtre, cette rigueur favorise l'acquisition de l'automatisme et garantit en outre que tout le monde acquiert le *même* automatisme. Il faut qu'un même caractère soit exécuté partout d'un même geste afin qu'en cas d'exécution rapide, lorsque les éléments sont reliés les uns aux autres, les liaisons soient toujours semblables et que le caractère reste identifiable.

Les difficultés que rencontrent les Occidentaux lorsqu'ils se mettent à l'écriture chinoise proviennent de ce qu'ils n'exploitent pas les ressources du geste et de la mémoire motrice comme les Chinois. Ils ne le font pas parce que l'écriture alphabétique ne les y a pas préparés. Nous écrivons au moyen d'un petit nombre de gestes machinaux. La main seule travaille, sans que le reste du corps ne soit mis en mouvement, de sorte que notre écriture se réduit finalement à une activité cérébrale. L'écriture chinoise doit au contraire être prise à bras le corps, elle doit s'apprendre par le geste. Parce que la technique du pinceau met en branle les forces et les facultés du corps entier, elle favorise cet apprentissage. Elle coûte hélas un temps que peu de gens ont le loisir de consacrer aujourd'hui à l'apprentissage d'une langue. [1]

Pour un Occidental qui se met au chinois, l'habitude de l'écriture alphabétique constitue un handicap plutôt qu'un acquis. Traitant l'écriture chinoise comme un équivalent de la sienne, il se contente de *noter* rapidement les caractères, sans bien les regarder ni les sentir. Il ne s'aperçoit pas qu'elle exige un autre usage de soi et qu'il faut, pour trouver cet usage, un certain goût du jeu et du geste. Comme beaucoup de voyageurs l'ont remarqué, les Chinois sont des acteurs nés [2]. Montesquieu signale que l'on "connaît un lettré à la façon aisée dont il fait la révérence" et rapproche l'écriture des rites, dont on sait l'importance dans la société chinoise d'autrefois : "Ce fut, écrit-il, dans l'observation exacte de ces rites que le gouvernement chinois triompha. On passa toute sa jeunesse à les apprendre, toute sa vie à les pratiquer. Les lettrés les enseignèrent, les magistrats les prêchèrent. Et, comme ils enveloppaient toutes les petites actions de la vie, lorsqu'on trouva le moyen de les faire observer exactement, la Chine fut bien gouvernée." Montesquieu ajoute très judicieusement que l'une des choses qui "ont pu aisément graver les rites dans le cœur et l'esprit des Chinois" n'est autre que "leur manière extrêmement composée d'écrire" [1]. Il est bon de garder à l'esprit ce rapprochement entre les gestes de la vie en société et les gestes "composés" de l'écriture qui, les uns comme les autres, s'exécutent *con gusto*.

La meilleure méthode d'apprentissage des caractères est celle de l'intériorisation progressive. Elle consiste à exécuter le geste en l'air d'une manière lente et régulière, en faisant bien les attaques et les terminaisons, puis à diminuer graduellement l'ampleur du geste pour le réduire finalement à un imperceptible mouvement du doigt, puis à un mouvement intérieur, imaginé. On visualisera en même temps le caractère, de préférence les yeux fermés. Lorsqu'il s'agira de se le remémorer, on pratiquera la méthode inverse : on partira du mouvement intériorisé plutôt que de chercher directement l'image. Notre réaction normale est de solliciter notre mémoire visuelle – et de constater son impuissance. Pour que le caractère réapparaisse, il faut mobiliser d'abord notre mémoire motrice et, pour cela, nous mobiliser nous-mêmes, c'est-à-dire nous mettre en mouvement comme nous le faisons lorsque nous cherchons un pas de danse oublié. De même qu'il n'y a que les jambes qui puissent se souvenir du pas, il n'y a que la main qui puisse retrouver le geste de l'écriture et, par voie de conséquence, le caractère recherché. C'est ce que font instinctivement les Chinois quand un caractère leur échappe : ils cherchent de la main jusqu'à ce que le geste se reforme et leur restitue la forme oubliée. Ils ont d'ailleurs tellement l'habitude de l'exécution mimée que, quand il y a confusion sur un mot dans la conversation, ce qui arrive assez souvent dans leur langue, ils tracent le caractère correspondant dans l'air ou dans leur paume ouverte, ou encore dans la paume tendue de leur interlocuteur : cela suffit normalement à résoudre le malentendu. [2]

Le caractère, que nous considérions jusqu'ici comme une forme, nous apparaît donc maintenant comme un geste. Il se présente à nous comme un être double, statique en tant que forme et dynamique en tant que geste. Du point de vue pratique de celui qui écrit, il est les deux à la fois : il est simultanément une matrice formelle, dont le caractère écrit sera la réalisation concrète, et un schéma moteur.

1. *De l'Esprit des lois*, livre 19, chapitre 17.

2. D'où l'absurdité de la plupart des "cours de calligraphie chinoise" offerts au public. C'est un abus de parler de "calligraphie" quand il s'agit simplement d'apprendre à manier le pinceau. C'en est un autre de prétendre enseigner l'écriture au pinceau à des élèves qui ne savent pas tracer les caractères. Il faudrait : 1° leur apprendre à tracer sans hésitation quelques dizaines de caractères, en l'air et sur papier au moyen d'une mine de plomb tendre, en leur donnant un agencement satisfaisant ; 2° passer ensuite à l'usage du pinceau (sur cette étape, voir plus haut, p. 82-83, note 1) ; 3° ne jamais les laisser s'entraîner au pinceau sans leur donner un modèle à suivre (sur ce point, voir plus bas, p. 146).

Ces deux aspects sont indissociables : le caractère est aussi bien un geste se convertissant en forme qu'une forme se convertissant en geste. C'est en raison de cette nature double et instable qu'il peut s'animer et devenir forme d'expression. L'art de l'écriture se développe tout entier dans cet entre-deux du geste et de la forme, dans le jeu de leur engendrement réci-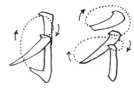proque. L'exécution calligraphique oscille sans cesse entre les deux pôles, se rapprochant tantôt du pôle dynamique en se faisant plus gestuelle, c'est-à-dire en faisant prévaloir le mouvement sur la forme construite, tantôt du pôle statique en faisant prévaloir la forme construite sur le mouvement.

De même, l'agencement du caractère et la manœuvre du pinceau se combinent dans l'acte de l'exécution, mais sans fusionner tout à fait. La meilleure manière de définir leur rapport est de dire, comme je l'ai déjà fait, que la manœuvre du pinceau *parachève* l'agencement. Pour le calligraphe qui trace un caractère, l'agencement est en effet donné d'avance et constitue la base. Il n'a qu'à susciter le geste approprié pour que le caractère apparaisse tout formé sur la feuille : il déclenche une opération programmée d'avance et assiste à son déroulement comme à un phénomène naturel et spontané. Il y a deux instances en lui à ce moment-là : celle qui exécute sans hésiter le geste demandé et celle qui suit le développement de ce geste, le contrôle et l'infléchit. Le caractère se formant tout seul, il se contente de modifier subtilement les formes naissantes, d'y introduire les correspondances, les variations, les contrastes, les compensations, bref toutes les finesses qui donneront vie au caractère achevé. C'est ainsi que la conduite du pinceau parachève l'agencement.

Voici un exemple du réseau d'appels, d'échanges et de tensions que le calligraphe introduit dans la forme du caractère au moment de l'exécution. Le caractère *er* 二 "deux" se compose de deux barres, une plus courte en haut et une plus longue en bas. Pour leur donner un poids comparable, il a donné un gabarit plus gros à celle du haut et un gabarit plus fin à celle du bas. Il a conféré un profil

plus arrondi, un aspect plus charnu à la première et un profil plus anguleux, un aspect plus osseux et sévère à la seconde. La première a une forme plus compacte et plus simple, la seconde une forme plus composée. Les deux terminaisons se ressemblent et suggèrent une droite formant un côté du triangle équilatéral dans lequel s'inscrit approximativement le caractère, mais les attaques sont dissemblables – plus abrupte et pleine celle du haut, plus élancée celle du bas. À cela s'ajoute que la barre supérieure est incurvée vers le bas et la barre inférieure vers le haut, de sorte qu'elles paraissent attirées l'une vers l'autre par un magnétisme puissant et prises dans un champ de forces dont le centre coïncide avec le milieu du carré. Dans le langage du calligraphe, ce sont deux éléments qui "se tournent le dos", *bei* 背, comme les deux éléments d'une parenthèse inversée )( , tandis que d'autres "se font face", *xiang* 向, comme les deux parties d'une parenthèse normale ( ). Le premier type de disposition suggère une force d'attraction, le second une force de répulsion – mais contenues chacune par la force contraire. On voit ci-dessus quelques autres exécutions du même caractère, tirées de différentes œuvres de Wangxizhi, telles que les présente le *Shogen*.

Dans le caractère *san* 三 "trois" exécuté en courante, ci-contre, le calligraphe a varié la longueur des trois éléments, leurs distances respectives, leur calibre, leur profil. Il a lié les deux du haut, il a mis à part le troisième en l'étirant et en le coudant légèrement pour éviter d'ajouter une troisième parallèle aux deux premières. Il a exécuté les deux premiers d'une succession de gestes rapides et généreux, le dernier d'une manière plus retenue et méditée. Les attaques du haut sont directes, elles révèlent le mouvement du pinceau, celle du bas est fermée sur elle-même.

Ces subtilités résultent d'une analyse permanente ou, si l'on veut, d'une succession d'analyses faites par le calligraphe au cours de l'exécution. Mais ses jugements et ses décisions sont si rapides, si intimement liés les uns aux autres et si complexes que la notion d'analyse n'a plus grand sens et qu'il vaut mieux parler d'intuition. Ce que nous décomposons laborieusement après coup est le produit de l'intuition de l'artiste, d'un acte ramassé dont la complexité défie l'analyse.

La complexité de l'opération est accrue du fait que le calligraphe ne fait pas seulement intervenir son intelligence des formes, mais y introduit aussi son sens de l'imprévu, son imagination et ses émotions, qu'il laisse ses sentiments se manifester dans de subtils changements des proportions ou de minimes modifications de l'équilibre, dans l'infléchissement des lignes et les nuances de l'encrage. Le travail du pinceau peut ainsi receler

HE SHAOJI (1799-1873, QING), PETIT COLOPHON ajouté en 1863 aux *Mille caractères en petite cursive* de Huaisu, dont un extrait est reproduit à la page 181. La sensibilité que révèle une telle écriture a un lointain équivalent dans certaines signatures de peintres occidentaux, de Matisse ou Bonnard par exemple.

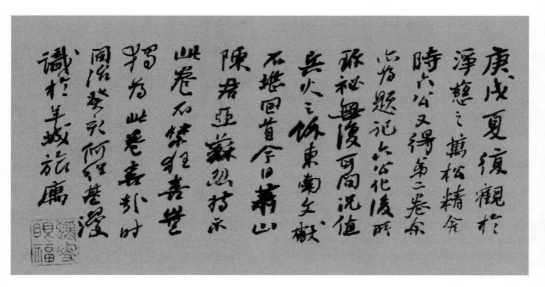

des trésors de sensibilité et de fantaisie. L'autographe de
Yan Zhenqing reproduit au chapitre 2, pages 51 et 55, en donne    Yen Tchen-ts'ing
un merveilleux exemple. La petite pièce de He Shaoji (1799-       He Chao-tsi
1873, Qing), reproduite à gauche, en est un autre, très différent.
Elle est d'une fantaisie, d'une ingénuité et d'une délicatesse que
l'on ne retrouve que chez les plus grands artistes.

L'expressivité du pinceau est la première vertu en calligraphie. C'est elle qui donne la touche de vie à laquelle les Chinois
sont attentifs avant tout, en calligraphie autant qu'en peinture.
Comme nous disons d'un artiste qu'il "a une belle main", ils
disent d'un calligraphe qu'il "a du pinceau", *de bi* 得笔, et veulent dire par là que sa sensibilité passe dans son instrument, se
communique aux formes et leur confère un cachet inimitable.

L'expressivité du pinceau est à la calligraphie ce que la musi-
calité est à la musique. Rien n'éclaire mieux notre sujet que
cette équivalence, nul rapprochement ne peut mieux faire
concevoir à un Occidental ce qu'est la calligraphie chinoise.
Parce que l'analogie entre la calligraphie et la musique est profonde et touche à l'essence même des deux arts, je vais tenter
de la mettre en lumière et de noter aussi entre eux un certain
nombre de différences. En ce qui concerne la musique, je m'en
tiendrai dans un premier temps à la musique instrumentale
classique et surtout au violon, auquel j'ai déjà eu l'occasion de
comparer le pinceau.

## UN ART MUSICAL

LE RAPPROCHEMENT entre musique et calligraphie peut se
faire à trois niveaux. Le premier, le plus élémentaire, est celui
de la *note* musicale et de l'*élément* calligraphique. Sur ce plan,
l'analogie comporte divers aspects :

1° La note et l'élément calligraphique ont d'abord en commun, comme nous l'avons vu, d'émaner d'instruments qui
transforment le geste de l'artiste. Ils naissent d'une métamorphose de ce geste et leur surgissement a de ce fait quelque chose
d'également miraculeux.

2° Ils naissent l'un et l'autre d'un geste possédant une durée.
Au violon, chacun perçoit dans la durée de la note la durée du

geste. En calligraphie, l'amateur qui a vu écrire ou qui écrit lui-même perçoit aussi dans chaque élément la durée d'un geste.

3° Selon Pierre Schaeffer, l'auteur du *Traité des objets musicaux*, la note est caractérisée par une "courbe dynamique définissant une forme temporelle précise, avec une attaque, un corps et une chute" [1]. Cette définition correspond en tous points à celle de l'élément calligraphique. Pierre Schaeffer établit une typologie des attaques que l'on peut mettre en rapport avec celle des calligraphes. Il appelle "convenable" toute note apte à être intégrée dans une composition musicale ; on peut appeler "convenables" les éléments formés de manière à faire corps et à produire l'effet calligraphique. Il précise dans son *Traité* qu'une note est "convenable" lorsqu'elle réalise un accord entre deux qualités complémentaires, l'équilibre et l'originalité [2]. L'équilibre est un compromis entre le "trop structuré" et le "trop simple", l'originalité une plus ou moins grande capacité de "surprendre la prévision". Or ce même accord est constamment recherché en calligraphie : pour être "convenable", un élément ne doit être ni trop structuré (ci-contre, en haut) ni trop simple (en bas) et doit en même temps surprendre la prévision, mais sans être trop original (ou "excentrique", selon Pierre Schaeffer) afin de ne pas cesser de s'intégrer au caractère. Cette remarquable homologie entre la note et l'élément pourrait être développée.[3]

4° La largeur de l'élément calligraphique a son équivalent musical dans le volume de la note ou dans sa hauteur. Aux contrastes des éléments gros et fins correspondent, selon le point de vue qu'on adopte, ceux des notes fortes et faibles ou ceux des graves et des aigus.

5° Les qualités de l'encre et les nuances de l'encrage peuvent être assimilées au timbre en musique. Les qualités de l'encre, ce sont sa teinte et sa patine plus brillante ou plus mate, et ses nuances plus foncées ou plus claires, plus denses ou plus diaphanes qui résultent de la quantité d'eau dans laquelle elle est diluée. L'encrage peut être sec et rugueux ou fluide, onctueux, moelleux. Ces valeurs tactiles sont pour beaucoup dans la séduction des œuvres.

6° L'élément calligraphique et la note musicale ont finalement en commun de faire corps et de créer un espace. Nous

1. Voir Michel Chion, *Guide des objets sonores. Pierre Schaeffer et la recherche musicale, op. cit.*, p. 48.

2. *Ibid.*, p. 156-158, p. 97 et p. 124.

3. Notons que Pierre Schaeffer accorde plus d'importance à l'attaque de la note qu'à sa chute tandis qu'en calligraphie, il convient d'en donner autant à l'attaque et à la terminaison. Ajoutons que les attaques et les terminaisons calligraphiques sont plus explicites et plus manifestes dans leur diversité que ne le sont les attaques et les chutes en musique.

prêtons à la forme encrée une réalité corporelle un peu comme nous percevons dans une note bien timbrée l'équivalent d'une présence corporelle.

Ces similitudes peuvent être illustrées. Les jambages allongés des caractères en chancellerie reproduits à la page 100, par exemple, évoquent de puissantes notes de violoncelle ou de contrebasse tandis que ces deux caractères de Huang Tingjian font penser à une note plus fantasque, de violon peut-être, très librement modulée, suivie d'un motif de pizzicatos énergiques, mais qui ont du moelleux comme une flûte.

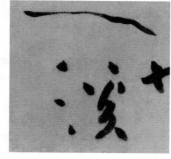

DEUX CARACTÈRES extraits du rouleau de Huang Tingjian reproduit à la page 302 : *yi xi* 一 溪 "un ruisseau".

Le deuxième niveau de l'analogie est celui du *caractère* d'écriture et du *motif* musical.

Par motif musical, j'entends un élément de mélodie lié par un phrasé et délimité par deux pauses plus ou moins marquées : les six premières notes de *Au clair de la lune* par exemple. Un tel motif est assimilable à un geste puisqu'il procède d'une intention unique, l'exprime et l'accomplit. En calligraphie, le caractère est également un geste qui procède d'une intention unique, l'exprime et l'accomplit. Il y a de ce fait une équivalence naturelle entre une séquence de motifs formant une mélodie complète et une séquence de caractères formant une phrase écrite. À la mélodie de *Au clair de la lune*, composée de huit motifs, correspond de ce point de vue une suite de huit caractères. En raison de la durée très variable des motifs musicaux, qui contraste avec la dimension uniforme des caractères, cette relation n'est pas toujours facile à établir, mais elle ne représente pas moins l'un des aspects de la comparaison entre l'esthétique musicale et l'esthétique calligraphique.

Que ce soit en musique ou en calligraphie, l'exécution d'une œuvre prend d'abord forme à ce deuxième niveau. C'est au motif que le musicien donne en premier lieu une valeur expressive mais un caractère supérieurement écrit peut être aussi émouvant qu'un motif mélodique sublime. On peut garder un souvenir attendri des sept notes qui accompagnent *Là ci darem*

1. Voir par exemple p. 109, 163.

2. Voir par exemple p. 123, 302.

3. Voir par exemple p. 178, 367.

*la mano* dans le *Don Giovanni* de Mozart, mais tel caractère, écrit par un calligraphe que l'on aime, laisse dans l'esprit une empreinte tout aussi profonde.

Le troisième niveau de l'analogie est celui de la composition musicale (du morceau) et de la composition calligraphique. La disposition des caractères dans l'espace de la feuille ou du rouleau relève de ce qu'on appelle *zhangfa* 章法, "l'art de la composition". Cette organisation de l'espace est un aspect de la calligraphie souvent négligé dans la littérature spécialisée.

Pour régler sa composition, le calligraphe peut varier le gabarit des caractères en l'agrandissant ou en le réduisant, en l'allongeant ou en l'élargissant. Il peut modifier l'espacement en écartant les caractères ou en les resserrant, il peut également espacer ou resserrer les colonnes. Ces premières variables lui donnent déjà une liberté comparable à celle d'un architecte dessinant une façade : il crée grâce à elles un effet d'ensemble plus compact ou plus aéré, plus sévère ou plus souriant, il confère plus de présence aux formes qui occupent l'espace ou donne plus de vie à l'espace immatériel dans lequel baignent ces formes.

En alignant régulièrement des caractères de même grandeur et de même masse, comme dans l'œuvre de Dong Qichang (1555-1636, Ming) reproduite à droite, le calligraphe crée des compositions statiques. Mais il peut aussi "donner du jeu", varier la dimension des caractères, leur poids relatif et leur espacement. Il peut les laisser agir les uns sur les autres et communiquer entre eux. Le mouvement, qui restait contenu à l'intérieur des caractères, déborde et s'étend à l'espace vertical de la colonne, la composition devient dynamique. L'espace de la colonne se décloisonne et les énergies circulent [1]. Les caractères semblent échanger des signes de connivence, ils ont l'air de se lancer des œillades, de s'apostropher, de se bousculer ou même de s'empoigner [2]. Tandis que dans une composition statique chaque caractère a son centre de gravité en lui-même, on voit maintenant le déséquilibre de l'un compensé par le déséquilibre du suivant. L'équilibre instable peut l'emporter au point de faire de la colonne un enchaînement de bonds [3]. Mais le relâchement de la contrainte peut aussi se manifester d'une manière différente : elle peut donner aux caractères une autonomie presque complète

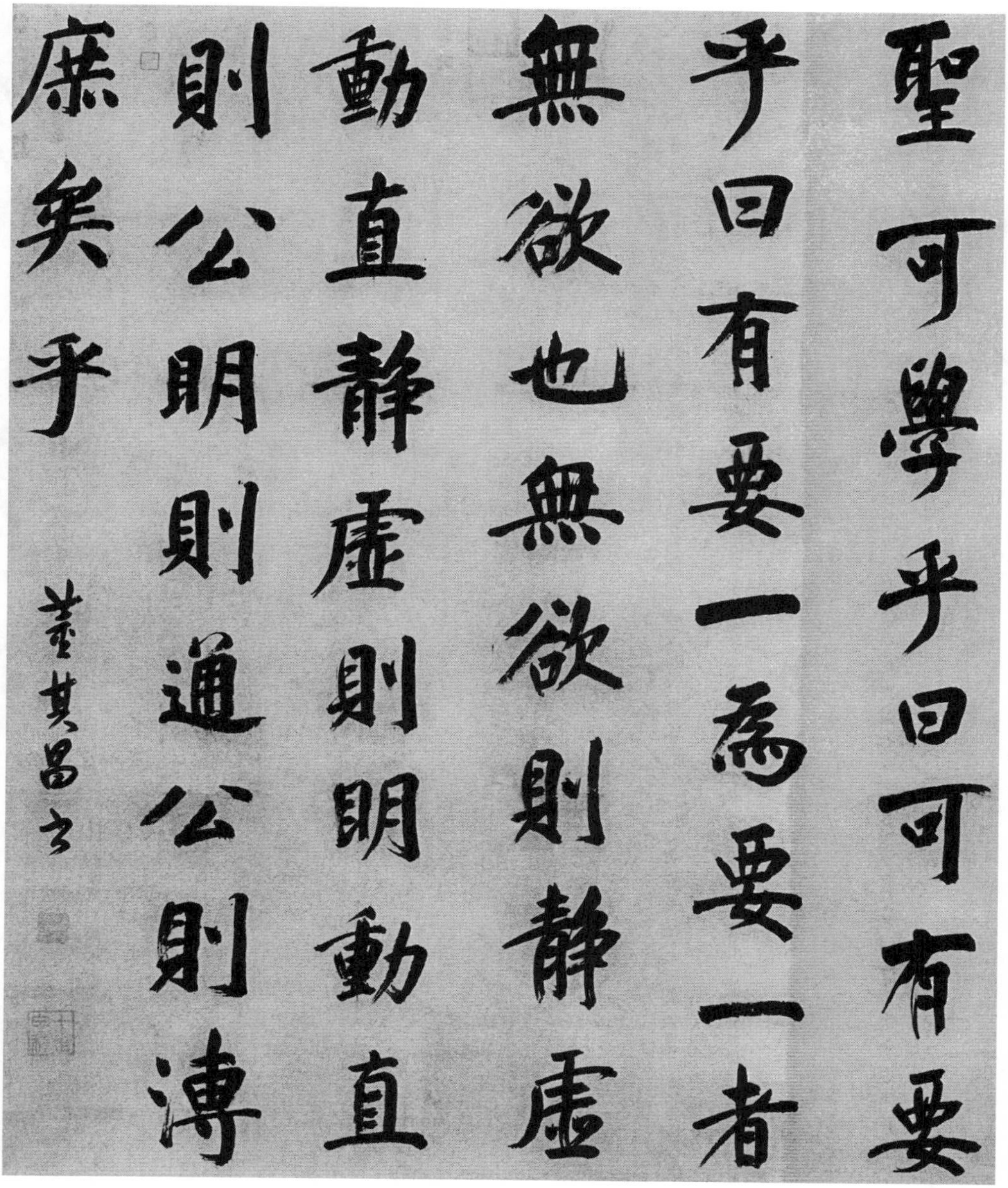

聖可學乎曰可有要
乎曰有要一為要一者
無欲也無欲則靜虛
動直靜虛則明動直
則公明則通公則溥
庶矣乎

董其昌書

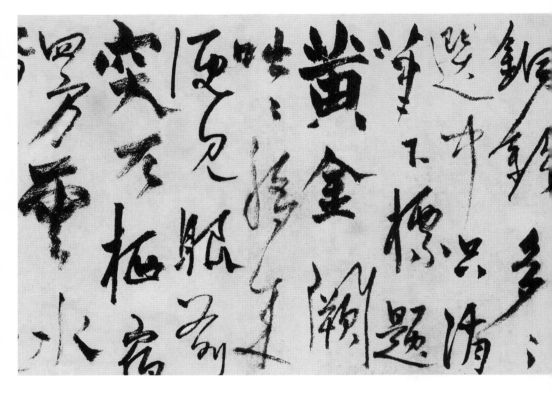

en apparence, leur faire prendre des airs d'hurluberlus ou d'ana-
chorètes s'ignorant les uns les autres et s'ébattant chacun selon
son bon plaisir [1].

1. Voir par exemple p. 378.

L'animation peut déborder la colonne et s'emparer de la page.
Cela se produit quand le calligraphe espace irrégulièrement les
colonnes ou les fait dévier de la verticale pour simuler la gaucherie, pour séduire par un certain laisser-aller ou dans le but de
suggérer que d'invisibles forces traversent l'espace et dérangent
l'ordonnance des lignes. Il existe différentes formes extrêmes de
compositions dynamiques. Il y a celle que les Chinois appellent
"en voie lactée" (littéralement "en ciel étoilé", *mantian xing*

*man-t'ien-sing*

满天星) parce que les caractères, séparés par de grandes plages
blanches, créent à la fois une impression de rareté et de désordre : "Des choses jetées là au hasard, le plus bel arrangement... " [2]

2. Héraclite, fragment Diels-
Kranz 124.

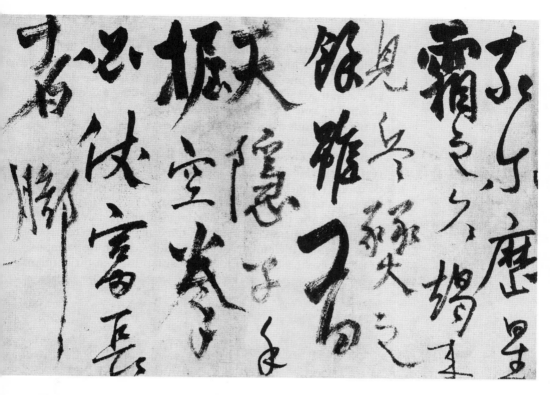

Il y a celle où, tout au contraire, les caractères envahissent l'espace et font par exemple l'effet d'une forêt tropicale sous l'averse. L'*Invitation à souscrire en faveur du Monastère du Vrai miroir* de Yang Weizhen (1296-1370, Yuan), ci-dessus, est un bel exemple de ce genre de composition. Le court extrait que l'on voit ici ne donne qu'une faible idée de la luxuriance de cette œuvre, de la luminosité de cet espace arrosé par l'ondée, parcouru de turbulences errantes qui semblent brouiller la composition mais ne la brouillent pas réellement : les colonnes restent distinctes et le texte parfaitement lisible. On le comparera avec un autre chef-d'œuvre de la courante, les *Mille caractères* de Ouyang Xun (557-641, Tang), dont un passage est reproduit à la page 154 : bel exemple de courante classique, dont le mouvement reste enclos dans le cadre d'une composition rigoureusement statique.

YANG WEIZHEN
(1296-1370, YUAN),
PASSAGE DE L'*INVITATION
À SOUSCRIRE EN FAVEUR
DU MONASTÈRE DU VRAI
MIROIR (ZHENJING'AN
MUYUANSHU*).

Yang Wei-tchen

On pensera peut-être que ces différents types de composition s'allient naturellement avec les divers genres de l'écriture chinoise et que les calligraphes donnent nécessairement une ordonnance statique à une page en régulière, une organisation dynamique à une page de cursive. Mais il leur arrive de mettre en contradiction le caractère de l'écriture et celui de la composition. On voit à la page 175 par exemple, que la cursive de Huaisu suit tout d'abord (à droite) des verticales équidistantes et réglées au fil à plomb, et reste donc soumise à une composition statique (voir aussi l'extrait de la page 179) tandis que la régulière de He Shaoji, à la page 116, divague nonchalamment de droite à gauche. Les grands calligraphes tirent de ces combinaisons paradoxales des effets raffinés.

Il entre enfin dans l'art de la composition d'éviter les répétitions qui créeraient la monotonie. Un calligraphe exercé trouve dans le retour d'éléments semblables l'occasion de variations qui lui servent à enrichir la composition tout en lui donnant

une cohésion plus forte. Wang Xizhi (321-379, Jin or.), que l'on considère traditionnellement comme l'un des plus grands calligraphes, est le maître de la variation. Que l'on jette un coup d'œil à sa *Lettre à une tante (Yimutie)*. Dans la première colonne, à droite, la répétition des barres horizontales des 2ᵉ, 4ᵉ et 5ᵉ caractères (一 *yi* "un", 十 *shi* " dix ", 三 *san* "trois") risquant de paralyser la physionomie du texte, Wang Xizhi leur a donné trois courbures différentes, inversant une fois le profil convexe en profil concave, et les a attaquées de trois manières distinctes. La répétition lui paraissant encore trop marquée, il en a corrigé l'effet par une barre descendante dans le 8ᵉ caractère ( 之 *zhi*,

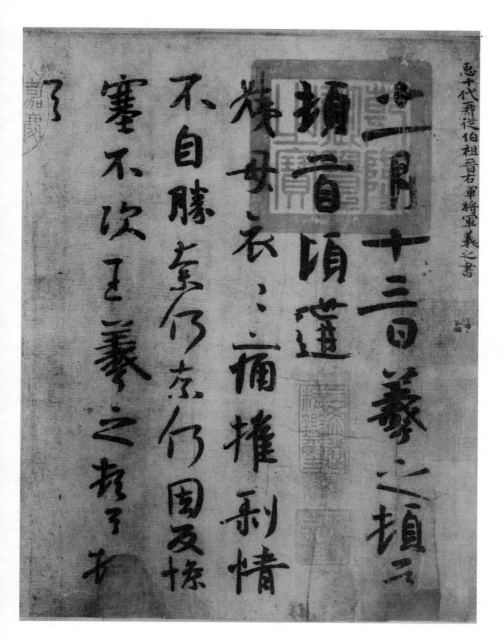

particule), tracée avec légèreté pour que le procédé ne soit pas trop apparent. Il a surtout placé plus loin, dans le 5e caractère de la 3e colonne (痛 *tong* "souffrir"), une barre qui s'incline doucement vers la droite alors qu'elle devrait normalement monter un peu. Cette dérogation est d'une suprême délicatesse et d'une souveraine efficacité. On pourrait continuer le commentaire. Les deux caractères 羲 *xi* et 之 *zhi*, qui forment le prénom du calligraphe, ne s'opposent pas de la même manière dans la première colonne et dans la dernière. Le *xi* de droite est dense, il a l'allure d'une matrone curieusement attifée et pleine d'aplomb malgré son petit pied ; il est suivi d'un *zhi* éthéré. Le second *xi* s'élance vers la gauche comme la patineuse de Bonnard ; le *zhi* qui suit rattrape et inverse l'élan comme cela se fait quand on valse sur la glace (voir ci-dessus, page 124). Pris ensemble, les trois caractères 王 *wang*, 羲 *xi* et 之 *zhi*, qui forment le nom complet du calligraphe, sont animés du même mouvement que les trois temps d'une valse. De la première à la dernière colonne il y a reprise du motif, mais reprise transformée. C'est ainsi que le génie combine consonance et dissonance pour enrichir secrètement la physionomie de la page. L'interprète musical ne fait pas autre chose lorsqu'il transforme les répétitions d'une partition en rappels sans cesse modifiés. [1]

Telles sont les ressources de la composition en calligraphie. Quand cet art de la composition consiste à répartir les masses, à régler les rapports entre les parties, il correspond à celui du compositeur en musique. Lorsqu'il consiste à donner un rythme et à varier les formes imposées par le texte, il s'apparente plutôt à celui de l'interprétation musicale.

Au moment d'écrire en effet, le calligraphe interprète son texte comme l'instrumentiste sa partition. Il n'invente aucune forme, il n'ajoute ni ne retranche rien. Les cadences improvisées du concerto mises à part, le musicien et le calligraphe ont tous les deux pour tâche de prêter vie à des formes données d'avance et d'exprimer à travers elles quelque chose qui leur appartient en propre. La contrainte à laquelle ils se soumettent constitue paradoxalement la source de leur liberté : n'ayant pas à se soucier de l'invention des formes, ils peuvent se vouer entièrement à la réalisation de leurs virtualités expressives. Parce que ces virtualités sont à la fois dans le détail et dans l'ensemble,

*si, tcheu*

1. On trouve dans Deng Sanmu, *Shufa xuexi bidu*, p. 44-48, les deux caractères *xi* et *zhi* exécutés de 75 manières différentes par Wang Xizhi. Voir aussi Fujiwara K., *Shogen*, p. 25-27 et 1134.

ils s'attachent à donner vie au détail et à incorporer en même temps le détail dans une interprétation cohérente du tout. Ils intègrent chacun de leurs gestes dans des gestes plus larges et font finalement de l'interprétation de l'œuvre un geste unique, procédant d'une seule intention.

L'exécution ne tolère aucun repentir, en calligraphie pas plus qu'en musique. Chaque geste, chaque enchaînement de gestes est irrévocable. Une interprétation réussie est toujours, de ce fait, le produit d'une activité soutenue, rendue possible par une concentration sans faille. Lorsqu'il écrit, le calligraphe passe avec une extrême rapidité d'un caractère à l'autre parce que son activité ne souffre aucune interruption. Il ne s'offre aucun répit parce que le moindre arrêt briserait le charme. Comme en musique, l'interprétation est nécessairement d'une seule venue. La seule différence est que le calligraphe, s'il ne peut se laisser aller à aucune distraction, peut cependant se permettre çà et là une hésitation, voire même – très rarement – une retouche de détail.

Lorsqu'on regarde jouer un bon musicien, on prend une plus grande part à son jeu, on entre plus complètement dans son interprétation de la musique et le plaisir en est accru. Le plaisir que l'on prend à voir écrire un calligraphe est du même ordre. Il est vrai qu'à la différence de l'exécution musicale, on ne peut apprécier l'exécution calligraphique qu'après coup, lorsque l'œuvre a été montée et qu'elle est exposée au regard. Cela n'empêche que c'est une jouissance de voir les calligraphes écrire et qu'il faut les avoir vus au travail pour avoir une idée des gestes qui passent dans leur écriture. Il va sans dire que quand on manie soi-même le pinceau et que l'on connaît de l'intérieur le geste calligraphique, l'intérêt de leurs œuvres et le plaisir qu'elles procurent s'en trouvent encore accrus. Devant une œuvre, l'amateur qui possède cette expérience suit les éléments des caractères dans l'ordre où ils ont été exécutés, reproduit en lui-même les gestes dont ils sont issus dans leurs dimensions spatiale et temporelle, dans leur rythme et leur style, et reconstitue ainsi dans son for intérieur l'activité du calligraphe. La trace écrite est pour lui comme le sillon à partir duquel le phonographe recrée la réalité de la musique. On comprendra que regarder écrire soit une part essentielle de l'apprentissage et demeure une source d'inspiration constante par la suite : il y a toujours quelque chose à gagner dans le spectacle d'un maître manœuvrant le pinceau.

Ce rapprochement avec la musique a occulté jusqu'ici un aspect important de la calligraphie, celui du rôle joué par le texte. N'oublions pas que si elle est appréciée à la manière d'une exécution musicale, une œuvre calligraphique ne cesse pas pour autant d'être lue. Afin d'éclairer le rapport entre l'appréciation esthétique et la lecture du texte, notons d'abord que, de l'écriture qui se borne à présenter un texte de manière agréable et lisible à une écriture dont la fin n'est plus la communication, mais l'expression – que de l'une à l'autre le passage est insensible. Celui-ci peut se faire de façon aussi imperceptible qu'un autre passage de même nature, celui de la marche à la danse : une dose infime de jeu, un rien d'émotion suffisent à amorcer la transformation. Ce passage peut encore se comparer à la transition de la parole au chant, qui se produit elle aussi quand des énergies venues de plus loin se mettent à porter notre diction. Il s'agit toujours de l'instant où une activité qui était soumise à une finalité extérieure s'émancipe et devient à elle-même sa propre fin – où elle se dégage et "vole selon" [1].

Mais qu'advient-il du texte lors de ce passage ? Quel rôle joue-t-il dans l'appréciation de l'œuvre calligraphique ? Son contenu, sa qualité littéraire ont-ils sur elle une incidence ? Mieux que la musique instrumentale, la musique vocale fournit ici un terme de comparaison. Le mélomane peut suivre de différentes manières un air d'opéra : il peut chercher à comprendre les paroles sans se soucier de la musique, comme il chercherait à comprendre quelqu'un qui lui parle, ou bien se laisser aller au plaisir de la musique sans se préoccuper des paroles. Disons qu'il pratique dans le premier cas une écoute "ordinaire" et dans le deuxième une écoute "détachée" [2]. L'amateur de calligraphie se trouve devant la même alternative : il peut pratiquer une lecture "ordinaire", c'est-à-dire prendre connaissance du texte, ou s'adonner à la lecture "détachée" en négligeant le contenu du texte pour s'intéresser aux valeurs expressives de l'exécution. L'œuvre calligraphique et l'air d'opéra se ressemblent en ce que ni l'une ni l'autre ne peuvent se passer de texte, mais qu'à tout moment, l'amateur peut

1. Rimbaud : "Donc tu te dégages / Des humains suffrages, / Des communs élans ! / Tu voles selon...", écrit-il dans l'un de ses plus beaux poèmes, celui qui commence par "Elle est retrouvée ! / Quoi ? L'éternité..." et figure dans "Alchimie du verbe", partie de *Une Saison en enfer*.

2. J'emprunte à Pierre Schaeffer l'idée de distinguer différents types d'écoute (voir Michel Chion, *op. cit.*, p. 25 et suivantes), mais sans entrer dans toutes les distinctions qu'il fait ni adopter sa terminologie.

mettre le texte entre parenthèses pour goûter, d'une façon globale, les qualités sensibles de l'exécution. À ces deux manières d'aborder l'œuvre doit en être ajoutée une troisième, écoute ou lecture que nous appellerons "attachée" et qui porte aussi sur les qualités sensibles de l'exécution, mais qui est sélective et analytique au lieu d'être globale et intuitive. Nous dirons qu'un mélomane pratique l'écoute attachée lorsqu'il suit telle ligne mélodique ou tel instrument dans l'orchestre, par exemple, et qu'un amateur de calligraphie pratique la lecture attachée lorsqu'il concentre particulièrement son attention sur les attaques, sur les valeurs d'encrage ou sur la composition.

Devant une œuvre calligraphique, une personne qui ne lit pas le chinois peut pratiquer la lecture détachée et tirer d'elle une certaine jouissance. C'est par là que cet art est accessible aux non sinisants. L'amateur chinois commence aussi par la lecture détachée, mais passe ensuite à d'autres lectures qu'il alterne et combine les unes avec les autres. Il explore ainsi l'œuvre dans toutes ses dimensions et la compare avec d'autres qu'il a en mémoire. Sa culture multiplie son plaisir. La lecture détachée à laquelle il revient après de multiples allers et retours est une lecture enrichie, une synthèse des observations qu'il a faites sur l'œuvre même, des associations qu'elle a éveillées en lui, des émotions qu'il a éprouvées à son contact. Dans les grandes œuvres, cette synthèse peut être indéfiniment reprise et approfondie. Le mélomane, lui aussi, observe, analyse, passe d'une écoute à l'autre et compare les interprétations pour enrichir sa perception de l'œuvre et augmenter sa jouissance. Sur ce plan-là, l'affinité entre la calligraphie et la musique d'opéra (mais aussi bien d'autres formes de musique) est étroite. Certaines cursives étant difficiles à déchiffrer, le graphomane est parfois obligé, pour comprendre un passage, de demander conseil à plus expert que lui ou de se référer au texte s'il s'agit d'un texte connu. Il se trouve alors dans la même situation que le mélomane qui recourt au livret ; l'incertitude une fois levée, il suit l'exécution sans difficulté. Les bons éditeurs viennent au secours de l'amateur en faisant suivre la reproduction d'œuvres en cursive de la transcription du texte (*shiwen* 释文) en caractères réguliers.

Quand il s'est familiarisé avec l'œuvre, qu'il en connaît aussi bien la teneur littérale que la forme calligraphique, ces dernières

*cheu-wen*

s'unissent aussi étroitement dans son esprit que la mélodie de *Là ci darem la mano*, les mots qui sont dits et la situation dans laquelle ils sont prononcés s'unissent dans celui du mélomane : tout cela ne fait plus qu'un. La relation entre le contenu du texte et son exécution change cependant selon la nature du texte et selon l'esprit dans lequel il a été calligraphié. Ce rapport varie beaucoup plus que dans l'air d'opéra, où il est toujours plus ou moins le même. C'est le chant sous toutes ses formes, du plus léger fredonnement ou de la chansonnette improvisée au lied et à l'hymne religieux qu'il faudrait évoquer pour suggérer toute la diversité des cas qui se présentent. Le lecteur s'en fera une idée en étudiant sous cet angle les œuvres reproduites dans cet ouvrage.

Il trouvera dans ce seul chapitre plusieurs cas différents. Dans le petit colophon [1] reproduit à la page 116, He Shaoji note la joie débordante qu'il éprouve lorsqu'un ami lui montre la seconde partie des *Mille caractères en petite cursive* du vieux Huaisu, chef-d'œuvre qu'il pensait ne jamais revoir parce qu'il le croyait détruit lors des troubles qui avaient accompagné la rébellion des Taiping (1851-1864). Il exprime son émotion dans une note calligraphiée qui est ensuite montée à la suite des *Mille caractères*, sur le même rouleau, et leur fait écho. Beaucoup de grandes œuvres sont ainsi suivies de quatre ou cinq autographes, parfois de dix et plus, qui témoignent de ce que d'autres artistes ont ressenti en la regardant et qui entrent en résonance avec elle [2]. Ce genre de polyphonie fait évidemment les délices des amateurs de calligraphie.

Le dialogue philosophique écrit en régulière par Dong Qichang, à la page 121, représente un autre cas : Dong Qichang a choisi un texte qu'il aimait et l'a calligraphié pour lui donner une forme mémorable, mais plus encore pour le plaisir d'écrire. Les calligraphes se sentent évidemment plus inspirés quand ils interprètent des textes qui ont de la valeur à leurs yeux, auxquels ils sont attachés pour quelque raison personnelle. Ce sont des pièces en prose de toutes natures, souvent des poèmes [3]. Les calligraphes les reproduisent *in extenso* ou n'en retiennent qu'un passage, une phrase, une formule lapidaire. Ils se contentent parfois d'exécuter en grand un caractère seul quand ce caractère les intéresse par sa forme et leur paraît lourd de

1. En anglais, on a pris l'habitude de désigner par ce terme un texte manuscrit monté à la suite d'une œuvre peinte ou calligraphiée, sur le même rouleau. Comme il n'y a pas de terme propre en français, je prends le parti de créer un néologisme en francisant le mot anglais.

2. Ainsi les *Mille caractères en petite cursive* de Huaisu (VIII^e siècle), dont un extrait est reproduit à la page 181, sont-ils suivis de colophons de Wen Zhengming (1470-1559, Ming), de Wang Wenzhi (1730-1802, Qing), de He Shaoji (1799-1873, Qing) et de Yu Youren (1878-1964), quatre calligraphes dont trois de tout premier plan : Wen Zhengming, He Shaoji et Yu Youren. Voir aussi le colophon de Su Zhe reproduit à la page 169.

3. Ce sont des poèmes, par exemple, dans l'œuvre de Zhang Xu reproduite à la page 249 et dans celle de Huang Ting-jian reproduite aux p. 300-301.

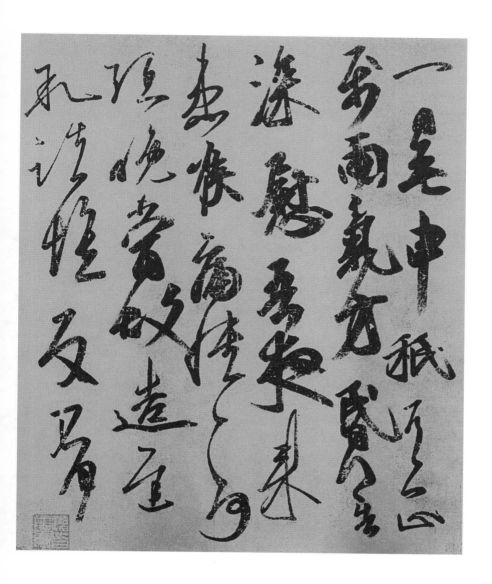

WANG ZHI (460-513, Liang), LETTRE FAMILIÈRE CONNUE SOUS LE TITRE DE *YIRI WUSHEN TIE*.
Copie d'époque Tang, faite à la demande de l'impératrice Wu Zetian (r. 684-705), exécutée selon
le procédé du "décalquage des contours et remplissage", *shuanggou kuotian* 双钩廓填. Sous les
Tang, cette technique a été portée à un extrême degré de raffinement.

1. C'est le cas du *shou*, "longévité", de Wu Changshuo reproduit à la page 239.

sens [1]. Il leur arrive d'écrire à la demande d'un ami ou d'une connaissance un texte qu'on leur propose et d'ajouter en manière de dédicace "écrit par... à l'intention de..., tel jour de telle année" ou quelque autre formule analogue.

La *Lettre à une tante* de Wang Xizhi, reproduite à la page 125, représente encore un cas différent. C'est une œuvre de circonstance, moins que cela même : une simple occasion que le calligraphe saisit pour exercer son art. Dans l'aristocratie du Moyen Âge à laquelle appartenait Wang Xizhi et dans sa famille en particulier, le moindre billet était prétexte à ce genre d'exploit. La lettre de Wang Zhi (460-513, Liang), reproduite à la page précédente, est

Wang Tcheu

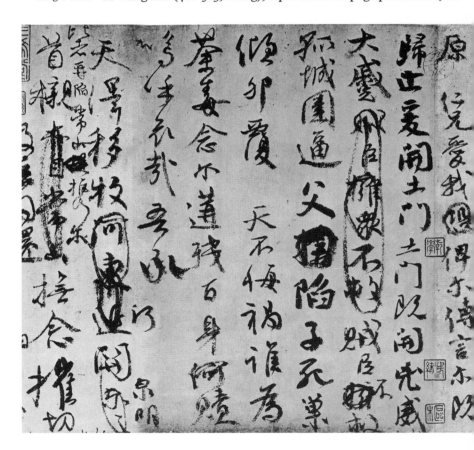

un autre très bel exemple de cette calligraphie épistolaire de l'époque. L'exécution est d'autant plus libre que le message est anodin. Beaucoup de calligraphes ont gardé par la suite ce goût de la lettre bien écrite. On sait qu'il arrivait à Su Shi (alias Su Dongpo, 1036-1101, Song du Nord), par exemple, de récrire plusieurs fois une missive avant de l'expédier à son destinataire parce qu'il n'en trouvait pas la physionomie à son goût ou qu'elle ne correspondait pas, dans sa forme, à l'humeur du moment [1].

D'autres chefs-d'œuvre sont, à l'origine, de simples brouillons. Le plus célèbre est peut-être l'*Éloge funèbre pour un neveu* (*Ji-zhigao*), ci-dessous, de Yan Zhenqing (709-785, Tang), dont nous

1. Voir l'article de Xu Bangda publié dans *Shufa congkan* n° 1 (1981), p. 82-87.

Sou Cheu, Sou Tong-po

YAN ZHENQING (709-785, TANG), *BROUILLON D'ÉLOGE FUNÈBRE POUR UN NEVEU (JIZHIGAO)*, 758. L'autographe se termine, à gauche, par quatre colonnes de caractères qui ne sont pas reproduites ici.

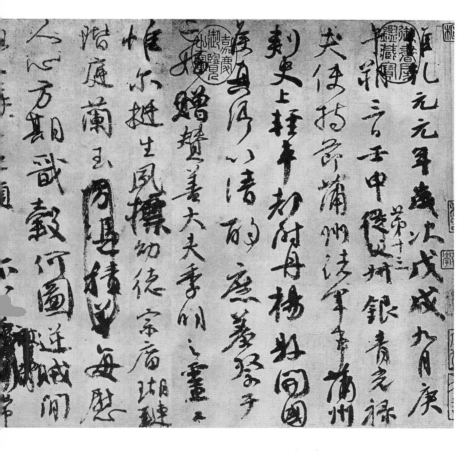

avons déjà vu le *Diplôme autographe* au chapitre 2, pages 51 et 55. Yan Zhenqing est gouverneur de la ville de Pingyuan, dans le Shandong, lorsque le chef militaire An Lushan (?-757) se soulève contre la dynastie en 755. Il organise la résistance et se trouve rapidement à la tête d'une armée de deux cent mille hommes qui sauvera l'empire. Mais les rebelles prennent la ville de Changshan, dans le Hebei, dont Yan Gaoqing (692-756), le frère de Yan Zhenqing, est gouverneur. Ils s'emparent de son fils et lui mettent le couteau sous la gorge : il aura la vie sauve si son père se rend, mais le père refuse et voit mourir son fils. Il est à son tour fait prisonnier et traîné devant An Lushan, refuse de s'incliner et meurt écartelé. En 758, après l'échec de la rébellion, Yan Zhenqing jette sur le papier un projet d'éloge à la mémoire de son neveu. Son émotion transparaît dans le texte raturé du brouillon. L'écriture, qui est d'un grand calligraphe, touche d'autant plus qu'il ne songeait pas à faire œuvre d'art.

Les deux *Poèmes du carême à Huangzhou (Huangzhou hanshi shi)* de Su Shi (1036-1101, Song), manuscrit qui n'est pas reproduit ici [1], ne sont sans doute pas un premier jet comme l'*Éloge funèbre* de Yan Zhenqing, mais une page où le poète exilé à Huangzhou, dans le Hubei, a mis au net, pour son propre usage, deux poèmes qu'il venait de composer. On ne le voit pas moins suivre, par l'imprévu du pinceau autant par celui des associations poétiques, les méandres de sa mélancolie, ce qui en fait une œuvre aussi poignante et parfaite que l'*Éloge funèbre*.

1. Il est reproduit dans *Shodo zhenshû*, vol. 15, pl. 32-36.

PIERRE GRAVÉE DU TAISHAN (*TAISHAN KESHI*), fragment d'une inscription en petite sigillaire attribuée à Li Si (?-208), premier ministre de Qin Shihuang (r. 221-210).

On a de tout temps demandé aux calligraphes d'écrire des épitaphes, des formules votives, des textes religieux, des édits et des proclamations politiques, des compositions commémoratives, bref toutes les formes de prose destinées à être gravées dans la pierre,

à même le rocher ou sur des stèles. Ils cherchaient alors à donner à leur écriture une allure solennelle, une noblesse conforme à la vocation du texte. Les neuf caractères qui subsistent d'une stèle en petite sigillaire (à gauche) attribuée à Li Si, le Premier ministre de Qin Shihuang, cherchent manifestement, par leur stricte ordonnance, à donner une figure visible au pouvoir universel nouvellement fondé par le premier empereur. Même si elle est de format modeste, cette calligraphie est monumentale dans son esprit. Dans l'*Inscription du Palais neuf fois parfait*, reproduite partiellement au chapitre 2 [1], Ouyang Xun cherchait à suggérer, par la perfection de la forme, la perfection de l'ordre dont l'empereur était censément l'inspirateur. Les quelques caractères que l'on voit ci-dessus sont extraits d'une autre œuvre calligraphique fameuse, l'*Hymne à la restauration des Tang (Da Tang zhongxing song)* de Yan Zhenqing. Cet hymne a été composé par son ami le poète Yuan Jie (719-772), qui s'était battu comme lui contre An Lushan. En 771, lors d'une visite à Yuan Jie dans sa résidence de Wuxi, près de Qiyang dans le Hunan, Yan Zhenqing a calligraphié ce texte et l'a fait graver sur une falaise des environs où il est encore visible aujourd'hui.

1. Voir p. 46-47.

YAN ZHENQING (709-785, TANG), *HYMNE À LA RESTAURATION DES TANG (DA TANG ZHONGXING SONG)*, 771, extraits.

Yuen Tsié

1. L'inscription compte 333 caractères répartis en colonnes d'environ 20 caractères, d'une hauteur de plus de 4 mètres. À sa suite, la falaise est couverte de 368 inscriptions gravées qui en font l'éloge, dues à 298 lettrés et calligraphes venus la voir entre le VIIIe et le XIXe siècle. Certaines de ces inscriptions, notamment celles de Huang Tingjian (1045-1105, Song) et de He Shaoji (1799-1873, Qing), sont elles-mêmes des œuvres calligraphiques de grand prix. La falaise, qui se trouve au bord de la Xiang, à deux ou trois kilomètres à l'ouest de Qiyang, est un monument protégé. Voir la brève présentation publiée par *Shufa* dans son numéro 1987/6, p. 45 et 66.

2. Il existe une traduction anglaise de ce texte, très utile pour les amateurs de calligraphie : Francis W. Paar, *Ch'ien Tzŭ Wen, The Thousand Character Classic. A Chinese Primer*, New York, F. Ungar, 1983.

Admirable de force et de majesté, cette œuvre de la maturité (Yan Zhenqing a 62 ans quand il l'exécute) est un des plus beaux exemples de calligraphie "monumentale". Les quelques caractères reproduits ici ne suffisent hélas pas à donner une idée de la puissance de l'ensemble [1].

On voit que le rapport entre le texte et son exécution calligraphique varie beaucoup. J'ai évoqué quelques cas de figure, le lecteur en rencontrera d'autres au fil des pages. Je me borne à en mentionner encore un ici, celui du *Qianziwen* 千字文 ou *Texte des mille caractères*, poème didactique de 250 vers de quatre mots, soit de mille mots en tout, composé par un certain Zhou Xingsi sous la dynastie des Liang (502-557) ; aucun caractère n'y est utilisé deux fois. Les calligraphes en ont fait à partir des Tang l'un de leurs exercices favoris de sorte que, depuis bientôt quinze siècles, ce morceau de solfège a été calligraphié un nombre incalculable de fois et a donné lieu à de nombreux chefs-d'œuvre. Le lecteur trouvera dans cet ouvrage des passages des *Mille caractères* écrits en courante par Ouyang Xun (p. 154), en petite cursive par Huaisu (p. 181), en grande cursive par l'empereur Huizong (p. 109), en régulière et en cursive juxtaposées par l'empereur Gaozong (p. 105) [2]. Bien d'autres exécutions célèbres auraient pu être citées.

Le calligraphe interprète son texte comme un instrumentiste sa partition. Il n'invente pas des formes nouvelles, mais donne vie à des formes définies d'avance. Son rapport aux formes préexistantes n'est cependant pas le même qu'en musique. Il lui arrive par exemple d'avoir sous les yeux une œuvre calligraphique classique et de la reproduire tout en l'interprétant selon sa sensibilité propre, il se trouve moins dans la situation du musicien qui joue d'après une partition que dans celle d'un musicien qui jouerait d'après une interprétation antérieure, qu'il aurait entendue et gardée en mémoire. Il interprète une interprétation. Il le fait dans l'intention de capter autant que possible son esprit, de reproduire aussi fidèlement que possible son allure particulière ou pour modifier au contraire cette allure selon sa propre inclination. Nous verrons plus loin, au chapitre 5, la place que ces exercices d'interprétation et de réinterprétation tiennent dans l'art de l'écriture. Lorsque le calligraphe ne prend pas pour point de départ une œuvre calligraphique mais un texte, et qu'il choisit donc comme il l'entend le genre, le style, le format et la composition, sa marge de liberté est plus grande et s'apparente en un sens à celle du musicien qui improvise à partir d'un thème. Mais la comparaison s'arrête là, car le calligraphe a toujours besoin d'un texte tandis que le musicien peut se passer d'un thème donné d'avance et broder de manière tout à fait libre.

Pour comprendre comment s'exerce la liberté du calligraphe, il faut aussi se rappeler que le caractère a une nature double, qu'il est à la fois forme et geste et que son exécution peut par conséquent se faire plus statique et construite, comme en régulière, ou plus dynamique et gestuelle comme dans la cursive. Il faut se souvenir que les genres calligraphiques communiquent entre eux et qu'entre le pôle statique de la régulière et le pôle dynamique de la cursive se situe toute une gamme d'équilibres intermédiaires : la régulière, la courante et la cursive ne sont pas des catégories strictement délimitées et s'excluant l'une l'autre, mais plutôt des positions dans un champ continu. La preuve en est que, si certaines œuvres peuvent être classées sans ambiguïté dans l'un de ces trois genres, d'autres sont difficiles à définir parce qu'elles relèvent d'une régulière tournant à la courante ou d'une courante versant dans la cursive. Nous avons vu que la technique du pinceau était la même dans les trois genres. Nous découvrons maintenant que l'unité de la technique recouvre l'unité instable des trois genres sur le plan des formes et que cette unité instable est même l'un des fondements de l'esthétique calligraphique. Quiconque s'exerce un peu dans l'art du pinceau s'aperçoit qu'on ne peut animer de l'intérieur la stricte architecture de la régulière si l'on n'a pas exploré les ressources du mouvement en pratiquant la cursive, et que l'on ne saurait inversement donner de la tenue à la cursive sans avoir étudié les lois de l'agencement dans la régulière. Pour exceller dans un genre, le calligraphe doit avoir longuement pratiqué les autres.

Les auteurs insistent tous sur cette complémentarité des genres. Dans son *Traité de calligraphie (Shupu)*, Sun Guoting (environ 648-703, Tang) écrit par exemple que "la régulière qui ne contient pas une part de cursive est guindée, la cursive qui ne conserve pas une part de régulière cesse d'être de l'écriture" [1]. Dans sa *Suite au Traité de calligraphie (Xu Shupu)*, Jiang

[1]. Cette phrase, qui figure vers la fin du premier tiers du texte (p. 49 de l'édition de Ma Guoquan et p. 113 de la traduction de R. Goepper), pose un problème : elle ne peut avoir que le sens que je lui donne dans ma traduction (et que J. M. Simonet lui donne dans la sienne, à la p. 117 de sa thèse), mais, prise littéralement, elle signifie le contraire. Je m'étonne que Ma Guoquan ne relève pas la difficulté et donne du passage une traduction qui est littérale quant à la forme, mais constitue un contresens quant au fond. Force est de constater, à mon sens, que Sun Guoting lui-même s'est trompé en recopiant son texte, c'est-à-dire qu'il a interverti par mégarde "régulière" et "cursive" dans les deux parties de la phrase. On possède de son *Traité* un manuscrit en cursive de sa main où l'erreur figure bel et bien. La phrase est suivie d'une formule admirable, qui a suscité de nombreux commentaires : "En régulière, les éléments forment la base, le mouvement du pinceau introduit l'expression. En cursive, c'est le mouvement du pinceau qui forme la base et les éléments qui introduisent l'expression." Texte chinois : *Lidai* p. 126, Ma p. 49. – Sur le *Traité de calligraphie*, le manuscrit conservé au Palace Museum de Taipei et tout ce qui s'y rapporte, voir la monographie de R. Goepper.

*Chou-p'ou*, Soun Kouo-t'ing

*Su Chou-p'ou*, Tsiang K'ouei

Kui (environ 1155-1221, Song du Sud) donne une explication plus détaillée :

> Les coudes et les courbes manifestent le jeu du carré (*fang*) et du rond (*yuan*). La régulière utilise surtout les coudes, la cursive surtout les courbes. Il faut marquer un léger temps d'arrêt dans les coudes ; cela leur donne de la force. Il ne faut pas arrêter le mouvement dans les courbes : la moindre indécision leur enlève leur vigueur. Il faut en outre introduire de la courbe dans la régulière pour lui donner de la vigueur, et du coude dans la cursive pour lui donner de la fermeté. [1]

1. Ce passage se trouve vers la fin du chapitre 2, intitulé *Zhen shu, La régulière*. Texte chinois : *Lidai* p. 384, Deng p. 31.

Jiang Kui met en rapport les coudes et les courbes, c'est-à-dire les angles de la régulière et les éléments arrondis qui les remplacent en cursive, avec les catégories du "carré", *fang* 方, et du "rond", *yuan* 圆, qui ne sont pas dans la pensée chinoise traditionnelle des abstractions géométriques, mais un couple de notions désignant des qualités antithétiques et complémentaires. Le carré englobe tout ce qui est discontinu, composé, construit et statique tandis que le rond comprend tout ce qui est continu, simple et dynamique. Comme d'autres couples de notions familières à la pensée chinoise, ils servent moins à classer des objets distincts qu'à rendre compte, par leurs combinaisons, de phénomènes concrets : tout phénomène est conçu comme une combinaison de qualités relevant du carré et de qualités relevant du rond. Au carré et au rond correspondent sur un autre plan la Terre et le Ciel et, sur un plan plus abstrait encore, le *yin* 阴 et le *yang* 阳, de sorte que tout phénomène peut également être conçu comme une combinaison de qualités terrestres et de qualités célestes ou de qualités *yin* et de qualités *yang*. Quel que soit le langage choisi, tout phénomène est toujours une totalité complexe animée d'un dynamisme intérieur, où se réalise concrètement l'union changeante des contraires. On voit qu'en parlant du jeu du carré et du rond, Jiang Kui éveille dans l'esprit du lecteur chinois des associations d'une grande richesse : il assimile implicitement le dynamisme interne des formes calligraphiques au dynamisme de la réalité même. La grande calligraphie réalise, comme le monde lui-même, l'union perpétuellement renouvelée des contraires :

Le jeu du carré et du rond anime aussi bien la régulière que la cursive. La régulière privilégie le carré, la cursive le rond, mais il faut savoir introduire du rond dans ce qui est carré et du carré dans ce qui est rond. C'est de là que naît l'effet merveilleux. [1]

1. Ce passage figure au début du chapitre 14, intitulé *Fang yuan, Le carré et le rond*. Texte chinois : *Lidai* p. 391, Deng p. 106.

La régulière, la courante et la cursive forment un registre complet. Quand le calligraphe passe de la régulière à la courante, le mouvement se saisit des formes, les modifie et les lie. Lorsqu'il passe à la cursive, son geste s'empare d'elles et les

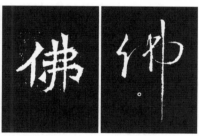

fait fusionner, mais sans les abolir. Nous appellerons ellipse cette synthèse gestuelle qui réduit à un seul mouvement continu l'exécution de plusieurs éléments, parfois d'un grand nombre, et les rend par un paraphe unique.

L'ELLIPSE CALLIGRAPHIQUE : *fo* 佛 "Bouddha", en régulière et en cursive.

Ce genre d'ellipse calligraphique a son équivalent dans la danse. Je me souviens d'un vieillard qui dansait la sardane un soir dans un port catalan. Alors que les autres danseurs, dans les parties rapides, *détaillaient* le pas, lui se contentait de temps à autre de l'*ébaucher* ou, plutôt, d'en donner l'épure. Il résumait d'un geste enveloppant de la jambe sept ou huit sauts vifs de ses compagnons. L'aisance divine de ces ellipses, que le contraste avec l'entrain de la musique rendait plus frappante encore, est restée gravée dans ma mémoire. J'y songe avec émotion quarante ans après.

Pour continuer à exprimer véritablement les formes dont elle est la synthèse, l'ellipse doit conserver en elle toute leur complexité. C'est pour cette raison qu'elle est parfois d'une exécution relativement lente et méditée, à l'instar de celle du danseur. Si l'exécution est trop rapide et que l'élan n'est plus contrôlé, la forme risque de se dissoudre en mouvement pur, privé de signification. Cette sorte de déperdition s'observe çà et là dans la cursive folle, dans la fin de la *Présentation autobiographique* de Huaisu par exemple, comme on le voit au bas de la page 178, tout à gauche : la forme menace de s'abolir entièrement dans le mouvement.

Appelons d'autre part hyperbole la figure qui consiste à donner un développement démesuré à un élément du caractère : elle se pratique dans les barres horizontales et dans les jambages obliques de la chancellerie, comme cela se voit à la page 100, et dans les verticales de la cursive, parfois les diagonales. Certaines de ces verticales semblent s'échapper du caractère pour suivre comme la foudre l'axe de la colonne. Dans le *Ziyantie* attribué à Zhang Xu et reproduit aux pages 246-247, on voit même un élément remonter la colonne en trombe. [1]

Pour trouver dans l'interprétation musicale l'équivalent de ces saillies, il ne faut pas chercher dans le tout-venant des concerts de musique classique actuels, d'où l'humour, l'irrespect, le grain de folie sont la plupart du temps bannis. Si j'en juge d'après quelques souvenirs épars, les interprétations d'autrefois étaient plus enjouées et impertinentes [2]. C'est dans le jazz et d'autres formes de musique improvisée que l'on retrouve des hardiesses du même ordre. On ne se permet guère d'ellipses dans l'exécution de la musique classique mais il arrive que les compositeurs en mettent dans leurs partitions : les raccourcis que Ravel crée à la fin de sa *Valse* en sont un exemple magistral, qui correspond exactement aux synthèses gestuelles les plus osées de la calligraphie.

La régulière, la courante et la cursive forment un ensemble complet, mais le registre du calligraphe accompli est plus étendu puisqu'il comprend en plus la sigillaire, la chancellerie et la cursive ancienne. Ce registre entier s'ordonne comme le registre restreint entre un pôle statique et un pôle dynamique. Si l'on place les trois genres anciens et les trois genres modernes dans un ordre allant du plus statique au plus dynamique, on obtient la séquence : sigillaire, chancellerie, régulière, courante, cursive ancienne et

1. Autres exemples aux p. 163, 302.

2. Je pense par exemple à certains trios de Haydn et Schubert enregistrés par Alfred Cortot, Jacques Thibaud et Pablo Casals ou par Rudolf Serkin, Adolf Busch et Hermann Busch en 1935.

LES GENRES CALLIGRA-PHIQUES MAJEURS répartis selon la part qu'y tiennent le repos (*JING*) et le mouvement (*DONG*).

repos

sigillaire · 篆

chancellerie · 靜 · 隸

régulière · 楷

courante · 行

cursive anc. · 動 · 章

cursive · 草

mouvement

cursive moderne. Et si l'on substitue aux notions occidentales du statique et du dynamique les notions chinoises du mouvement, *dong* 动, et du repos, *jing* 静 (qui sont conçus, *more sinico*, comme relatifs et combinés, tout mouvement comprenant une part de repos et tout repos comprenant une part de mouvement), on peut classer les six genres selon la proportion de mouvement et de repos qui caractérise chacun d'eux. C'est ce que montre le schéma de la page précédente.

Ce classement est convaincant si l'on s'en tient à la définition conventionnelle de chaque genre, mais ne saurait rendre compte de la diversité des œuvres car, dans les faits, telle chancellerie peut être plus animée que telle régulière, par exemple, ou telle cursive plus ordonnée que telle courante. Le calligraphe qui maîtrise toute la tradition calligraphique n'a pas seulement la liberté de passer d'un genre au genre voisin ou de se maintenir à la limite des deux, en équilibre stable ou instable. Il n'est pas seulement libre de multiplier ainsi les transitions et les échanges, mais peut aussi recourir à des combinaisons paradoxales en mariant entre eux des genres non contigus. Il peut allier par exemple une architecture stable et massive, caractéristique de la régulière, à une conduite cursive du pinceau ou, au contraire, un agencement mouvant des caractères à un travail net et régulier du pinceau. Les quelques caractères de Wu Kuan (1435-1504, Ming) reproduits page 143 ont, à première vue, une carrure trapue, un aspect rugueux qui appartiennent à la régulière. Certains ont même un développement en largeur et des terminaisons massives qui rappellent la chancellerie – notamment le 5ᵉ et le 10ᵉ de la colonne de droite (奭 *shi* "vaste", 燈 *deng* "lampe") et le 4ᵉ de la colonne de gauche (七 *qi* "sept"). Mais d'autres sont saisis d'un élan tournant et rythmé qui les place entre la courante et la cursive, en particulier le 3ᵉ et le 5ᵉ de la colonne du milieu (成 *cheng* "devenir", 也 *ye* particule) ainsi que l'avant-dernier de la colonne de gauche (翁 *weng* "vieillard") : on les sent gonflés d'une énergie prête à les entraîner dans on ne sait quelle danse. L'avant-dernier caractère de la colonne de droite (剔 *ti* "moucher") se termine à droite par une verticale démesurée, d'allure très volontaire, comme on n'en fait normalement qu'en cursive. L'amateur de calligraphie perçoit dans cette écriture l'alternance de pulsions contradictoires, une sorte d'instabilité assumée avec humour et sagesse, et les voit exprimées, sans la moindre affectation, sans effets tapageurs, par le recours à des registres calligraphiques divers et inattendus. Il s'agit d'une œuvre extrêmement attachante, de l'enregistrement fidèle d'un moment vécu il y a cinq cents ans.

L'art de l'écriture a sur la musique cette supériorité que les interprétations anciennes en sont conservées. Nous ne savons plus comment jouaient Rameau, Mozart, Chopin ou les grands interprètes de leur temps, mais nous voyons aujourd'hui encore, dans toutes leurs nuances, les interprétations des grands calligraphes des Ming, des Yuan, des Song et des Tang, voire de calligraphes plus anciens. Nous avons des milliers d'œuvres, des centaines de chefs-d'œuvre témoignant de deux millénaires d'histoire : autant d'enregistrements fidèles qui manquent aux mélomanes et aux musicologues pour toute la période antérieure aux enregistrements d'aujourd'hui.

Une remarque encore. Il semble découler de tout ce qui précède que l'exécution calligraphique et l'exécution musicale se déroulent dans une même durée, qu'elles impliquent une même expérience du temps. Cependant, quand le musicien joue, il a le sentiment d'enchaîner les motifs de façon continue et de se déplacer donc dans le temps de manière suivie tandis que le calligraphe organise chaque caractère autour d'un centre immobile : il l'achève entièrement avant de passer outre pour se fixer sur un nouveau point immobile et former autour de lui le caractère suivant. Tant que le premier n'est pas terminé, il n'est pas question qu'il se hâte déjà vers celui d'après. À la différence de notre écriture, qui fait courir la main, l'écriture chinoise naît d'une suite d'opérations indépendantes, centrées chacune sur un point fixe et demandant chacune à son tour l'attention exclusive de celui qui écrit. Georges Roditi voit juste lorsqu'il note : "Les idéogrammes chinois, où tout est particulier, où rien n'est interchangeable, pourraient être moins favorables que notre écriture alphabétique à l'acquisition d'une mentalité expéditive." [1] Un caractère naît à un certain endroit, puis un autre naît à l'endroit suivant. La temporalité de l'écriture chinoise est une temporalité compartimentée, faite de moments complets qui se succèdent. Il y a cependant une continuité dans le surgissement des formes : dès que la genèse

1. Georges Roditi, *L'Esprit de perfection*, Paris, Stock, 1975, p. 67.

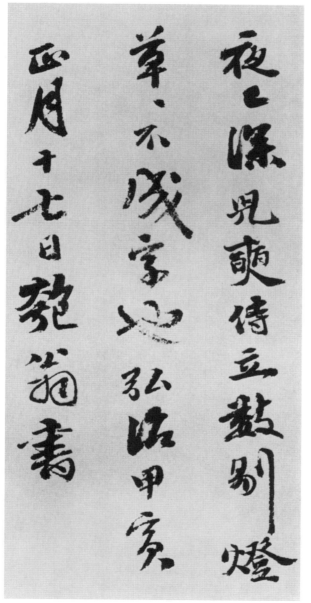

WU KUAN (1435-1504, MING),
*QUAND JE PLANTE
MES BAMBOUS, POÈMES
(Zhongzhushi)*, 1480 et 1498,
extrait : "La nuit était déjà
avancée et mon fils Shi, qui
était debout à côté de moi,
a plusieurs fois mouché la
lampe, (de sorte que)
j'ai noté (ce poème)
rapidement, d'une écriture
bâclée. L'année *jiayin* de
l'ère *Hongzhi* (1494),
premier mois, 17ᵉ jour.
Le Vieillard-à-la-calebasse."

1. Il semble y avoir une parenté entre ce surgissement des caractères par genèses successives et d'autres manifestations caractéristiques du génie chinois. Pour donner plus de force à certains moments dramatiques, les acteurs d'opéra arrêtent l'enchaînement de leurs gestes en prenant des poses qui ont valeur de signe. Dans l'entraînement aux arts martiaux, le lutteur fait aboutir chaque enchaînement de mouvements à une posture dans laquelle il s'immobilise un bref instant avant de poursuivre; chacune de ces postures porte un nom distinct. On ne peut s'empêcher d'apercevoir d'un art à l'autre une même propension à organiser l'activité en suites de moments complets, surgis d'une source unique.

d'un caractère est terminée, le processus d'engendrement se poursuit et donne naissance au caractère suivant. Les caractères apparaissent ainsi comme des efflorescences se succédant sans solution de continuité, délaissées dès qu'achevées, remplacées chacune par celle qui était en gestation derrière elle. Alors que notre écriture suggère un temps qui nous emporte dans sa fuite ou défile devant nous, l'écriture chinoise évoque l'idée d'un temps surgissant d'une source située face à nous et se manifestant par une succession ininterrompue de figures émergeant et dépérissant aussitôt sous nos yeux [1]. Même dans la courante et la cursive, où s'établit d'un caractère à l'autre une continuité transversale plus ou moins explicite, chaque caractère naît cependant d'une opération centrée sur un point : il surgit toujours de la même source centrale.

Cette idée que tout signe est un surgissement, nous en verrons toute l'importance plus loin, au chapitre 8.

# V. L'APPRENTISSAGE

IL EST DIFFICILE de parler en termes généraux de l'itinéraire des calligraphes, car chacun suit en fin de compte un chemin qui lui est propre. Il y a cependant dans la maturation de leur art quelques grandes étapes que l'on retrouve presque toujours. Les calligraphes le savent et tiennent que, pour progresser de manière sûre, il est bon d'en avoir à l'avance une idée. Il y a surtout, disent-ils, trois phases initiales qui se succèdent nécessairement dans le même ordre : celle de l'acquisition de la technique, celle de l'étude des œuvres, puis celle de l'émergence de la personnalité. Tous les auteurs s'accordent pour dire qu'il n'y a pas d'expérience complète de la calligraphie qui ne comprenne d'abord ces trois moments. Au-delà, quand la personnalité créatrice s'est affirmée, elle connaît des métamorphoses dont on ne peut prédire le nombre et que seule la mort interrompt.

C'est principalement des trois phases initiales que je vais donner une idée dans ce chapitre.

## L'ACQUISITION DE LA TECHNIQUE

PLUS QUE de la technique elle-même, qui a été décrite, ou des conditions pratiques dans lesquelles elle s'acquiert, c'est de l'attitude subjective de l'apprenti que je dirai quelques mots. Les dispositions d'esprit jouent en effet un grand rôle dans l'apprentissage. Il est des qualités que la calligraphie exige dès le départ et qu'elle donne l'occasion de grandement développer au fil du temps.

Il faut en premier lieu que le débutant soit *méthodique* dans l'enchaînement des étapes, qu'il s'attaque dans le bon ordre aux difficultés. Qu'il se familiarise d'abord avec la position du corps, le mouvement du bras, la prise du pinceau et le jeu de la pointe, puis s'essaie à l'exécution d'un seul élément, la barre horizontale de préférence, en séparant bien l'attaque, le développement et la terminaison. Qu'il passe ensuite aux autres éléments de base, puis à quelques caractères simples dont il connaît bien les proportions, enfin à des caractères plus compliqués. Il éprouvera de la difficulté à surveiller simultanément la facture de chaque élément et l'agencement de tout le caractère et sera obligé, pendant une certaine période, de privilégier tantôt l'un, tantôt l'autre. Un palier sera atteint lorsqu'il parviendra à réussir les deux choses en même temps, un autre palier lorsqu'il parviendra en outre à bien disposer ses caractères dans l'espace. Rien ne sert de vouloir réussir trop tôt toutes ces opérations à la fois. La sagesse est de sérier les difficultés et d'aller sans se hâter jusqu'au bout de chaque étape, de manière que le passage à la suivante se fasse de lui-même.

Il faut en second lieu que le débutant soit *exigeant* sur le résultat de chacun de ses gestes. Il faut pour cela qu'il se règle dès le début sur un modèle et qu'il juge de chaque élément, de chaque caractère qu'il aura exécuté du point de vue de sa conformité avec le modèle qu'il a sous les yeux. Sans cela, il ne pourrait apprendre à contrôler son geste. En traçant des caractères à sa guise, il se priverait du moyen de mesurer son degré de maîtrise et donc de progresser.

Le rôle du modèle est de fournir un étalon, mais aussi d'éduquer l'œil. En reportant constamment son regard sur un caractère écrit par un grand calligraphe, en cherchant à comprendre par où ce caractère bien fait se distingue du sien, le débutant apprend à voir, il développe sa faculté d'appréhender exactement les formes et d'apprécier leur valeur esthétique. Un bon maître peut lui rendre à ce stade de précieux services en lui montrant où résident au juste les insuffisances de sa copie. Il importe évidemment beaucoup de travailler dès le début sur un modèle dont le style mérite d'être imité et de se faire conseiller dans son choix.

L'*Inscription du Palais neuf fois parfait* est un classique souvent recommandé aux débutants, mais sa sévérité ne plaît pas à tous et telle autre grande œuvre en régulière peut éveiller plus de résonance chez le calligraphe en herbe. Il l'adoptera si le maître lui confirme qu'elle se prête au premier apprentissage.

Il importe en troisième lieu que le débutant soit *constant*, c'est-à-dire qu'il travaille chaque jour son écriture. La continuité compte autant, sinon plus, que la durée de l'exercice. En négligeant la régularité, il se priverait de l'effet cumulatif de l'entraînement quotidien, de la possibilité de tirer chaque jour profit des menues observations faites la veille. L'apprentissage en serait ralenti et risquerait d'être interrompu bientôt par le découragement. Il s'agit de créer tout de suite une accoutumance qui, avec le temps, se muera en un besoin, puis en un plaisir.

Il faut en quatrième lieu que le débutant soit *patient*, car le progrès n'est pas continu. Il s'accomplit par paliers et se fait parfois attendre ; il s'accompagne même de phases de régression qu'il faut savoir accepter.

Il faut en cinquième lieu qu'il fasse preuve d'une insatiable *curiosité*. Aucun maître ni, *a fortiori*, aucun manuel ne pouvant résoudre pour l'élève toutes les difficultés qui se présentent, il faut qu'il expérimente et observe le plus possible par lui-même. Qu'il varie par exemple la dimension des caractères écrits avec un même pinceau, qu'il essaie des pinceaux de différentes tailles et de différents types, qu'il les charge plus ou moins d'encre plus ou moins diluée. C'est ainsi qu'il découvrira les finesses du métier. Qu'il essaie aussi diverses sortes de papier et observe les rapports entre la qualité du papier, celle de l'encre et celle du pinceau. Comme dans tous les arts, le bonheur de l'expression tient, entre autres, à la connaissance intime des matériaux.

Ce qui importe plus encore, c'est qu'il explore toutes les composantes du geste, en particulier la vitesse et la lenteur. Qu'il interrompe éventuellement l'apprentissage initial de la régulière, où prévaut la lenteur, pour faire un peu de cursive et découvrir les vertus de la rapidité : il en tirera profit dans l'exécution de la régulière. De nombreuses difficultés techniques se résolvent par une plus grande vitesse ou une plus grande lenteur du mouvement, ou par une meilleure combinaison des deux. Le pinceau commence à livrer ses secrets lorsque l'élève se met à faire alterner dans son geste la plus grande vivacité avec la lenteur la plus calculée, la fougue avec le calme. Jiang Kui résume ainsi cet aspect de l'art calligraphique :

Le geste lent produit la grâce, le geste rapide produit la force. Il faut cependant posséder la rapidité pour maîtriser la lenteur, car qui se limite à la lenteur sans avoir en lui les ressources de la rapidité, son écriture manquera de vie. Qui cultive au contraire uniquement la vitesse, ses caractères perdront contenance. [1]

1. Ce passage forme à lui seul le chapitre 19 de la *Suite au Traité de calligraphie*, intitulé *Chi su, Lenteur et rapidité*. Texte chinois : *Lidai* p. 393, Deng p. 118.

1. De ce qu'on appelle la "force" du geste, il a été brièvement question à la fin du chapitre 3, p. 107. Il en sera plus longuement traité au chapitre 7, p. 228.

Que l'élève explore donc systématiquement les ressources de la lenteur, de la célérité et de la "force" du geste [1], mais toujours dans le but de reproduire fidèlement son modèle. Il ne faut pas que l'expérimentation le détourne de cette tâche, ni qu'elle l'entraîne à changer de modèle dès qu'il rencontre des difficultés. Il doit résister à la tentation de papillonner.

Il faut en dernier lieu que le calligraphe en herbe *se concentre*, c'est-à-dire qu'il ignore au moment d'écrire tout ce qui est extérieur à l'acte d'écrire et tienne en même temps compte de tous les aspects de cet acte. Cette exigence est la plus importante de toutes et la plus difficile à satisfaire au début. Pour parvenir à coordonner tous les mouvements qui concourent au geste calligraphique, il faut qu'il fasse à la fois preuve d'une ferme volonté, celle de se consacrer tout entier à la réalisation du geste, et d'une sorte de disponibilité, d'ouverture, d'attention flottante qui laisse le corps libre de mobiliser ses ressources et de les organiser de la manière la plus naturelle. Son attention crée en quelque sorte un espace à l'intérieur duquel va pouvoir naître le geste.

Lorsque le geste réussit et qu'il en résulte un élément ou un caractère bien formé, il faut que l'apprenti résiste à la tentation de relâcher son attention et de se complaire dans la reproduction machinale du geste acquis. Il doit éviter scrupuleusement cette forme insidieuse de paresse et chercher au contraire une mobilisation toujours plus grande de ses moyens. En progressant, il étendra le champ de son attention à de nouveaux aspects de la forme ou du geste, à de nouvelles dimensions de l'acte d'écrire. Il mobilisera de manière de plus en plus complète, dans l'écriture, l'ensemble de ses facultés et des ressources qu'il porte en lui.

Il le fera sans perdre toutefois le goût du jeu, sans s'imposer un excès de tension ou de rigueur. Il tendra sans cesse à plus de perfection, mais sans jamais forcer. Il apprendra aussi à tenir compte, dans une certaine mesure, des impondérables que sont la disponibilité, l'humeur, le temps qu'il fait, la plus ou moins grande envie d'écrire : "Quand tous les facteurs négatifs conjuguent leurs effets, écrit Sun Guoting, le geste est gauche et l'esprit paralysé. Quand tous les facteurs positifs agissent de concert, au contraire, l'esprit vole et le pinceau court tout seul. Dans le premier cas, rien ne va. Dans le second, tout est possible." [2]

2. *Shupu*. Texte chinois : *Lidai* p. 126-127, Ma p. 57.

On voit que, dès la première phase de l'apprentissage, l'écriture est une discipline, un travail sur soi, une transformation de soi. Lorsqu'il parvient à reproduire des éléments, puis des caractères, enfin des suites de caractères ou des textes entiers et à leur donner une physionomie comparable à celle du modèle, l'élève ressent une joie intense : il a le sentiment d'avoir acquis, non pas un simple savoir-faire, mais un pouvoir nouveau. Ce pouvoir, il va maintenant apprendre à s'en servir.

## L'ÉTUDE DES ŒUVRES

LE DÉBUTANT étudie dès la première phase l'œuvre d'un maître, mais en concentrant son attention sur les problèmes techniques de l'exécution et en se servant principalement du modèle pour mesurer le contrôle qu'il exerce sur son instrument. Il s'imprègne cependant de son modèle et finit par en avoir une connaissance intime qui lui permet non seulement de le reproduire de mémoire avec toutes ses particularités stylistiques mais aussi d'extrapoler, c'est-à-dire d'écrire dans la manière du maître des caractères qui ne figurent pas dans l'œuvre étudiée. Le moment vient alors de s'en détacher et d'aborder une œuvre nouvelle.

Ce passage, qui marque l'entrée dans la deuxième phase de l'apprentissage, est un moment important. Lorsqu'il aborde une deuxième œuvre, l'élève y entre avec beaucoup plus de facilité et prête tout de suite une partie beaucoup plus grande de son attention à ses particularités stylistiques, à sa valeur expressive. En y pénétrant, il se dégage des habitudes contractées au cours de son premier apprentissage, habitudes dans lesquelles se résumait pour lui la calligraphie, et fait l'expérience d'une métamorphose. Il arrive qu'après l'éducation qu'a été la phase initiale, cette nouvelle étape ressemble à une première expérience amoureuse : en entrant dans l'œuvre nouvelle, en s'identifiant à elle, le calligraphe en herbe a le sentiment grisant de s'affranchir de tout ce qu'il a été jusqu'ici. Voyant naître sous son pinceau des formes différentes, il pressent aussi la diversité des ressources expressives que la calligraphie va mettre à sa disposition. Il découvre qu'à chaque style correspondent des dispositions intérieures différentes et que, par conséquent, la calligraphie est bien un moyen d'exprimer une expérience intime.

Mais n'allons pas trop vite. Si le travail est désormais d'une autre nature que dans la première phase, il exige la même patience et la même attention. L'élève étudie de nouveau minutieusement les caractéristiques de l'œuvre, qu'elles relèvent de la manœuvre du pinceau ou de l'agencement des caractères, et cherche à s'en approprier le secret. Il la pratique assidûment et progresse de nouveau jusqu'au point où il la reproduit de mémoire et peut extrapoler. À la faveur de cette expérience, il affine et enrichit sa technique, bien sûr, mais approfondit surtout son intuition de la valeur expressive des formes.

L'apprentissage commence toujours par la régulière [1]. La deuxième œuvre sera une régulière d'un style différent (le *Diplôme autographe* de Yan Zhenqing après le *Palais neuf fois parfait* d'Ouyang Xun par exemple) ou, selon les cas, une œuvre en courante ou en cursive. Un bon maître indique à l'élève quand vient le moment de se détacher du premier modèle et le conseille dans le choix du deuxième, d'après les penchants de l'élève, mais aussi dans le souci de corriger ses travers et ses limites : il lui recommandera une écriture empreinte de bonhomie ou de sensualité s'il s'est montré austère ou guindé, ou une écriture vigoureuse et volontaire s'il a été trop placide. Il l'engagera à faire de la cursive s'il lui a trouvé le geste timoré, il l'en dissuadera s'il lui a paru trop pressé.

De son côté, l'élève regarde maintenant les œuvres d'un œil plus expert. Il commence à les lire comme un musicien lit les partitions, en imaginant leur exécution. Dans les formes, il cherche à deviner les gestes qui les ont produites. Il découvre que, pour l'amateur attentif aux nuances et aux détails techniques, rien ne vaut l'examen de l'original et que, si certaines reproductions renseignent approximativement sur les qualités de l'œuvre, beaucoup d'autres sont inutilisables [2]. Il devient

1. Pendant des siècles, l'apprentissage de l'écriture s'est fait sur la base d'œuvres en régulière de l'époque des Tang. Le choix portait sur des œuvres d'Ouyang Xun (557-641), de Yu Shinan (558-638), de Chu Suiliang (596-658), de Yan Zhenqing (709-785) ou de Liu Gongquan (778-865) et l'on parlait de *Outi* 欧体, *Yuti* 虞体, *Chuti* 褚体, *Yanti* 颜体, *Liuti* 柳体 pour désigner le style de chacun de ces calligraphes ; le mot *ti*, littéralement "corps", signifie dans ce cas "style" ou "genre".

Wang Xiujie, un calligraphe que j'ai rencontré à Chengde en été 1982 et dont le fils, à sept ans, écrivait de beaux grands caractères en sigillaire, défendait l'idée que la meilleure manière d'enseigner la calligraphie aux enfants consistait à commencer par la sigillaire, techniquement la plus simple, de passer à la chancellerie et d'en arriver ensuite à la régulière. Selon lui, cela leur permet de tirer tout de suite parti de leur merveilleux sens de l'espace et d'aborder progressivement seulement les difficultés de la manœuvre du pinceau ; cela les familiarise en outre tout de suite avec l'histoire de l'écriture.

2. Celles qui ont l'air le plus luxueux sont souvent les moins bonnes. Le papier glacé tue la calligraphie. Ses reflets, qui rappellent au spectateur la présence de la surface réfléchissante, rendent impossible l'effet calligraphique, c'est-à-dire l'oubli de cette surface au profit d'un espace imaginaire dans lequel le spectateur se sent lui-même inclus. La reproduction en couleurs détruit presque aussi sûrement l'effet calligraphique parce qu'elle valorise les couleurs des sceaux, de la soie, du papier, de l'encadrement au détriment des valeurs de l'encre, qui seules devraient compter, et réduit le plus

souvent ces dernières à un unique noir empâté dans lequel ne subsiste aucune trace de vie. Parmi les ouvrages cités dans la note bibliographique, à la p. 393, *Traces of the Brush* donne l'exemple d'une illustration réussie de ce point de vue. Parmi les reproductions que l'on trouve dans le commerce, celles que les Éditions Wenwu, de Pékin, publient sous forme de grands fascicules à couverture bleue, reliés à la manière chinoise traditionnelle, sont de loin les meilleures. Quelques reproductions de grand luxe et à tirage limité mises à part, il ne se fait rien de comparable ailleurs.

PÉKINOIS LISANT DES STÈLES DANS LE PARC DE BEIHAI, AU CŒUR DE LA CAPITALE.

plus difficile sur le chapitre de la documentation et commence à s'intéresser aussi aux conditions dans lesquelles les œuvres ont été transmises et conservées.

Consacrons à ce point une brève digression. Les œuvres ont été soit conservées dans leur forme manuscrite originale ou, parfois, sous la forme d'anciennes copies faites à la main, soit gravées sur des stèles et reproduites au moyen d'estampages. Pour distinguer ces deux catégories, les calligraphes parlent de *tie* 帖 "manuscrits" et de *bei* 碑 "stèles", ou de manuscrits originaux, *zhenji* 真迹, et d'estampages, *taben* 拓本. La supériorité des originaux sur les estampages semble aller de soi, mais n'est pas absolue et ne doit pas faire oublier que pendant près de deux millénaires, avant que les moyens modernes

L'APPRENTISSAGE | 151

de reproduction ne mettent les originaux à la portée de tous les amateurs, l'estampage a été le seul moyen de diffusion des œuvres calligraphiques. Les originaux n'étaient accessibles qu'aux *happy few* qui les possédaient ou qui étaient introduits chez leurs propriétaires. Et l'estampage n'a pas seulement été un moyen de diffusion, mais aussi un moyen de reproduction très fidèle des œuvres gravées. On l'obtient en appliquant une feuille de papier de riz sur la surface de la pierre, en l'humectant pour la rendre souple et en la repoussant au moyen de brosses dans les parties creuses du relief. Lorsqu'elle a séché, la surface plane de la feuille, qui adhère toujours à la pierre, est enduite d'encre au moyen d'un large tampon. Quand elle est ensuite détachée, l'écriture apparaît en blanc sur fond noir, les parties blanches

ARTISAN EXÉCUTANT UN ESTAMPAGE À LA FORÊT DES STÈLES (BEILIN) DE XI'AN : de droite à gauche, le papier humide appliqué sur la pierre, le papier presque sec, l'encrage du papier sec, l'estampage achevé. En bas à droite, le pot d'encre. Dans la main gauche de l'artisan, la palette de bois sur laquelle il étale l'encre. Dans sa main droite, le tampon.

reproduisant exactement le creux de la gravure. Il reste à humecter une nouvelle fois la feuille pour l'aplanir et à la monter en rouleau ou à la découper pour la monter en album. Dans la reproduction des stèles, cette technique bon marché est supérieure à la photographie parce qu'elle saisit mieux le détail du relief et parce qu'elle crée un contraste noir et blanc qui fait davantage ressortir l'écriture [1].

La valeur de l'estampage dépend évidemment de la qualité de la stèle. Lorsque le calligraphe avait écrit son texte à même

1. Il existe plusieurs traités de technique de l'estampage. Celui de Ma Ziyun, *Jinshi chuanta jifa*, Pékin, Éditions Renmin meishu, 1988, 30 p., 53 pl., est bien fait.

GRAVURE INTACTE,
GRAVURE USÉE :
à gauche, détail de la *Stèle
du Préfet Jing (Jing shijun bei)*,
de 540 (Wei or.) ; à droite,
détail de l'*Inscription du Temple
des ancêtres de Jin (Jinciming)*
de l'empereur Taizong des
Tang (r. 626-649), de 645.

la pierre, d'une encre vermillonnée, ou l'avait exécuté sur du
papier et que la feuille avait été collée sur la pierre, certains
grands artisans le gravaient ensuite avec une extraordinaire
fidélité. Certaines stèles anciennes sont techniquement parlant
des merveilles de finesse et d'intelligence (ci-dessus à gauche)
tandis que d'autres sont d'une facture grossière. La valeur de
l'estampage dépend aussi de l'état de la gravure au moment
où l'estampage a été fait. À la longue, en effet, la pierre s'use, le
relief s'estompe, la largeur du trait diminue en conséquence et
les arêtes de la gravure s'émoussent de sorte que les attaques et
les terminaisons s'arrondissent comme des galets (ci-dessus à
droite). Cette usure donne à l'écriture un aspect dépouillé qui
peut avoir le même charme que les ruines en architecture, mais
la physionomie première de l'écriture est perdue. On s'en aperçoit lorsqu'on compare l'écriture d'un même calligraphe dans
un estampage fait sur une gravure usée et dans un manuscrit
original (voir page suivante). On mesure aussi le degré d'usure
des stèles lorsqu'on confronte des estampages faits sur une même
stèle à deux ou trois siècles de distance. L'étude des vieux
estampages a donné naissance à toute une érudition chez les
calligraphes, les collectionneurs et les antiquaires. Ils ont évidemment d'autant plus de prix qu'ils reproduisent un état plus ancien
de la stèle et ils constituent parfois, surtout s'ils reproduisent

 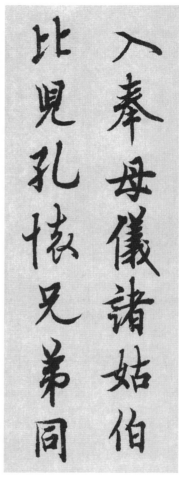

L'ÉCRITURE DE OUYANG XUN (557-641, TANG) SOUS FORME GRAVÉE ET SOUS FORME D'AUTOGRAPHE : passage de son *Inscription du Palais neuf fois parfait (Jiuchenggong liquanming)*, passage de ses *Mille caractères en courante (Xingshu qianziwen)*

1. Certains historiens de l'art ont fait remarquer que l'insuffisance des reproductions a parfois pu être un ferment plus qu'une limitation pour les calligraphes des générations ultérieures. La grossièreté, la gaucherie de certaines gravures anciennes les ont parfois inspirés et ont donc exercé un effet en retour sur l'écriture au pinceau. De manière plus générale, la calligraphie gravée a des qualités esthétiques que les calligraphes ont tenté de reproduire dans l'écriture sur papier, ce qui a enrichi leur langage. Je reviendrai là-dessus à la fin du chapitre 8, p. 352-353. – Je ne parlerai pas ici d'un autre problème technique qui a de l'importance pour les historiens de l'art, celui des copies faites au pinceau, selon différentes méthodes, après décalquage préalable de l'original. Ces procédés permettent d'atteindre parfois un extraordinaire degré de fidélité. Les plus grands chefs-d'œuvre manuscrits antérieurs aux Tang nous sont connus par des copies

des stèles aujourd'hui perdues, des trésors aussi jalousement gardés que des manuscrits originaux. Il faut ajouter que, s'étant usées, certaines stèles ont été retouchées ou refaites à neuf pour les besoins de la diffusion, parfois d'après de mauvais estampages, de sorte que certaines gravures n'ont plus qu'un lointain rapport avec l'œuvre qu'elles prétendent reproduire [1].

154 | ESSAI SUR L'ART CHINOIS DE L'ÉCRITURE

Telles sont les questions auxquelles commence à s'intéresser notre calligraphe en herbe lorsqu'il pénètre dans la deuxième phase de son apprentissage. Il devient attentif à l'état des œuvres et à la qualité des reproductions, il cherche à voir les originaux quand il en a l'occasion. Il tient aussi, maintenant, aux reproductions complètes, celles qui permettent de suivre l'œuvre de bout en bout et d'en éprouver complètement le rythme. Mais revenons au travail qu'il accomplit dans l'étude de son modèle.

Il ne se contente pas d'en reproduire exactement les formes et d'en rendre la physionomie. Au-delà des formes, il cherche le geste caractéristique qui les a fait naître et qui lui permettra de les produire à son tour sans effort. À la faveur d'une sorte d'expérimentation dynamique, il tente de reconstituer le style gestuel qui a donné naissance à l'œuvre et de se l'approprier. Ce processus d'assimilation met en jeu un mécanisme fondamental que Nietzsche décrit ainsi :

> *Geste et langage.* – Plus ancienne que le langage, l'imitation des gestes est involontaire et reste même à notre époque, où le langage des gestes et la maîtrise cultivée de la musculature sont pourtant si généralement dépréciés, un phénomène si puissant que nous ne pouvons pas observer les mouvements d'un visage sans que les nerfs de notre visage ne réagissent (il est facile d'observer qu'un bâillement simulé suscite chez le spectateur un bâillement réel). Le geste imité ramène celui qui l'imite à l'émotion qui s'exprimait dans le visage ou dans le corps du premier acteur. C'est ainsi que nous avons appris à nous comprendre, c'est ainsi qu'aujourd'hui encore l'enfant apprend à comprendre sa mère. [1]

Non que l'apprenti calligraphe réagisse de manière immédiate aux injonctions de son modèle. Il en est loin puisqu'il lui faut reconstituer, au prix d'un patient travail, les gestes dont l'écriture a fixé la trace. Mais lorsqu'il commence à les saisir de l'intérieur et à les reproduire naturellement, il s'établit entre l'œuvre et lui une connivence profonde, une véritable intimité physique et morale. Entre l'œuvre et lui se crée cette communication gestuelle qui constitue, selon Nietzsche, la base de toute communication. Ce qui est remarquable, c'est qu'il y parvient par une progression méthodique, contrôlée à chaque étape par le résultat visible sur le papier.

de ce genre, faites sous les Tang. La *Lettre à une tante* de Wang Xizhi, à la p. 125, et la lettre de Wang Zhi à la p. 131, sont en fait des copies de ce type.

1. *Menschliches, Allzumenschliches*, § 216. Cette citation de Nietzsche est inspirée, comme les suivantes, par le remarquable ouvrage de Louis Corman, *Nietzsche, psychologue des profondeurs*, Paris, Presses universitaires de France, 1982.

À partir des gestes, puis du style gestuel, l'élève remonte de proche en proche aux dispositions centrales du calligraphe étudié. Il s'introduit dans sa subjectivité, il s'en approprie du dedans les qualités distinctives. Pour reproduire l'œuvre dans ce qu'elle a de singulier, il recrée en lui-même la manière d'être particulière dont elle fut l'expression.

La causalité graphologique est donc inversée. L'écriture devient un moyen de modifier et d'enrichir la personnalité. L'idée d'une telle action en retour peut surprendre mais le phénomène nous est en réalité familier. Nous en faisons tous l'expérience quand, sous l'effet de la fatigue ou de la nervosité, nous écrivons de plus en plus mal et qu'à un certain moment nous nous ressaisissons pour écrire à nouveau lisiblement : cette reprise en main ne transforme pas seulement notre écriture, mais améliore aussi notre état général, physique et moral. Dans ces cas-là, l'écriture nous aide à régler notre activité d'ensemble. La différence est que cette modification est momentanée tandis qu'en calligraphie, où elle est le fruit d'un travail soutenu, d'une discipline qui met continûment en jeu toutes les forces et toutes les facultés, elle est profonde et durable. En s'appropriant un style, le calligraphe en herbe règle autrement son activité, crée en lui des dispositions nouvelles et intègre à sa personnalité des qualités qu'il ne possédait pas.

L'étude des formes devient ainsi une aventure personnelle, une exploration des virtualités que l'on porte en soi. Beaucoup de calligraphes ont parlé de l'itinéraire qu'ils ont suivi dans cette recherche. Mi Fu (1051-1107) par exemple, l'un des grands calligraphes Song, a résumé de la manière suivante les premières étapes de sa formation :

J'ai d'abord étudié Yan Zhenqing, c'était à l'âge de sept ou huit ans. Mes caractères s'étalaient, je n'arrivais pas à les contenir. Ayant vu l'écriture de Liu Gongquan, j'en admirai l'agencement serré et j'étudiai son *Sûtra du diamant*. Ayant appris plus tard que son style dérivait de celui d'Ouyang Xun, j'étudiai Ouyang Xun. Mais avec le temps, mon écriture eut la raideur des pages imprimées ou des boules de bouliers et je fus attiré par Chu Suiliang. Après l'avoir longuement pratiqué, je fus attiré par l'art de Duan Ji, qui allie si parfaitement la douceur des courbes à la vigueur des articulations, l'élégance à la générosité du trait. Puis, m'étant aperçu qu'il n'avait fait que développer le style du *Pavillon de l'orchidée*, je me mis également à l'école des classiques de cette période et j'acquis quelque chose de la simplicité des maîtres d'époque Wei et Jin. [1]

Dans un récit analogue de Fu Shan (1607-1684, Ming et Qing), on voit affleurer sous la recherche des qualités esthétiques une quête d'un autre ordre :

> J'ai étudié dans ma jeunesse les maîtres de la régulière des Jin et des Tang, mais je n'arrivais pas à leur ressembler. Puis j'entrai en possession d'un autographe de Zhao Mengfu (1254-1322, Yuan) dont la rondeur et la facilité me séduisirent. Je m'y exerçai et je parvins assez rapidement à en faire des copies qui étaient à s'y méprendre. Mais je fus saisi ensuite d'un sentiment de honte : n'étais-je pas dans le cas de quelqu'un qui, ayant voulu s'inspirer d'un homme intègre mais n'ayant pas eu la force d'égaler la hauteur de son caractère, se laissait aller, s'associait à des coquins et s'encanaillait au point de trouver leur compagnie naturelle ? Je me mis alors à l'école de Yan Zhenqing et je compris que j'avais été victime de Zhao Mengfu pendant trente ans. Je ne me suis pas encore entièrement débarrassé de la vulgarité contractée chez lui, mais si j'en guéris un jour, le mérite en reviendra à l'*Autel de l'immortelle* de Yan Zhenqing. [2]

Cette confession montre que, dans l'esprit de Fu Shan, les qualités formelles de l'écriture sont liées aux qualités humaines du

tombe de Taizong, il en subsiste néanmoins plusieurs copies manuscrites du début des Tang. À travers ses copies, cette œuvre a continué à inspirer les calligraphes jusque dans le présent et ceux qui l'ont récrite ou interprétée ne se comptent pas. Il serait possible de faire une grande exposition sur la postérité de cette seule pièce, que peu d'hommes ont vue et qui a disparu définitivement au milieu du viie siècle. Notons qu'elle est aussi un classique du point de vue littéraire.

1. Texte chinois : Hsiung p. 170. Les maîtres des époques Wei (220-265) et Jin (265-316, 317-420), ce sont avant tout, dans l'esprit de Mi Fu, les calligraphes Wang Xizhi (321-379) et Wang Xianzhi (344-388). *Le Pavillon des orchidées* ou, plus littéralement, la *Préface au Pavillon des orchidées*, *Lantingxu*, est une pièce en prose composée par Wang Xizhi pour servir de préface à la collection des poèmes composés lors d'une rencontre de lettrés qui se tint en l'an 353 au lieu-dit du Pavillon des orchidées. Au début des Tang (618-907), Wang Xizhi a été considéré comme le plus grand des calligraphes. Il est devenu l'objet d'un véritable culte

et cette préface, qu'il avait écrite en courante, a été tenue pour l'expression la plus pure de son génie. L'empereur Taizong (r. 626-649), un ardent admirateur de Wang Xizhi qui a été pour beaucoup dans l'instauration du culte qu'on lui a voué, se serait emparé par la ruse du manuscrit, qui ne lui appartenait pas, et l'aurait emporté dans sa tombe. Sur ces faits légendaires et les données historiques, voir R. Goepper, *Shu-p'u*, p. 1-8, et Lothar Ledderose, *Mi Fu and the Classical Tradition of Chinese Calligraphy*, Princeton, University Press, 1979, p. 20. Si le manuscrit original de la *Préface du Pavillon des orchidées* a disparu, peut-être dans la

2. Texte chinois : Hsiung p. 78. *L'Autel de l'immortelle* ou, plus exactement, l'*Inscription de l'autel de la Montagne de l'immortelle (aux cheveux?) de chanvre (Magushan xiantanji)*, une œuvre en régulière réalisée par Yan Zhenqing en 771 et dont un extrait figure à la page 169. La montagne en question, le Magushan, est dans le Jiangxi.

calligraphe étudié et qu'il est vain de vouloir perfectionner son écriture sans chercher à se perfectionner moralement soi-même. Dans son idée, l'étude d'un calligraphe qui, tel Yan Zhenqing, fut un homme irréprochable, aide à acquérir les qualités élevées qui furent les siennes. Cette conviction a été partagée par la plupart des calligraphes et se trouve chez beaucoup d'auteurs. "La pratique de l'écriture, dit Liu Xizai, est un perfectionnement de l'esprit. Vouloir surpasser quelqu'un en calligraphie lorsqu'on lui est inférieur par l'esprit, c'est à coup sûr peine perdue." [1]

L'idée que l'on étudie les œuvres pour s'assimiler successivement la qualité dominante de chacune d'entre elles est exprimée de manière éloquente chez Kang Youwei (1858-1927). Voici deux brefs passages d'une tirade que le lecteur me saura gré de ne pas citer en entier puisque l'auteur y mentionne d'affilée plus de quarante classiques de la calligraphie :

> Lorsqu'on saura reproduire les *Inscriptions votives de Longmen*, on étudiera la *Stèle de Li Zhongxuan* pour acquérir une plus grande vivacité du geste. Accessoirement, on pratiquera la *Stèle du Prince Shixing* et l'*Éloge de la source chaude* pour donner plus de tenue à la forme. On passera ensuite aux stèles de *Huangfu Lin*, de *Li Chao*, de *Sima Yuanxing*, de *Zhang Heinü* afin d'élargir ses goûts, à l'*Inscription votive des soixante* et à la *Stèle de Yang Hui* pour mettre les caractères bien en chair. Le progrès ira s'accélérant et le moment viendra de se consacrer à l'étude des stèles de *Zhang Menglong* et de *Jia Sibo* pour capter ce qu'elles ont d'essentiel, leur art merveilleux de la variation dans la continuité. [2]

Après avoir énuméré ainsi une dizaine d'autres œuvres, Kang Youwei poursuit :

> On apprendra à décanter l'écriture [3] en cherchant dans les stèles du *Pic du centre* et de *Ju Yanyun* le moyen d'atteindre à la simplicité première ; on pratiquera les inscriptions votives pour explorer toute la diversité de leurs allures ; on ira plus loin encore en demandant aux stèles du *Gouverneur de Zhiyang*, de *Cuan Longyan* et du *Temple de la grâce lumineuse* ainsi qu'au revers de la stèle du *Temple enchanté* le secret de la perfection. On sera proche du but, mais on ne l'aura pas encore vraiment atteint, car il faudra encore remonter à la sigillaire pour connaître l'origine des caractères, tirer

Liô Si-tsai

1. Liu Xizai (1813-1881, Qing) est l'auteur d'un ouvrage en six parties intitulé *Yigai*, ou *Aperçu des arts*, dont la cinquième partie, intitulée *Shugai* ou *Aperçu de la calligraphie*, est composée de 246 paragraphes remarquables par leur densité et leur concision. Le § 229, que nous citons ici, commence par : "Selon Yang Xiong (- 53/18, Han), l'écriture est la peinture de l'esprit. Il suit de là que la pratique de l'écriture..." Texte chinois : *Lidai* p. 714.

2. Texte chinois : *Lidai* p. 850, Hsiung p. 172.

3. Littéralement : "à la rendre antique", *gu zhi* 古之.

parti de la chancellerie pour rendre l'écriture énergique, s'intéresser à la courante et à la cursive pour les variations qu'elles introduisent...

Que le lecteur ne prenne pas ce pensum au pied de la lettre. Kang Youwei est un visionnaire dans sa théorie de la calligraphie comme il l'a été dans ses écrits politiques. Il s'exalte et finit par proposer un programme délirant, mais son idée centrale est juste : l'étude des œuvres est une suite d'imprégnations qui fécondent peu à peu la substance du calligraphe.

DEUX STÈLES TRÈS DIFFÉRENTES : à gauche, inscription du IIe siècle (Han or.) ; à droite, inscription du VIe siècle (Wei du Nord).

Sur un autre point, Kang Youwei fausse cependant la perspective. S'il est vrai que le calligraphe doit étendre son registre en étudiant de nombreux auteurs et que plus il en étudiera, mieux cela vaudra, les premiers auteurs étudiés n'en ont pas moins une importance particulière. Tout calligraphe reste marqué dans une certaine mesure par les premières œuvres à l'école desquelles il s'est formé. Il ne fait par conséquent pas une interminable série d'expériences équivalentes, mais des expériences décisives et d'autres de moindre importance. Il se sent de l'affinité pour certaines œuvres et les adopte parce qu'il se reconnaît en elles ou, au contraire, parce qu'il y pressent des qualités qui lui manquent. [1] Son goût se modifie d'ailleurs en cours de route.

1. Kang Youwei ne fait pas autre chose en prenant si passionnément parti pour les stèles du Moyen Âge. Dans le texte dont on vient de lire deux extraits, il ne cite que des stèles antérieures aux Tang, à l'exclusion de toute œuvre manuscrite. Son idée est que seule l'étude de ces écritures-là peut tremper le caractère des calligraphes et amener le renouvellement de la calligraphie qu'il appelle de ses vœux.

Il renie certains attachements, il découvre les vertus d'auteurs qui lui avaient paru indifférents ou l'avaient même rebuté. Son itinéraire est fait d'une suite de choix qui sont indissociables de son histoire personnelle.

Le calligraphe se forme au fond comme un enfant qui développe sa personnalité en s'identifiant à ses parents, puis à ses maîtres ou à d'autres héros de son choix, et actualise grâce à ces identifications successives les virtualités qu'il porte en lui. Ces rencontres le marquent parce qu'elles lui donnent l'occasion de réaliser des dispositions qu'il ne se connaissait pas encore et de déplacer ou d'élargir à chaque fois ses limites. Le paradoxe de toute cette phase de l'apprentissage est qu'elle est à la fois une recherche du dépouillement, de l'effacement devant l'œuvre étudiée, d'un apparent renoncement de soi au profit de la personnalité d'autrui et, dans le même mouvement, une lente découverte de soi-même.

Il faut bien voir l'importance de l'aspect négatif de ce processus qui est, entre autres choses, un désapprentissage des automatismes du regard. Si le calligraphe en herbe reproduit mal son modèle, c'est en effet que son œil croit voir les formes avant de les avoir bien regardées et transmet par conséquent à la main une information trop pauvre. Il lui faut lutter contre cette tendance naturelle de l'œil à saisir les formes de manière hâtive et incomplète. Le fonctionnement de la vue obéit comme celui des autres sens et de toute notre activité mentale à la loi du moindre effort. Nous ne cessons de trier inconsciemment les données sensorielles que nous recueillons, de retenir celles qui paraissent utiles et de les assimiler à des perceptions déjà répertoriées. Notre activité mentale ramène ainsi le confus au distinct, elle réduit le nouveau à ce qu'elle connaît déjà : "L'esprit veut l'identité, dit Nietzsche, c'est-à-dire qu'il veut pouvoir classer une impression des sens dans une série existante..." Nos perceptions ne sont généralement ni premières, ni naïves, mais déterminées par l'acquis antérieur. La plupart du temps, nous percevons moins que nous ne devinons d'après ce que nous savons déjà : "La plus grande partie de la perception sensible est une divination." [1]

C'est là qu'est la difficulté pour l'apprenti calligraphe. Il ne peut parvenir à la ressemblance si son œil réduit les formes nouvelles à du déjà-vu. Comme l'observe encore Nietzsche :

1. Cité d'après L. Corman, *op. cit.*, p. 299, qui renvoie à l'édition Kröner vol. XVI, p. 511, et vol. XII, 1, p. 301.

Nos sens n'apprennent que tard, et n'apprennent jamais tout à fait à servir d'organes fins, fidèles et prudents de la connaissance. Dans une situation donnée, il est plus facile à notre œil de reproduire une image déjà souvent produite antérieurement que de retenir ce qu'il y a de différent et de nouveau dans la nouvelle impression : il y faut plus de force, plus de "moralité". Il est difficile et pénible à notre oreille d'écouter quelque chose de nouveau ; nous entendons mal la musique qui nous est étrangère. (...) Le nouveau se heurte à l'hostilité et à la résistance de nos sens. De manière générale, même les processus sensoriels les plus "simples" sont dominés par l'affectivité, par la peur, l'amour, la haine par exemple, ou, négativement, par la paresse. [1]

L'étude des œuvres contraint à résister à la tentation du moindre effort. Elle oblige à travailler contre soi et rend progressivement le regard plus clair et plus aigu parce que plus actif.

Sur le plan du geste aussi, l'étude des œuvres oblige à travailler contre soi, à lutter contre la tendance naturelle à la simplification et à la répétition. En reproduisant avec exactitude les gestes du maître, le calligraphe en herbe réduit graduellement la part que l'automatisme a dans son propre geste, il le purifie de ses tics et de ses travers invétérés. À la longue, lorsque sa main sera rompue à l'exécution des formes, qu'elle les reproduira toutes de manière également experte et suivra docilement la moindre injonction de sa volonté, le moment viendra où elle obéira tout aussi docilement à la dictée de sa fantaisie et de sa sensibilité. Elle sera devenue moins prévenue et plus active [2].

L'élève est en somme invité à dépouiller son écriture de tout trait personnel afin de parvenir ultérieurement à l'expression personnelle. Le paradoxe n'est qu'apparent et se résout si l'on admet que la personnalité dont il se dépouille et celle qui s'exprimera le moment venu dans son écriture ne sont pas la même. Je parlerai de la première comme de la "personnalité provisoire" et de la seconde comme de la "personnalité profonde".

La personnalité provisoire est celle que nous nous sommes construite pendant les dix ou vingt premières années de notre existence pour répondre aux exigences de la vie pratique et de la vie en société. Elle est le produit du processus d'adaptation qui a fait de chacun de nous un individu viable, membre accepté de sa famille, puis d'une communauté plus large. Souvent, quand

1. *Jenseits von Gut und Böse*, § 192.

2. Comme l'atteste le violoniste Gérard Poulet, cette soumission aux œuvres joue le même rôle dans la formation du musicien que dans celle du calligraphe : "Szeryng, dit-il, m'a convaincu de repartir à zéro si je voulais acquérir le style qui me manquait. Alors j'ai mis de côté ces dons qui m'avaient permis de croire que tout marchait bien. Avec une patience, une ténacité et une générosité phénoménales, Szeryng m'a fait redécouvrir, analyser les grands classiques tout en reprenant ma technique de doigt et mes coups d'archet. Le développement de l'archet, c'est la rondeur de la phrase, retirer les faux accents, gommer ce qui n'est pas dans la partition ou dans l'esprit du compositeur. Année après année, cela a fini par rentrer. Les dons que j'avais enfouis sont réapparus tout simplement. J'étais en équilibre avec moi-même, avec cette nouvelle façon de jouer. Instinctivement je retrouvais ce que je sentais auparavant, mais sans rien forcer ni calculer. Je jouais naturel... c'est merveilleux de jouer naturel !" (extrait d'une interview publiée dans *Télérama*, décembre 1986).

cette personnalité remplit bien sa fonction, nous l'acceptons et nous nous identifions à elle. Quand elle est mal ajustée ou que nous avons le sentiment d'y être à l'étroit, nous nous bornons généralement à la réaménager partiellement ou à compenser ses insuffisances par des satisfactions imaginaires.

Quant à la personnalité profonde, elle est une seconde synthèse qui remplace parfois la première. Tandis que la première obéissait à un besoin pratique d'adaptation et de conservation, la seconde naît du désir d'intégrer et d'exprimer toutes les forces qui nous habitent, celles que nous avons pu inclure dans notre première personnalité et celles qui en sont restées exclues. Seuls quelques-uns s'engagent dans cette voie. Perturbés ou menacés même par les forces qu'ils ont dû négliger, ils remettent tout en chantier et tentent une nouvelle synthèse. Lorsqu'ils réussissent, cette nouvelle synthèse a une double valeur : une valeur de vérité, puisqu'elle intègre et qu'elle exprime toutes les forces qu'ils ont en eux, mais aussi une valeur d'utilité parce que leur équilibre est à ce prix.

L'aventure est généralement longue et dramatique, de sorte qu'elle n'est pas menée à son terme par tous ceux qui l'entreprennent, mais son aboutissement est toujours le même : la personnalité provisoire est dissoute et remplacée par la personnalité profonde.

Ces notions permettent de comprendre ce qui se passe dans la formation du calligraphe. Au cours de la deuxième phase de l'apprentissage, le calligraphe en herbe réduit les manifestations de sa personnalité provisoire et, ce faisant, agit sur elle. Il en desserre graduellement l'emprise, il s'en libère et permet à une nouvelle synthèse de s'organiser en lui et de se manifester, le jour venu, dans son écriture.

La complexité du processus tient à ce que la synthèse nouvelle se prépare aussi bien par la dissolution de la personnalité provisoire que par les imprégnations successives au gré desquelles l'apprenti calligraphe éveille en lui des dispositions latentes. Il ne lui faut pas seulement de la constance pour mener à bien cette transformation, mais une sorte de passion. Il doit être habité par un profond désir d'échapper aux limitations de sa personnalité provisoire et de voir se manifester un jour sa vraie physionomie. Pour trouver la force d'accomplir le travail

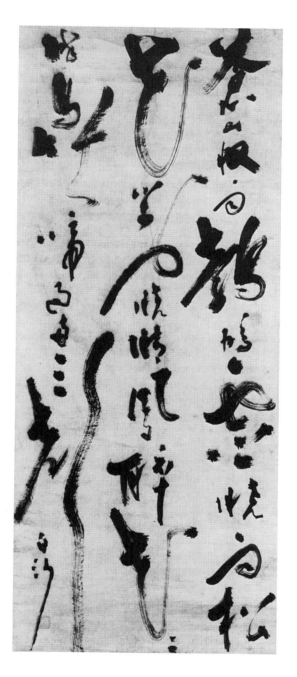

CHEN XIANZHANG
(1428-1500, MING),
*PROPOS DU PÊCHEUR
(YUFUCI),* cursive écrite
au roseau, rouleau vertical.
Hauteur : 126,5 cm.
Chen Xianzhang (*alias*
Chen Baisha), calligraphe
d'une grande originalité, est
surtout connu comme l'un
des principaux philosophes
confucianistes de l'époque
des Ming.

nécessaire, il faut qu'il soit animé par une volonté farouche de n'être que soi et pressente en même temps que ce "soi" *n'est pas encore*, qu'il appartient encore au domaine de l'informulé.

C'est ici qu'il rencontre la principale difficulté. Tout au long de sa formation, le calligraphe cherche quelque chose qu'il lui est interdit de rechercher consciemment. Il peut se dépouiller méthodiquement, mais ne saurait aucunement appliquer sa volonté à la manifestation de ce qui, virtuellement, lui appartient en propre. Il ne peut ni provoquer, ni hâter cette manifestation, ni l'anticiper d'aucune manière. S'il tente de le faire, il échoue. Il y a là une loi qu'il ne peut transgresser sans que la transgression ne se retourne aussitôt contre lui : *nul ne saurait, dit cette loi, chercher volontairement l'expression personnelle.* S'il veut prématurément faire preuve d'originalité, l'apprenti n'a d'autre ressource que d'emprunter aux autres et de trafiquer ce qu'il emprunte. En prenant trop tôt ses libertés avec les œuvres étudiées, il est condamné à les dégrader. Pour peu qu'il ait de la sensibilité et du jugement, il s'aperçoit de ce fâcheux résultat et ne s'y laisse pas reprendre. L'expérience lui ayant montré que ces faiblesses se paient d'une régression immédiate, d'un retour aux tics dont il souhaite s'affranchir, il comprend qu'il lui faut renoncer à chercher consciemment ce qu'il désire le plus, il admet que cela ne peut venir que par surcroît. Il se distancie de son désir et fait comme s'il s'en désintéressait. Mais pour pouvoir maintenir cette distance, il faut qu'il fixe à son activité consciente des buts intermédiaires.

Quels sont ces buts ? Quelles raisons peut-on avoir de faire de la calligraphie hors le but ultime qu'est l'émergence de la personnalité profonde ? Nous allons voir qu'elles sont nombreuses et justifient amplement l'effort.

La pratique de la calligraphie a d'abord l'avantage d'imposer une discipline. L'exercice exige une mobilisation du corps et une présence d'esprit sans défaut. En nous obligeant à réorienter et à faire converger toutes nos forces, il met fin à l'état de dispersion dans lequel nous vivons la plupart du temps, il nous recompose et refait de nous un être entier parce qu'entièrement absorbé par le geste [1]. L'amateur qui pratique tous les jours a le sentiment d'avoir avec lui-même un rendez-vous quotidien. À l'instant où

1. Il faut évidemment avoir résolu les difficultés initiales et acquis une certaine expérience de la technique pour que cet effet se produise.

il saisit son pinceau, il oublie les affaires qui l'ont accaparé toute la journée. L'inquiétude, le souci et la rumination, qui sont nos principales causes de fatigue, cessent comme par enchantement et, quand les circonstances l'obligent à négliger l'exercice, il éprouve un véritable état de manque. Il ressent vivement ce que Stendhal dit de l'écriture au début des *Souvenirs d'égotisme* : "Sans travail, le vaisseau de la vie humaine n'a pas de lest."

L'exercice est aussi un moment de vérité. Le pinceau est un séismographe qui révèle infailliblement nos faiblesses. Zhou Huijun, jeune calligraphe connue à Shanghai, raconte qu'un jour son maître Gong Delin lui demande d'écrire quelques colonnes de caractères pour pouvoir observer ses progrès. Elle s'exécute en retenant son souffle et en faisant un effort extrême pour donner une idée favorable d'elle-même. "Voilà qui n'est pas bien, lui dit le maître au moment où elle pose son pinceau. D'abord, il est mauvais pour la santé d'écrire en retenant votre souffle, sans respirer librement. Ensuite, vous avez cherché à plaire, vous avez voulu que je fasse votre éloge. Cela n'est pas raisonnable. Dans notre art comme dans la vie, il est vain de poser, et encore plus vain de courir après la réputation..."[1] Seuls comptent le travail accompli et la maîtrise qui en résulte, ce bien inaliénable que l'on appelle *gongfu* 功夫 en chinois [2].

Dans le monde actuel, l'exercice nous ramène aussi à nous-mêmes en nous rendant le goût du geste gratuit. Dictée par des machines, notre activité quotidienne se réduit de plus en plus à des mouvements programmés, domestiqués, accomplis dans l'indifférence, sans participation de l'imagination ni de la sensibilité. La calligraphie remédie à cette atrophie du geste en réveillant nos facultés engourdies. Elle nous rend le goût du jeu, elle rappelle à la vie des aptitudes qui, pour n'être pas immédiatement "utiles", n'en sont pas moins essentielles. Parce qu'il est le plus évolué des animaux, l'homme a besoin de plus de jeu que toute autre espèce pour assurer son équilibre.

L'exercice modifie aussi notre perception du temps. Dans la vie de tous les jours, nous sommes sans cesse en train de remonter dans le passé et de nous projeter dans l'avenir, de sauter de l'un à l'autre sans pouvoir nous arrêter au moment présent. À cause de cela, nous sommes hantés par le sentiment que le temps nous échappe. En nous faisant coïncider

Tchô Houei-tsun

1. L'anecdote est contée dans la revue *Shufa* 1981/2, p. 22.

2. Ce terme est difficile à traduire parce qu'il désigne à la fois le temps que l'on a consacré à l'exercice et l'habileté ou la maîtrise atteinte.

avec nous-mêmes, l'exercice suspend au contraire la fuite du temps. Lorsque nous manions le pinceau, le moment présent semble se détacher de la chaîne qui le liait au passé et à l'avenir. Il absorbe en lui toute la durée. Il s'amplifie et se mue en un vaste espace de tranquillité. Il n'est plus soumis à l'écoulement du temps, mais entre en résonance avec les moments de même nature dont nous avons fait l'expérience hier, avant-hier et les jours précédents. Ces moments se mettent en enfilade, ils créent une autre continuité, une sorte de majestueuse avenue qui traverse le temps désordonné de nos occupations quotidiennes. Notre vie tend à se réorganiser autour de ce nouvel axe et l'incohérence de nos activités extérieures cesse de nous gêner. L'exercice quotidien remplit la fonction d'un rite [1].

1. Telle est en effet la fonction du rite religieux. Je suis reconnaissant à mon ami John Lagerwey de me l'avoir fait remarquer.

Il procure de merveilleux moments d'insouciance et d'oubli. Citons Ouyang Xiu (1007-1072, Song), qui fut un fonctionnaire accablé de tâches administratives avant d'être écrivain et poète :

Ôyang Siô

> Les longues pluies d'automne ne cessent de tomber et les dossiers sont pour une fois moins nombreux que d'habitude. Devant la salle orientale de la Cour des affaires d'État, le bambou bruit sous l'averse, on croirait entendre pleurer. Sur des feuilles de papier qui traînaient sur ma table, je me suis mis à écrire au gré du pinceau.

Il note ailleurs :

Sou Choun-ts'in

> Selon Su Shunqin (1008-1048, Song) une fenêtre lumineuse, une table nette, des pinceaux, une pierre, de l'encre et du papier de la meilleure qualité sont le plus grand des bonheurs. Mais rares sont ceux qui le connaissent et plus rares encore ceux qui ne s'en laissent pas détourner. Je n'ai découvert ces joies qu'à un âge avancé et je regrette de ne pas avoir mieux travaillé mon écriture. Si je n'approche pas des beautés des Anciens, du moins en sais-je bien assez pour y prendre plaisir. [2]

2. Cité d'après J. M. Simonet, *La Suite...*, p. 191, qui donne le texte chinois.

Le moment où l'on se met à écrire a souvent quelque chose de solennel, il donne le sentiment d'accéder à un autre monde. Plus d'un calligraphe se reconnaîtrait sans doute dans ce que Machiavel écrit en 1513 à son ami Francesco Vettori :

Le soir tombe, je retourne au logis. Je pénètre dans mon cabinet et, dès le seuil, je me dépouille de ma défroque de tous les jours, couverte de fange et de boue, pour revêtir des habits de cour royale et pontificale ; puis convenablement vêtu, j'entre dans les cours antiques des Anciens où, reçu avec affabilité, je me repais de l'aliment qui est par excellence le mien et pour lequel je suis né. Là, sans nulle honte, je m'entretiens avec eux, je les interroge sur les raisons de leurs actions et eux me répondent selon leur humanité. Quatre heures passent sans que je ressente le moindre ennui ; j'oublie mes chagrins, je ne crains plus la pauvreté ni ne m'effraie de la mort tant je me suis transporté vers eux. [1]

1. Niccolò Machiavelli, *Lettere*, Milano, Feltrinelli, 1962, p. 304.

C'est dans cet état d'esprit qu'après s'être occupé de son domaine et s'être encanaillé à jouer au trictrac à l'auberge, Machiavel poursuit le soir la rédaction du *Prince*. De même l'écriture n'est-elle pas seulement pour le calligraphe un souverain délassement, mais encore une manière de fréquenter les Anciens. Puisqu'un amateur qui travaille l'œuvre d'un grand devancier cherche à s'en approprier le style gestuel et à reconstituer en lui-même, pour cela, les dispositions intérieures de son modèle, il est naturel qu'il ne se contente pas de sonder l'œuvre, mais s'intéresse à l'homme et tente de l'approcher par d'autres voies. Il est naturel qu'il cherche à s'informer de sa vie, de son caractère, de ses idées, afin de pénétrer plus avant dans son intimité et d'établir avec lui une connivence aussi profonde que possible. Comme l'écrit Jiang Ji (XVe siècle, Ming) :

Tsiang Tsi

Il faut commencer par prendre en considération le caractère de l'homme et ses passions, par étudier attentivement les circonstances dans lesquelles il a écrit l'œuvre en question. Il faut avoir fait en soi la synthèse de tout cela avant de se mettre à interpréter l'œuvre. C'est en s'y prenant ainsi que l'on enrichira sa propre nature et que l'on mobilisera réellement son esprit. Ceux qui ne recherchent que la ressemblance extérieure n'entendent rien à la calligraphie. [2]

2. Cité d'après J. M. Simonet, *La Suite...*, p. 198-199, qui donne le texte chinois.

C'est dire que l'étude approfondie d'une œuvre a des implications intellectuelles et morales. "J'entrai en possession d'un autographe de Zhao Mengfu dont la rondeur et la facilité me séduisirent", écrivait Fu Shan (1607-1684, fin des Ming, début des Qing) dans la confession que j'ai citée plus haut. En même

Tchao Meng-fou

temps qu'un très grand peintre, Zhao Mengfu (1254-1322, fin des Song, début de la dynastie mongole des Yuan) a été l'un des calligraphes les plus accomplis de tous les temps, un artiste qui a maîtrisé tous les genres et a été, surtout en régulière et en courante, d'une supérieure élégance. Il a exercé de son vivant et après sa mort, sous la dynastie des Ming (1368-1644), une influence durable sur le goût. Çà et là pourtant,

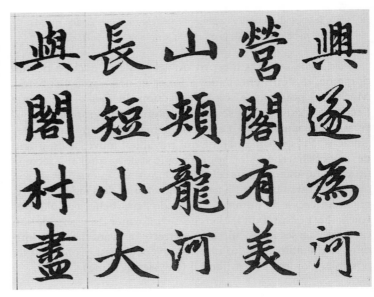

RÉGULIÈRE DE ZHAO MENGFU (1254-1322, SONG/YUAN), détail.

certains ont trouvé à son écriture une certaine mollesse et l'ont mise en relation avec la conduite qui a été la sienne lorsque, membre de la famille impériale des Song, défaite en 1279, il s'est rallié au pouvoir de l'usurpateur mongol et qu'il est rapidement devenu l'un de ses plus brillants serviteurs. La réprobation dont certains enveloppaient à la fois l'homme et l'œuvre est devenue générale quand les Chinois sont tombés sous le joug des Mandchous en 1644. Fu Shan a été de ceux qui se sont engagés dans la résistance active puis, lorsqu'elle a échoué, se sont cantonnés jusqu'à la fin de leurs jours dans la plus intransigeante opposition à la dynastie étrangère. [1] Il n'est pas étonnant qu'après 1644, il se soit détourné de Zhao Mengfu

1. Je mentionne, sans les avoir lues, la monographie de Amy McNair, *Upright Brush, Yan Zhenqing's Calligraphy and Song Literati Politics*, Honolulu, University of Hawai Press, 1988, et l'étude de Bai Qianshen, "Calligraphy for Negociating Everyday Life : The Case of Fu Shan (1607-1684)", in *Asia major*, 1999/1, p. 67-118.

et mis à l'école de Yan Zhenqing, qui l'engageait dans une voie toute différente du point de vue esthétique et dont la vie lui donnait en même temps l'exemple d'une force de caractère exemplaire. Il s'est converti sous son influence à une calligraphie où l'expression de l'individualité et de l'indépendance morale l'emporte sur le souci d'élégance et de conformité à des canons établis. Dans le refus de la séduction, Fu Shan est

DÉBUT DE L'*AUTEL DE L'IMMORTELLE* de Yan Zhenqing (709-785, Tang) et le caractère 動 *dong* de la main de Fu Shan (1607-1684, Ming/Qing), détail du *Poème de Du Fu*, rouleau reproduit à la page suivante.

allé beaucoup plus loin que Yan Zhenqing. Comme on le voit ci-dessus et sur le rouleau de la page suivante, il a créé un style se mouvant aux limites de la laideur. "Plutôt que d'être habile, gracieux, léger et convenu, disait-il, je préfère être gauche, déplaisant, décousu mais vrai." [1] Son cas montre à quel point l'évolution de la sensibilité esthétique et celle de la sensibilité morale peuvent aller de pair et comment, surtout, l'étude des œuvres s'approfondit pour devenir un dialogue avec les hommes du passé.

Au-delà des hommes, l'étude des œuvres permet d'étudier les époques, de refaire l'expérience des changements de sensibilité qui ont mené de l'une à l'autre et de comprendre de l'intérieur

1. Texte chinois : Hsiung p. 77. Hsiung Ping-Ming consacre ailleurs, aux pages 49-52, un développement intéressant au rapport que l'on peut apercevoir entre le style calligraphique de Zhao Mengfu et l'ambiguïté du personnage.

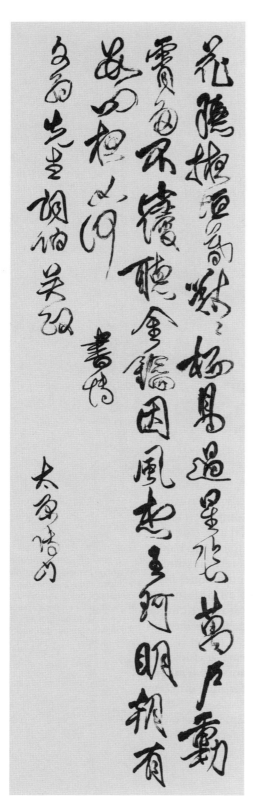

la grandeur de ceux qui ont pressenti, préparé, imposé ces transformations. Prise ainsi, la calligraphie devient un moyen d'exploration de l'histoire. Elle enrichit notre présent en faisant de nous des contemporains du passé, elle décuple notre sensibilité et notre imagination. "À mesure que l'on a plus d'esprit, on trouve plus d'hommes originaux", disait Pascal [1]. C'est ce qui arrive à l'amateur lorsque ses connaissances s'élargissent. Son plaisir est d'autant plus grand que la calligraphie est omniprésente en Chine : au bord des routes, le long des chemins qui escaladent les montagnes sacrées, dans les enceintes des temples et les temples mêmes, sur les monuments et les édifices publics, à l'intérieur des restaurants et chez les particuliers – sans parler bien sûr des expositions et des musées. Autant de sources d'enchantement, ou du moins d'intérêt et d'imprévu pour celui qui a l'œil entraîné. Partout l'amateur qui *sent* la calligraphie et qui *entend* sa musique connaît des joies à côté desquelles d'autres passent comme des sourds.

Bref, il y a tant de richesses dans l'art de l'écriture que l'apprenti calligraphe peut fort bien faire comme si son but ultime, l'expression de sa personnalité profonde, lui était indifférent. Dans la Chine d'autrefois, de toute façon, le souci de se singulariser et d'imposer sa singularité à l'attention des autres était moins encouragé que celui de se perfectionner discrètement et de jouir pour soi des degrés atteints dans cette voie. Aucun des calligraphes qui ont laissé un nom dans l'histoire n'a vécu de sa calligraphie et, si certains d'entre eux ont consacré à leur art une grande partie de leur existence,

FU SHAN (1607-1684, MING / QING),
*POÈME DE DU FU*, courante.
Hauteur probable : environ 2 m.

c'est qu'ils en avaient les moyens. La calligraphie a été pour eux une recherche personnelle. Ils auraient adopté sans hésiter cette maxime de Georges Roditi : "Ceux qui se vouent à un art classique n'en sont justifiés que s'ils y trouvent leur bonheur." [2]

Le lecteur a maintenant une idée des deux premières phases de la formation du calligraphe, celle de l'apprentissage technique et celle de l'étude des œuvres. Reste la troisième, celle de l'émergence de la personnalité, qui est à proprement parler moins une phase de l'apprentissage que son aboutissement.

### L'ÉMERGENCE DE LA PERSONNALITÉ

LE PASSAGE de la première phase à la deuxième se produit lorsque l'apprenti quitte son premier modèle. Le passage de la deuxième à la troisième est plus difficile à situer, car l'émergence de la personnalité se fait par étapes et par détours. La personnalité s'affirme progressivement dans un exercice auquel nous avons déjà fait allusion et qui consiste à *suivre* ou à *interpréter* l'œuvre d'un maître.

Les calligraphes distinguent deux manières de reproduire une œuvre. L'une s'appelle *mo* 摹 "imiter", "copier", et consiste à reproduire l'œuvre élément par élément, caractère par caractère, de la façon la plus détaillée possible. L'autre est appelée *lin* 臨 et consiste à reproduire l'œuvre d'une manière plus libre et à restituer surtout sa physionomie expressive. Nous traduirons ce *lin*, qui signifie littéralement "surplomber", "regarder d'un point élevé", "dominer du regard", en disant que le calligraphe "suit" l'œuvre lorsqu'il s'efforce d'en rester proche, ou qu'il "l'interprète" lorsqu'il prend plus de liberté avec son modèle. Quel que soit le degré de liberté pris, il reconstitue le style gestuel de l'original, s'approprie les dispositions subjectives qui furent à son origine et le fait ressurgir par un acte créateur soutenu, rendu possible par une grande concentration. Il peut s'agir d'une œuvre qu'il a travaillée, qu'il connaît bien et qu'il a envie de récrire une nouvelle fois ou d'une pièce qui lui était inconnue, qu'il découvre et tente d'appréhender sur le champ dans sa totalité. Pour un calligraphe exercé, il n'est pas de joie plus intense que de relever ainsi le défi d'un pair. Dans

1. *Œuvres complètes*, Bibliothèque de la Pléiade, Paris, Gallimard, 1954, p. 1091 (*Pensées* 17/213).

2. Georges Roditi, *L'Esprit de perfection*, Paris, Stock, 1975, p. 120. J'ajoute que, pour la plupart des amateurs, la réputation est un bien trop aléatoire, déterminée par trop de considérations mondaines et politiques pour être un vrai bien – et qu'il en a toujours été ainsi. Je me rappelle une conversation avec un ami chinois, lors d'une exposition de calligraphie ancienne au Palais impérial en 1982 : "Ceci n'a aucun intérêt", lui disais-je devant une œuvre en courante de Cai Xiang (1012-1067), l'un des quatre ou cinq plus célèbres calligraphes des Song. "En effet, m'a-t-il répondu, mais Cai Xiang était haut fonctionnaire. Tous les grands calligraphes du passé ont d'abord été célèbres parce qu'ils étaient hauts fonctionnaires. Leur renom de calligraphe n'est venu que par-dessus le marché. Même les moines comme Huaisu et Zhiyong étaient originaires de grandes familles." – "Et aujourd'hui ?" – "Cela n'a pas changé. Des gens comme nous, sans position, n'ont aucune chance de se faire un nom, nos œuvres ne seront pas conservées." Or cela ne l'empêchait nullement d'être un calligraphe passionné.

l'un et l'autre cas, il s'agit d'une joute où il ramasse toute la connaissance qu'il a acquise de l'œuvre ou toute l'intuition qu'il en a sur le moment. Cet affrontement requiert évidemment une mobilisation intense des facultés et des énergies. Dans un texte célèbre, l'empereur Taizong des Tang (r. 626-649) a comparé l'art de "suivre" à l'affrontement militaire :

> Souvent, lorsque j'étais jeune prince et que nous faisions face à l'ennemi, (…) je m'emparais du tambour de bronze et je prenais le commandement. J'observais l'adversaire, je saisissais ses points forts et ses faiblesses et, chaque fois, cédant là où il était supérieur, je le pressais là où il était en position d'infériorité. Je ne poursuivais pas les fuyards au-delà de cent ou deux cents pas. Je frappais ses points faibles, je m'ouvrais le passage dans ses rangs et je le prenais à revers, le mettant chaque fois en déroute. C'est ainsi que je m'assurais la victoire dans la plupart des cas. J'avais profondément médité les principes de l'art militaire. De même, quand je *suis* (*lin*) les œuvres des anciens calligraphes, je ne me soucie nullement d'imiter le détail des formes extérieures. Je cherche uniquement la force structurante. Lorsque je l'ai saisie, les formes extérieures naissent d'elles-mêmes. Je réussis dans ce que j'entreprends parce que je me mets toujours, avant d'agir, dans l'état de préparation qui convient.[1]

1. *Lun shu, De l'écriture.* Les premières phrases n'ont pas été incluses dans la traduction. Texte chinois : *Lidai* p. 120. "Je cherche uniquement la force structurante" : littéralement "la force de l'ossature" *guli* 骨力, c'est-à-dire la force organisatrice qui donne son ossature ou sa charpente à l'écriture. "Je me mets dans l'état de préparation qui convient" : littéralement "je suscite une intention" *zuo yi* 作意, "je suscite un état de préparation à l'action".

EMPEREUR TAIZONG
DES TANG (r. 626-649),
*INSCRIPTION DU TEMPLE
DES ANCÊTRES DE JIN
(JINCIMING)*, 645, détail.

*Suivre* une œuvre est un "engagement" au même titre qu'une bataille parce que le calligraphe y jette toutes ses énergies, il met en œuvre toutes ses facultés et répond au mouvement par le mouvement comme à la guerre. Le commandant d'armée tire parti des évolutions de l'ennemi pour vaincre, le calligraphe en tire parti pour les reproduire ou les varier, mais la différence n'est pas essentielle : le but est dans les deux cas de deviner l'adversaire pour le posséder.[2]

L'empereur Taizong parle d'expérience puisqu'il a été un grand calligraphe en même temps qu'un grand chef militaire. Mais les capacités qu'il a développées ne s'acquièrent pas en un jour. Au début de l'apprentissage, l'élève n'a pas encore la faculté de suivre une œuvre et doit d'abord se contenter de la copier. Ne pouvant pas reproduire un caractère d'une manière fidèle à la fois dans le détail et dans son effet d'ensemble, il est obligé de se diviser et de donner tantôt la priorité à l'observation du détail, tantôt à l'appréhension globale, c'est-à-dire de copier et de suivre alternativement. Comme l'observe Jiang Kui :

> Lorsqu'on *suit*, on manque souvent les proportions exactes des Anciens, mais on saisit par contre plus facilement l'expression du pinceau. Lorsqu'on se contente de *copier*, en revanche, on saisit souvent les proportions exactes, mais on perd facilement l'expression. [3]

L'élève est obligé de passer d'abord d'une méthode à l'autre, mais parvient ensuite à les conjuguer progressivement. Puis il délaisse la copie méticuleuse, dont il n'a plus besoin, pour s'exercer de plus en plus dans l'art plus exigeant de *suivre*. "En *suivant* les œuvres on progresse, dit Jiang Kui, tandis qu'en les *copiant* on se relâche ; car *suivre* demande de la concentration, *copier* n'en demande point." C'est en s'exerçant à *suivre* les classiques que l'on passe de la construction laborieuse au dialogue sans contrainte avec l'œuvre d'un autre. Yue Ke (83-1234, Song) décrit ainsi cette évolution :

> *Suivre* et *copier* sont deux choses. Lorsqu'on *copie*, on procède comme un charpentier qui construit sa maison. Même si poutres, montants et chevrons sont bien de niveau et bien verticaux, quand toutes les pièces sont assemblées, l'édifice est plus ou moins réussi. Lorsqu'on *suit*, on s'ébat au contraire comme un couple de grues qui évoluent dans les airs, parmi les nuages flottants, et voltigent sur dix mille lieues puis se posent chacune où bon lui semble. [4]

Ces deux grues, ce sont l'auteur étudié et le calligraphe qui le *suit*, l'accompagne, le précède et finit par voler de ses propres ailes. On conçoit qu'il n'y ait rien de tel que cet exercice pour préparer le calligraphe à voler seul.

Le moment venu, cette émancipation se fait naturellement. Kang Youwei la décrit ainsi :

> Lorsqu'on a exploré par l'écriture toutes les métamorphoses de la création et toutes les époques de l'histoire, que l'on a exprimé par elle

2. Certains lecteurs se souviennent peut-être de la scène de *Carmen*, le film de Saura, où l'on voit Gadès faire monter sur scène une danseuse, Laura del Sol, dont le tempérament l'a frappé et à qui il souhaite confier le rôle de Carmen dans le ballet qu'il prépare. Il esquisse quelques pas de flamenco et l'invite à entrer dans la danse. Elle le fait, mais avec réserve et distance. Il la provoque alors assez rudement, elle sort d'elle-même, son tempérament éclate et ils exécutent un pas de deux improvisé d'une magnifique énergie. Cette scène illustre parfaitement ce moment de "l'engagement" du calligraphe, la joute à laquelle il se livre.

3. *Xu Shupu*, chap. 8. Texte chinois : *Lidai* p. 390, Deng p. 97.

Yué K'e

4. Cité d'après J. M. Simonet, *La Suite...*, p. 199. Selon mon ami Georges Goormaghtigh, qui a longuement étudié la musique de *qin* et l'enseigne à son tour, la transmission de maître à élève s'y fait de manière analogue : le maître joue, l'élève *suit*. Sur le *qin*, voir p. 257-258.

toutes les émotions, du désespoir à l'exaltation, que l'on a reproduit en elle les gestes et les postures de la nature entière – voler, nager, courir, croître, s'écouler, se dresser –, que l'on a maîtrisé tous les tours lents et rapides du pinceau et réalisé toutes les combinaisons d'énergie que le *yin* et le *yang* accomplissent au fil des saisons, alors un beau jour, tout naturellement, une *physionomie nouvelle* se fait jour. [1]

1. Texte chinois : *Lidai* p. 846, Hsiung p. 173. "Physionomie nouvelle" est une traduction libre de l'expression *xinli yitai* 新理异态, littéralement "une dynamique nouvelle, une allure inédite".

L'apparition de cette physionomie nouvelle n'est ni une rupture, ni un commencement absolu. Elle résulte de résistances qui ont été réduites et qui cèdent, de forces qui ont grandi et qui prennent le relais, d'équilibres qui se mettent en place. Jiang Kui résume plus sobrement cet aboutissement : "Ce qui importe, dit-il, c'est de se rendre maître de tous les moyens d'expression de la calligraphie et de laisser s'établir l'accord entre l'esprit et la main. C'est à ce moment-là que se produit l'effet merveilleux." [2]

2. *Xu Shupu*, fin du chapitre 1. Texte chinois : *Lidai* p. 384, Deng p. 14.

Le calligraphe n'a maintenant plus besoin de s'appuyer sur aucun modèle. Il peut écrire comme il lui plaît parce qu'il a en lui toutes les ressources du répertoire et qu'il possède l'assurance nécessaire. Son écriture coule de source [3]. Elle a désormais en toute circonstance une physionomie qui lui est propre. Les forces qu'il portait en lui sont parvenues au terme

3. Ludwig Hohl écrit dans *Die Notizen* : "Une expression immédiate : voilà ce que sont les grandes œuvres d'art." Et il ajoute : "Seule peut être immédiate une expression dans laquelle ne subsiste plus aucune partie solide du passé. Celui qui s'exprime a certes absorbé en lui beaucoup de passé, mais il l'a fondu, liquéfié, liquidé, de sorte qu'il a pu ne laisser couler que ce qui était nécessaire : tout ce qui subsiste sert." Hohl applique cette observation à l'écriture (*Handschrift*) plus ou moins concertée qu'ont les gens et parle d'un autographe de Goethe dont l'allure l'a frappé. Ce qui fait la noblesse de l'écriture de Goethe, dit-il, "c'est qu'elle donne ce qui lui appartient en propre et cela seulement ; elle surgit sans préparation, tranquillement – puisqu'elle ne doit atteindre ni donner rien d'autre que ce qui est déjà là, qu'elle n'a pas à se porter hors d'elle-même." Hohl conclut : "Seuls les plus grands, un Montaigne, un Spinoza, un Proust, ont une écriture qui soit entièrement à eux." Voir *Die Notizen*, Francfort, Suhrkamp, 1981, p. 256 (v, 8). Le langage de la calligraphie est beaucoup plus riche et différencié que celui de notre écriture, mais le principe est le même : l'écriture la plus noble est celle où ne subsiste plus aucun élément étranger à la personnalité profonde du calligraphe et où s'expriment toutes les forces de cette personnalité.

de leur incubation, elles se sont organisées et se manifestent dans un *style*, signature inimitable d'un être singulier. [1]

"Je crois que pour être grand dans quelque chose que ce soit, disait Stendhal, *il faut être soi-même*." [2] Mais le prix à payer pour devenir soi-même est élevé, de sorte que seuls y parviennent les êtres possédés par une volonté farouche d'échapper à leur première personnalité et de réaliser ce qu'ils portent en eux d'informulé. Lorsque le calligraphe atteint ce point-là, lorsqu'il se révèle tout entier dans son écriture, il se dégage d'elle un extra-ordinaire rayonnement. Comme le dit Nietzsche, "chacun porte en lui une originalité productive qui est le noyau même de son être ; et s'il prend conscience de cette originalité, une étrange auréole, celle de l'extraordinaire, se dessine autour de lui" [3].

Le style *advient*, il est involontaire. Il ne pouvait être recherché consciemment durant l'apprentissage et ne peut être régi par la volonté maintenant qu'il se manifeste. Le calligraphe ne peut en disposer selon son bon plaisir. Il doit l'accepter comme il vient, avec une sorte d'insouciante obéissance. Comme l'observe Valéry : "Ce qui est dans un homme, inimitable pour les autres, est précisément ce qu'il ne peut lui-même imiter de lui-même. Ce que j'ai d'inimitable, l'est pour moi." [4]

Le calligraphe doit en outre trahir maintenant ses maîtres, ou du moins leur fausser compagnie, pour ne plus suivre que son propre mouvement. Il doit abandonner ce qu'il lui restait de

1. D'où le caractère *long* "dragon" et la citation de Novalis, placés en tête de cet ouvrage. Dans le *Livre des Mutations*, le dragon représente le principe actif, qui se manifeste dans l'apparition des phénomènes. À la page 223, on l'aperçoit sur la feuille blanche où vont surgir les caractères.

2. *Journal* du 4 mars 1818, in *Œuvres intimes*, Bibliothèque de la Pléiade, Paris, Gallimard, 1955, p. 1288.

3. *Schopenhauer als Erzieher*, in *Werke in drei Bänden*, Munich, Hanser, 1973, vol. 1, p. 306.

4. *Cahiers*, Bibliothèque de la Pléiade, Paris, Gallimard, 1974, tome II, p. 1366.

PRÉSENTATION AUTOBIOGRAPHIQUE (ZIXUTIE) DE HUAISU (737- ?, TANG). Cet autographe, un classique de la "cursive folle" mesure 7,55 m. Ci-dessous, le début. Plus loin, divers extraits.

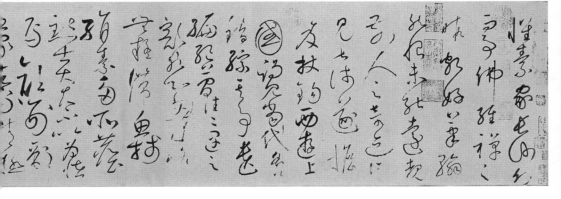

1. *Qi Baishi tanyilu*, Zhengzhou, Éditions Henan renmin, 1984, p. 44.

2. Voir P. Ryckmans, *Les Propos sur la peinture...*, p. 38, note 12.

3. Texte chinois : *Lidai* p. 314-315.

4. Plus littéralement : "Dans l'art de l'écriture, ce n'est pas de plaire qui est difficile, mais de ne pas chercher à plaire. Avoir ou ne pas avoir de désir (de plaire), c'est sur ce point que se départagent, dans l'art de l'écriture, ce qui relève de l'humain (c'est-à-dire de la convention) et ce qui appartient au Ciel (c'est-à-dire à la nature, au surgissement spontané)." Ce mot à mot fait mieux apparaître les implications philosophiques de ce passage dans lequel se trouvent réunis le thème du rôle perturbateur du désir (*yu* 欲), qui est central dans la philosophie bouddhique et dans

soumission à leur égard et s'aventurer au-delà de toute perfection apprise. Il faut qu'il aille, apparemment, à l'imperfection. Le métier acquis au cours de la deuxième phase de son apprentissage peut devenir à ce stade-là un obstacle. Il doit l'oublier, se défaire de toute inhibition, ne plus obéir qu'à lui-même et laisser surgir l'inimitable. Par rapport aux canons établis, cet inimitable peut de prime abord lui faire l'effet d'une dissonance. En 1921, à l'âge de cinquante-huit ans, le peintre Qi Baishi (1863-1957) notait en marge de l'une de ses peintures : "Ce qu'il y a de nouveau dans ma peinture, les Anciens ne l'auraient pas nécessairement apprécié." [1] Quant au calligraphe Zhang Rong (444-497, Qi), à qui l'empereur Gaodi (r. 479-482) reprochait d'être infidèle au style de Wang Xizhi et de Wang Xianzhi, tenus pour les plus grands calligraphes, il aurait fait cette mémorable réponse : "Je ne regrette guère de ne pas posséder le style des deux Wang, mais plutôt que les deux Wang n'aient pas possédé le mien !" [2]

On trouve chez beaucoup de calligraphes des réflexions sur l'attitude subjective qu'exige l'activité créatrice. Su Shi (1036-1101, Song), par exemple, note ceci : "C'est quand on abandonne l'idée de bien écrire que l'on se met à bien écrire... Mon écriture n'est pas excellente, mais il s'y manifeste quelque chose de nouveau. Je ne marche pas dans les pas des Anciens et c'est justement cela qui me réjouit tant." [3] Liu Xizai (1813-1881, Qing)

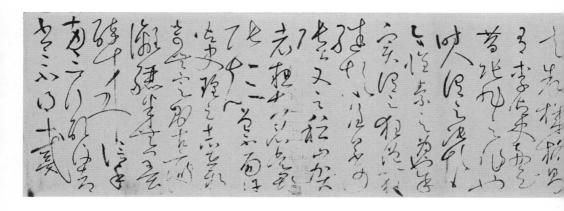

écrit de son côté : "En calligraphie, ce n'est pas de plaire qui est difficile, mais de ne pas chercher à plaire. Le désir de plaire rend l'écriture convenue, son absence la rend ingénue et vraie." [4]

L'application fait donc place à l'impertinence, à l'enjouement, à l'aveu lyrique, à la naïveté retrouvée. Le calligraphe ressent, quand il écrit, ce que Nietzsche appelle quelque part "einen stillen, fortgesetzten Übermut" – une continue, tranquille exubérance. Ses écarts et ses impairs ne résultent plus de quelque relâchement ou de quelque facilité, mais d'une invention permanente, définitivement affranchie de toute répétition. Dans l'un des derniers paragraphes de son *Traité de calligraphie* [5], Sun Guoting décrit ainsi cet essor de l'activité créatrice :

> Ainsi, lorsque le calligraphe trace des barres parallèles, il donne à chacune une allure différente ; lorsqu'il aligne des points, il leur fait prendre des poses variées. Il fait du premier point la mesure de tout le caractère, du premier caractère l'étalon du morceau entier, de sorte que tous les éléments s'opposent sans se faire violence et s'accordent sans se ressembler [6]. Son geste ne perd rien de sa vivacité lorsqu'il est lent, ni ne cède à l'agitation lorsqu'il est vif. Quand l'encrage se dessèche il y met de l'humidité et, quand il se noie, il l'assèche. Il fait fi de l'équerre et du compas dans les coudes et les courbes, il rejette patrons et cordons dans les éléments droits et courbés. Alternant les attaques apparentes et cachées, les développements et le travail sur place, il tire de son pinceau d'infinies métamorphoses

la philosophie néo-confucianiste, et l'opposition entre l'humain (*ren* 人) et le céleste (*tian* 天) chère à Zhuangzi. *Yigai*, 5e partie, § 224. Texte chinois : *Lidai* p. 714.

5. Texte chinois : *Lidai* p. 130-131, Ma p. 88.

6. Tous les éléments "s'opposent sans se faire violence et s'accordent sans se ressembler", *wei er bu fan, he er bu tong* 违而不返，和而不同. Cette formule, qui a d'illustres précédents dans la littérature chinoise, a suscité de nombreux commentaires. Voir notamment l'article publié par Jin Xuezhi dans la revue *Shufa yanjiu*, 1, 1979, p. 43-49, et le *Guanzhuipian* de Qian Zhongshu, Pékin, Zhonghua shuju, 1979, vol. 1, p. 236-238.

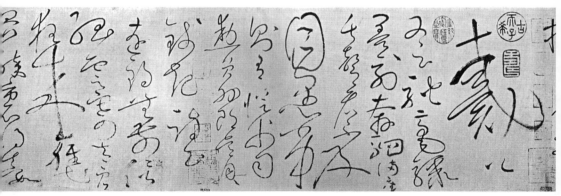

1. Littéralement : "Il peut tout naturellement tourner le dos aux Wang Xizhi et aux Wang Xianzhi sans faillir pour autant, aller contre les Zhong You et les Zhang Zhi et pourtant faire merveille."

2. James Lord, *Un portrait de Giacometti*, traduction de Pierre Leyris, Paris, Mazarine, 1981, p. 102.

et confie toutes les émotions qu'il ressent aux formes qui naissent sur la feuille. Ainsi, lorsque son esprit et sa main sont en parfait accord et qu'il se meut au-delà de toute convention, il peut sans faillir tourner le dos aux plus grands maîtres et faire merveille même en allant contre eux. [1]

Ainsi l'émergence de la personnalité marque-t-elle l'aboutissement de l'apprentissage et le début de l'aventure créatrice, qui est une invention permanente de soi. Le calligraphe connaît désormais la liberté subjective dont tous les grands artistes ont fait l'expérience. James Lord qui lui demandait s'il lui arrivait de penser avec nostalgie à sa jeunesse, Giacometti répondait à la fin de sa vie : "Non, c'est impossible, car ma jeunesse, c'est maintenant. Autrefois, il m'arrivait d'y penser, mais maintenant plus jamais, sauf quand j'en parle. Je devrais dire que c'est maintenant mon enfance, puisque j'apprends seulement à faire ce que je veux faire." [2]

Des itinéraires suivis par les calligraphes après leur phase d'apprentissage, nous ne dirons que peu de choses ici. Nous nous contenterons de citer, pour conclure, ce qu'en dit Sun Guoting :

> Le calligraphe qui ne relâche jamais ses efforts parcourt trois phases dont chacune débouche naturellement sur la suivante le moment venu : c'est ainsi qu'il se réalisera complètement. Au début de l'apprentissage, il se souciera uniquement d'équilibre et de régularité *(pingzheng* 平正) dans l'agencement et la composition ; lorsqu'il aura atteint la régularité et l'équilibre, il recherchera l'extrême hardiesse *(xianjue*

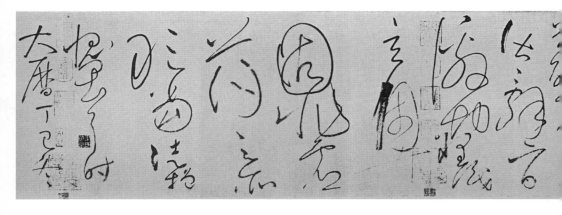

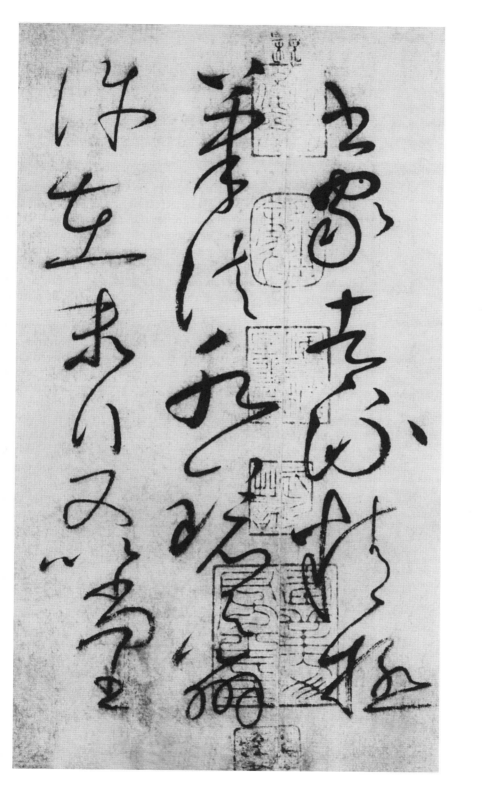

险绝) ; lorsqu'il aura fait l'expérience de toutes les audaces, il reviendra à l'équilibre et à la régularité (*pingzheng* 平正). Il se situera d'abord en deçà du juste milieu, puis au-delà, puis l'atteindra enfin par la fusion des extrêmes. Quand se produira la fusion, l'homme et son écriture auront ensemble atteint la maturité. [1]

1. Texte chinois : *Lidai* p. 129, Ma p. 77.

Ces trois phases ne sont plus celles de l'apprentissage, mais celles que l'on discerne dans la trajectoire de maint grand calligraphe. Les Chinois ont admiré les œuvres de l'audace et de la passion, mais leur ont généralement préféré celles d'après l'audace, les œuvres apaisées de la grande maturité. Sun Guoting exprime magnifiquement ce point de vue dans la dernière phrase du passage cité, *ren shu ju lao* 人书俱老 – littéralement "l'homme et son écriture auront vieilli de concert". Ils auront vieilli comme cela se dit d'un grand cru, ils auront atteint l'ultime noblesse. Le mot *lao* 老, "vieux", "vieillir", recouvre ici une catégorie esthétique : "On entend par *lao*, explique un auteur des Tang, une maîtrise devenue inconsciente d'elle-même." [2] Cette maîtrise supérieure n'est pas nécessairement liée à la vieillesse, mais ne vient qu'avec l'âge. Beaucoup de calligraphes, comme beaucoup de peintres chinois, ont donné tard le meilleur d'eux-mêmes, lorsque leur audace fut non point diminuée, mais intériorisée et transfigurée. Le moine Huaisu a été un grand maître de la cursive et l'un des calligraphes les plus téméraires – ces extraits de sa fameuse *Présentation autobiographique* (*Zixutie*) en témoignent –, mais rien n'est plus émouvant que les *Mille caractères* qu'il a écrits à 62 ans, d'une écriture infiniment délicate et souveraine, et dont un passage est reproduit ci-contre. [3]

2. Dou Meng (Tang), *Shushufu*. Texte chinois : *Lidai* p. 266.

3. Je mentionne, sans l'avoir lue, la monographie d'Adele Schlombs, *Huai-su and the Beginnings of Wild Cursive Script in Chinese Calligraphy*, Wiesbaden, F. Steiner, 1998.

Sun Guoting complète par ces mots ses observations sur l'itinéraire des calligraphes :

4. Sun Guoting fait allusion au récit que Confucius a fait de son propre cheminement et qui a pris dans la tradition chinoise une valeur paradigmatique. Il s'agit du passage 2.4 de ses *Entretiens* avec ses disciples : "Le maître dit : À quinze ans, je me suis voué à l'étude. À trente, je savais me tenir. À quarante, j'avais une certaine assurance. À cinquante, je comprenais ce que le Ciel nous demande d'accomplir. À soixante, je suivais ses injonctions. À soixante-dix, je peux enfin me laisser aller aux mouvements de mon cœur sans plus enfreindre aucune règle *cong xin suoyu er bu yu ju* 从心所欲而不逾矩." – "La grande capacité s'accomplit tard", *da qi wan cheng* 大器晚成, dit d'autre part le *Laozi*, § 41.

Confucius disait qu'il "comprit à cinquante ans quelle est la vocation de l'homme et suivit à soixante-dix les mouvements de son cœur" [4]. Lorsqu'un calligraphe connaît aussi bien les secrets de la simplicité que ceux de la hardiesse et s'est rendu maître de toutes les lois du changement, c'est comme s'il avait réalisé cette maîtrise-là. Il n'agit et ne parle plus qu'à propos, avec la plus infaillible justesse. Chez Wang Xizhi, les œuvres des dernières années sont les plus merveilleuses, car son esprit avait atteint une pénétration rare, ses humeurs s'étaient accordées, il s'était défait de ses préventions et libéré de ses excès : son art avait tout naturellement acquis une exceptionnelle envergure.

À l'affirmation juvénile de soi, à la précocité insolente, Sun Guoting préfère, comme beaucoup de Chinois, cette ultime ingénuité.

## VI. LE SENS DU CORPS

MAIS COMMENT se fait-il que dans l'écriture du calligraphe apparaisse un beau jour cette physionomie secrète qui est la vérité d'un homme ? Par quelle alchimie son activité produit-elle un style, "signature inimitable d'un être singulier" ? D'où viennent, en d'autres termes, les formes expressives et leur pouvoir de signifier ? Autant de questions que j'ai éludées jusqu'ici et qu'il faut maintenant poser.

Nous avons déjà rencontré une question du même ordre lorsque j'introduisais, au chapitre 2, la notion de sens du corps [1]. Ce sens nous permet de saisir intuitivement la réalité de notre corps, disais-je, et nous donne en même temps le pouvoir de donner corps aux caractères, voire de faire d'eux l'expression de notre vécu corporel. J'en ai observé la manifestation dans les *Tambours de pierre,* le *Palais neuf fois parfait,* le *Diplôme autographe* et dans quelques dessins de Bonnard, mais je n'ai demandé ni en quoi il consistait au juste, ni comment s'opérait la conversion de la perception interne du corps en une expression visible, calligraphique ou picturale. Diderot n'expliquait pas non plus comment Michel-Ange s'y prenait pour tirer, de l'expérience acquise depuis son enfance dans cent circonstances de la vie pratique, la courbe parfaite du dôme de Saint-Pierre.

Cette question de la genèse des formes est si délicate et si fondamentale qu'elle exige d'être d'abord traitée pour elle-même, en dehors de toute référence à la Chine. Nous allons donc nous détourner momentanément de la calligraphie, dans ce chapitre 6, pour y revenir mieux armés dans les chapitres 7 et 8, où nous tirerons parti du fruit de nos recherches et où nous envisagerons l'art de l'écriture sous un angle nouveau.

### SENS DU CORPS ET PROJECTION

PARTONS du fait, facile à constater, que le sens du corps est inégalement développé. Parmi les enfants chinois qui commencent

[1]. Voir page 44.

l'apprentissage de l'écriture à l'école, certains donnent vite à leurs caractères une cohérence et un aplomb que d'autres sont incapables de produire. Chez les Occidentaux qui s'initient à l'écriture chinoise, certains parviennent rapidement à former des caractères à peu près parfaits, si on leur a montré les règles de l'art, tandis que d'autres échouent malgré toute leur bonne volonté et tous les conseils qu'on leur prodigue : leurs caractères branlent ou se désagrègent. Parmi ceux qui ont de la peine au début, les uns progressent et surmontent avec le temps leurs difficultés initiales, d'autres restent impuissants à donner forme aux caractères malgré leurs efforts. Ils ne semblent pas avoir en eux les ressources nécessaires.

Observons d'autre part que le sens du corps n'est pas toujours également éveillé chez une même personne. Nous écrivons plus ou moins bien selon les moments [1] et nous devons parfois nous ressaisir pour écrire lisiblement, pour revenir d'une désorganisation relative à une organisation plus serrée de notre activité, à une mobilisation plus grande de nos énergies et à une attention plus soutenue aux gestes que nous accomplissons. Il faut que nous habitions mieux notre corps pour être plus présents à ce que nous faisons. Nos mouvements deviennent aussitôt plus lents, plus amples et transforment notre état général. Ce fait d'expérience montre que notre état et les formes que nous produisons en écrivant sont liés.

N'y aurait-il pas une relation analogue, mais permanente celle-là, entre la manière d'être des personnes qui ont un sens développé du corps et leur manière d'écrire ? Ces personnes n'auraient-elles pas habituellement des énergies mieux mobilisées, une activité plus organisée, une plus grande tenue intérieure, qu'elles communiqueraient sans le vouloir aux caractères ? Le passage de cette tenue intérieure dans les formes écrites est-il observable ?

L'expérience montre que lorsqu'on écrit un caractère, son unité doit pour ainsi dire être donnée d'avance. Elle doit être déjà présente, à l'état virtuel, dans l'espace blanc de la feuille. Tout se passe comme si un champ magnétique circonscrit préexistait à l'inscription du caractère et si les forces animant ce champ s'emparaient à mesure des éléments tracés par la plume ou le pinceau pour les modifier, les proportionner et les mettre

en place. L'unité du futur caractère semble exister en creux dans la page et posséder le pouvoir d'attirer les éléments, de les associer et de les accorder les uns aux autres pour en faire un corps puissamment constitué. Le phénomène se répète lorsqu'on écrit une suite de caractères. Chaque fois que l'un est terminé, la feuille s'anime à l'endroit où doit apparaître le suivant, reçoit les éléments, les organise et confère au nouveau caractère une constitution pareille à celle du précédent. La double exigence dont il a été question à la fin du premier chapitre [1] est ainsi satisfaite de la manière la plus naturelle : une même matrice produit à la fois des caractères parfaitement autonomes et des suites de caractères parfaitement régulières.

1. Voir page 29.

Le champ qui s'anime à l'endroit où nous nous apprêtons à former un caractère n'a évidemment pas d'existence objective. Il est un effet de notre activité, plus ou moins sensible selon que cette activité est plus ou moins développée. Lorsqu'elle est réduite, l'espace blanc s'anime faiblement, de manière incertaine, ou ne s'anime pas du tout. Il nous semble indifférent. Il n'accueille pas nos caractères, il ne fait rien pour nous aider à leur donner forme et nous oblige à les construire sans trop savoir sur quoi nous régler pour les rendre acceptables. Il reste étranger, hostile, inhibant et nos caractères gardent fatalement quelque chose de laborieux, d'irrégulier ou d'instable. Quand notre activité est intense, nous nous sentons au contraire accueillis, guidés, secondés par l'espace de la feuille, nous avons le sentiment grisant de participer à un échange entre lui et nous, à un échange dont les formes naissent d'elles-mêmes.

Cet échange résulte d'une projection de notre activité dans l'espace. Ce phénomène de projection est l'un des ressorts essentiels de la calligraphie, mais aussi l'un des mécanismes fondamentaux de notre vie subjective en général. Il constitue le point où s'enchevêtrent les racines de l'art calligraphique et celles de toute notre expérience vécue. Il s'agit d'un phénomène si banal que nous n'y prêtons habituellement guère plus d'attention qu'à l'air que nous respirons ou à la loi de la pesanteur, et cependant d'un phénomène capital puisque c'est par lui que s'accomplit principalement le passage du dedans au dehors. C'est lui qu'il faut que nous observions si nous voulons percer l'énigme des formes calligraphiques.

On ne peut comprendre le phénomène de la projection si l'on s'en tient aux idées reçues sur le corps et l'esprit, sur la conscience et la réalité extérieure, etc. Pour saisir en quoi il consiste, il faut que nous remettions en question nos conceptions habituelles et que nous revenions à l'observation non prévenue des données les plus élémentaires de notre expérience quotidienne [1]. En avançant dans cette exploration, nous nous apercevons que la distinction entre le corps et l'esprit, qui a la vie si dure dans nos idées, est problématique et que d'autres distinctions sont à bien des égards plus pertinentes, notamment celle du "corps propre" et du "corps objet" [2]. Le "corps propre" est notre corps, celui dont nous ressentons directement et de manière permanente la présence, tandis que le "corps objet" est le corps de l'autre, celui que nous percevons du dehors comme un objet et dont nous avons, entre autres, une représentation visuelle. N'étant pas des réalités du même ordre, le corps propre et le corps objet ne peuvent être définis de manière analogue. Comme le corps propre ne nous est pas extérieur, nous ne pouvons pas le classer parmi les objets comme le second. L'observation nous invite à le considérer plutôt comme une activité : il est l'activité que chacun de nous perçoit en lui-même de façon continue, même lorsqu'il n'y prête pas attention. L'observation nous incite à faire un pas de plus et à admettre que, n'étant pas extérieurs à cette activité, *nous sommes cette activité même*. Si nous poussons jusqu'au bout l'examen des données élémentaires de notre existence, nous sommes même obligés d'admettre qu'en toute rigueur, *nous sommes faits d'une activité qui est sensible à elle-même et se perçoit elle-même*. Il nous faut reconnaître que, sans cela, nous n'aurions aucun sentiment de notre existence ni aucune conscience de nous-mêmes et que les mots "je" et "moi" resteraient privés de sens. Cette activité sensible à elle-même et qui se perçoit elle-même, nous l'appellerons "l'activité propre". Le sens par lequel elle se perçoit elle-même, nous l'appellerons le "sens propre" [3].

1. Cette remise en question et ce réexamen sont l'ambition de la phénoménologie que j'ai explorée à travers les œuvres de Maurice Merleau-Ponty et Michel Henry principalement. Je suis parvenu ensuite à des conceptions qui me sont propres, que j'expose brièvement ici et dans le chapitre 7. Je reviendrai sur elles au chapitre 9.

2. Voir Maurice Merleau-Ponty, *Phénoménologie de la perception*, Paris, Gallimard, 1945. J'ai abordé la question du corps propre dans la philosophie chinoise dans "Essai d'interprétation du chapitre XV du *Laozi*", paru dans *Études asiatiques*, n° 39/1-2, Berne, 1985, p. 7-44.

3. L'activité propre est en somme la matière première de notre réalité vécue. Mais parce qu'elle est le fondement permanent de notre vie subjective et qu'elle est donc présente dans toutes nos expériences concrètes de la réalité, il nous est impossible de l'isoler et de la désigner comme nous désignons un objet. Il nous faut l'abstraire de notre expérience concrète par un patient travail de la sensibilité et de la pensée. Il nous faut l'en extraire comme on extrait une essence. Nul ne pouvant accomplir ce travail pour nous, chacun doit chercher à percevoir lui-même cette essence toujours et partout présente. L'activité propre est pareille à la *materia prima* des alchimistes : "La matière est unique, dit l'un d'eux, et partout les pauvres la possèdent aussi bien que les riches. Connue de tous, elle est méconnue de tous. Dans son erreur, le vulgaire la rejette comme de la fange, ou il la vend constamment à vil prix, alors qu'elle est précieuse au philosophe averti." (traité vénitien du XVIIᵉ siècle) Un autre auteur alchimiste confirme la difficulté lorsqu'il écrit : "La recherche de la Matière Première (...) doit être le premier travail du disciple. Car son identification constitue déjà un point de progression capital, dont la difficulté réside surtout dans sa simplicité." (F. Cambriel, *Cours de philosophie hermétique*, Paris, Lacour et Maistrasse, 1843) Ces deux citations sont tirées de l'ouvrage de Claude d'Ygé, *Nouvelle assemblée des philosophes chymiques*, Paris, Dervy-Livres, 1954, p. 61 et 47.

Quant au sens propre, il n'est pas autre chose que le "toucher intérieur", *tactus intimus*, dont parlaient les disciples d'Aristippe de Cyrène : "Les Cyrenayens, dit Montaigne, tenoyent que rien n'estoit perceptible par le dehors, et que cela estoit seulement perceptible, qui nous touchoit par l'interne attouchement, comme la douleur et la volupté..." (II / 12, vers la fin) Certains philosophes du XVIIIᵉ siècle parlent d'un "sens de la coexistence de notre corps". À la fin du XVIIIᵉ siècle apparaît le terme de "cénesthésie", qui désigne la même chose que le sens propre. Voir là-dessus Jean Starobinski, "Brève histoire de la conscience du corps", in *Genèse de la conscience du corps*, études réunies par R. Ellrodt, Paris, Presses universitaires de France, 1983, p. 215-229. La pathologie du sens propre, que les psychiatres connaissent bien, confirme le rôle fondamental que ce sens joue dans notre vie. Voir par exemple le cas saisissant qu'Oliver Sacks décrit dans *L'Homme qui prenait sa femme pour un chapeau* (Paris, Seuil, 1988), celui d'une jeune femme qui s'est trouvée privée de son sens propre à la suite d'un accident (chap. 3 : "La femme désincarnée"). Les cas que Sacks présente dans les chapitres 4, 5, 6 et 7 relèvent aussi de la pathologie du sens propre.

Si nous poursuivons cette exploration de l'infiniment simple, nous découvrons que l'activité propre n'est pas seulement l'origine de notre rapport à nous-mêmes, mais aussi celle de notre rapport au monde. Car il faut bien que nous nous sentions exister pour pouvoir établir avec le monde un rapport *subjectif* et pour pouvoir dire que *nous* sentons, que *nous* voyons ou que *nous* entendons quelque chose. Si nous n'étions pas d'abord des êtres sensibles à nous-mêmes et conscients de nous-mêmes, la réalité extérieure existerait en soi mais ne serait rien pour nous. Elle n'existerait pas plus pour nous qu'elle n'existe pour un caillou. C'est dire que le sentiment que nous avons des choses dérive du sentiment premier que nous avons de nous-mêmes et donc de notre activité propre.

Cela nous amène à faire une constatation essentielle : si l'activité propre est le fondement de notre rapport à nous-mêmes et qu'elle est en même temps le fondement de notre rapport au monde, ces deux rapports sont donc indissolublement liés et même consubstantiels. L'expérience le confirme puisqu'elle nous enseigne que l'un de ces rapports ne varie jamais sans l'autre. Les modifications de notre activité propre entraînent toujours une modification conjointe de notre rapport à nous-mêmes et de notre rapport au monde.

On comprend mieux, à partir de là, la diversité des expériences vécues. L'activité propre a chez tous les hommes une qualité subjective commune et prend en même temps chez chacun d'eux une forme individuelle, qui fait que chacun possède une vie subjective particulière, une manière de s'éprouver et d'éprouver les choses qui n'appartient qu'à lui. Il y a une infinie variété de ces manières de s'éprouver et d'éprouver le monde mais aussi, entre elles, de notables différences d'intensité et d'acuité, dues au fait que l'activité propre est plus vive et cohérente chez les uns, plus sourde et brouillée chez les autres. Le rapport à soi et au monde est, chez les uns et les autres, de valeur inégale.

Lorsque nous écrivons un caractère, disions-nous, notre activité se projette dans l'espace de la feuille. Nous dirons maintenant que c'est notre activité propre qui s'y projette et nous chercherons à comprendre ce qui la rend susceptible de se projeter hors de nous. L'observation montre que si elle s'extériorise ainsi dans l'espace, c'est qu'elle est spatiale par essence au même titre qu'elle est, par essence, sensible à elle-même [1]. Elle a une perception spatiale d'elle-même qui constitue l'origine et le fondement de notre perception de l'espace. Nous n'accéderions jamais à la perception de l'espace extérieur si nous n'étions pas dès l'abord, en nous-mêmes, un espace sensible à lui-même.

Cette découverte de la spatialité originelle du corps propre nous autorise à compléter la relation établie plus haut : les variations de notre activité propre entraînent nécessairement, non seulement des modifications conjointes de notre rapport

[1]. Nous dirons que la spatialité est l'une des "qualités essentielles" de l'activité propre. Nous verrons plus loin d'autres de ses qualités essentielles.

à nous-mêmes et de notre rapport au monde extérieur mais aussi, du même coup, des changements concomitants de la perception que nous avons de notre espace propre et de l'espace extérieur. Plus notre activité propre s'accroît, plus nous avons une perception nette de l'espace du dedans et de l'espace du dehors. L'accroissement de notre activité propre entraîne le renforcement de notre pouvoir de projection.

J'en ai fait l'expérience de la manière suivante. J'ai toujours aimé dessiner et su reproduire avec facilité les objets, les scènes de rue, les paysages, mais j'ai longtemps échoué à représenter de manière satisfaisante le corps humain et les visages. J'étais obligé de les construire par assemblage de volumes géométriques en faisant de laborieux calculs de proportions, car je ne les sentais pas. Le résultat était parfois acceptable d'un point de vue académique, mais la réalité corporelle était absente de mes dessins ; les visages manquaient d'unité, de naturel et de vie. Puis un jour, mon visage s'étant, dans des conditions particulières [1], animé d'une vie plus intense qu'à l'ordinaire, j'ai dessiné pour la première fois un visage qui n'était plus inerte et désuni, mais actif et unifié par son activité. L'animation de mon visage était devenue assez cohérente et assez vive pour être perçue distinctement et transcrite sans difficulté. La tête apparue sur la feuille était fortement spatialisée, elle avait un volume, une profondeur, une présence corporelle marquée. L'activité accrue s'était accompagnée d'une spatialisation si précise et si complète que la projection s'était faite d'elle-même. Perceptible à elle-même sous forme spatiale, cette activité s'était spontanément projetée dans l'espace de la feuille.

J'ai compris, à la faveur de cette expérience et d'autres qui ont suivi, le phénomène de la projection. J'ai

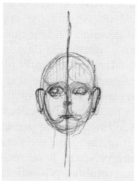

1. Il s'agissait d'une expérimentation qui intéressait le fonctionnement de l'oreille et qui consistait à écouter, selon une méthode conçue par le docteur Alfred Tomatis, de la musique de Mozart filtrée, c'est-à-dire progressivement privée de ses basses fréquences et réduite aux fréquences élevées. L'oreille qui écoute est obligée de "se dresser" pour suivre, autrement dit de se tendre plus qu'elle ne le fait habituellement. À mesure qu'elle devient plus sensible et plus active, l'écoute s'enrichit et d'autres modifications se produisent du fait que l'oreille n'est pas seulement l'organe de l'ouïe, mais aussi un organe qui pourvoit en énergie le système nerveux et qui, en outre, contrôle l'équilibre. Parce que l'oreille est reliée à la même paire de nerfs que la partie inférieure du visage, l'activation de l'oreille s'accompagne entre autres d'un accroissement de l'activité du bas du visage. Cette activité accrue entraîne une perception interne beaucoup plus nette de la face puis, de proche en proche, de la tête entière. – Je ne fais que mentionner ici une série d'expériences qui ont été extrêmement instructives et qui auraient pu faire l'objet d'une publication séparée abondamment illustrée. Pour se faire une première idée des travaux d'Alfred Tomatis, voir son ouvrage *L'Oreille et le langage*, Paris, Seuil, 1978.

DESSIN DE L'AUTEUR

REMBRANDT, *AUTOPORTRAIT*, 1627.

compris à la fois pourquoi j'avais eu tant de peine à bien dessiner les têtes et pourquoi d'autres – caricaturistes, dessinateurs et peintres – les représentaient avec tant d'aisance : à cause d'une activité propre plus développée, ils avaient une perception plus sûre de la spatialité de leur corps propre et la projetaient sans effort dans l'espace du papier ou de la toile. Cette assurance leur laissait le loisir d'observer les particularités de leur modèle et de les introduire comme des variations sur un thème connu dans l'espace déjà tout organisé de la tête en voie de matérialisation. Possédant le tout, ils pouvaient s'intéresser au détail sans s'y égarer. Et ce qui valait pour la tête devait valoir pour le corps entier : les artistes qui donnaient vie à leurs représentations du corps humain le faisaient en y projetant inconsciemment la perception interne qu'ils avaient de leur propre corps. Ce que l'on mettait habituellement sur le compte du talent ou des dons devenait intelligible et fournissait la clé de ce que j'ai appelé le sens du corps en calligraphie. Il devenait évident que le calligraphe donne corps au caractère en y transférant l'activité de son corps propre.

Mais j'ai compris plus que cela. La réussite des têtes avait été accompagnée d'un exaltant sentiment de plénitude. Ce n'étaient pas seulement les têtes dessinées qui me faisaient pour la première fois l'effet de vraies têtes. J'avais en même temps le sentiment d'une présence accrue à moi-même et aux choses. Toute la réalité me paraissait plus vraie, plus vive, plus légère et merveilleuse. Je ne ressentais plus de difficulté d'être, le réel ne me semblait plus affecté d'aucune déficience, d'aucune usure, mais frais et nouveau comme au premier matin. Cette expérience m'a comblé et m'a montré que notre sentiment de la réalité est fonction de notre activité propre. D'autres expériences m'ont mené à la conclusion qu'il y avait entre notre activité propre et notre sentiment de la réalité, notre présence à nous-mêmes et notre présence au monde, notre sens du corps et de l'espace, notre pouvoir de projection – qu'il y avait entre notre activité propre et tous ces aspects de notre expérience la plus intime une *connexion essentielle* et que, si notre activité propre s'intensifiait, faiblissait ou se modifiait de quelque manière, tout ce qui lui était lié en vertu de cette *connexion essentielle* s'intensifiait, faiblissait ou se modifiait de concert. Cent observations m'ont confirmé par la suite dans cette idée. Le lecteur verra au chapitre 7 ce qui découle de cette découverte pour l'intelligence de la calligraphie.

J'ai jeté quelque lumière sur le phénomène de la projection, mais je n'ai parlé que de la projection en général. Rien n'explique encore qu'une forme née par projection de l'activité propre de l'artiste puisse avoir une valeur expressive et posséder une qualité qui révèle des dispositions profondes de son être singulier. Rien n'explique encore qu'à la faveur de la projection, quelque chose de particulier et d'unique puisse se communiquer du corps propre à la forme.

Pour dégager ce subtil transfert, il est nécessaire de prendre en considération une dimension nouvelle des phénomènes déjà évoqués. Nous devons tenir compte du fait que l'activité propre a chez chacun de nous des traits particuliers et que ces traits ne sont pas le fruit du hasard, mais le produit d'une histoire individuelle. Ce serait une erreur de raisonner comme si notre activité propre nous était, *dans sa forme*, donnée d'avance et une fois pour toutes. Elle nous est donnée dès l'origine *dans son principe*, c'est-à-dire dans sa sensibilité à soi et sa spatialité, mais elle évolue et se transforme. Elle prend des formes qui ne sont pas exactement les mêmes d'un individu à l'autre et dont le degré d'élaboration n'est pas le même chez tous. Ce processus de structuration et ses suites se confondent avec l'histoire la plus intime de chacun de nous, ils sont le cœur même de notre aventure personnelle. Nous sommes tous marqués par cette aventure dans notre rapport à nous-mêmes et dans notre rapport au monde. Elle est définitivement inscrite dans la forme et les dispositions caractéristiques de notre activité propre et se manifeste chaque fois que cette activité propre se projette au dehors.

Nous sommes généralement persuadés que notre perception de l'espace extérieur est une perception simple. Nous nous imaginons qu'il nous suffit d'ouvrir les yeux pour le voir tel qu'il est. Pourtant les impressions sensorielles que recueillent nos sens, qu'elles soient visuelles, auditives ou autres, n'ont pas en elles-mêmes de profondeur. Nos impressions visuelles, en particulier, pourraient fort bien se présenter à notre esprit comme des formes projetées sur la surface plane d'une sorte d'écran intérieur. Comment se fait-il alors qu'au lieu de rester enfermés en nous-mêmes face à cet écran à deux dimensions, comme des spectateurs dans un cinéma, nous ayons le sentiment que l'espace s'ouvre devant nous et possède une profondeur réelle ? Cela provient de ce que, pour voir, nous combinons les impressions visuelles venues du dehors et le sens de l'espace que nous tenons de la spatialité du corps propre. Nous ne *voyons* pas l'espace, nous le projetons hors de nous. Un exercice simple suffit à nous faire prendre conscience du phénomène : nous

 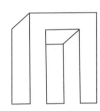

1. Je prie le lecteur de le regarder en recouvrant de la main celui de droite, et de faire ensuite l'inverse.

pouvons percevoir le dessin de gauche [1] comme une figure plate, faite d'un carré et de deux losanges accolés – ou comme un cube représenté en perspective. Dans celui de droite, nous projetons sur la figure notre sens de l'espace et nous en faisons un corps placé dans le vide. L'intérêt d'une figure comme celle-là est qu'elle déjoue notre tentative involontaire de spatialisation et nous rend par conséquent attentifs à la nature imaginaire de notre perception de l'espace.

Il n'est pas trop osé de dire que l'espace que nous percevons est toujours notre œuvre, que c'est en toute circonstance le corps propre qui le conçoit, l'enfante et le met au monde. Nous effectuons si continûment cette mise au monde que nous n'y prenons pas garde et nous nous figurons qu'elle est dans l'ordre des choses. Nous oublions tous qu'il a pourtant fallu que nous l'accomplissions une première fois, pendant les premiers mois de notre vie, et que rien alors ne nous y préparait. Il a fallu que nous trouvions seuls le moyen de combiner nos impressions visuelles dépourvues de profondeur avec le sentiment de l'espace que nous avions en nous, de faire la synthèse des deux et de concevoir, par un acte de l'imagination, l'existence d'un espace extérieur à nous-mêmes. Il a fallu que nous découvrions ensuite que cet espace extérieur imaginé nous permettait d'explorer le monde extérieur et qu'il y avait donc une adéquation possible entre l'espace que nous projetions hors de nous et l'espace extérieur réel. Cette *invention* de l'espace et la découverte du monde qui s'est ensuivie sont des événements dont nous perdons le souvenir une fois que notre perception "normale" de la réalité extérieure est assurée, mais qui n'en laissent pas moins une empreinte indélébile au fond de notre subjectivité.

On peut tenter de reconstituer comme ceci cette aventure décisive [1]. Pendant les premières semaines, l'existence du nouveau-né est entièrement dominée par sa relation avec la mère qui le nourrit. Lorsqu'il tète ou s'endort dans ses bras, il forme avec elle un système d'échanges clos et perçoit ensemble, sans les distinguer, son propre bien-être et la présence de l'être qui le lui assure. Si sa mère le quitte subitement ou n'apparaît pas quand il l'appelle, il ressent son absence comme une menace d'anéantissement : il se trouve confronté à une perte virtuelle de la mère et *de lui-même*. Comme il est inévitablement soumis de manière répétée à cette épreuve angoissante, il cherche une parade et la trouve lorsqu'il parvient à *imaginer sa mère absente*, c'est-à-dire à imaginer l'existence de sa mère alors même qu'il ne perçoit plus sa présence. Cette intuition nouvelle le rassure d'autant plus que son retour vient confirmer que, pendant son absence, elle n'a pas cessé d'exister. Mais comment le nourrisson arrive-t-il à imaginer qu'un être ou un objet qui disparaît n'est pas anéanti pour autant, mais subsiste ailleurs et peut réapparaître ultérieurement ? Il y parvient en prêtant au corps de sa mère la permanence de son corps propre, dont il commence à prendre conscience par la même occasion. Lorsqu'il a franchi ce pas, il échappe à l'alternance dramatique des moments de bonheur vécus dans une relation fusionnelle avec la mère et des moments de déréliction et d'anéantissement virtuel provoqués par son absence. Il se trouve désormais dans une situation où coexistent deux êtres distincts tantôt présents l'un à l'autre, tantôt séparés. Il s'accoutume à considérer sa mère comme virtuellement présente lorsqu'elle est absente et comme virtuellement absente lorsqu'elle est présente, c'est-à-dire comme un être indépendant de lui-même.

Mais comment acquiert-il définitivement le sentiment de sa propre permanence ? Parmi les expériences qui semblent compter, la mieux connue est celle du miroir. Lorsque le bébé

1. La genèse de la projection a été étudiée par Sami-Ali, psychanalyste égyptien d'expression française, dans une série d'ouvrages dont l'un a une importance particulière pour mon sujet : *L'Espace imaginaire*, Paris, Gallimard, 1974. Je lui dois beaucoup et je m'inspire de ses thèses dans toute la suite de ce chapitre. Ce sont surtout les formes pathologiques de la projection et de la perception de l'espace qui lui ont permis de reconstituer, par hypothèse, le processus normal. Pour les données cliniques, je renvoie le lecteur aux principales publications de Sami-Ali : *De la projection*, Paris, Payot, 1970 ; *Le Haschisch en Égypte*, Paris, Payot, 1971 ; *L'Espace imaginaire*, Paris, Gallimard, 1974 ; *Corps réel, corps imaginaire*, Paris, Dunod, 1977 ; *Le Banal*, Paris, Gallimard, 1980 ; *Penser le somatique*, Paris, Dunod, 1987.

se voit pour la première fois dans un miroir, il a l'occasion d'observer une relation entre ses mouvements, c'est-à-dire son activité propre, et les modifications d'une image qu'il reconnaît, de ce fait, comme l'image de lui-même. Lui qui ne connaissait d'images que celles de sa mère et d'autres proches, il découvre qu'il en possède une aussi. Cela lui permet d'établir une équivalence entre le corps dans lequel il se sent exister, qu'il suppose être une image pour autrui, et le corps d'autrui, qu'il suppose être de même nature que le sien propre. Il découvre qu'il possède un corps séparé et doué de permanence au même titre que sa mère et les autres personnes de son entourage.

Si cette reconstitution du processus est juste, il n'est donc pas exagéré de dire que le bébé invente le corps d'autrui à partir du sien. Il *invente* le corps de l'autre en projetant sur lui l'unité fondamentale du corps propre. Et parce que cette invention se révèle appropriée à la réalité des choses, elle lui fait faire un pas décisif dans la découverte du monde objectif : elle inaugure pour lui la conquête du monde extérieur, elle lui fournit la recette d'une série indéfinie de synthèses analogues par lesquelles il se représentera d'autres personnes, d'autres êtres et finalement tous les corps et les objets. La représentation qu'il s'en fera sera toujours sous-tendue par la projection de son corps propre, seule source qui puisse lui fournir l'intuition de ce que sont la réalité sensible d'un corps ou d'un objet, son étendue, son unité, son autonomie par rapport au milieu. La connivence naturelle qui existe entre les choses et nous vient de là. La connaissance spontanée que nous avons d'elles a son origine dans une véritable *co-naissance* d'elles et de nous, selon le mot de Claudel [1] – une co-naissance dont le corps propre est la matrice.

Notre perception de l'espace à trois dimensions dérive de là. La dissociation du corps propre et du corps de l'autre est la condition de l'apparition d'un *ici*, lieu du corps propre, et d'un *là*, lieu du corps de l'autre. Il faut que cette distinction soit bien établie pour que le bébé puisse concevoir à un certain moment la réversibilité des relations spatiales, c'est-à-dire le fait que la distance entre *ici* et *là* peut être parcourue dans les deux sens et qu'il y a par conséquent réciprocité entre *ici* et *là*, c'est-à-dire entre sa mère (ou tout autre) et lui. C'est ainsi qu'il apprend à se situer dans un espace objectivé dans lequel vaut la règle de la

1. Voir son *Art poétique*, in *Œuvre poétique*, Bibliothèque de la Pléiade, Paris, Gallimard, 1957, p. 149 et suivantes.

relativité des points de vue. Il n'empêche que cet espace objectivé reste secrètement marqué par l'histoire de sa genèse et, surtout, par la relation à la mère dont il est issu en premier lieu. L'espace du corps propre et l'espace extérieur restent liés comme deux vases communicants.

Nous sommes tous marqués par cette aventure oubliée. Nous gardons au fond de nous la trace des émotions heureuses ou malheureuses, de liesse ou de terreur, que nous avons éprouvées au cours de ses péripéties et nous les retrouvons hors de nous dans l'espace : l'espace nous parle de nous-mêmes [1].

Les dessins d'enfants montrent de manière éloquente que la conquête de l'espace est une aventure où l'affectivité est engagée. Ils révèlent en même temps à quel point cette conquête est liée à la maîtrise du corps. On y voit comment l'activité corporelle, en s'organisant, s'accompagne d'une perception de mieux en mieux organisée de l'activité propre par elle-même et comment cette perception, qui est spatiale, se projette à l'extérieur.

Le dessin n'est d'abord que la trace accidentelle des mouvements du corps. Comme l'observe Henri Michaux, "les cercles parfaits des dessinateurs et des géomètres n'intéressent pas l'enfant. Les cercles imparfaits de l'enfant n'intéressent pas l'adulte. Il les appelle gribouillis, n'y voit pas le principal, l'élan, le geste, le parcours, la découverte, la reproduction exaltante de l'événement circulaire où une main encore faible, inexpérimentée, s'affermit." [2] C'est qu'au début, "plus que les traces, le geste compte, le *faire* du cercle". Pour l'enfant, le "faire" et la forme qui en résulte ne font qu'un. Il se désintéresse de la forme dès que l'activité cesse. Un jour, pourtant, il lui vient à l'idée de considérer pour elle-même la forme dessinée, le

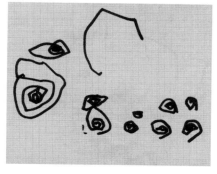

plus souvent parce qu'un adulte lui demande ce qu'elle représente. Il projette alors dans le dessin sa réalité corporelle, il en fait par l'imagination un objet réel : c'est un soleil, répond-il

1. Henri Michaux écrit : "Étrange planète, que chacun de nous a été. L'homme est un enfant qui a mis une vie à se restreindre, à se limiter, à s'éprouver, à se voir limité, à s'accepter limité. Adulte, il y est parvenu, presque parvenu. – L'Infini, à tout homme, quoi qu'il veuille ou fasse, l'Infini, ça lui dit quelque chose, quelque chose de fondamental. Ça lui rappelle quelque chose. Il en vient…" Voir *Les Grandes Épreuves de l'esprit*, Paris, Gallimard, 1966, p. 147.

2. "Essais d'enfants, dessins d'enfants", in *Déplacements, dégagements*, Paris, Gallimard, 1985, p. 57-58. Les citations suivantes figurent aux p. 57, 59-62 et 74-75.

DESSIN D'ENFANT : *Les Escargots*, 1973.

à l'adulte, c'est une tasse, c'est un escargot. "Les plus imprécises approximations ne gênent pas l'enfant, écrit Michaux. Ce qui compte c'est le *rapprochement.*

Ce rapprochement, trouvé et retrouvé, vient ouvrir de façon claire une porte qui en ouvrira quantité d'autres. Large porte de la connivence." Les premiers dessins sont toujours un prodige, une démonstration vive de l'engendrement de l'espace extérieur par l'espace vécu du corps. Parce que la représentation de l'objet y est portée par l'expression immédiate de la spatialité corporelle, représentation et expression y sont données du même coup.

L'enfant, dit Henri Michaux, "ne copie pas l'homme, il le campe" – comme il se campe lui-même. Les premiers dessins

sont un corps à corps heureux dans lequel la pleine activité de l'enfant se traduit par une pleine activation de l'espace.

L'enfant explore son activité propre en l'organisant. Il ne projette dans ses dessins que celle qui a déjà pris suffisamment forme en lui pour être devenue représentable. Au début, la tête apparaît seule "tandis que les pieds – simple accompagnement – peuvent manquer et le genou et le cou et le reste qui viendront plus tard. Sur le moment il n'y revient plus. L'âge des retouches n'est pas arrivé." L'image du corps qui se forme sur la feuille est celle que l'enfant possède de lui-même à ce moment-là : "Souvent, invité à dessiner un bonhomme, il oublie les jambes, les bras, et que son anatomie est faite pour le déplacement.

On dirait que la mobilité, il n'a pas encore opté pour : au moins elle n'est pas encore ressentie comme essentielle."

L'enfant ne découvre pas seulement son corps en apprenant à s'en servir, mais aussi par les sensations de malaise ou de plaisir qui accompagnent le manque ou la satisfaction de ses besoins. Cette exploration s'accompagne d'attirances et d'inquiétudes, de désirs et de répulsions. Elle est influencée par la mère, par sa manière d'être et d'habiter son corps et par le comportement d'autres personnes, ce qui fait d'elle une aventure différente pour chaque enfant, dont résulte un investissement affectif particulier du corps. Ainsi la manière qu'a chacun d'occuper son corps est-elle liée aux expériences qui ont déterminé sa vie de la façon la plus décisive. Pour cette raison, la projection de son espace intérieur dans un dessin raconte toujours son histoire personnelle. Parce qu'aucun enfant n'a de rapport neutre avec son corps, les dessins d'enfants sont toujours saturés de vécu affectif en même temps que corporel.

Puis les choses changent. L'enfant commence à se soucier de conformité littérale avec l'apparence de l'objet. Comme la tâche est au-dessus de ses forces, il recourt aux représentations toutes faites qu'il trouve dans les dessins des aînés ou dans les livres. La représentation se fait plus précise, mais l'expression régresse, le dessin est de moins en moins alimenté par le vécu corporel. L'enfant apprend à reproduire l'espace par la recette de la perspective et délaisse de ce fait l'espace primaire que la projection animait librement. Tout est "mis en place, réglé,

1. Le terme prête à confusion,
car il ne s'agit nullement d'une
image, mais d'une intuition
directe de notre activité propre
par elle-même – d'une intuition
qui possède une étendue, une
certaine organisation spatiale et,
en même temps, une charge affective. Il s'agit en somme de la
réalité intime dont nous ferions
l'expérience si nous pouvions nous
couler dans le corps des autres et
adopter leur manière de voir le
monde et de s'y mouvoir. Ce qui
justifie à la rigueur le terme, c'est
que "l'image du corps" peut devenir image par le mécanisme de
la projection.

situé, stabilisé, dit Michaux. Plus de raisons d'avoir des espaces
en plus. Il ne les sent plus." La plupart perdent à ce moment-là
le goût du dessin. Ceux qui le conservent et qui en ont la vocation, devront ensuite travailler des années, voire des décennies
pour retrouver le charme rompu, reproduire le miracle, réussir
à nouveau la conjonction spontanée de la représentation et de
l'expression qui seule donne le sentiment du réel.

Les psychologues appellent "image du corps" la perception
que chacun de nous a de son corps [1]. Les dessins d'enfants
révèlent que cette image du corps ne prend pas seulement chez
chacun d'eux une forme particulière, mais qu'elle se développe
inégalement. Elle reste parfois indécise, incohérente ou lacu-
naire, elle suggère que l'enfant ne s'est pas aventuré loin dans la
conquête de lui-même. Certaines provinces de son corps
l'inquiétaient, il a évité de s'y avancer et préféré les laisser dor-
mir. Pour que sa sensibilité ne s'y étende pas trop, il a renoncé
aux formes d'activité qui risquaient de les éveiller, il n'a pas
voulu s'essayer aux gestes et aux jeux qui leur eussent donné
vie. Il s'est satisfait d'une activité tronquée et restera un être
embarrassé de son corps, cherchant à se dissocier de lui. Ses
inhibitions l'empêcheront d'acquérir la pleine maîtrise du mouvement et de connaître les bonheurs de l'activité propre
épanouie. Condamné à garder de son corps une perception
pauvre, il n'aura jamais du réel qu'une perception pauvre. L'un
et l'autre resteront partiellement *terræ incognitæ*, mais il n'est
pas exclu que ce handicap soit sa chance et l'incite à reprendre
ultérieurement, de manière plus consciente, la double conquête
de soi et du monde.

Le développement inégal de la conscience du corps pendant
les premières années de l'existence crée une inégalité durable
entre les individus. Il est en effet interrompu, de manière le plus
souvent définitive, lorsque le souci d'adaptation au monde des
adultes et d'intégration sociale, bref de conformité, l'emporte
chez l'enfant sur la conquête de soi et du monde. Cet arrêt de
l'évolution se manifeste dans le dessin. La spontanéité disparaît, l'image du corps et sa charge affective sont oblitérées par
les conventions du "réalisme" et ne réapparaissent généralement plus. Les grandes personnes n'en retrouvent plus le
secret. Chez les rares adultes qui, dans un instant de grâce ou

de folie, parviennent à se libérer de leur inhibition et à redessiner comme dans leur enfance, sans idée préconçue, l'expression retrouve une certaine spontanéité, mais n'a plus le caractère conquérant des premiers temps. L'entrain n'est plus le même. La réalité exprimée a cessé d'évoluer, elle est arrêtée une fois pour toutes, figée dans un état ancien.

L'artiste est un cas à part. Il a tout fait pour renouer avec le bonheur d'expression de l'enfance. Au prix de longs efforts, il a fini par recréer les conditions de la projection libre, de l'extériorisation naturelle de son espace intérieur et de son affectivité profonde. Par le travail qu'il a accompli sur lui-même, il a fait reprendre vie à cet espace chargé d'affectivité. Il a repris le développement de son rapport à soi et au monde là où il l'avait interrompu.

Avant de peindre, le peintre regarde. Matisse observe que "pour l'artiste, la création commence à la vision. Voir, c'est déjà une opération créatrice, et qui exige un effort." [1] En regardant les choses, le peintre cherche à entrer en elles, à sentir ce dont elles sont faites, c'est-à-dire, dans notre langage, à percevoir l'activité propre qui s'y projette. Il semble se perdre dans les choses, mais fait en réalité l'inverse : il remonte à reculons vers la source active de la vision, qui est le corps propre [2]. Il remonte en deçà du visible afin de renouer avec l'origine du visible : "Ce que j'essaie de vous traduire, disait Cézanne, est plus mystérieux, s'enchevêtre aux racines mêmes de l'être, à la source impalpable des sensations." [3] Lorsque le peintre s'est ressourcé de la sorte dans l'activité propre, il la reprojette au-dehors et la laisse renouveler sa vision, non par quelque alchimie dont il détiendrait seul le secret, mais par celle que nous avons tous pratiquée dans notre enfance, lorsque nous découvrions notre pouvoir de nous projeter dans les choses pour leur donner corps. Il le fait dans sa vision d'abord, puis s'efforce de fixer cette vision dans ses œuvres. L'enchantement que procure la grande peinture ne tient pas seulement à ce qu'elle offre une vision renouvelée du monde qui nous entoure, mais qu'elle nous fait deviner la part que nous avons dans la genèse de ce monde. Elle nous fait sentir que la projection de notre activité propre sous-tend en permanence notre rapport au visible, que

1. *Écrits et propos sur l'art*, Paris, Hermann, 1972, p. 32.

2. Nous imaginons le peintre saisi de "ravissement" devant les choses, c'est-à-dire entraîné hors de lui-même, alors qu'il fait au contraire l'expérience d'un contact intense avec soi. Les "moments d'ardents contacts avec moi-même" que Matisse connaît pendant son travail et dont il parle dans une lettre à son ami André Rouveyre (*ibid.*, p. 297) sont de cette nature. Notons que ce qui est vrai du ravissement l'est aussi de l'extase, qui est en apparence une *ek-stasis*, un "séjour hors de soi", et en réalité tout le contraire.

3. Cité d'après Maurice Merleau-Ponty, *L'Œil et l'esprit*, Paris, Gallimard, 1973, p. 7. "La nature est à l'intérieur", dit aussi Cézanne (*ibid.*, p. 22). Giacometti remarque à son propos : "Moi je pense que Cézanne a cherché la profondeur toute sa vie." (*ibid.*, p. 64.)

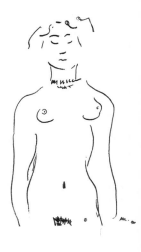

1. *Ibid.*, p. 54.

2. La luminosité dont l'espace est rempli résulte aussi de la projection de notre activité propre. Nous ne saurions ce qu'est un espace lumineux si notre activité propre n'était un espace sensible se percevant lui-même sous une forme lumineuse – sous la forme de la lumière qui éclaire nos rêves et parfois nous éblouit intérieurement. "L'énigme de la visibilité" dont parle Merleau-Ponty (*ibid.*, p. 26) est là, dans cette perception de l'activité propre par elle-même. Novalis dit dans l'un de ses fragments : "Also ist Licht... – *Aktion* – oder Selbströhrung der Materie". Voir *Werke*, Munich, Beck, 1981, p. 406.

HENRI MATISSE, *L'IDOLE*, 1906.
PAUL CÉZANNE, *BORDS D'UNE RIVIÈRE*, 1879-1881.

nous sommes donc virtuellement maîtres de ce rapport et que nous pourrions, si nous le voulions, reprendre nous aussi l'exploration de nous-mêmes et du monde que nous avons interrompue dans notre enfance. Toute grande peinture nous rappelle une vérité que nous pressentons et que Merleau-Ponty a résumée dans cette formule : "Le corps est pour l'âme son espace natal et la matrice de tout autre espace existant." [1] C'est parce que notre activité propre donne sa dimension spatiale au visible que l'espace visible, en retour, semble tourné vers nous et porter en lui une signification qui nous concerne. L'espace nous dit quelque chose, et chaque espace particulier nous dit quelque chose de particulier [2].

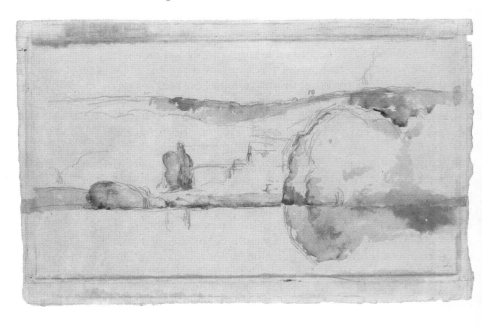

NOUS en faisons l'expérience quand nous nous abandonnons à la rêverie. Les paysages dans lesquels nous nous projetons dans ces moments-là agissent sur notre spatialité intérieure et sur notre affectivité : la montagne nous met d'aplomb, la mer nous élargit, les fleuves nous donnent le sentiment de la continuité. C'est pour cela que, selon Henri Michaux, "l'homme se promène volontiers au bord des fleuves, ne pensant à rien. (...) Ce radotage, infiniment répété, de soi mis devant soi, plaît." [1] "Tous les spectacles de la nature sont des spectacles en écho", note-t-il. "Pour les montagnes, c'est délicat. L'une ne vous 'dit' rien. L'autre est excellente... Même très hautes, il y en a dont les courbes molles, je veux dire dont les invitations aux expressions molles, vous dégoûteront à vous suicider, vous, mais pas un autre..." Et ailleurs : "Les montagnes et les visages sont les seuls objets que de tout temps j'ai regardés attentivement, irrésistiblement, en les accompagnant en esprit, en les fixant, aimanté rêveusement et sans savoir pourquoi. Les visages en sont souvent gênés. Les montagnes, pas. Pas que je sache." Lorsqu'elle semble se perdre ainsi dans la nature, l'âme sensible ne se perd pas, mais rejoint le corps propre et ses secrets. [2]

Nos rêveries révèlent que notre maîtrise de l'espace tridimensionnel est un acquis réversible. Nous pouvons revenir de notre perception "normale" de l'espace aux formes moins complexes et moins structurées à partir desquelles elle s'est élaborée. Il suffit d'un relâchement, consenti ou involontaire, de notre volonté d'objectivation pour que nous régressions vers les formes primitives et que la confusion entre l'espace du corps propre et l'espace extérieur se réinstalle. C'est ce genre de régression que le peintre pratique pour retremper sa vision aux sources de l'activité propre. C'est à elle que nous nous livrons dans la rêverie et que nous cédons complètement dans nos rêves.

Dans la rêverie, nous gardons le regard posé sur la réalité extérieure alors que, dans le rêve, nous nous abandonnons entièrement à la vie du corps propre. La spatialité que nous projetions hors de nous, nous y sommes maintenant plongés. Notre existence est réduite à notre activité propre se percevant

1. *Passages*, Paris, Gallimard, 1950, p. 47. Les citations suivantes figurent aux pages 47-48 et 113.

2. Stendhal écrit dans *La Vie d'Henri Brulard* : "J'ai cherché avec une sensibilité exquise la vue des beaux paysages : c'est pour cela uniquement que j'ai voyagé. Les paysages étaient comme un archet qui jouait sur mon âme, et des aspects que personne ne citait (la ligne des rochers en approchant d'Arbois, je crois, et venant de Dôle par la grande route) furent pour moi une image sensible et évidente de l'âme de Métilde". *Œuvres intimes*, Bibliothèque de la Pléiade, Paris, Gallimard, 1955, p. 14.

1. Dans le rêve, écrit Sami-Ali, "l'espace de la représentation ne fait qu'un avec la spatialité du corps propre" (*L'Espace imaginaire*, p. 11). Et il précise : "C'est *tout* l'espace onirique qui dérive du vécu corporel, le contenant aussi bien que le contenu, donc le vide et le plein, l'endroit représenté en même temps que les objets qui s'y fixent ou le traversent" (p. 19). Le rêve, note-t-il, "est en mesure de figurer des objets visibles en soi" (p. 138) puisque, privé de recul, le sujet "ne fait plus face au sensible, il s'y confond en devenant le sensible" (p. 156). Et dans *De la projection* : "Les images du rêve sont invariablement soutenues par un champ de forces invisibles qui, à chaque instant, en déterminent la configuration particulière. Ce champ est constitué par le corps propre." (p. 210)

2. L'analyse qui suit est empruntée à Sami-Ali, *L'Espace imaginaire*, p. 199-211. Sami-Ali interprète le texte d'une manière beaucoup plus complète et approfondie que je ne le fais ici. La traduction citée est celle d'Henri Parisot, *Les Aventures d'Alice au pays des merveilles*, Paris, Flammarion, 1968. Les citations figurent aux p. 14, 15, 23 et 25.

elle-même. Les paradoxes du rêve s'expliquent par le fait que, abandonné à lui-même, le corps propre ne distingue plus ni *ici* ni *là*, ni dedans ni dehors, ni sujet ni objet : je suis moi et je suis les choses, ou l'espace qui sépare les choses ou le tout à la fois. Des objets deviennent visibles sans être vus par personne. Nulle distance ne sépare plus ce qui perçoit de ce qui est perçu, mais la perception reste spatiale. C'est dans le rêve que se manifestent de manière immédiate les qualités essentielles de l'activité propre : sa capacité de se percevoir elle-même, le sentiment de réalité qui en découle, la visibilité interne et la spatialité qui en sont les corollaires, l'affectivité, la subjectivité, etc. Dans le rêve, nous sommes pour ainsi dire noyés dans la *materia prima* et subissons, voyants, l'animation qui l'habite. Notre subjectivité se réduit à l'activité imageante qui est la source de notre imagination diurne et de nos projections. Quand nous rêvons, notre corps propre s'amuse à transformer et à combiner les traces mnésiques de tous ordres qu'il charrie – sans cesser de nous tenir subjugués par l'effet de réalité [1].

À l'état de veille, nous prenons la mesure des objets en les manipulant et celle de l'espace en l'arpentant. Le corps propre enregistre ces mesures et les projette sur les choses pour leur donner, même à distance, leurs justes proportions. Lorsque j'aperçois un homme à dix pas, je mets dans l'image rétinienne que j'ai de lui le sentiment de ma grandeur d'homme et lui prête ainsi la dimension qui convient. Son image est minuscule mais, en imagination, je lui donne sa vraie taille. Le songe, par contre, ne connaît pas de mesure, il confond allégrement l'immense et l'exigu.

Dans *Alice au pays des merveilles*, Lewis Carroll montre ce qui arrive lorsque, sombrant dans le rêve, nous cessons de nous assurer de la mesure de l'espace et des objets par le corps propre et de celle du corps propre par l'espace et les objets réels [2]. Après sa chute dans le vide, Alice pénètre dans une salle longue et basse dont toutes les portes sont fermées à clé. Elle trouve sur une table une clé minuscule, "mais, hélas ! les serrures étaient-elles trop grandes, ou

la clé trop petite ? Toujours est-il que A propos cette clé n'ouvrait aucune des portes." Les choses, déjà, perdent leur mesure stable. La fillette découvre cependant une porte de quarante centimètres de haut que la clé permet d'ouvrir. S'étant mise à genoux, elle aperçoit au-delà un "étroit corridor à peine plus large qu'un trou à rat" et, tout au bout, "le jardin le plus adorable que l'on pût rêver". Comment s'y glisser ? "Quand bien même ma tête y passerait, se dit la pauvre Alice, (...) mes épaules ne suivraient pas." Le rapport du corps propre aux objets qui l'entourent est faussé. "Oh, que je voudrais pouvoir rentrer en moi-même comme un télescope !" se dit-elle, car elle en est arrivée à penser que désormais "rien, ou presque, n'est impossible". Elle y parvient grâce à une potion trouvée à point nommé sur la table mais, devenue toute petite, elle s'aperçoit qu'elle a laissé la précieuse clé sur cette table et ne peut plus l'atteindre. Elle trouve heureusement sous la table un minuscule gâteau qui la fait regrandir : "Voici maintenant que je m'allonge comme le plus grand télescope du monde ! Au revoir mes pieds ! (car lorsqu'elle regardait ses pieds, ceux-ci lui semblaient être presque hors de vue tant ils devenaient lointains). Oh! Mes pauvres petits pieds... ! Je serai certes bien trop loin pour pouvoir m'occuper de vous. Vous n'aurez qu'à vous débrouiller tout seuls." Le rapport aux objets devient tout à fait instable. En même temps que le sens de sa mesure, le corps propre perd celui de son unité et se dissocie en parties qui deviennent étrangères les unes aux autres : "Vous n'aurez qu'à vous débrouiller tout seuls. – Mais il faut que je sois gentille avec eux, se dit Alice ; sinon, ils pourraient refuser de me conduire là où je voudrais aller ! Voyons un peu..." L'étrangeté du monde où elle est plongée menace enfin son identité : "Est-ce que, par hasard, on m'aurait changée au cours de la nuit ? Réfléchissons : *étais*-je identique à moi-même lorsque je me suis levée ce matin ?" Sous les dehors d'une imagination débridée, la suite du récit développe avec rigueur ce qui arrive lorsque le corps cesse de se mesurer au monde réel pour s'enfermer en lui-même. Le fantastique coïncide avec sa vie propre.

ALICE AU PAYS DES MERVEILLES, deux gravures de John Tenniel, 1865.

1. Henri Michaux, *Face à ce qui se dérobe*, Paris, Gallimard, 1975, p. 125-130.

La capacité de donner une mesure aux choses, nous la perdons parfois en plein jour. Henri Michaux fait le récit d'une telle expérience dans *Arrivée à Alicante* [1] :

> Arrivé fatigué, anormalement fatigué. Froide la chambre. Inhospitalière et qu'on ne va pas pouvoir me garder.
>
> Je descends, j'erre dans les rues. Le repos après deux nuits sans sommeil ne vient pas dans la tête préoccupée, bourdonnante, échauffée. Les yeux fatigués par la lecture de nuit ne se plaisent pas trop à regarder. Ils aspirent à se fermer, à ne rien voir, à abandonner.
>
> Arrivée à une place. Son air vieillot, ses dattiers, son charme calment, arrêtent. À une extrémité, en plein air, un bar-restaurant des plus modestes. Je me dirige de son côté et vais m'asseoir dehors dans la compagnie des palmiers.
>
> On ne s'empresse pas de prendre ma commande. Bien. J'ai le temps, moi aussi.
>
> À l'autre bout de la place vint à déboucher un groupe d'Espagnols. Ils débouchèrent petits, tout petits, extraordinairement petits. De quelques centimètres à peine, aurais-je dit. Ah ! Sans doute je savais qu'ils n'étaient pas réellement si petits, que ce n'eût pas été possible pour quantité de raisons que j'étais trop las pour examiner mais dont j'étais pratiquement sûr. Cependant inexplicablement je n'arrivais pas à les voir plus grands. D'ailleurs, comment fait-on, normalement ? Comment faisais-je auparavant ? Responsable – évidemment – de cette vue défectueuse je ne trouvais rien à entreprendre. Les recevant petits dans ma chambre oculaire, j'omettais, je suppose, de les agrandir, de les agrandir suffisamment ou de les sentir agrandis.

L'écrivain décrit les réflexions que lui inspire cette perturbation, puis les étapes de son rétablissement. Quelques moments plus tard :

> Une fille arrivant à bicyclette à moteur acheva de me rassurer. À bonne distance, je la saisissais déjà comme elle devait être et reconstituais aisément son corps élancé mais nullement abrégé et de même son cyclomoteur tout neuf, dont elle tenait fièrement le guidon extravagant qui comme ceux d'à présent n'était pas petit.
>
> Remis, j'étais donc remis. Ça en avait tout l'air ; car tout à l'heure il ne s'agissait pas d'une illusion, plus ou moins forte à laquelle je me serais laissé aller. Non, c'était catégorique, cette petitesse outrée. Rapetissement impossible à combattre. Un certain mécanisme de

redressement et d'agrandissement de l'image ou d'agrandissement psychologique à partir de l'image (...) avait cessé de fonctionner. Du pathologique, le début possible d'une tumeur au cerveau, voilà ce que j'avais craint.

Quoi qu'il en fût, je me hâtai d'absorber un verre de vin et quelques bouchées de pain. Ainsi sans bruit, et sans m'être trahi, je repartais avec mon fond originel à la reconquête du Monde. L'aspect revenu des choses semblait stable et bien consolidé. C'était bien le monde d'auparavant. Discrètement, à part moi je le fêtai.

La place, elle, était parfaite.

Il ne lui manquait rien. Je l'admirais, je la goûtais. Modeste, elle avait ce qu'il fallait pour un homme qui récupère.

Que s'est-il passé ? Subitement, Henri Michaux ne trouve plus en lui la force de donner leur mesure aux choses et aux personnes qu'il aperçoit. La fatigue ayant réduit l'activité du corps propre et affaibli du même coup sa capacité de projection, espaces extérieur et intérieur se sont simultanément vidés. Nous connaissons tous ces moments d'étrangeté, ces dérèglements passagers de la perception, mais nous ne sommes généralement pas conscients de ce qu'ils peuvent nous apprendre sur les mécanismes fondamentaux de notre rapport à la réalité.

Certains dérèglements sont d'une autre ampleur. Je ne pense pas à ceux que provoquent artificiellement les drogues, mais à d'autres qui ébranlent inopinément certains individus et les laissent pantois [1]. Ce sont des accidents qui leur arrivent, des glissements, des cassures, des éboulements qui se produisent dans le substrat de leur perception d'eux-mêmes et du monde. Le cas d'Alberto Giacometti présente ici un intérêt particulier. Sa vie a été marquée par des modifications de la vision et du sentiment du réel dont il a souvent parlé et qu'il a tenté d'exprimer dans ses œuvres.

À dix-huit ou dix-neuf ans, il s'exerce à dessiner des poires dans l'atelier de son père. L'effort qu'il fait pour les rendre telles qu'il les voit aboutit invariablement au même résultat, à des poires minuscules au milieu d'un vaste espace. Son père juge sévèrement cette représentation, qu'il trouve absurde du point de vue de la vision "normale", mais, par fidélité à ce qu'il perçoit, Alberto en revient toujours aux poires minuscules [2].

1. Pantois, de *phantasiare*, "avoir des visions".

2. D'après Charles Juliet, *Giacometti*, Paris, Hazan, 1985, p. 9. Cet épisode est aussi évoqué par James Lord, *Giacometti, A Biography*, Londres, Faber and Faber, 1986, p. 33 (chap. 7)

ALBERTO GIACOMETTI,
*LA CHAISE*, 1954.

Au lieu de donner corps au seul objet considéré, la projection semble investir chez lui le champ du visible tout entier. Tout se passe comme s'il était subjugué par le visible en tant que tel et immobilisé intérieurement devant lui. *La Pomme sur le buffet*, de 1937, donne une idée de ce qu'a pu être sa vision des poires vingt ans plus tôt. *La Chaise* est un exemple plus modeste, mais tout aussi caractéristique d'une perception de l'espace qui est présente dans la plus grande partie de son œuvre. Le regard est fasciné par un objet qui semble être la source lointaine de l'espace entier.

À dix-neuf ans, à Venise où il s'est rendu avec son père, il est bouleversé par la découverte du Tintoret puis, à Padoue, par celle de Giotto. Mais "le même soir, raconte-t-il, toutes ces sensations contradictoires furent bouleversées par la vue de deux ou trois jeunes filles qui marchaient devant moi. Elles me semblèrent immenses, au-delà de toute notion de mesure, et tout leur être et tous leurs mouvements étaient chargés d'une violence effroyable. Je les regardai halluciné, envahi par une sensation de terreur. C'était comme un déchirement dans la réalité. Tout le sens et le rapport des choses étaient changé." [1] Le rapport à l'objet semble s'être inversé. Tandis que les poires paraissaient situées à l'extrémité d'un espace infranchissable, les corps des jeunes filles fondent sur lui avec une force contre laquelle il est sans défense. Les Tintoret et les Giotto lui apparaissent, en comparaison, comme un "balbutiement naïf, timide et maladroit" mais, loin de le détourner de la peinture, cette nouvelle expérience appelle dans son esprit une expression picturale. "Ce à quoi je tenais dans le Tintoret était comme le pâle effet de cette apparition, et je compris pourquoi je ne voulais absolument pas le perdre..."

La recherche d'une expression adéquate de cette vision sera compliquée par de nouveaux imprévus. Lorsque, après les œuvres fantasmatiques de la période surréaliste, Giacometti revient à la figure humaine, il constate qu'il n'est plus capable

1. D'après Ch. Juliet, *op. cit.*, p. 11. Citations suivantes : p. 37, 46, 56 et 62. Voir J. Lord, *op. cit.*, p. 38-39 (chap. 8).

de la saisir dans son unité. "J'ai travaillé devant le modèle chaque jour de 1935 à 1940, dit-il. Rien n'était tel que je l'imaginais. Une tête devenait pour moi un objet totalement inconnu et sans dimensions. Deux fois par an, je commençais deux têtes, toujours les mêmes, sans aboutir." Et encore : "Je ne distinguais plus que d'innombrables détails. Plus je regardais le modèle, plus l'écran entre sa réalité et moi s'épaississait." Le mécanisme de la projection ne fonctionne plus. L'artiste ne parvient plus à prêter à l'objet qu'il a devant lui la cohérence, la dimension, le volume, la réalité d'une tête. Les petites poires étaient inatteignables, mais réelles. L'objet perd maintenant sa réalité propre et n'est plus qu'un amoncellement de détails.

Ces déboires obligent Giacometti à entreprendre la reconquête de l'objet, mais il fait d'abord l'expérience de l'échec : "En 1940, à ma grande terreur, mes statues ont commencé à diminuer... Toutes mes statues inexorablement finissaient par atteindre un centimètre. Un coup de pouce, et hop ! plus de statue. C'est seulement plus tard que j'ai réfléchi : d'abord instinctivement je diminuais la sculpture pour la mettre à la distance réelle où j'avais vu le personnage. Cette jeune fille à quinze mètres ne mesurait pas quatre-vingts centimètres, mais une dizaine. En outre, pour appréhender l'ensemble, pour ne pas me noyer dans le détail, il fallait que je sois plus loin. Mais les détails me gênaient toujours... Alors je reculais de plus en plus, jusqu'à disparition..." À cette époque, il est à la recherche du point où, dans le vide, l'objet pourra se reconstituer, ce qui implique un véritable réapprentissage de la projection : "Jusqu'à la guerre, j'ai cru voir les gens grandeur nature, selon la distance donnée. Puis j'ai remarqué que je les voyais beaucoup plus petits qu'ils ne le sont – même à proximité. Les premières fois que j'ai pris conscience de ça, j'étais dans la rue. Cela m'a déconcerté, mais je m'y suis habitué. Puis j'ai fait la même observation en d'autres circonstances. Toutes les fois, il me fallait me réaccoutumer à l'espace, me mettre à mesurer les distances qui s'étendaient entre moi et les objets et entre chacun des objets. On ne pouvait jamais savoir ce qui était proche ni ce qui était lointain..." Le chemin est semé d'embûches. Sous son regard, la vie se fige et se déréalise : "Ce matin, en me réveillant, raconte-t-il, je vis ma serviette pour la première fois,

1. *Ibid.*, p. 62. Voir J. Lord, *op. cit.*, p. 257-260 (chap. 39).

2. Propos rapportés par Jean Clay dans "Alberto Giacometti...", article paru dans *Réalités*, n° 215, décembre 1963, p. 143.

3. Rapporté par J. Clay, *ibid.*

4. Propos rapportés par Georges Charbonnier dans *Le Monologue du peintre*, Paris, Julliard, 1959, p. 180.

5. James Lord, *Un portrait de Giacometti*, traduction de Pierre Leyris, Paris, Mazarine, 1981.

cette serviette sans poids dans une immobilité jamais aperçue, et comme en suspens dans un effroyable silence. Elle n'avait plus aucun rapport avec la chaise sans fond ni avec la table dont les pieds ne reposaient plus sur le plancher, le touchaient à peine..." [1] Le sentiment de la pesanteur, qui vient du corps propre, avait cessé de passer dans les choses.

Puis, un jour, nouvelle métamorphose de la réalité. Notons qu'elle commence par une interruption du phénomène de la projection : "La vraie révélation, le vrai choc qui a fait basculer toute ma conception de l'espace et qui m'a définitivement mis dans la voie où je suis maintenant, je l'ai reçu à la même époque, en 1945, dans un cinéma. Je regardais les actualités. Brusquement, au lieu de voir des figures, des gens qui se mouvaient dans un espace à trois dimensions, j'ai vu des taches sur une toile plate. Je n'y croyais plus. J'ai regardé mon voisin. C'était fantastique. Par contraste, il prenait une profondeur énorme. J'avais tout à coup conscience de la profondeur dans laquelle nous baignons tous et qu'on ne remarque pas parce qu'on y est habitué. Je suis sorti. J'ai découvert un boulevard Montparnasse inconnu, onirique. Tout était autre. La profondeur métamorphosait les gens, les arbres, les objets." [2] Le monde s'est subitement trouvé animé par la projection d'une activité propre renouvelée. Alberto Giacometti a plusieurs fois raconté ces retrouvailles entre le corps propre et l'espace.

"Il fallait tenter de peindre cette profondeur que je ressentais si fort", dit Giacometti [3]. Cette recherche inspira toute sa grande période créatrice d'après-guerre mais fut, de son point de vue, un échec : "Tout me semblait autre, et tout à fait nouveau. (...) C'était, si vous voulez, une espèce d'émerveillement continuel de n'importe quoi. Évidemment, j'avais envie d'essayer de peindre, mais ça ne m'était pas possible, d'essayer de peindre, ou de faire une sculpture de ce que je voyais... (...) Jusqu'à maintenant, j'ai échoué de la manière la plus totale. Je suis totalement incapable de faire ce qui, à l'Académie, est la chose la plus courante ; et pour n'importe qui. Ne s'agirait-il que de copier un pot. Tout le monde peut copier un pot, n'est-ce pas ?" [4] Ce thème de l'échec court à travers toutes ses conversations jusqu'à la fin de sa vie, notamment dans celles qu'a publiées James Lord [5]. Dans la plupart de ses sculptures, ses peintures et ses dessins, son image du corps est réduite à une minceur hiératique qui en fait le signe d'une énigme non résolue. Le corps est à l'origine de l'espace, mais c'est un corps immobile au fond d'un espace immobile, face à un spectateur immobile.

Giacometti a désespérément cherché à faire la conquête du mouvement [1]. Une première solution a été *Le Chariot*, exécuté en plâtre pendant la guerre et coulé plus tard en bronze. La déesse traverse l'espace sans sortir de son immobilité. Plus tard, il a associé à ses femmes hiératiques des hommes qui marchent, mais pris dans une marche rectiligne qui semble n'avoir ni début ni fin. Le croquis du bas a une valeur particulière : un personnage s'anime, libéré de l'interdit qui le retenait prisonnier et s'esquive sur la pointe des pieds.

1. Ce difficile passage de l'immobilité au mouvement s'est manifesté aussi clairement dans sa vie, que dans son œuvre. Il n'a par exemple jamais voulu apprendre à danser. Dans sa jeunesse, lorsqu'il était épris d'une jeune fille, il demandait à son frère de danser avec elle et les regardait, immobile. Lorsque son frère et son beau-frère allaient faire de la varappe, il restait à la maison, transi de vertige à l'idée des chutes qu'ils risquaient de faire. On sait l'importance qu'a eue dans sa vie l'accident qui lui est arrivé lorsqu'il s'est fait renverser par une voiture à la place des Pyramides. Il a ressenti l'idée de boiter jusqu'à la fin de ses jours comme une libération et, pendant des années, n'a pas voulu quitter la canne qui était l'insigne d'une infirmité devenue imaginaire peu après l'accident. Il exprimait par cette infirmité voulue le refus de la mobilité que ses sculptures hiératiques, ancrées par leurs pieds démesurés dans ses socles pesants, traduisaient en termes plastiques. Voir J. Lord, *Giacometti, A Biography*, p. 73 (chap. 13), 143 (chap. 24), 195-201, 204, 213 (chap. 30-32).

ALBERTO GIACOMETTI, *NU DEBOUT*, 1958. L'artiste est à la recherche du "point où, dans le vide, l'objet pourra se reconstituer".

*LE CHARIOT*, 1950.

*PROJET POUR UN LIVRE V*, 1951.

209

Notre rapport au visible, voire tout notre rapport au réel est donc sous-tendu par la projection, qui est elle-même un effet de notre activité propre. La projection de notre activité dans l'objet, la constitution concomitante de l'objet extérieur et du corps propre en entités indépendantes l'une de l'autre sont le fruit d'une élaboration que chaque individu accomplit pour son propre compte et qui se fait de manière plus ou moins complète et stable selon les cas. En outre, l'élaboration achevée n'abolit nullement les stades intermédiaires, vers lesquels la conscience peut régresser à tout moment. La projection peut faiblir et, subitement, lâcher. L'individu se trouve alors face à un monde qui ne lui dit plus rien et auquel il se sent étranger, comme Roquentin dans *La Nausée*.

Le héros de Sartre note dès les premières lignes du roman : "Il faut dire comment je vois cette table, la rue, les gens, mon paquet de tabac, puisque c'est *cela* qui a changé. Il faut déterminer exactement l'étendue de la nature de ce changement." [1] Un peu plus loin : "Ce qu'il y a de curieux, c'est que je ne suis pas du tout disposé à me croire fou, je vois même avec évidence que je ne le suis pas : tous ces changements concernent les objets. Au moins c'est ce dont je voudrais être sûr." Puis il est forcé de reconnaître que c'est bien en lui que s'est produit le changement : "Donc il s'est produit un changement, pendant ces dernières semaines. Mais où ? C'est un changement abstrait qui ne se pose sur rien. Est-ce moi qui ai changé ? Si ce n'est pas moi, alors c'est cette chambre, cette ville, cette nature ; il faut choisir. – Je crois que c'est moi qui ai changé : c'est la solution la plus simple. La plus désagréable aussi. Mais enfin je dois reconnaître que je suis sujet à ces transformations soudaines." La modification de l'activité propre entraîne aussi un nouveau rapport à soi, fait lui aussi d'étrangeté : "Dans mes mains, par exemple, il y a quelque chose de neuf ; une certaine façon de prendre ma pipe ou ma fourchette. Ou bien c'est la fourchette qui a, maintenant, une certaine façon de se faire prendre, je ne sais pas." Le corps propre a perdu sa faculté de donner un sens familier au monde, c'est-à-dire d'y projeter quelque chose qu'il ressente comme sien. La projection cessant, les choses sont comme vidées de leur substance. Roquentin en fait l'expérience dans un jardin public, devant une racine : "J'avais beau répéter :

1. *La Nausée*, Paris, Gallimard, 1956, p. 9. Les citations suivantes figurent aux pages 10, 13, 14, 181, 182 et 183.

'C'est une racine' – ça ne prenait plus." Il est saisi par un sentiment d'absurdité : "Moi, tout à l'heure, dit-il à propos de la racine, j'ai fait l'expérience de l'absolu : l'absolu ou l'absurde. Cette racine, il n'y avait rien par rapport à quoi elle ne fût absurde." Faute d'être animée par le sens propre, la réalité se fige et le corps se sent rejeté hors d'elle : "Nous étions un tas d'existants gênés, embarrassés de nous-mêmes, nous n'avions pas la moindre raison d'être là... *De trop* : c'était le seul rapport que je pusse établir entre ces arbres, ces grilles, ces cailloux. (...) *De trop*, le marronnier, là en face de moi un peu sur la gauche. *De trop*, le Velléda. – *Et moi... moi aussi j'étais de trop.* (...) Je rêvais vaguement de me supprimer, pour anéantir au moins une de ces existences superflues. Mais ma mort même eût été de trop. De trop mon cadavre..."

L'expérience décrite dans *La Nausée* a été déterminante pour Sartre puisqu'elle est devenue l'une des bases de sa philosophie. Il l'a interprétée comme une prise de conscience de l'absurdité de la réalité en soi, mais elle m'apparaît plutôt comme l'effet d'une défaillance de la projection, d'une régression due à la chute de l'activité propre au-dessous d'un certain seuil. Le titre du roman confirme que l'on peut comprendre ainsi le phénomène.

Le sentiment de banalité du réel est un phénomène analogue de tarissement de la projection. Coupée des sources vives de l'activité propre, privée des facultés imaginatives et transformatrices du corps, la conscience ne trouve plus devant elle qu'un monde sans signification ni profondeur. Ce sentiment, qui fait partie des expériences communes de notre temps [1], Sartre en a donné à sa manière, dans *La Nausée*, un constat clinique. André Breton semble décrire tout autre chose dans *Nadja*, mais il part lui aussi du banal, d'un banal qui le fascine parce qu'il lui semble habité par une secrète étrangeté. De là son goût pour les spectacles indifférents, pour les films "les plus complètement idiots", pour le "jeu dérisoire des acteurs, ne tenant qu'un compte très relatif de leur rôle", etc. [2] Le banal le fascine parce qu'il peut en surgir à tout instant une révélation mystérieuse. C'est le "hasard objectif", instant fulgurant pendant lequel le réel et l'imaginaire soudainement coïncident. Ce qui est révélateur, c'est qu'il s'agit d'un *hasard*, autrement dit

1. Sami-Ali a étudié dans *Le Banal*, Paris, Gallimard, 1980, ce phénomène de tarissement de la projection. La pathologie du banal, écrit-il, est marquée "par l'extrême difficulté d'accomplir ces oscillations fondamentales que sont les régressions..." (p. 138) Il observe que cette pathologie aboutit dans ses formes graves au "refoulement réussi de toute activité du rêve" (p. 16) et par compensation, en cas de crise, à des troubles somatiques : le corps propre s'exprime désormais de manière totalement inconsciente, muette et aveugle. Il s'agit, selon lui, d'une pathologie du conformisme social : "Dans la mesure où la rationalité technologique envahit peu à peu la vie sociale, on assiste, au double plan de la pathologie et de la thérapeutique, à un recul... remarquable de l'imaginaire." (p. 80)

2. André Breton, *Nadja*, Paris, Gallimard, 1972, p. 40, 43. Voir Sami-Ali, *op. cit.*, p. 35-41.

d'un accident que la conscience ne peut qu'enregistrer passivement. La projection se rétablit, mais seulement par de subites intermittences qui se saisissent un instant de l'esprit et l'abandonnent ensuite à son impuissance.

Quant aux héros de Samuel Beckett, ils tendent vers le point zéro de l'activité propre et n'ont plus qu'un désir, celui de l'atteindre tout à fait. Ils connaissent leur indignité ("Moi-même j'ai été bâclé de manière scandaleuse", dit l'un d'eux [1]), ils n'ont jamais vraiment vécu, ne demandent qu'à s'arrêter tout à fait de le faire ("Allons, allons un bon mouvement, voyons, finir de mourir c'est la moindre des choses...") et se réjouissent à l'avance du soulagement que leur apportera leur fin ("Moi quand je perdrai connaissance, ce ne sera pas pour la reprendre"). Leur activité est tellement réduite qu'avant même de mourir, ils ne songent qu'à tout lâcher ("Quand je tomberai je pleurerai de bonheur"). Ils aspirent à l'insensibilité de l'objet inerte ("Être vraiment enfin dans l'impossibilité de bouger, ça doit être quelque chose !") et ils en font parfois l'expérience ("Il n'y a plus moyen d'avancer. Reculer est également hors de question", constate l'un d'eux non sans satisfaction). À l'engourdissement du corps propre correspond hors d'eux l'inertie des choses ("Il y a dans cette inertie des choses de quoi rendre littéralement fou"). Ils se demandent ce que peut bien être le monde où ils se trouvent ("Quelle est cette horreur chosesque où je me suis fourré") et ce qu'ils sont eux-mêmes ("Je. Qui ça ?").

Il n'y a rien à dire d'une situation aussi désespérée et pourtant ces personnages ne peuvent y acquiescer en se taisant vraiment. En dépit de l'absurdité de toutes choses, ils ne peuvent s'empêcher d'y projeter du sens : "Tant que la bête n'est pas morte, elle signifie. Quoi ? – Rien." L'un d'eux se résume ainsi : "Oui, dans ma vie, puisqu'il faut l'appeler ainsi, il y eut trois choses, l'impossibilité de parler, l'impossibilité de me taire, et la solitude, physique bien sûr..." Ou : "Essayons de converser sans nous exalter, recommande un autre, puisque nous sommes incapables de nous taire." Réduite à presque rien, l'activité propre aspire à s'éteindre tout à fait, mais ne peut s'empêcher, tant qu'elle subsiste, de s'éprouver elle-même et de produire un obscur sentiment de réalité. Ce sens du réel est exténué au point de ne plus atteindre avec certitude aucune

1. Toutes les citations qui suivent sont tirées de "Cent cinquante citations", florilège établi par R. Federman et M. Ribalka et paru dans *Samuel Beckett, Cahiers de l'Herne*, Paris, 1976, p. 78-90, où les sources sont indiquées.

réalité objective ("Disons qu'il pleuvait, cela nous changera..." [1]) et de ne plus se manifester que par un monologue solitaire sans objet, menacé à tout instant d'extinction ("Cette fois-ci, puis encore une fois je pense, puis c'en sera fini, de ce monde-là aussi"). L'épuisement du sens propre entraîne celui de la réalité même. On peut vérifier dans tout Beckett cette relation constante du rapport à soi et du rapport au monde. Reste à la fin une conscience qui se raccroche au langage comme à un dernier mais très incertain recours. S'il cède, tout est fini : "Même les mots vous lâchent, c'est tout dire. C'est le moment peut-être où les vases cessent de communiquer, vous savez, les vases."

On a voulu voir dans l'œuvre de Beckett, de Sartre ou de Giacometti une révélation de la misère existentielle de l'homme, mais il me semble plus juste d'y voir diverses expressions de ce que deviennent l'espace, le visible, le réel lorsque s'appauvrit le rapport à soi du corps propre. Cette interprétation me paraît supérieure parce qu'elle fait apparaître notre rapport au monde comme un rapport variable et ces œuvres comme l'exploration de cas particuliers. Si ces hommes ont compté, c'est qu'ils ont exprimé avec force et dans sa vérité une relation dégradée avec le réel qui est devenue commune à notre époque. On reconnaîtra peut-être un jour que, grâce à eux et à d'autres, le point fort du siècle a été une exploration sans précédent des données élémentaires de notre vie subjective à partir de ses variantes régressives, déviantes ou pathologiques. Sa faiblesse aura été d'en être resté, dans l'ensemble, à l'examen des formes altérées du rapport, sans avoir trouvé le moyen de son rétablissement. Le XXᵉ siècle aura connu toutes les formes de l'amoindrissement de l'existence, mais n'aura pas recouvré le secret de son accroissement.

Résumons les résultats de cette recherche pour mieux les appliquer à l'art de l'écriture. Tout notre rapport au visible, et même au réel, est sous-tendu par la projection, phénomène complexe et variable produit par le corps propre. C'est par lui que le dedans et le dehors communiquent, que se font tous nos échanges avec le monde. Il est la source de toute spatialité, de toute organisation de l'espace (ici / là, gauche / droite, haut / bas,

1. Samuel Beckett, *Premier amour*, Paris, Éditions de Minuit, 1970, p. 36.

1. Sami-Ali, *L'Espace imaginaire*, p. 121. Le corps propre, écrit encore l'auteur, "fonctionne d'emblée comme un sujet" (p. 82) et possède une unité qui "fournit à la représentation sa condition *a priori*" (p. 83). Nous ne devons pas seulement admettre une constante "équivalence symbolique entre le corps et l'espace", mais une "emprise totale du corps propre sur le réel" (p. 20).

2. Notons que les observations faites par Diderot dans la lettre à Sophie Volland que j'ai citée à la fin du chapitre 2, ne deviennent pleinement intelligibles que maintenant. Ce sont les notions de corps propre et de projection qui permettent d'expliquer comment Michel-Ange s'y est pris pour tirer de son expérience corporelle la ligne parfaite du dôme de Saint-Pierre.

dedans / dehors, etc.) et, sur ce fond, de toute image – qu'elle soit perçue ou produite. Le processus de projection, dit Sami-Ali, "se confond avec la trame même du visible" [1].

Reconsidérons à partir de là l'opération par laquelle le calligraphe exécute un caractère, telle que je l'ai décrite au début de ce chapitre. L'importance que j'ai donnée, dans ma description, au phénomène de la projection a peut-être surpris au premier abord, mais devrait maintenant paraître justifiée : la projection y joue, ni plus ni moins, le rôle qu'elle joue dans tous nos rapports avec la réalité extérieure. Et le sens du corps devrait apparaître désormais pour ce qu'il est : la perception plus ou moins développée, plus ou moins organisée de l'activité propre par elle-même et sa capacité, développée et organisée en proportion, de se projeter au-dehors [2]. Du même coup, la question de l'origine des formes expressives s'éclaire au moins partiellement : elles sont la manifestation de cette activité, de sa manière de s'éprouver elle-même et de l'histoire individuelle dont elle est imprégnée.

Ces notions nouvelles vont maintenant nous permettre de saisir de l'intérieur les ressorts de l'art calligraphique et d'en appréhender un aspect important dont je n'ai presque rien dit jusqu'ici : dans l'esprit des Chinois, la calligraphie n'est pas seulement un moyen de *rendre visible* l'activité propre, mais aussi une méthode pour la *développer*. Car, à la longue, la pratique de l'écriture permet d'agir sur elle, de la transformer et de transformer par conséquent, de concert, tout ce qui est, en elle, lié par la connexion essentielle : notre sentiment de la réalité, notre présence à nous-mêmes et au monde, notre sens du corps et de l'espace, notre pouvoir de projection et d'organisation de l'espace, toute notre vie affective.

L'activité propre est en effet perfectible : c'est l'une de ses qualités essentielles. Nous avons entrevu cela quand nous parlions de la manière dont l'enfant explore son corps en organisant son activité motrice. Dans l'enfance et plus tard, à tout moment de notre vie, il est en nous de faire évoluer notre activité propre, de l'enrichir et de la perfectionner par l'exercice. Nous pouvons l'aviver, l'affiner et l'unifier et par ce moyen aviver, affiner, unifier conjointement notre perception de nous-mêmes et du monde. Cela nous donne le pouvoir de reprendre, de poursuivre et de parachever, si nous le voulons, l'aventure que nous avons abandonnée au sortir de notre enfance. Nous allons voir, dans le chapitre 7, le parti que le calligraphe tire de ce fait capital.

Notons que le travail que le sujet incarné accomplit de la sorte sur lui-même est une dimension de l'expérience que la civilisation occidentale a peu explorée et que nous sommes donc mal préparés à comprendre [1], mais qui est familière à tous les Chinois de culture traditionnelle et qui se trouve au cœur de la philosophie chinoise. Nous allons la découvrir à travers la pratique de la calligraphie.

1. La perfectibilité de l'activité propre n'est certes pas une idée commune en Occident, mais elle a des équivalents dans diverses traditions marginales. L'alchimie, pour n'en citer qu'une, considère que la *materia prima* dont nous sommes faits (voir ci-dessus, p. 187, note 3) est perfectible et que le Grand Œuvre consiste à la transformer de l'intérieur : "L'Alchimie, dit un auteur hermétique, est une étude qui imite la nature, et va beaucoup plus loin que cette servante de la Divinité." Il précise : "Notre art est aisé et difficile, très précieux et vil, selon le sujet qui s'y applique et s'y attache. – Il est aisé en ce qu'il ne se conduit que selon la voye de la simple nature. – Il est difficile en ce qu'il découvre tous les mystères de cette sçavante ouvriere, et nous rend les confidens de ses ressors cachés." (Abbé Saunier de Beaumont, *Production de l'esprit*, Paris, 1736, cité d'après Claude d'Ygé, *op. cit.*, p. 165.) "La nature se complaît en nature, affirme un axiome alchimique, elle améliore la nature et la conduit à sa plus grande perfection." (*ibid.*, p. 45.)

DEUX CARACTÈRES DE L'*ÉPITAPHE POUR UNE GRUE*, DE TAO HONGJING (voir p. 344-345) : *tai* "embryon", *shi* "mouvement d'ensemble".

## Note sur Ernest Ansermet

QUAND j'ai lu ses *Fondements de la musique dans la conscience humaine*, en 2003, bien après la première rédaction de cet essai sur la calligraphie, cet ouvrage est devenu un modèle pour moi. J'ai trouvé exemplaire la façon dont l'auteur examine ce qu'est la musique et ce qui la rend possible. J'ai eu le sentiment que je m'étais engagé dans une voie analogue.

S'inspirant de la méthode phénoménologique, Ansermet part des données les plus élémentaires. Il montre comment l'oreille transforme les vibrations de l'air en sons, comment la conscience perçoit des rapports entre les sons et les transforme en notes hautes et basses. Il explique pourquoi le passage de tel son à tel autre crée en nous une tension ou la résout, et comment des suites de notes peuvent exprimer l'expérience la plus intime que nous avons de nous-mêmes. Il déduit de là toutes les ressources de l'art musical – harmonie, contrepoint, rythme, etc. – et montre que ces fondements universels de la musique ont été diversement explorés et mis en valeur dans différentes parties du monde. Seule l'Europe, estime-t-il, les a explorés complètement. Elle seule en a tiré tout le parti possible. Il en voit la raison dans le rôle que le christianisme a donné à la psalmodie. Le chant, dit-il, permet d'explorer plus complètement et plus finement l'univers des sons que les instruments, surtout quand il est pratiqué à plusieurs. Ansermet reconstitue l'histoire de cette conquête de la musique par la voix, puis par les instruments, et l'histoire du rôle qu'y a joué l'expression individuelle. Il suit l'histoire de cette conquête dans ses développements nationaux à l'époque moderne. Cette enquête sur les fondements de la musique, à la fois phénoménologique et historique, lui a permis de tracer *in fine* une limite entre ce qui était de la musique, au XXᵉ siècle (il a été un grand défenseur de la musique contemporaine), et ce qui n'en était plus selon lui.

Une limite analogue doit être tracée, je pense, entre l'art de l'écriture que je décris dans le présent essai et les recherches de certains jeunes calligraphes chinois et japonais qui en trahissent les principes et ne sont plus des calligraphes à mes yeux.

J'ajoute que l'ouvrage d'Ansermet n'est pas sans défauts. Il est surchargé, du fait de sa richesse même. Il est compliqué çà et là par une terminologie un peu lourde. Il part d'une théorie logarithmique des rapports entre les tons (Ansermet avait une formation de mathématicien) que le non mathématicien peut heureusement sauter sans compromettre l'intelligence de la suite. Malgré ces quelques faiblesses et difficultés, son œuvre reste inégalée. Elle a paru à La Baconnière, à Neuchâtel en 1961 et a été reprise, accompagnée d'autres textes, dans la collection Bouquins, chez Laffont, en 1989.

## VII. LE CORPS ACTIF

J'AI MONTRÉ que la technique du pinceau est conçue pour libérer le geste du calligraphe de toute contrainte mécanique (chapitre 3), que la calligraphie est essentiellement un art du geste (chapitre 4), que c'est par l'expérimentation dynamique du geste que le calligraphe parvient à reproduire le style des œuvres qu'il étudie et que c'est à la suite d'une mobilisation de plus en plus complète de son activité motrice qu'apparaît un jour dans son écriture une physionomie ou un style (chapitre 5). Je me suis interrogé sur la source du style, autrement dit sur l'origine des formes expressives, et je l'ai située dans l'activité propre, dans la forme particulière que celle-ci prend chez chacun en vertu de son histoire personnelle (chapitre 6). J'ai étudié la projection, qui crée l'équivalence entre l'espace du corps propre et l'espace extérieur, mais je n'ai pas encore examiné comment se fait le passage de l'un à l'autre. Je n'ai pas encore décrit comment, de notre activité propre, peut naître un *geste* susceptible de produire une forme qui exprime notre activité personnelle. C'est ce que je vais faire maintenant, en envisageant le geste calligraphique de l'intérieur, du point de vue de l'expérience subjective qu'en a le calligraphe.

Mais en découvrant comment le geste calligraphique naît de l'activité propre, nous allons découvrir aussi comment la pratique de la calligraphie modifie en retour cette activité. Je vais décrire d'abord les transformations momentanées que l'acte d'écrire y provoque, puis les transformations durables que la pratique de l'écriture entraîne à la longue dans le corps propre, enfin la transformation concomitante de la perception de la réalité extérieure.

## LES TRANSFORMATIONS DE L'ACTIVITÉ PROPRE

LORSQU'IL s'initie à la technique du pinceau, l'apprenti calligraphe (je le suppose toujours adulte) reprend l'exploration

1. *Les Grandes Épreuves de l'esprit*, Paris, Gallimard, 1966, p. 82. Henri Michaux parle d'expériences faites sous l'effet de la drogue, mais sa remarque s'applique bien ici.

2. Parce que le corps entier dicte au pinceau ses manœuvres, la vue cesse d'être une fonction séparée. C'est d'abord par le sens propre, par la perception interne que le calligraphe doit régler son geste. Le débutant en fait l'expérience lorsqu'il essaie de tracer des verticales. Tandis que les horizontales sont le plus souvent légèrement inclinées et que chacun peut les incliner à sa convenance, les verticales doivent être d'aplomb. Or il n'y a pas, dans le bras, de mécanisme qui produise naturellement une droite parfaitement verticale. Pour y parvenir, l'apprenti doit fermer les yeux, concentrer son attention sur l'axe de son corps et tracer les verticales en attirant doucement son pinceau vers cet axe intérieur. En s'exerçant à agir dans le noir et à ramener ainsi son pinceau vers lui comme par un effet d'aimantation, il acquiert un sens du geste qui lui donnera l'assurance nécessaire pour tracer ensuite les verticales les yeux ouverts. Il observera son geste de l'œil, mais continuera à le régler par en dessous, par la sensibilité interne du corps propre.

3. À la fin de l'exercice, les Chinois achèvent souvent de noircir le papier déjà couvert de caractères en faisant de grands cercles et de grandes barres dessus. Ils font des cercles aussi réguliers et des barres aussi droites que possible jusqu'à ce que la feuille soit complètement trempée. Les cercles et les barres

du corps propre qu'il a délaissée autrefois. Comme l'enfant qui dessine, il s'active et développe par le mouvement l'organisation de son activité interne. L'apprentissage de la calligraphie n'est pas visuel en premier lieu, mais kinésique. L'attention se détourne du visuel pour se concentrer sur l'activité intérieure, pour plonger dans l'obscurité active dont nous sommes faits et puiser en elle un mouvement qui deviendra geste, puis forme. Ce ressourcement du visuel dans l'activité propre doit être recherché dès le début de l'apprentissage. "Fâcheuse représentation de gens qui croient à la primauté du visuel, qui veulent tout commencer par là, par ce qu'on voit. Une façon d'être, une attitude, c'est par elles plutôt que ça commence", écrit Henri Michaux [1]. Le secret de la calligraphie est là, dans cet engendrement de la forme à partir des ressources les plus profondes du corps propre. La forme calligraphique n'est expressive que si elle procède d'un geste émanant des profondeurs de notre subjectivité incarnée [2].

La calligraphie reproduit donc l'événement qui est à l'origine des premiers dessins d'enfants. Elle fait à nouveau naître la forme d'un "faire" qui compte en premier lieu et qui est un plaisir en lui-même. Dès que l'apprenti a compris comment saisir son pinceau, comment mouvoir son bras et comment se tenir, la meilleure chose est qu'il prenne d'abord possession de l'espace qu'il a devant lui, qu'il le parcoure en tous sens. Qu'il se laisse aller à la joie des grands gestes, de ceux qui font le tour, qui circulent, qui bouclent, qui barrent, qui traversent, qui partent en l'air, retombent et ressautent. Qu'il dépense ensuite de l'encre, noircisse sans retenue, inonde le papier. Il découvrira que cette activité conquérante, exubérante, met en résonance l'extérieur et l'intérieur. Il ne va pas pouvoir maintenir continûment cet accord au cours de l'apprentissage, mais il faudra qu'il s'en souvienne et ne cesse de le chercher [3].

Les difficultés commencent quand il essaie de manœuvrer le pinceau selon les règles de l'art, c'est-à-dire de faire jouer la pointe et de pratiquer l'attaque, le développement et la terminaison. Il s'engage à ce moment-là dans un double processus d'intégration : dans une première phase, le geste calligraphique, qui paraît tout d'abord contre nature, va s'organiser et devenir naturel. Dans une seconde phase, le calligraphe intégrera à ce geste des domaines de plus en plus vastes de son activité propre et réalisera ainsi une intégration de plus en plus complète de cette activité. Nous parlerons à ce propos de la première et de la seconde intégration.

Au début, les exigences de la technique paraissent contraires au bon sens. La tenue du pinceau, l'écriture à bras levé sont pénibles et trop de choses requièrent simultanément l'attention : la posture, la position du bras et de la main, le contrôle de la pointe du pinceau, les manœuvres horizontales et verticales, les mouvements lents et rapides, la forme des éléments et l'agencement du caractère. Tout cela semble impossible à faire tenir ensemble. Le désarroi est d'autant plus grand que la coordination de toutes ces opérations se fait en vue d'un geste que le débutant ne sent pas encore, dont il n'a pas l'idée. Mais c'est ainsi que nous avons élaboré tous nos gestes, par la domestication d'impulsions discordantes et la combinaison de mouvements étrangers les uns aux autres à l'origine. Le problème est qu'à l'âge adulte, nous disposons depuis longtemps d'un répertoire satisfaisant de gestes efficaces et que nous avons perdu jusqu'au souvenir de ce que furent nos premiers apprentissages, celui de la préhension ou de la marche par exemple. C'est pourquoi nous acceptons mal de refaire l'expérience d'une incompétence complète dans ce domaine.

La mise au point du geste calligraphique exige avant tout de l'attention. Pour accorder entre elles un ensemble de fonctions diverses et les amener à produire un effet unique, il faut une attention ouverte qui, au lieu de se fixer sur un point, embrasse dans toutes ses composantes le geste en train de se constituer. Son rôle est de créer un espace à l'intérieur duquel le corps propre puisse mobiliser ses ressources et organiser ses forces de la manière la plus naturelle. Elle crée l'espace actif d'où le geste émergera. Paul Valéry observe dans ses *Cahiers* que cette forme d'attention est nécessaire "chaque fois qu'un travail est demandé à une diversité de fonctions indépendantes qui doivent se combiner simultanément pour l'accomplir. Elle est l'état dans lequel l'être entier se place pour réaliser un tel travail." [1]

Lorsqu'il a vaincu les difficultés du début, l'apprenti voit son geste devenir plus efficace et plus assuré. Les progrès de l'intégration se manifestent par une série de phénomènes qui sont

verticales faites dans l'axe du corps sont des exercices particulièrement utiles pour acquérir de la maîtrise, de l'aisance et de la grâce.

1. Paul Valéry, *Cahiers*, tome II, Bibliothèque de la Pléiade, Paris, Gallimard, 1974, p. 257.

caractéristiques de tout processus d'intégration. Le premier est celui de l'*unification* : les mouvements que l'apprenti s'efforçait à grand-peine d'accomplir simultanément se fondent en un geste unique qui, soudain, paraît simple. Le deuxième est celui du *passage au mouvement* : les tensions, les blocages qui l'arrêtaient se résolvent ; les opérations qu'il tentait de contrôler en interrompant le mouvement, il les maîtrise maintenant par le mouvement lui-même, comme un acrobate qui règle son équilibre sans plus arrêter sa marche sur la corde raide. Le troisième phénomène est celui de l'*efficacité* : après avoir peiné en vain, l'apprenti voit avec émerveillement son geste produire comme de lui-même l'effet désiré. Vient ensuite l'*économie d'énergie* : les forces qui étaient en lutte les unes contre les autres au début consommaient en pure perte une quantité d'énergie qui devient disponible maintenant que ces forces combinent leurs effets. L'énergie libérée se diffuse dans le corps propre et augmente son activité générale. L'apprenti calligraphe se sent envahi par un bonheur nouveau, une légèreté inconnue. Cette économie d'énergie s'accompagne d'un *déplacement de l'attention* : n'ayant plus à surveiller ses mouvements comme au début, le calligraphe en herbe a l'esprit plus libre et peut consacrer beaucoup plus d'attention aux formes qu'il observe dans le modèle et à celles qu'il produit. Il a l'assurance de disposer d'un *acquis définitif* : l'intégration d'un geste est un enrichissement que rien ne peut nous enlever hormis la folie ou la mort parce que la mémoire motrice est indélébile. L'apprenti n'a pas seulement acquis une capacité supplémentaire, celle d'accomplir le geste du calligraphe, mais aussi une *sensibilité nouvelle* puisqu'il possède désormais la faculté de sentir ce geste de l'intérieur, de l'imaginer par la seule mobilisation interne du corps propre, en l'absence de toute réalisation extérieure.

Tel est, sommairement, le processus de la première intégration, qui s'achève lorsque le geste est techniquement au point. La seconde ne commence pas quand la première est achevée mais bien avant, dès le début de l'apprentissage. Elle a commencé en fait dès que l'apprenti s'est mis à étendre son attention au corps propre, à élargir son espace intérieur pour que les ressources du corps aient le jeu nécessaire et puissent s'organiser plus librement. Cette seconde intégration consiste à faire surgir le geste d'un espace toujours plus vaste, de régions toujours plus profondes, à faire en sorte que de proche en proche toutes les ressources du corps propre soient mises à son service et s'unifient pour aboutir à lui. Le résultat sera double : l'activité propre atteindra à une complète intégration dans le geste et le geste procédera de l'activité propre tout entière. [1]

Pour y parvenir, il doit apprendre à enter le geste sur l'ensemble du corps propre. La technique est faite pour cela : elle donne son assise au geste et crée la tranquillité intérieure dont il a besoin pour naître et prendre forme. Quand il écrit, le calligraphe fait l'expérience d'un grand calme dont ses gestes sortent avec aisance et force et lui semblent former la transition entre la tranquillité qui est en lui et l'intense activité de la pointe du pinceau, sur laquelle il concentre toute son attention.

Le calligraphe part toujours de ce calme et fonde sur lui tout ce qu'il fait. Il le recrée chaque fois qu'il s'apprête à écrire [2]. Dans un premier temps, la tranquillité délicieuse qui s'établit en lui le soulage de toute envie de bouger. L'immobilité, à ce moment-là, suffit à son bonheur. Elle est une *activité diffuse* dont tout peut sortir et dont rien ne sort encore.

En partant d'elle, le calligraphe se conforme à une loi que nous appellerons la *loi de la mobilisation initiale* : plus la mobilisation des énergies est complète avant l'acte, plus l'économie d'énergie sera grande dans l'acte. Pour réaliser le geste parfait, il est nécessaire de mettre en branle tout le corps propre et de lui laisser le soin de trouver lui-même la meilleure combinaison possible de ses ressources. C'est ce que fait le calligraphe : partant du calme, il laisse au corps propre la latitude de s'organiser de la manière la plus naturelle en vue du geste à accomplir et de produire par conséquent, sans effort inutile, le geste le plus puissant et le plus efficace. S'il se contentait d'une mobilisation partielle, il irait plus vite mais manquerait son but. En calligraphie comme dans les autres arts, il faut résister à la tentation du moindre effort au début si l'on veut se donner le moyen d'abolir ultérieurement l'effort [3].

La posture que le calligraphe adopte est favorable à l'immobilité. Elle désamorce les impulsions désordonnées, elle abolit tout désir de bouger. L'apaisement gagne. L'activité propre s'égalise, se décloisonne ; elle devient illimitée parce que, plus

1. C'est ce que savent les chefs d'orchestre. "Les premiers exercices dans les bons cours de direction, dit l'un d'eux, concernent l'accroche au sol. Bien avant les mains, il s'agit de sentir ses jambes. Au moment où l'on a intégré une œuvre et (…) sait quel son on veut exactement, tout part des pieds." Propos de Hervé Klopfenstein cité dans *Le Temps* du 13 février 2010, p. 3.

2. Cette préparation est devenue plus nécessaire encore aujourd'hui que le calligraphe ne broie plus son encre. Autrefois, le léger mouvement circulaire qu'il lui fallait répéter longuement avant de pouvoir saisir son pinceau suffisait à amener le calme.

3. C'est en vertu de la même loi que, dans les arts martiaux chinois, les coups foudroyants se préparent par des exercices lents destinés à éveiller d'abord l'activité diffuse, à l'étendre à toutes les parties du corps, à mettre le corps entier en accord avec lui-même et à faire en sorte que, le moment venu, toutes ses énergies concourent au geste efficace. Ce n'est pas un hasard si certains exercices consistent à imiter des animaux (voir ci-dessous, p. 260, note 2), car les animaux gardent intacte leur faculté d'user de tous leurs moyens.

aucune de ses parties ne s'opposant à l'autre, tout sentiment de limite disparaît. Une sorte de silence s'installe. Seule reste la respiration, lente et profonde. Si la posture est maintenue un certain temps, la respiration devient à son tour imperceptible : elle se fond dans la même activité légère et transparente que le reste.

L'indifférence au mouvement entraîne la désaffection à l'égard de tout projet. Privé de son aliment, le temps s'arrête. L'envie de parler cesse de même. La parole, dont le propre est d'interrompre, de séparer et de situer – la parole n'intéresse plus. La vertu de la posture tient au fait qu'elle permet de se maintenir sans effort et presque indéfiniment en deçà de tout mouvement : "Surprenante importance de la suppression des petits mouvements, note Henri Michaux. Humble début aux suites immenses. La résistance soutenue aux envies de bouger introduit l'Immuable." [1]

1. Henri Michaux, "Survenue de la contemplation", dans *Face à ce qui se dérobe*, Paris, Gallimard, 1975, p. 124.

Beaucoup de philosophes et de mystiques, dans le bouddhisme en particulier, ont recouru au langage de la cessation, de l'abolition et de la disparition pour décrire l'expérience du grand calme, mais cette expérience peut aussi bien être caractérisée de manière positive. Elle consiste d'abord en un sentiment accru de réalité – d'une réalité intérieure, mais qui n'exclut pas la réalité extérieure. Celle-ci reste perceptible, mais elle est repoussée à la périphérie. À ce grand sentiment de réalité s'allie un sentiment renforcé de spatialité – d'un espace intérieur, mais qui n'exclut nullement l'espace extérieur. Cette étendue est vide de toute forme et de tout objet, mais n'en constitue pas moins une réalité remplie de vie. Elle n'est pas autre chose que notre activité propre indifférenciée se percevant directement elle-même. Elle n'est rien d'autre que la *materia prima*, substance de notre subjectivité incarnée. Le grand calme est l'expérience de la vie à l'état pur, mais aussi de l'infini – non de celui que la pensée conçoit dans l'abstrait, mais de celui que le corps propre éprouve dans cet état de vacance, de béance merveilleuse. N'étant plus dépensée dans aucune opposition avec elle-même ni dans aucune entreprise extérieure, n'étant plus soumise à aucune fin, la vie s'augmente elle-même et devient bain de jouvence.

Quand le calligraphe s'assied à sa table, il ne va pas nécessairement au fond de tout cela. Mais s'il est exercé, il lui suffit

de prendre la posture pour amorcer le retour au calme et se sentir apaisé au bout de quelques instants. Ce n'est pas là le moindre fruit du travail qu'il a accompli sur lui-même au cours de son apprentissage. La posture lui est devenue un moyen de se soustraire à l'agitation et de se remettre à tout moment en contact avec les ressources profondes du corps propre.

Si la posture est apaisante, la prise du pinceau est mobilisatrice. Dès que la main saisit l'instrument, qu'elle le met en position verticale et que le bras prend sa position levée, une attente se déploie dans le corps propre. L'énergie qui était diffuse se rassemble et s'oriente. Tous les instrumentistes connaissent sans doute cet instant de suspens où le mouvement peut naître, mais où rien ne bouge encore. Le corps s'accorde tout entier en vue du geste et se fait

LE CORPS ACTIF | 223

DUANYAN, PIERRE À ENCRE DE DUANXI, dans le Guangdong, acquise par l'auteur à Pékin en 1982. Elle est à la fois d'une qualité de matière supérieure et d'un très beau travail. Le dragon surgit des eaux comme les caractères des profondeurs de l'encre. Hauteur : 15 cm.

1. Aux notions de "corps objet" et de "corps propre", déjà introduites au chapitre 6, j'ajoute celle du "corps actif", qui donne son titre à ce chapitre. Le corps actif est le corps propre tel que nous le percevons dans l'action.

2. Dans son étude sur la musique des Vendas, peuplade de l'Afrique du Sud, John Blacking écrit : "Il est évident que l'exécution la plus profondément sentie d'un morceau de musique quelconque sera celle qui approchera au plus près les sentiments qu'éprouvait son créateur au moment où il a commencé à capter, au moyen de la forme musicale, la force de son expérience individuelle. Dans la mesure où cette expérience peut souvent commencer par une agitation rythmique du corps, il est possible à un exécutant de ressaisir le sentiment juste en trouvant le mouvement juste. Est-il surprenant, dans ces conditions, que [en Occident] beaucoup de gens abandonnent la musique parce qu'ils ne sont pas capables de jouer ce qu'ils sentent, ou de sentir ce qu'ils jouent ? En créant une fausse dichotomie entre les

en même temps mémoire, car cette mobilisation réveille en lui le souvenir des gestes exécutés dans le passé. Ces souvenirs sont réactivés dans l'exacte mesure où l'activité diffuse devient activité orientée et où le corps propre devient corps actif [1].

À cause de la polarisation instantanée des énergies qu'elle provoque, la prise du pinceau est déjà un acte. En saisissant son pinceau, le calligraphe se saisit, il se prend en main. La vertu mobilisatrice de cet acte initial est telle qu'il peut même en tirer parti quand il n'a nulle intention d'écrire : il suffit qu'il l'ébauche ou qu'il en conçoive seulement l'idée pour que cela lui donne de l'aplomb et qu'il se sente d'un seul tenant, prêt à l'action.

L'envie de calligraphier est en premier lieu une envie d'agir. Elle vous vient comme à un enfant l'envie de sauter à la corde ou de marcher sur un mur. Des énergies surgissent qui demandent à se combiner pour produire un effet. Quand le calligraphe se lance, il les fait jouer pour les accroître et les accroît pour mieux les dépenser. L'acte même d'écrire l'intéresse plus que son résultat et c'est en quoi il rejoint l'enfant qui dessine.

Au début de l'apprentissage, son exaltation devient parfois si forte qu'elle l'oblige à interrompre l'exercice, à se lever, à déambuler, à gesticuler pour donner un exutoire à l'énergie qui monte en lui. Puis il apprend à la modérer et à la convertir en activité continue, de manière à ne plus se faire submerger par elle, mais à se laisser porter. L'exercice, s'il ne le prolonge pas abusivement, lui laisse alors toujours une délicieuse sensation de "présence du corps" faite, comme la "présence d'esprit", de légèreté et d'alacrité. Le corps ne demande rien mais il est prêt à tout – à danser, à marcher ou à se tenir en équilibre. [2]

Une fois que le geste est enté sur le corps propre et qu'il en recueille toute l'énergie, il en recueille aussi toute la sensibilité. Quand l'apprenti se livre à ses premiers exercices, ses mouvements ne sont pas encore *sentis*. Mais son geste devient ensuite plus naturel. Il commence à être perçu de l'intérieur. Il s'intériorise et devient finalement l'expression de ce qui se passe en lui. Cette transformation d'une activité mécanique en une activité expressive coûte des mois, voire des années de travail. Même un calligraphe exercé refait ce chemin chaque fois qu'il se met à écrire afin de soumettre à nouveau son geste à la dictée du dedans. Il n'entreprend rien tant qu'il lui trouve quelque chose de mécanique, qu'il ne le *sent* pas tout à fait, qu'il n'est pas certain que la pointe est prête à répondre, tel un délicat séismographe, à toutes les impulsions de sa sensibilité. Par la posture, par quelques mouvements préparatoires, il remet en rapport la pointe de son pinceau avec le grand calme qui se fait en lui et, dans ce calme, *puise l'émotion*.

Le grand calme est notre activité propre à l'état diffus, en suspension comme un fin brouillard lumineux. Cette activité sensible, matière première de notre subjectivité, possède une qualité essentielle que je n'ai pas encore évoquée, celle de l'*affectivité*. Parce qu'elle est sensible à elle-même, notre activité structures profondes et les structures de surface de la musique, beaucoup de sociétés industrielles ont privé les gens d'une grande partie de la pratique et du plaisir de faire de la musique. À quoi bon enseigner à un pianiste à faire des gammes et des arpèges, conformément à une quelconque méthode raisonnée, et ensuite attendre de lui qu'il 'sente' la musique pour piano de Mozart, Beethoven, Chopin, Debussy et Ravel, en faisant un effort de volonté distinct ou en se servant d'on ne sait quel mystérieux attribut spirituel ? Exercer les muscles des doigts est une chose, mais la façon de sentir le plus profondément les gammes et les arpèges de la musique d'un compositeur est peut-être de les jouer selon son système *à lui*. Ainsi, si l'on découvre en le sentant comment Debussy pouvait tenir les mains et le corps quand il jouait du piano, on parviendra à mieux sentir sa musique. On pourrait alors s'apercevoir qu'on peut jouer de la musique avec sentiment sans avoir besoin d'être suprêmement 'profond'. – En fait, c'est alors qu'on serait véritablement profond, parce qu'on aurait part à l'essentiel de la musique : ce qui se trouve dans le corps humain, et que tous les hommes ont en commun. Cela ne peut paraître mystérieux que dans la mesure où nous ne comprenons pas ce qui se passe dans le corps remarquable que possèdent tous les humains. Cela *ne saurait* être mystérieux au sens où ce serait quelque chose de réservé à une élite." *Le Sens musical*, Paris, Éditions de Minuit, 1980, p. 123-124.

1. Texte chinois : *Lidai* p. 23. Cette formule a été souvent reprise et citée, mais elle a aussi prêté à confusion. C'est le sens de *yi* 意, "l'intention", qui a donné lieu à des interprétations divergentes. Certains ont voulu voir dans "l'intention" une visualisation préalable du caractère d'écriture : le caractère devait faire l'objet d'une vision intérieure avant d'être transcrit sur le papier. À cela, d'autres ont opposé que les choses ne pouvaient se passer ainsi puisqu'il y a toujours une part de jeu dans l'exécution, un certain imprévu dont le calligraphe tire parti dans l'instant. La discussion n'a jamais abouti à une conclusion satisfaisante parce qu'on n'a pas vu que l'intentionnalité de l'exécution et son caractère spontané sont deux aspects d'un même acte. On s'est trompé en concevant "l'intention" comme une visualisation préalable du caractère alors qu'elle n'est pas la disposition subjective qui prépare l'exécution et se réalise en elle. La maxime rappelle simplement qu'un geste ne peut engendrer de forme expressive s'il ne procède pas d'une telle disposition intérieure – disposition préalable qui n'exclut nullement la spontanéité de l'engendrement.

2. L'empereur Taizong conclut le texte que j'ai cité plus haut, à la page 172, en disant : "Je réussis dans ce que j'entreprends parce que je me mets toujours, avant d'agir, dans l'état de préparation qui convient." "L'état de préparation" est une traduction libre du mot *yi* 意 "l'intention".

propre est toujours affectée par elle-même d'une manière ou d'une autre. Ses états sont nos états affectifs, ses mouvements sont nos émotions. Il suffit qu'au sein du calme naisse un mouvement pour que ce mouvement ait une valeur émotionnelle. Lorsqu'il s'apprête à écrire, le calligraphe sent un mouvement naître en lui : de cette *émotion*, il tire une *motion* qui passe dans son geste et de là dans la *forme*. La forme n'a de valeur que lorsqu'elle est engendrée ainsi, par un acte dans lequel l'artiste s'est mis tout entier. Le vrai calligraphe n'est pas moins saisi par son geste qu'un chanteur par son chant.

Nadia Boulanger disait que le bon pianiste sent l'attaque de chaque note avant d'avoir effleuré la touche. En calligraphie comme dans la musique et la danse, il faut toujours qu'une disposition subjective étendue au corps entier précède l'acte et le produise. Comme le dit l'un des plus anciens traités de calligraphie, le *Tableau des manœuvres du pinceau* : "On échoue lorsque le pinceau devance l'intention, on réussit lorsque l'intention mène le pinceau." [1]

Supposons que le calligraphe forme en lui l'intention d'écrire tel caractère. Cette intention est une ébauche de mouvement qu'il perçoit au sein de son activité propre, à laquelle il donne corps et qu'il extériorise par un geste. Il y a dans ce processus d'engendrement une marge d'imprévu qui fait la spontanéité de l'exécution. Quant à la visualisation, elle n'est pas préalable. Le calligraphe ne visualise pas le caractère avant de l'écrire, mais le découvre à mesure qu'il prend corps sous ses yeux. Le phénomène est le même que dans la parole. Lorsque nous parlons, nous ne formons normalement pas nos phrases dans notre tête pour les prononcer ensuite à haute voix. Nous partons d'une intention qui s'organise en phrase et découvrons cette phrase en la disant, en même temps que celui qui nous écoute. L'intention dont part le calligraphe est comparable à l'intention de dire quelque chose d'encore informulé.

Mais l'état de préparation subjective dans lequel il se met avant d'écrire ressemble plus encore à celui du danseur qui va danser ou du musicien sur le point d'attaquer un morceau [2]. Tandis que les dessinateurs, les peintres et les sculpteurs occidentaux travaillent avant tout de la main, en calligraphie le travail est transféré en amont, dans le bras, dans le dos puis dans le corps entier.

HENRI MICHAUX,
*MOUVEMENTS*, 1950.

PAR la peinture et le dessin, Henri Michaux a tenté de s'approcher de la région secrète où naissent les formes expressives et décrit cette exploration, notamment dans *Émergences -Résurgences*, Genève, Skira, 1972.

"Né, élevé, instruit dans un milieu et une culture uniquement du 'verbal', écrit-il, je peins *pour me déconditionner*." Il le fait pour se déprendre du monde extérieur et se retrouver lui-même : "pour entrer en relation avec ce que j'ai de plus précieux, de plus vrai, de plus replié, de plus 'mien'...", car "dans la peinture, le primitif, le primordial mieux se retrouve". Son plaisir, dit-il, "est de faire venir, de faire apparaître, puis faire disparaître". Le retour à l'informe est en effet une condition de la naissance des formes : "Toujours *à la dissolution, comme à un préalable nécessaire*, je dois avoir recours. (…) Le problème de celui qui crée, problème sous le problème de l'œuvre, c'est peut-être (…) celui de la renaissance, de la perpétuelle renaissance, oiseau phœnix renaissant périodiquement, étonnamment, de ses cendres et de son vide."

Lorsque les conditions sont réunies, la forme expressive se manifeste d'elle-même : "Papier troublé, visages en sortent, sans savoir ce qu'ils viennent faire là, sans que moi je le sache. Ils se sont exprimés avant moi, rendu d'une impression que je ne reconnais pas, dont je ne saurai jamais si j'en ai été précédemment traversé. Ce sont les plus vrais."

Les formes qui apparaissent – visages, corps ou embryons de corps – sont manifestement l'expression de ce que vit le corps propre : "Signes revenus (…) – sortant tous du type homme, où jambes ou bras et buste peuvent manquer, mais homme par sa dynamique intérieure." Henri Michaux imagine "un catalogue (avec beaucoup de répétitions), catalogue d'attitudes intérieures, une encyclopédie des gestes invisibles, des métamorphoses spontanées, dont l'homme à longueur de journée a besoin pour survivre."

L'expérience d'Henri Michaux rejoint celle que je vais décrire dans ce chapitre. "L'art, écrit-il, est ce qui aide à tirer de l'inertie." Et plus loin : "Aussi contre ma naturelle inertie, à quoi il m'arrache, c'est le plus énergétique moyen intérieur dont je dispose contre le proche ou le lointain entourage, celui qui me recharge le plus ; qui donne réponse à cent situations, car je suis assez souvent débordé, dans la vie, ou plutôt le serais, sans cela. Mais là non plus je ne veux pas le savoir ; sur le moment je suis en campagne, j'ai autre chose à faire que de penser." Henri Michaux note finalement que l'activité qu'il développe dans la peinture modifie son rapport au monde : "J'ai peint, note-t-il, afin de rendre le monde plus *marquant*."

LE CORPS ACTIF | 227

Au terme de l'apprentissage, le corps est entièrement mobilisé et, devenu actif de part en part, se met à agir pour son propre compte : c'est lui le sujet qui s'exprime. Chez le calligraphe en action, le corps et l'esprit sont saisis d'une effervescence qui abolit toute distinction entre les deux : ils s'abolissent ensemble dans une activité qui n'a d'autre lieu qu'elle-même, qui est devenue pure allégresse sans dedans ni dehors.

Il a déjà été question, à la fin du chapitre 3, de la force en calligraphie. Nous avons vu qu'on enjoint dès le début à l'apprenti de développer sa *force* dans la manœuvre du pinceau : l'instrument doit lui donner l'impression de "pénétrer d'un tiers de pouce dans le bois" [1]. On lui demande, autrement dit, de mobiliser complètement toutes ses forces et d'en éprouver l'action aussi vivement que possible. *Le Tableau des manœuvres du pinceau* ne dit-il pas que "quand on exécute un élément, que ce soit un point, une barre, une courbe ou un coude, il faut *mettre dans le mouvement la force du corps entier*" [2] ?

Lorsqu'on parle de technique calligraphique, la "force" désigne donc l'intensité avec laquelle le calligraphe éprouve son propre geste. Quand Hao Jing (1223-1275, Yuan) évoque, à propos de l'attaque, "le lièvre qui bondit et le milan qui fond sur sa proie", il n'use pas d'une hyperbole, mais donne une idée exacte de la puissante sensation que le calligraphe ressent en attaquant [3]. Il est difficile à quelqu'un qui ne l'a pas pratiquée d'imaginer la jubilation qui l'accompagne. La force de ces sensations est proportionnelle à la mobilisation des énergies et de la sensibilité, mais sans rapport, par contre, avec l'ampleur extérieure des gestes. Qu'ils soient de petite ou de grande envergure, ils ont toujours la même dimension intérieure, celle du corps propre. Le calligraphe qui écrit de petits caractères n'est pas moins actif et ne se sent pas moins en mouvement que lorsqu'il en brosse de grands.

Cela explique l'équivalence subjective qu'il y a entre la calligraphie et la danse. Le danseur extériorise les mouvements intérieurs par ses gestes et par ses déplacements, au prix d'une dépense d'énergie considérable, tandis que le calligraphe fait passer les siens dans le geste du bras et de là dans la pointe. Pour le calligraphe, le mouvement a d'abord l'étendue du corps propre, puis se concentre dans le geste, puis encore une fois

---

1. Voir chapitre 3, p. 107.

2. Texte chinois : *Lidai* p. 22. Littéralement : "il faut *épuiser* la force du corps entier et la mettre (dans ce mouvement) *jie xu jin yishen zhi li er song zhi* 皆须尽一身之力而送之". Cela ne veut pas dire qu'il faille aller jusqu'à l'épuisement, mais qu'il faut puiser à chaque moment dans toutes les énergies du corps. Sur le *Tableau...*, voir ci-dessous, p. 230, note 2.

Hao Tsing

3. *Tu qi hu luo* 兔起鹘落. L'expression, qui est devenue proverbiale, provient d'un essai du poète Su Shi (*alias* Su Dongpo) sur le peintre Wen Tong (*alias* Wen Yuke).

dans la pointe du pinceau. Parce qu'il ne se déplace pas et que toute son énergie va dans le geste, il ressent plus fortement que le danseur son activité intérieure. Comme le musicien, il lui donne une expression *contenue*. L'affinité entre son geste et celui du musicien se manifeste particulièrement dans les moments où ils terminent un caractère ou un motif musical, où ils cessent de se contenir et, de manière tout à fait semblable, libèrent l'énergie mobilisée par de grands mouvements d'échappement, par de joyeuses arabesques dissipatrices qui communiquent au spectateur un sentiment d'élation.

Lorsqu'ils parlent de "force", les calligraphes ont parfois à l'esprit un autre phénomène, une sorte de force seconde qui se manifeste en eux lorsqu'ils sont parvenus à la maîtrise complète de leurs moyens et qui semble être d'une autre nature que la force musculaire. Cette force seconde naît d'un effet de synergie. Lorsqu'elle apparaît, le calligraphe a le sentiment que tout effort cesse. En mobilisant complètement toutes les parties de son corps, il a si bien réduit l'effort demandé à chacune d'elles que l'effort semble soudain entièrement aboli. Parce qu'elle est la résultante de toutes les énergies conjuguées et n'émane donc plus d'aucune énergie particulière, la force seconde donne l'impression d'agir par elle-même. Comme elle procède d'un effet d'ensemble, elle n'a plus d'origine localisable ni d'orientation. On ne sait plus d'où elle vient, ni où elle va. Et puisqu'il est désormais inutile que la volonté s'applique à mettre en branle ou à contrôler telle partie du corps, ou à en coordonner plusieurs, cette force semble procéder directement de l'intention : une simple indication mentale suffit pour qu'elle agisse et que l'action s'accomplisse de façon immédiate et quasiment spontanée. L'émergence de la force seconde est l'ultime aboutissement du second processus d'intégration [1].

L'importance qu'ont en calligraphie l'intégration et la bonne économie des énergies ne signifie cependant pas que la force musculaire n'y joue aucun rôle. La gravure des sceaux donne au calligraphe l'occasion de la développer. Il grave la pierre au moyen d'un mince ciseau d'acier trempé. Il la tient de la main gauche et l'outil de la main droite. Lorsqu'il attaque la pierre, il doit fournir un effort considérable des deux bras, des épaules, du dos et de tout le thorax. Il entaille la pierre à quarante-cinq

1. "Force agissante" serait aussi un terme heureux, mais je préfère "force seconde", qui marque mieux le caractère qualitativement nouveau du phénomène et présente l'avantage de rappeler la notion d'"intégration seconde". En chinois, on parle diversement de *neili* 内力 "force interne", de *xuli* 虚力 "force subtile", de *jingli* 静力 "force essentielle", ou encore de *diqi* 底气 "énergie de fond", de *zhenqi* 真气 "énergie vraie". Ces vocables ont des connotations différentes, mais désignent tous la même chose.

degrés avec l'angle du biseau et va d'un seul coup au bout du trait, quelle que soit la résistance du matériau. Cela demande une dépense d'énergie qui fait rapidement perler la sueur. La technique n'est pas sans danger car, à la moindre inattention, le ciseau risque de partir dans la main gauche et d'y causer de graves blessures.

SCEAU GRAVÉ PAR WU CHANGSHUO (1844-1927) : *po he* 破荷 (荷破) "lotus abîmés". On voit les tiges sortant de l'eau.

Ce qui compte, comme dans le maniement du pinceau, c'est l'expressivité du geste. L'artiste s'efforce de réaliser l'ensemble de la gravure en un petit nombre de mouvements puissants. Il cherche à y faire passer une part de la spontanéité qu'il met dans sa calligraphie. L'effort physique, la coordination des forces, la concentration que cela exige profitent évidemment à l'écriture au pinceau et favorisent indirectement l'émergence de la force seconde. Mais laissons pour l'instant les sceaux et prions le lecteur, s'il veut en savoir plus, de se reporter à l'appendice I.

L'importance de la force apparaît dans les textes où l'écriture est assimilée à une bataille. Lorsqu'il écrit, surtout si c'est en grand et dans l'intention, non de s'exercer, mais de donner sa mesure, le calligraphe a le sentiment de livrer bataille, de jouer son va-tout : la comparaison avec l'affrontement militaire est tout à fait pertinente. Nous l'avons déjà rencontrée dans le texte où l'empereur Taizong des Tang décrit dans les mêmes termes l'engagement militaire et l'engagement auquel il se livre quand il "suit" une œuvre [1]. On retrouve la métaphore militaire dans le titre même du traité attribué à la Dame Wei (272-349, Jin occ.), le *Tableau des manœuvres du pinceau* : le mot *zhen* 阵, traduit par "manœuvres", désigne les formations et les mouvements des armées en campagne [2]. La métaphore est aussi développée dans un paragraphe de *De la quintessence du pinceau*, bref traité de Yu Shinan (558-638), qui fut l'un des fondateurs du classicisme Tang et servit les deux premiers empereurs de la dynastie. Il s'en sert moins pour illustrer la fureur du combat, comme Taizong, que l'importance du commandement et de la coordination de tous les mouvements :

1. Voir ci-dessus, p. 171.

2. La Dame Wei est censée avoir été le maître de Wang Xizhi (321-379) en calligraphie. Notons que ce texte, qui a aussi été attribué à Wang Xizhi lui-même, ne peut en réalité être antérieur aux Tang et date vraisemblablement du règne de Taizong (626-649), fondateur de la dynastie. Voir là-dessus Richard M. Barnhart, "Wei Fu-jen's *Pi Chen T'u* and the Early Texts on Calligaphy", in *Archives of the Chinese Art Society of America*, 18, 1964, p. 13-25. La métaphore guerrière n'est pas reprise dans le texte du traité mais elle est exploitée, de manière assez maladroite, dans une *Postface au Tableau des manœuvres du pinceau de la Dame Wei (Ti Wei furen 'Bizhentu' hou)* attribuée à Wang Xizhi, un apocryphe du début des Tang également. Texte chinois : *Lidai* p. 26-27. Je mentionne ici, sans l'avoir lue, l'étude d'André Kneib, "Le *Sitishu* de Wei Heng (252-291) – premier traité chinois de calligraphie", in *Cahiers d'Extrême-Asie*, 9, Kyoto, 1996-1997, p. 99-129. Je n'ai pas eu

> L'esprit est le souverain. Il est le souverain parce que ses ressources sont inépuisables. La main est son ministre, car elle exécute fidèlement ses ordres. La force représente les émissaires, car elle ne fléchit ni ne

se laisse détourner de sa mission. Le pinceau correspond au commandant des armées, qui met les troupes en mouvement, qui dispose de leur vie et de leur mort et reste cependant réceptif, soucieux de mesure dans l'action. Les poils sont l'infanterie, car ils obéissent sans retard aux mouvements du pinceau. Les caractères, ce sont les villes fortifiées, car ils restent impénétrables lorsqu'ils sont grands et ne se laissent pas isoler lorsqu'ils sont petits. [1]

Les métaphores militaires sont fréquentes sous les Tang (618-907), époque où l'art de la guerre et les arts martiaux sont à l'honneur à la cour et dans l'aristocratie. À partir des Song (960-1279), la société chinoise est dominée par le mandarinat, c'est-à-dire par des lettrés qui, dans l'ensemble, ne font pas grand cas de la chose militaire et placent bas les vertus guerrières. À cause de ces préjugés, le langage militaire disparaît presque complètement des traités de calligraphie, mais cette dissociation de l'art calligraphique et de l'art militaire s'accomplit dans les textes plus que dans les esprits et le thème refait surface à l'occasion [2].

Lorsqu'il livre bataille, le calligraphe va au fond de lui-même. Il achève la conquête du corps propre, prend complètement possession de lui et fait dans cette activité sans reste, libérée de toute inhibition, l'expérience d'une forme de jouissance. La discipline qu'il s'est imposée pendant l'apprentissage, le contrôle qu'il s'est habitué à exercer sur sa posture, son geste et son pinceau n'étaient pas une fin en soi et peuvent, maintenant, faire obstacle à l'expression. De sorte que, quand une certaine maîtrise technique est acquise, le progrès ne passe plus par le renforcement du contrôle, mais au contraire par l'abandon au plaisir de se sentir agir et d'être soi dans l'action. Pour franchir ce pas, l'apprenti calligraphe doit cesser, le moment venu, de se contraindre et réaliser sans plus attendre, dans l'écriture, le bonheur d'agir. Il retrouve alors la réalité vécue de l'enfance. L'état adulte, fait de distance artificiellement maintenue par rapport au corps, est aboli comme par enchantement. Le voilà libéré de la prison qu'était devenu son moi et réconcilié avec le corps merveilleux de l'enfant qu'il a été. Il est libre de toute image arrêtée du corps, il est prêt à toutes les métamorphoses intérieures et dit avec Empédocle : "Je fus garçon et fille, arbre et oiseau, et poisson muet dans la mer." [3]

l'occasion de consulter Yolaine Escande, *Traité chinois de peinture et de calligraphie*, tome 1 : *Les Textes fondateurs (des Han aux Sui)*, Paris, Klincksieck, 2003.

1. *Bianying*, chapitre 2 du *Bisuilun*. Texte chinois : *Lidai* p. 110.

2. Chez Kang Youwei (1858-1927) par exemple ; voir *Lidai* p. 847.

3. Hermann Diels, *Die Fragmente der Vorsokratiker*, § 117. Placé par Sami-Ali en exergue de *Corps réel, corps imaginaire*, Paris, Bordas, 1977. Les lignes qui précèdent sont inspirées de l'essai de Roger Lewinter, *Groddeck et le Royaume millénaire de Jérôme Bosch*, Paris, Champ libre, 1974. Voir notamment aux pages 51, 53.

La passion qui anime les calligraphes est donc une passion de la connaissance et de la jouissance de soi. Certains en sont possédés et deviennent "fous". De nombreuses anecdotes attestent cette "folie" chez les grands calligraphes. On raconte que l'étang près duquel habitait Zhang Zhi (mort vers 192, Han) était entièrement noirci par les pinceaux et les pierres à encre qu'il y lavait ; que Zhong You (151-230, Han), qui ne pouvait rester un instant sans s'exercer, couvrait le sol de caractères tracés dans la poussière lorsqu'il était assis et usait ses couvertures à force de s'exercer même la nuit ; que Zhiyong (seconde moitié du VI^e siècle, Chen et Sui) n'est pas descendu une fois en quarante ans du pavillon au sommet duquel il s'entraînait et que les pinceaux usés qu'il jetait dehors avaient fini par former un véritable tumulus [1]. Ces anecdotes relèvent de la légende, mais contiennent une vérité psychologique. Lorsque l'écriture, qui n'était qu'une activité parmi tant d'autres, devient pour le calligraphe l'activité par excellence, elle devient en effet une folie aux yeux du monde. Mais c'est qu'il fait par elle l'expérience d'une réalité supérieure et que, cette réalité supérieure n'ayant d'existence que dans les moments où il est actif, il n'a qu'une hâte, celle de reprendre le pinceau pour réunifier ses énergies et retrouver au plus tôt l'activité la plus intense dont il est capable. Comme c'est dans ces moments d'activité qu'il jouit de la plus grande intimité avec soi, il a le sentiment de ne plus être lui-même hors de ces moments-là, ou de ne plus l'être assez. C'est un fait remarquable qu'on ne se sent vraiment soi qu'à son plus haut niveau d'intégration, dans la forme d'activité la plus parfaite dont on soit capable, et qu'on ne connaît le vrai repos que dans cette activité-là.

Tchang Tcheu

Tchong Yô

Tcheu-yong

1. Pour précisions et variantes, voir *Zhongguo shufa dacidian*, tome I, p. 269, 274 et 353.

## LA TRANSFORMATION DU CORPS PROPRE

LES transformations de l'activité propre que j'ai évoquées jusqu'ici étaient momentanées. Elles duraient ce que durait l'engagement du calligraphe dans l'écriture. Mais, selon les auteurs chinois, la pratique de la calligraphie produit aussi des effets plus durables, elle modifie à la longue l'économie du corps propre. "L'homme de bien prend plaisir à la calligraphie parce qu'elle nourrit l'esprit et guérit les maladies", lisons-nous chez un médecin du XIVe siècle [1]. "Écrire, c'est s'extérioriser, se libérer, note un lettré d'époque mandchoue. Cela permet d'extérioriser les humeurs que l'on a accumulées en soi et de dissiper ce qui nous opprime l'esprit. C'est pourquoi les calligraphes échappent à la maladie et vivent vieux." [2] De tels propos sont fréquents, ils ont manifestement de l'importance. La conviction que l'artiste accroît en lui la puissance de la vie lorsqu'il pratique son art est commune en Chine et vaut à des degrés divers pour tous les arts que les Chinois ont considérés comme nobles. On la retrouve dans tout l'Extrême-Orient. Zeami (1363-1443) n'affirme-t-il pas dans la *Transmission de la fleur de l'interprétation*, l'un de ses traités sur le Nô, que "l'art apaise les esprits, émeut les grands et les humbles et constitue de ce fait le point de départ d'un accroissement de longévité et de bonheur, le moyen de prolonger la vie. Portées à leur perfection, toutes les *voies* augmentent la longévité et le bonheur" [3]. Il faut que nous comprenions exactement ce que cela veut dire.

Les calligraphes chinois sont généralement persuadés que leur art fait vivre vieux et les exemples qu'ils invoquent à l'appui de cette conviction sont en effet nombreux. Des chiffres pourraient être alignés [4], mais ne prouveraient pas grand-chose en

1. Huang Kuangsuo, *Oubei yihua*, cité dans la revue *Shupu* n° 59, 1984/4, p. 79.

2. He Qiaofan, *Xinshupian*, cité dans *Shupu* n° 59, p. 79. L'auteur définit la calligraphie par un jeu de mot puisqu'il écrit : "*Shu* 书 la calligraphie, c'est *shu* 舒 s'extérioriser." Dans la phrase suivante, "humeurs" est une traduction libre du mot chinois *qi* 气, "énergies".

3. *Fûshi-kaden* 5. Voir Zeami, *La Tradition secrète du Nô*, traduction de René Sieffert, Paris, Gallimard, 1960, p. 92-93. J'ai retraduit d'après le texte japonais.

4. Une bonne partie des grands calligraphes Tang ont atteint un âge avancé et plusieurs d'entre eux sont morts à plus de quatre-vingts ans : Ouyang Xun (557-641) à 85 ans, Yu Shinan (558-638) à 81, He Zhizhang (659-744) à 86, Liu Gongquan (778-865) à 88, Yang Ningshi (873-954) à 82. Li Yong (678-747) et Yan Zhenqing (709-785) sont morts à 70 et 75 ans, mais de mort violente. La longévité des artistes contemporains n'est pas moins frappante. Yu Youren (1878-1964) et Shen Yinmo (1883-1971) sont parmi les calligraphes les plus connus de notre siècle : l'un s'est éteint à 86 ans, l'autre à 89. Parmi ceux que le public connaît un peu moins, plusieurs ont atteint un grand âge : Sha Menghai, l'ancien président de la Société des calligraphes de Chine (1900-1992), ou Lin Sanzhi (1898-1989) par exemple. Sun Mofo est mort plus que centenaire. D'autres noms pourraient être cités, chinois autant que japonais. Bien qu'ils soient surtout connus comme peintres, Wu Changshuo (1844-1927) et Qi Baishi (1863-1957) ont été deux calligraphes de premier ordre, d'une force et d'une originalité comparables à celles de Yu Youren seulement : ils sont morts à 84 et 95 ans. Huang Binhong (1865-1955), autre grand peintre contemporain, s'est éteint à 91 ans. Zhang Daqian (1899-1983), prolifique mais de moindre envergure, est mort à l'âge de 84 ans.

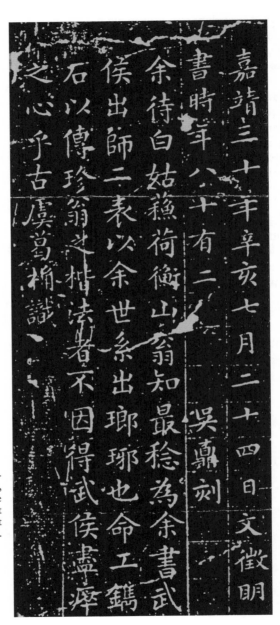

嘉靖三十年辛亥七月二十四日文徵明

書時年八十有二 吳嬴刻

余待白姑蘇荷衡山翁知最穩為余書武

侯出師二表以余世系出瑯瑯也命工鑴

石以傳珍翁之楷法者不因得武侯盡瘁

之心乎古虞嵩楠識

eux-mêmes. Le grand âge atteint par beaucoup de calligraphes renommés n'aurait de signification que s'il pouvait être mis en regard des moyennes d'âge atteintes aux mêmes époques et dans les mêmes milieux sociaux – et s'il était en outre avéré que leur longévité est bien due à leur pratique du pinceau, ce dont il est difficile de s'assurer. Ce qui est observable, par contre, et qui explique peut-être leur longévité supposée, c'est qu'ils gardent fréquemment jusque dans un grand âge l'habitude de s'exercer quotidiennement et qu'ils maintiennent ainsi leur corps et leur esprit en état de fonctionnement malgré le déclin de leurs forces [1]. L'affaiblissement du corps ne diminue pas cette maîtrise continuellement entretenue, car elle ne dépend pas de la quantité d'énergie que le vieillard dépense, mais uniquement de sa manière de combiner ses moyens et de tirer d'eux un effet d'ensemble. La *Requête au départ de l'armée (Chushibiao)*, dont un passage est reproduit à gauche dans sa dimension originale, est une pièce en petite régulière écrite par Wen Zhengming (1470-1559) en 1551. Wen Zhengming, l'un des plus grands peintres en même temps que l'un des calligraphes les plus renommés de l'époque Ming, l'a écrite à l'âge de 82 ans. Cela suppose une maîtrise qui est exceptionnelle à cet âge et dans laquelle les Chinois ne peuvent s'empêcher de voir la cause de sa longévité : il s'est éteint à quatre-vingt-dix ans.

Mais quelle que soit la longévité réelle des calligraphes, la conviction qu'ils échappent à la maladie et vivent vieux est profondément ancrée dans leur esprit. Elle est fondée sur une certaine expérience et, plus encore, sur une idée qui occupe une position centrale dans la pensée chinoise : celle que la santé et la longévité sont les signes tangibles de la réussite dans l'art d'être homme, qu'elles sont preuves de maîtrise, de sagesse et d'intelligence. C'est dire que la santé et la longévité ont dans l'esprit des Chinois des implications religieuses, morales et philosophiques qu'elles n'ont jamais eues dans le nôtre.

Du point de vue occidental traditionnel, l'esprit et le corps sont deux domaines distincts. La sagesse et l'intelligence relèvent du domaine de l'esprit, la santé et la longévité de celui du corps. Que la santé et la longévité nous apparaissent comme un don de Dieu, comme une donnée naturelle ou comme le résultat du hasard, elles sont pour nous des faits que nous ne

1. Ainsi Fang Junbi (1898-1986), femme peintre qui a passé ses dernières années à Genève, était-elle devenue un être d'une extrême fragilité, que plus rien ne semblait soutenir. Mais lorsqu'elle prenait le pinceau pour peindre, elle se ressaisissait entièrement. Sa main cessait de trembler, son geste retrouvait son assurance, elle était transformée et a continué jusqu'à la fin de redevenir chaque jour, par la grâce de son art, une personne complètement maîtresse d'elle-même. Shen Yinmo (1883-1971) a persisté à pratiquer la calligraphie jusqu'au dernier jour de sa vie. Il était affaibli et presque aveugle. Comme il ne discernait plus que le seul caractère qu'il était en train d'écrire, son épouse se chargeait de déplacer la feuille et de lui placer la main là où il devait commencer la nouvelle colonne. Cela ne l'a pas empêché d'écrire jusqu'à la fin une courante admirable de régularité et de vie, comme celle qui est reproduite plus haut, à la p. 102.

songerions pas à prendre pour critères du mérite ou de la valeur d'une vie. Les Chinois ne nient certes pas les différences de constitution, ni les maladies ou les accidents qui peuvent nous frapper, mais voient traditionnellement dans la santé et la longévité le résultat d'une vie juste et donc la manifestation probante d'une supériorité intellectuelle et morale. Santé et longévité sont liées à l'idée qu'ils se font de la sainteté, de sorte que leur évocation touche toujours l'une de leurs cordes les plus sensibles. Lorsqu'un auteur affirme que la calligraphie écarte les maladies et assure la longue vie, il ne se borne pas à mentionner incidemment quelque avantage pratique qu'elle aurait par surcroît, mais la rattache à une préoccupation essentielle et lui confère une dignité supplémentaire.

L'idée que les Chinois se sont faite de la santé et de la longévité est à la fois fondée sur des données empiriques et sur une certaine manière d'interpréter ces données. L'originalité de leur conception tient en premier lieu au fait qu'ils se sont intéressés au corps propre plus qu'au corps objet, qu'ils ont vu dans le corps propre un phénomène fait d'activité sensible et qu'ils ont tenu cette activité sensible pour perfectible. C'est là que réside la différence fondamentale entre la médecine chinoise traditionnelle et la médecine occidentale, qui a presque exclusivement étudié le corps objet.

Les moyens d'investigation ne sont pas les mêmes selon que l'on s'intéresse à l'un ou à l'autre. L'étude du corps propre se fait principalement par le sens propre et l'exploration des sensations internes alors que l'étude du corps objet passe d'abord par l'examen du corps d'autrui, que l'on conçoit comme un "organisme" ou comme une "machine" et que l'on ouvre pour en comprendre la structure interne. La médecine occidentale s'est constituée en discipline scientifique grâce à la dissection, à l'expérimentation chimique et à d'autres méthodes exactes. Si les Chinois n'ont pas beaucoup pratiqué la dissection [1], ce n'est pas faute de curiosité ou d'audace, mais parce qu'ils ont préféré explorer l'intérieur du corps au moyen du sens propre. Nous avons donc affaire à deux disciplines qui ne se rencontrent pas parce qu'elles n'ont ni la même méthode, ni le même objet. [2] Rien ne montre mieux cette différence de nature que les représentations qu'elles donnent de l'intérieur du corps humain :

1. Ils l'ont cependant pratiquée et pourraient même avoir exercé une influence indirecte sur l'étude de l'anatomie en Europe. Voir S. Miyashita, "A Link in the Westward Transmission of Chinese Anatomy in the Later Middle Ages" (1967), in Nathan Sivin, ed., *Science and Technology in East Asia*, New York, Science History Publications, 1977, p. 200-204.

2. John Hay résume bien la question et donne d'utiles références dans son excellent "The Human Body as a Microcosmic Source of Macrocosmic Values in Calligraphy", in Susan Bush, Christian Murck, *Theories of the Arts in China*, Princeton, University Press, 1983, p. 74-102.

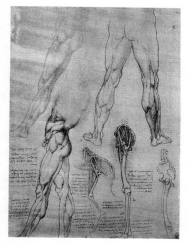
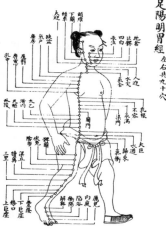

REPRÉSENTATIONS
OCCIDENTALE ET CHINOISE
DU CORPS HUMAIN :
à gauche Léonard de Vinci,
*Anatomie comparée*,
vers 1506-1508 ;
à droite, planche du
*Leijing* de Zhang Jiebin,
1624, représentant l'un
des méridiens par où
circule l'énergie.

d'un côté des os, des muscles, des nerfs, des vaisseaux et d'autres organes assemblés comme une mécanique, de l'autre des circuits d'énergie sensible. D'un côté les pièces d'une machine que le chirurgien démonte, de l'autre le système de l'activité propre que le praticien perçoit en lui-même. Ces deux médecines ne pouvaient évidemment concevoir de la même manière l'action thérapeutique. Ayant affaire à un objet, l'une a recouru à l'intervention extérieure, principalement chirurgicale ou pharmaceutique. L'autre n'a pas négligé l'action extérieure, puisqu'elle a développé l'art de régler par les aiguilles et les moxas la circulation des énergies et créé une très riche pharmacopée, mais elle a toujours privilégié l'action intérieure que le sujet exerce par son activité sur son activité. La médecine occidentale est fondée sur un rapport à l'objet, la médecine chinoise sur un rapport à soi qui donne prise sur soi [1].

Elle repose sur une certaine idée du corps propre et tient compte du fait que notre activité propre est variable, qu'elle connaît des états meilleurs et moins bons, qu'elle peut progresser ou se dégrader et que nous pouvons agir sur elle. Nous n'avons certes pas le pouvoir de la transformer de manière instantanée ou arbitraire mais, à la longue, nous pouvons l'intensifier, l'affiner et l'unifier par des exercices appropriés – par la pratique de la calligraphie par exemple. À mesure que nous

[1]. Paul Valéry a perçu la limitation que son intérêt exclusif pour le corps objet impose à la médecine occidentale : "Nous avons beau imaginer un cerveau, une moelle, des cellules, etc., rien n'en résulte – Ce sont des images infructueuses." (*Cahiers*, tome I, p. 970) Ce sont en effet des images qui ne nous sont d'aucune aide lorsque nous cherchons à percevoir directement notre activité interne ou

l'intensifions, nous augmentons la vitalité de notre organisme et la maîtrise spontanée de nos mouvements, mais aussi notre perception de notre activité propre et, par conséquent, notre sentiment de présence à nous-mêmes, de réalité subjective, de spatialité intérieure, etc. Pour la médecine chinoise et toute la pensée chinoise traditionnelles, l'activité humaine est fondamentalement une. Les dimensions affectives, morales et intellectuelles de notre existence ne sont pas dissociées de la vie du corps propre.

Le *Livre du dedans*, somme de la pensée médicale chinoise ancienne [1], décrit ainsi la vie des "sages d'autrefois" :

> Ils ne s'imposaient aucune (vaine) fatigue au-dehors et se gardaient des tourments (inutiles) de la pensée au-dedans ; ils veillaient à se maintenir dans une joie tranquille et dans la jouissance de soi, de sorte que leur corps ne s'usait pas, que leur force agissante ne se dissipait point et qu'ils devenaient centenaires.

Pour bien saisir la signification de ce passage, il faut apercevoir ce qui est sous-entendu : que pour ne pas s'imposer de vaines fatigues, il est nécessaire d'avoir percé à jour la futilité de l'ambition mondaine et de s'être détaché de toute poursuite illusoire ; que pour se garder des tourments inutiles de la pensée, il faut avoir atteint une parfaite lucidité sur les choses et soi-même ; que pour se maintenir dans une joie tranquille, autrement dit dans l'ataraxie du sage, il faut s'être rendu maître de son esprit autant que de son corps et que, pour jouir pleinement de soi, il faut être en accord avec ses sentiments et ses émotions. On voit que, dans cette perspective, ce n'est pas le corps qui contribue au salut de l'esprit, mais l'esprit qui contribue à celui du corps. Le salut du corps est assuré par la "force agissante" (*jingshen* 精神), c'est-à-dire par l'effet d'une activité propre supérieurement intégrée : "D'où viendraient les maladies, dit le texte un peu plus loin, dès lors que la force agissante (*jingshen*) est conservée au-dedans ?" Et encore : "S'ils atteignaient l'âge de cent ans sans que leurs mouvements ne faiblissent, c'est qu'ils gardaient leur *puissance* (de 德) intacte." [2] Le mot *jingshen* est souvent rendu par "esprit", mais j'ai évité cette traduction pour ne pas suggérer un principe étranger au corps alors qu'il s'agit d'une force efficace résultant exclusivement de la bonne organisation de l'activité

à exercer par nous-mêmes une action sur elle. D'autres pourraient nous être d'un plus grand secours. Valéry en a eu l'idée puisqu'il ajoute : "Peut-être serait-il plus fécond de chercher une vision énergétique du système ?" Cette intuition rejoint le principe même de la médecine chinoise, dont il semble avoir tout ignoré. Cette médecine est fondée, on ne saurait mieux le dire, sur une "vision énergétique du système" et nous donne effectivement le moyen, non seulement de mieux percevoir nos sensations internes, mais de les percevoir comme un système, c'est-à-dire comme un tout intelligible sur lequel il nous est loisible d'agir de l'intérieur. Sur cette problématique, voir mon "Essai d'interprétation du chapitre xv du *Laozi*" (voir ci-dessus, p. 186, note 2), en particulier p. 12-17.

1. *Livre du dedans* ou *Livre de l'Empereur Jaune*. Le titre complet, *Huangdi neijing suwen*, signifie "Questions simples du Livre du dedans de l'Empereur Jaune". L'ouvrage date des environs de l'an 100 de notre ère, c'est-à-dire des Han postérieurs, et constitue aujourd'hui encore la base de la théorie médicale chinoise. Voir *Yellow Emperor's Classic of Internai Medecine*, translated with an introductory study by Ilza Veith, new edition, University of California Press, 1966. Le passage cité se trouve à la fin du premier chapitre, *Shanggu tianzhen lun*.

2. *Ibid.*, après le début du premier chapitre.

propre. Le mot *de* est habituellement rendu par "vertu", mais garde
ici son sens plein de "puissance".

La pierre angulaire de la théorie
médicale chinoise réside dans l'idée
que la santé est bien plus qu'une
simple absence de maladie, qu'elle
est un accomplissement supérieur
des virtualités du corps propre, une
sublimation de l'activité propre,
esprit et corps confondus. Rien
de surnaturel dans ce phénomène :
cette sublimation n'est pas autre
chose que la restauration du plein
régime de l'activité propre qui a
existé au début de la vie. Selon une
théorie d'inspiration taoïste et
largement acceptée dans la Chine
d'autrefois, la circulation de l'énergie est parfaite dans l'embryon et
chez le nouveau-né. Si rien ne
venait la perturber, nous jouirions

LE CARACTÈRE *SHOU* 寿 (壽)
"longévité" écrit en petite
sigillaire par Wu Changshuo
(1844-1927) dans sa 80ᵉ année,
en 1923.

tous d'une santé entière et d'une vieillesse heureuse. Mais les
contraintes sociales, les comportements contre nature qu'impose la vie civilisée, la spécialisation qui nous est imposée dans
nos travaux quotidiens et la dégénérescence de certaines fonctions qu'elle entraîne – tout cela dérègle le régime premier de
l'activité propre et y crée des déséquilibres, des engorgements,
des zones d'inertie. Au lieu de rester uni, actif et léger, le corps
est de plus en plus désuni, engourdi et pesant. Il est victime de
ses propres dysfonctions, puis d'agressions extérieures. La vie
en société entraîne inévitablement cette régression et l'art médi-
cal a pour but, non seulement de soulager la souffrance et de
guérir les maladies, mais de recréer la santé en restaurant le
plein fonctionnement de l'activité propre, c'est-à-dire en réta-
blissant les conditions d'une circulation complète de l'énergie.
L'acupuncture corrige certains dérèglements, mais ne saurait
assurer à elle seule le rétablissement d'une activité complète.
Il faut pour cela d'autres pratiques, celles du *taijiquan* 太极拳

1. À ma connaissance, il n'existe pas encore d'ouvrage qui examine ces conceptions dans un esprit critique, reformule dans un langage accessible au lecteur occidental les faits d'expérience qui en sont la base et fournisse une explication scientifique de ces faits. L'étude classique de Henri Maspero, "Les procédés de 'nourrir le principe vital' ", in *Le Taoïsme et les religions chinoises*, Paris, Gallimard, 1971, fait l'historique de ces conceptions, mais ne va pas au-delà.

2. Pan Boying, cité dans la revue *Shupu* n° 59, 1984/4, p. 80.

Tchô Sing-lien

3. *Linchi guanjian*. Texte chinois : *Lidai* p. 730, Hsiung p. 109. Traduction plus littérale de la première phrase : "Par l'écriture, on peut développer l'énergie, on peut aussi *seconder par elle* une quelconque autre activité."

ou des arts du souffle (*qigong* 气功) par exemple, qui visent à combattre l'inertie et la division par un patient travail de coordination et d'intégration de toutes les fonctions – non seulement des gestes, de la respiration, de la circulation des énergies, c'est-à-dire du métabolisme tel que le conçoivent les Chinois, mais encore des humeurs, des émotions, de la vie morale et intellectuelle. Le but est de retrouver progressivement l'activité unifiée que nous avons perdue au cours de notre adaptation à la vie sociale et de recouvrer non seulement une santé perdue, mais l'entière jouissance de nous-mêmes. À travers ces théories et ces pratiques [1] s'exprime un principe qui a valeur d'axiome dans tous les domaines de la pensée chinoise traditionnelle : nous allons à la mort en nous laissant gagner par l'inertie et par la division, nous allons à la vie en unifiant et en intensifiant notre activité propre.

Cet arrière-plan explique l'importance que les calligraphes chinois attachent à la transformation du corps propre par la pratique de l'écriture. Parce que cette pratique unifie l'activité, il va de soi, dans leur esprit, qu'elle accroît durablement la résistance aux maladies et au vieillissement.

Elle a aussi un effet régulateur. "Lorsqu'on a l'esprit excité, note un calligraphe contemporain, l'écriture permet de se ressaisir. Lorsqu'on a des soucis, elle les fait oublier. Je tiens l'écriture pour un merveilleux moyen de prolonger la vie et d'augmenter la sagesse." [2] Tous les calligraphes confirment que l'écriture corrige aussi bien l'excitation que l'abattement, qu'elle réduit l'excès et comble le défaut d'activité. Elle exerce dans les deux cas un effet régulateur que Zhou Xinglian (milieu du XIXe siècle) décrit ainsi dans ses *Notes d'un calligraphe* [3] :

> L'écriture active l'énergie et permet ensuite d'en tirer parti. Lorsqu'on a fait le calme en soi et qu'on a tracé quelques dizaines ou quelques centaines de caractères en régulière, on se sent apaisé et maître de soi. Quand on pratique la courante ou la cursive, que l'on se met tout entier dans le mouvement qui surgit et qu'on va jusqu'à l'ivresse, on sent ensuite son esprit déborder d'énergie. Si l'on entreprend alors de composer un poème ou de la prose, les idées se mettent en place d'elles-mêmes, le texte surgit comme par sa propre force. C'est pourquoi la calligraphie favorise l'imagination créatrice et la gestation des idées.

Ces lignes n'évoquent pas seulement l'action tantôt modératrice, tantôt stimulante de la calligraphie, mais aussi l'effet que l'intensification de l'activité propre a sur l'imagination et les facultés intellectuelles. Cet effet, dont les calligraphes font fréquemment l'expérience, confirme les Chinois dans leur idée que l'imagination et les fonctions intellectuelles sont bien des aspects de l'activité propre : ils ont toujours tenu que la création, dans quelque domaine que ce fût, était la résultante d'une certaine mobilisation des énergies (*qi* 气) du corps propre. Les poètes et les prosateurs se sont souvent exprimés là-dessus. Han Yu (768-824, Tang) écrit par exemple : "L'énergie (*qi*) est semblable à l'eau, les mots sont semblables aux objets qui flottent dessus. Une grande eau porte tout, les objets petits et grands. Une grande énergie porte pareillement les mots : quand elle est à son comble, le rythme des phrases et leur mélodie sonnent juste." On voit que la création poétique apparaît elle aussi comme l'effet d'une activité du corps propre. Le poète Su Zhe (1039-1112, Song) déclare de son côté : "J'ai toujours aimé écrire. Après y avoir réfléchi profondément, j'en suis arrivé à la conclusion que toute forme, en littérature, est produite par notre énergie (*qi*)." [1] En fin de compte, toute création procède du corps actif.

La création est la forme d'activité la plus élevée du corps propre, et par conséquent la plus bénéfique pour son économie interne. Cet effet bénéfique s'exerce de deux manières – directement lorsque l'écriture dénoue complètement les énergies et les fait jouer à plein, mais aussi de manière indirecte. L'expérience de l'écriture influence en effet de proche en proche tous les aspects du comportement. Lorsque l'écriture est devenue pour le calligraphe l'activité par excellence, celle qui le comble plus que toute autre, il se met à éviter tout ce qui risque d'avoir sur elle une incidence défavorable et à cultiver tout ce qui peut lui être propice. Il écarte l'agitation et les fatigues inutiles, il évite les occupations qui émoussent la sensibilité. Il cherche en toutes circonstances à garder ses forces et ses facultés intactes pour l'écriture et se met ainsi à pratiquer, sans même s'en apercevoir, l'art de "nourrir en soi la vie", *yangsheng* 养生. S'il a un effort à fournir, il prend garde de combiner au mieux ses mouvements. Il veille à la justesse et à l'économie de ses moindres

*ts'i*

Sou Tche

1. Ces deux citations sont empruntées à l'excellente étude de David Pollard, "*Ch'i* in Chinese Literary Theory", dans *Chinee Approaches to Literature from Confucius to Liang Ch'ich'ao*, ed. by A.A. Rickett, Princeton University Press, 1978, p. 56 et p. 57-58. D. Pollard fournit le texte chinois. Sur cette problématique, voir aussi François Jullien, "L'absence d'inspiration : représentations chinoises de l'incitation poétique", dans *Extrême-Orient Extrême-Occident* n° 1, Paris, 1982, et d'autres études publiées par le même auteur dans les numéros 3 (1983) et 7 (1985) de la même revue. Ces études ont été reprises dans F. Jullien, *La Valeur allusive – Des catégories originales de l'interprétation dans la tradition chinoise*. Paris, École française d'Extrême-Orient, 1985, 312 p.

*yang-sheng*

gestes en les mesurant de l'intérieur. Il étend cette sorte d'attention aux émotions, qu'il épouse le plus naturellement possible, de manière à éviter toute contrariété superflue. Il recherche la lucidité qui lui épargnera toute vaine complication dans le domaine de la pensée. Ainsi sa passion de la calligraphie confère-t-elle progressivement à sa vie une cohérence et une simplicité nouvelles. Il se rapproche sans l'avoir voulu de l'art de vivre des "sages d'autrefois" dont parle le *Livre du dedans*.

## LA TRANSFORMATION DU RAPPORT AU MONDE

LE CALLIGRAPHE qui progresse dans son art ne fait pas seulement l'expérience de transformations momentanées, puis d'une transformation durable de son activité propre. Il voit aussi se transformer son rapport avec la réalité extérieure. La présence du monde lui semble s'affirmer avec plus de netteté, de force et de fraîcheur. Il appréhende surtout de manière plus immédiate, plus sûre et plus complète tout ce qui est mouvement et configuration de mouvements. Son activité accrue lui donne un sens plus aigu du geste, une imagination motrice plus vive. Ce point revêt une importance particulière.

Mais avant de parler d'imagination motrice, considérons un instant ce que j'appellerai l'imagination spatiale. Nous appréhendons l'espace extérieur, les volumes et les corps à travers la spatialité du corps propre. Nous remplissons pour ainsi dire d'espace les données sensorielles reçues de l'extérieur et nous appelons "perception" cette synthèse du dedans et du dehors. Mais pour bien saisir tel espace particulier, tel volume ou tel corps, le corps propre doit susciter en lui-même une disposition spatiale qui corresponde aux données extérieures et lui permette de les interpréter. Grâce à sa plasticité naturelle, il crée en lui un espace qui, projeté dans les choses, leur donne leur unité et leur cohérence. Cette imagination spatiale, qui joue un rôle primordial dans toutes nos perceptions de la réalité extérieure, est évidemment plus ou moins vive selon que notre activité propre est plus ou moins en éveil.

L'imagination motrice est un phénomène de même nature. Grâce au sens propre, nous nous sentons accomplir chacun de nos mouvements. Grâce à lui nous avons de nos mouvements et de nos gestes une connaissance intime qui nous donne la faculté de les *imaginer*. Nous les imaginons en les ébauchant intérieurement. Inversement, nous avons l'*idée* du geste parce que nous l'amorçons en nous. Nous le *concevons* parce que nous le sentons naître. Le lecteur s'apercevra de cette intime connexion du physique et du mental s'il accomplit *mentalement* l'acte d'ouvrir une porte, de frotter une allumette ou de donner une caresse : il *sentira* chaque fois l'ébauche du geste correspondant [1].

L'identité de l'image mentale et de l'ébauche du geste est une donnée essentielle de notre vie subjective. Sans elle, il n'y aurait pas de liaison entre notre activité corporelle et notre activité mentale. Nous ne serions pas des êtres pensants, capables de concevoir nos actes indépendamment de leur réalisation pratique. La perception que le corps propre a des gestes qui s'ébauchent en lui n'est pas seulement la base de notre imagination, mais celle de toutes nos opérations intellectuelles. Même les opérations de la pensée la plus abstraite sont des actes virtuels ou des combinaisons d'actes virtuels. Nous n'aurions jamais appris à calculer, par exemple, si nous ne pouvions *imaginer* des manipulations de petits cailloux.

Or c'est aussi grâce à cette perception intérieure des ébauches de gestes que nous comprenons les gestes d'autrui. Nous les comprenons en produisant spontanément en nous l'ébauche de gestes analogues et en projetant dans l'autre la perception intérieure que nous en avons. Nous interprétons le geste de l'autre par un acte dynamique de notre imagination corporelle qui, de spatiale, se fait motrice. Cette manière de mimer les autres au-dedans de nous-mêmes est le fondement de toute communication. Si le bâillement éveille le bâillement, c'est que pour interpréter le bâillement de l'autre nous amorçons involontairement, par mimétisme interprétatif, un bâillement qui se réalise aussitôt si nous n'y prenons garde. De même le sourire suscite-t-il le sourire, la dureté provoque-t-elle la dureté. Toute expression, tout mouvement, tout geste dont nous sommes témoin éveille en nous l'esquisse d'un équivalent par lequel nous comprenons du dedans ce que nous voyons au-dehors. [2]

1. Sur la genèse du geste, voir ci-dessus, p. 225-226.

2. Sur le bâillement, voir l'observation de Nietzsche citée à la p. 155. Merleau-Ponty a montré que même la communication langagière repose sur une participation mimétique : pour comprendre ce que l'autre me dit, je m'active intérieurement, je me mets dans la disposition de celui qui parle, je m'efforce de dire intérieurement ce qu'il me dit et de deviner ainsi ce qu'il veut dire. Voir notamment "Science et expérience de l'expression", dans *La Prose du monde*, Paris, Gallimard, 1969, p. 41-43.

Nous nous introduisons aussi, de la sorte, dans des mouvements que nous serions incapables d'exécuter par nous-mêmes en pratique. Nous avons assez l'expérience des lois de l'équilibre et de la pesanteur, par exemple, pour suivre de l'intérieur les envolées d'un trapéziste ou la marche d'un équilibriste sur la corde raide. Mais il arrive aussi que notre faculté mimétique soit prise au dépourvu et que nous soyons par conséquent saisis d'un sentiment d'étrangeté. Quand Buster Keaton, dans le rôle du mécanicien de la *Générale*, fait le grand écart entre la locomotive et le tender lancés à fond de train, notre faculté d'empathie est mise en échec et nous l'abandonnons à sa posture impossible. Marcel Marceau avait une manière de s'asseoir sur une chaise inexistante qui, au premier instant, provoquait la stupeur. Il déjouait lui aussi le mécanisme habituel de la projection.

L'imagination spatiale et l'imagination motrice sont d'une intensité variable. Plus l'activité propre est grande, plus elles sont en éveil ; plus le corps propre est actif, plus le sens du geste est vif. Nous savons bien qu'il faut être prêt à danser pour apprécier la danse ou prêt à faire de la musique pour jouir de la musique qu'on nous joue. Le spectacle de la danse et l'écoute musicale accroissent en retour l'imagination spatiale et motrice. Elles rendent le corps plus actif et plus intelligent. Elles le rendent aussi plus réceptif à d'autres spectacles, plus sensible à tout ce qui évolue dans l'espace et s'exprime par une forme quelconque de mouvement. Elles nous font percevoir la réalité de manière plus dansante et plus musicale.

À mesure que l'activité propre s'intensifie, la manière de percevoir la réalité extérieure se modifie. Ce ne sont plus les choses mêmes qui retiennent notre attention, mais le mouvement qui les anime et l'expression qui s'en dégage. Ce n'est plus tel visage mais la naissance d'un sourire, ce n'est plus telle femme mais l'allure de sa démarche, ce n'est plus le cabri mais sa cabriole. L'observation se fait plus mobile et rapide. Elle saisit au vol ce que nous appellerons des "moments expressifs" : non plus des instants figés, ceux qu'une image pourrait reproduire, mais des "moments" dont seul un geste peut offrir l'équivalent – un geste musical ou calligraphique par exemple. Ce sont ces "moments" (du latin *movimentum*, "mouvement") que le calligraphe perçoit avec une acuité croissante lorsqu'il progresse, et qu'il met dans sa calligraphie.

Une anecdote célèbre raconte comment Zhang Xu, grand maître de la "cursive folle" (environ 658-748, Tang), a découvert le secret de son art :

> Naguère, c'est après avoir vu plusieurs fois la danseuse Gongsun exécuter la danse de l'épée que Zhang Xu, grand maître de la cursive, progressa grandement dans son art et trouva le style exubérant et passionné qu'on lui connaît. Voilà qui donne une idée du génie de cette danseuse ! [1]

Ces lignes sont du poète Du Fu (712-770). Elles terminent la préface d'un poème de vieillesse dans lequel il évoque avec nostalgie le souvenir de cette danseuse, qu'il a vue danser cinquante ans plus tôt. C'est pour donner une idée du génie de cette artiste qu'il évoque son impact sur Zhang Xu, l'un des premiers calligraphes de l'époque. Peut-être Du Fu tenait-il le fait de Zhang Xu lui-même [2].

Zhang Xu semble avoir aperçu dans cette danse des "moments" susceptibles de passer dans sa calligraphie. Il semble avoir eu la révélation de ce qu'il cherchait à exprimer par l'écriture et en même temps la révélation de ses propres pouvoirs. Il devait être un homme d'âge mûr lors de cette rencontre et, techniquement, un artiste accompli. S'il a si fortement ressenti l'effet de la danse, c'est sans doute qu'une longue pratique de son art avait avivé, affiné et unifié son activité propre et lui avait donné un sens aigu du geste, une imagination gestuelle multipliée. Il est permis de penser que le spectacle de la danse a soudainement mis en branle ces facultés, restées latentes jusque-là, et provoqué un éveil soudain du corps propre. Cet éveil s'est manifesté dans sa participation intérieure à la danse, plus intense que ce qu'il avait jamais connu, puis dans sa calligraphie.

Cette expérience décisive est relatée par Zhang Xu lui-même dans un autographe en cursive conservé au Japon, le *Ziyantie* [3]. Il y raconte de manière plus complète comment il a eu la révélation de son propre génie :

1. Le texte chinois précise qu'elle pratiquait la danse de l'épée du Hexi, de "l'ouest du fleuve", c'est-à-dire de la région située à l'ouest de la boucle du Fleuve jaune, dans le Gansu. C'était donc une danse non chinoise. Le texte précise aussi que Zhang Xu était du pays de Wu, c'est-à-dire du sud de l'actuel Jiangsu ; il était originaire de Suzhou. Texte chinois : David Hawkes, *A Little Primer of Tu Fu*, Oxford University Press, 1976, p. 189. Voir aussi Hsiung Ping-Ming, *Zhang Xu et la calligraphie cursive folle*, Paris, Collège de France, 1984, p. 143-145. Notre traduction diffère de celles de l'un et l'autre de ces auteurs.

2. On sait que Du Fu a rencontré Zhang Xu en 746 à Chang'an. Le poète avait alors 34 ans, le calligraphe 88 ans. Voir Hsiung p. 146.

3. Littéralement l'*Autographe "je l'ai déjà dit"*. L'authenticité de ce manuscrit est douteuse. Plutôt que d'un original, il s'agit probablement de la copie d'une œuvre perdue. Trois phrases du texte (de "c'est en voyant..." à "pouvoir merveilleux") se retrouvent sous la même forme, à quelques détails près, dans la notice biographique consacrée à Zhang Xu dans la *Nouvelle Histoire des Tang (Xin Tangshu*, ch. 202), qui date du XIᵉ siècle ; voir Hsiung p. 4-5 et 8. Notre autographe pourrait être un faux inspiré par cette notice, mais il est plus vraisemblablement la copie d'une œuvre qui est au contraire à l'origine de la notice. Sur la question de l'authenticité, voir Hsiung p. 85-87. – L'autographe est conservé dans une collection privée au Japon. Il est reproduit d'après le *Shodo zenshû* vol. 8, pl. 98-99.

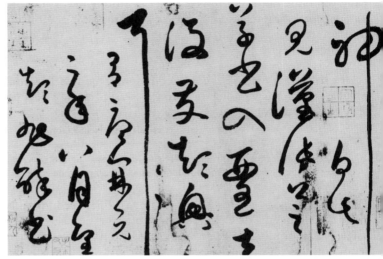

Comme je l'ai déjà dit, moi l'ivre-fou, c'est en voyant une princesse et un porteur se disputer le passage, puis en entendant jouer des tambours et des instruments à vent que j'ai compris l'art du pinceau. C'est en regardant la danseuse Gongsun exécuter la danse de l'épée que j'ai saisi son pouvoir merveilleux. Depuis lors, chaque fois que je revois la cursive de Zhang Zhi, des Han, le prodige de cette cursive me jette à nouveau dans la folie d'écrire.

Écrit par Zhang Xu, dans l'ivresse, le 15e jour du 8e mois de l'an 2 de l'ère Kaiyuan. [1]

1. L'an 2 de l'ère *Kaiyuan* correspond à l'année 714.

Je vais commenter une à une ces quelques phrases, qui méritent la plus grande attention.

L'ivre-fou (*zuidian* 醉颠) est un sobriquet que les contemporains de Zhang Xu lui avaient donné ou qu'il s'était inventé lui-même. La notice biographique que lui consacre la *Nouvelle Histoire des Tang* en explique l'origine : "Zhang Xu, originaire de Suzhou, aimait le vin. Lorsqu'il était complètement ivre, il criait et se démenait comme un fou, puis écrivait. Il lui arrivait d'écrire avec sa chevelure trempée d'encre. Lorsqu'il redevenait sobre et regardait ce qu'il avait produit, il avait le sentiment d'une révélation et se sentait incapable d'en jamais refaire

Tchang Su

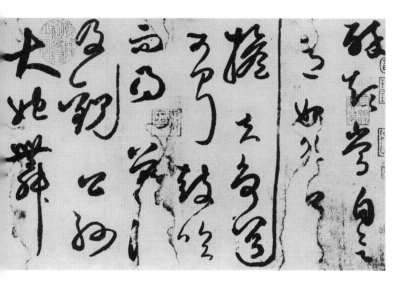

autant. On l'appelait Zhang-le-fou." [1] Comme d'autres artistes de son temps et d'époques plus anciennes, il se servait de l'alcool pour se mettre en train, mais son ivresse n'était pas celle du vin seulement. En criant et en se démenant, il développait l'activité qui devait passer dans sa calligraphie.

Zhang Xu rapporte qu'il a compris l'art du pinceau en assistant à une altercation entre une princesse et un porteur. Le porte-faix a tenté de forcer le passage pour ne pas interrompre sa course, mais la princesse s'est mise dans son chemin et l'apostrophe de son palanquin ou du haut de son cheval (les femmes de l'aristocratie montaient comme les hommes sous les Tang) ; peut-être sont-ce les demoiselles de sa suite qui s'en prennent au manant. Dans l'esclandre qui en résulte, le calligraphe est frappé par les gestes et les postures. Il les *sent* en lui et l'animation qui se saisit de lui, lui révèle l'objet propre de son art : la calligraphie a pour vocation d'exprimer l'essence dynamique des événements. Elle fixe ces "moments expressifs" qui semblent se manifester dans les choses et qui, en fait, sont la réponse de notre imagination motrice au spectacle du dehors. Elle manifeste à l'état pur la vie du corps propre au contact du monde, sans se préoccuper de représenter

1. Texte chinois : Hsiung p. 8.

les personnes et les choses dans lesquelles cette vie s'est projetée sur le moment.

Un jeu de tambours et de flûtes a provoqué une deuxième expérience du même genre. Un jour, Zhang Xu est frappé d'une manière toute nouvelle par la musique qu'il entend. Il sent naître en lui, sous sa dictée, des mouvements qui tendent spontanément à l'expression calligraphique. Il ne tentera pas de reproduire la musique dans son écriture, mais d'exprimer par l'écriture une activité intérieure de l'ordre de celle qu'il a connue en écoutant la musique et en assistant à la scène du porteur et de la princesse. Il rendra manifeste, dans son art, la vie accrue qu'il a ressentie dans ces deux occasions et qui a été deux fois la source d'une perception si aiguë, immédiate et complète du spectacle offert.

Il a eu une troisième révélation en voyant la danseuse Gongsun exécuter la danse de l'épée : ce spectacle lui a fait comprendre, dit-il, le "pouvoir merveilleux" (*shen* 神) de la calligraphie. *Shen* signifie la "divinité" ou, plus généralement, la "manifestation surnaturelle", la "manifestation merveilleuse" [1]. La danse possède un "pouvoir merveilleux". Zhang Xu comprend que la calligraphie peut avoir le même effet bouleversant. La danse à laquelle il assiste est une activité dans laquelle ne subsiste aucune inertie, où tout est mouvement, où tout contribue à l'effet d'ensemble et où cet effet d'ensemble est supérieurement expressif parce que supérieurement unifié. Zhang Xu entre en résonance avec elle et comprend que rien d'autre ne doit plus compter pour lui que la réalisation de cette même "manifestation merveilleuse" en calligraphie.

Plus encore qu'à la manifestation merveilleuse qui émane de l'œuvre achevée, il songe à celle qui se produit dans la subjectivité du calligraphe au moment de l'écriture. C'est en effet dans l'exécution que l'affinité entre la danse et la calligraphie est la plus évidente. Dans la calligraphie comme dans la danse, tout le corps est mouvement, toute son activité est unie dans l'acte de l'expression. Chez le calligraphe, cette activité se concentre dans la manœuvre du pinceau, mais le mouvement n'est pas moindre chez lui que dans la danse. Il est même plus vivement ressenti du fait qu'il est *contenu* : parce qu'il n'a pas de grand effort physique à fournir ni d'équilibre à maintenir, le

[1]. *Shen* se retrouve dans le composé *jingshen* 精神, "force agissante", dont il a été question à la page 238.

*QUATRE POÈMES EN STYLE ANCIEN (GUSHI SISHOU)*, non signés, attribués à Zhang Xu (environ 658-748, Tang). Ce célèbre manuscrit, composé de huit feuillets de teintes différentes montés en rouleau, reproduit quatre poèmes, deux de Yu Xin (513-581, Liang) et deux de Xie Lingyun (385-433, Jin or.). On voit à droite un passage du deuxième poème. Ces *Quatres poèmes* sont, avec la *Présentation autobiographique* de Huaisu (voir p. 175-179), l'un des grands classiques de la "cursive folle" des Tang. Hauteur de l'original : 28,8 cm.

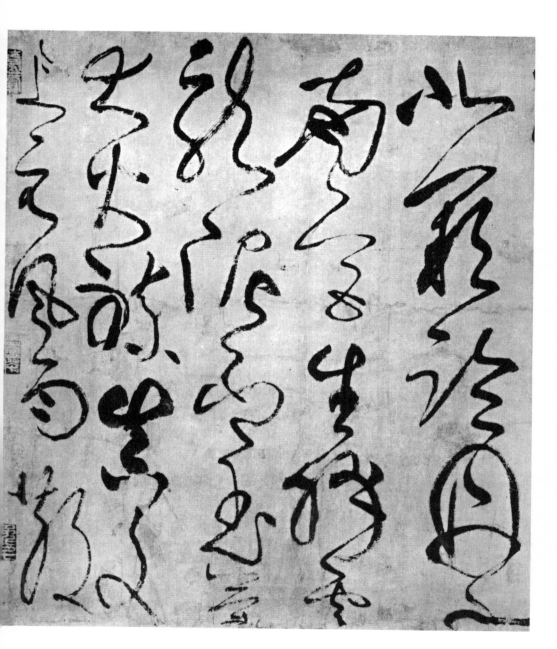

1. Le rapport est cependant variable : l'exécution calligraphique peut être extravertie, la danse contenue à l'extrême. Sur l'équivalence subjective entre la danse et la calligraphie, voir plus haut, p. 228-229.

2. Voir Hsiung, p. 159. L'anecdote est tirée du *Tangchao minghua lu*, composé sous les Tang par Zhu Jingxuan. Wu Daozi passe pour avoir été un élève de Zhang Xu.

3. Ce quatrain est cité par Huaisu lui-même dans sa *Présentation autobiographique* (*Zixutie*), l'œuvre dont des extraits sont reproduits aux pages 175-179. Ce poème a été souvent cité et calligraphié par la suite. Hsiung Ping-Ming en cite une variante dont il n'indique pas l'origine (p. 33). Dou Ji est un calligraphe disciple de Zhang Xu à qui l'on doit un long poème didactique sur l'histoire de la calligraphie, le *Shufufu*, qui figure dans *Lidai* p. 236-264.

calligraphe ressent plus fortement son activité intérieure. Chez le danseur, au contraire, le mouvement est d'autant moins perçu au-dedans qu'il est plus développé au-dehors [1].

L'équivalence entre danse et calligraphie vaut pour celui qui les pratique, mais aussi pour les spectateurs. Le geste du calligraphe en impose ; le silence se fait spontanément lorsqu'il se met à écrire. Même le plus ignorant des témoins a le sentiment d'assister à un événement d'une qualité particulière. Cette impression est encore plus forte lorsqu'il ne s'agit pas d'un technicien habile, mais d'un artiste authentique. Zhang Xu est connu pour avoir orné de sa calligraphie des murs de résidences aristocratiques et de temples. Ces exécutions attiraient du monde. Le *Répertoire des peintures célèbres de la dynastie Tang* rapporte qu'il a couvert un jour le mur d'un temple de Luoyang après avoir vu danser un certain général Pei Min. Ce général avait envoyé un somptueux présent à Wu Daozi, le plus renommé des peintres de l'époque, pour qu'il vînt peindre chez lui. Wu Daozi avait renvoyé le présent et fait savoir qu'il s'estimerait comblé si le général acceptait de danser pour lui. Le général avait dansé et le peintre avait peint, "comme assisté par une puissance miraculeuse" (*shen* 神). Zhang Xu, qui avait été témoin des deux démonstrations, "fut lui aussi saisi d'enthousiasme et couvrit alors de son écriture l'un des murs du temple. De sorte que tous ceux qui avaient été présents, ajoute le texte, aristocrates et gens du commun, se félicitèrent d'avoir assisté lors de ce triple événement à trois manifestations du génie" [2]. La parenté entre l'exécution d'une danse, l'exécution picturale et l'exécution calligraphique va de soi.

Huaisu (737- ?), l'autre grand maître de la cursive folle sous les Tang, écrivait lui aussi sur les murs. Plusieurs poètes ont décrit ce qu'ils ont ressenti en le voyant à l'œuvre. Le poème le plus connu est un quatrain de Dou Ji dont voici une traduction littérale : "Devant le mur blanchi à la chaux d'une galerie de plusieurs dizaines de travées, / son émotion monte, les énergies qui circulaient en lui jaillissent. / Il pousse soudain deux trois cris / et le mur se couvre en tous sens de milliers de caractères." [3] Deux vers de Dai Shulun (732-789), que Huaisu cite lui-même dans sa *Présentation autobiographique*, décrivent le même spectacle : "Galop du pinceau, coursiers lâchés de front, / la salle assistait bouche bée et suivait à peine." [1] Cette pratique de la calligraphie à même le mur semble avoir été abandonnée après les Tang. Il ne reste hélas rien des œuvres ainsi créées.

Mais revenons au texte. Après la scène du porteur et de la princesse, celles de la musique et de la danse, Zhang Xu en vient enfin à la calligraphie. C'est grâce à la danse qu'il en a pénétré le mystère : "C'est en regardant la danseuse Gongsun, écrit-il, que j'ai saisi son pouvoir merveilleux. Depuis lors, chaque fois que je revois la cursive de Zhang Zhi, des Han, le prodige de sa cursive me jette à nouveau dans la folie d'écrire." Cette cursive le bouleverse plus encore que la danse de l'épée et le jette dans une effervescence qui se convertit spontanément en expression calligraphique. Telle est en effet l'action de la calligraphie sur ceux qui en ont l'expérience. La réaction de Zhang Xu est de même nature que celle du danseur qui voit danser ou du musicien qui entend de la musique. La vivacité de la réaction dépend à la fois de la qualité de l'exécution et de la réceptivité du témoin. Ce n'est pas un artiste quelconque qui jette Zhang Xu dans la folie d'écrire mais Zhang Zhi, calligraphe de la fin des Han (mort vers 192) dont la cursive a été unanimement admirée par les amateurs du Moyen Âge et des Tang.

Zhang Xu énumère ainsi les quatre expériences qui ont jalonné son itinéraire. Chaque fois, un spectacle inattendu a déclenché une transformation de son activité propre et provoqué en retour un saut qualitatif dans sa perception de la réalité extérieure. Chaque fois, Zhang Xu a pénétré plus profondément les ressorts de l'art calligraphique et ressenti un besoin décuplé de faire jouer ces ressorts en se jetant dans l'écriture. Les calligraphes ont attaché beaucoup d'importance à ces sauts qualitatifs de l'activité propre. Ils les ont désignés par le verbe *wu* 悟, qui signifie "comprendre" ou "prendre conscience de

1. Ces vers sont aussi cités par Huaisu lui-même dans sa *Présentation autobiographique* : on peut les lire au bas de la page 177, à droite, après le grand caractère Dai 戴, nom de famille de Dai Shulun. Les deux vers cités vont du milieu de la 3e colonne à la fin de la 5e. Le quatrain de Dou Ji vient juste avant. On en aperçoit tout à droite les derniers caractères. Texte chinois : Hsiung Ping-Ming, *Zhang Xu*, p. 158, n. 4.

ZHANG XU
(ENVIRON 658-748, TANG),
*STÈLE DES SECRÉTAIRES*
(*Langguan shiji*) 741. Détail.
La régulière de Zhang Xu, beaucoup moins connue que sa cursive, est proche de celle de Ouyang Xun, mais elle a plus de rondeur et de grâce.

quelque chose" et auquel le bouddhisme a donné le sens de "s'éveiller", "connaître l'illumination". L'expérience dont parlent les calligraphes et celle de l'éveil dans le bouddhisme sont apparues comme apparentées, car elles consistent les unes comme les autres en un passage de l'activité propre à un palier supérieur d'intégration. Ce qui les distingue est que, dans le cas de la calligraphie, l'activité supérieurement intégrée est projetée dans le monde extérieur qui se trouve investi, de ce fait, d'une vie plus intense tandis que, dans la méditation bouddhique, le mécanisme de la projection est suspendu et l'activité supérieure se perçoit elle-même de façon immédiate. [1]

De nombreux textes font état de ces transformations subites de l'activité propre. Un ouvrage d'époque Song rapporte ceci sur Huaisu : "Il disait qu'il avait atteint dans l'exercice de la cursive la concentration parfaite. (...) Contemplant un jour des nuages d'été qui se métamorphosaient au gré des vents, il eut subitement le sentiment de comprendre quelque chose d'essentiel (wu) et, dès lors, atteignit (dans son écriture) les effets les plus merveilleux." [2] Un autre ouvrage cite ce souvenir de Lei Jianfu, un calligraphe du XIe siècle (Song) : "Alors que je me reposais, étendu, j'entendis un jour le grondement d'une chute d'eau qui allait grandissant et j'imaginai les flots qui tourbillonnaient, se brisaient et se précipitaient dans l'abîme ; je me levai pour écrire et tout ce que j'avais imaginé apparut sous mon pinceau." [3] Les deux calligraphes ont fait la même expérience protéenne. Dans un moment de détente et d'insouciance, ils ont senti les énergies de leur corps propre circuler et se transformer. Au lieu de se percevoir selon une image fixe du corps, ils ont commencé à appréhender leur réalité propre sous des formes changeantes et se sont reconnus l'un dans le spectacle changeant des nuages, l'autre dans le bouillonnement de l'eau. Cette levée définitive de la fixité intérieure a fait accéder Huaisu au sommet de son art et permis à Lei Jianfu de rendre par l'écriture la grande animation qu'il avait ressentie. Notons qu'une expérience de même nature donne lieu à deux projections différentes, l'une visuelle, l'autre auditive, ce qui montre bien le rôle primordial du sens propre et sa faculté d'investir de diverses manières le monde extérieur. Cela montre aussi sa vertu transformatrice puisque, dans le cas de Lei Jianfu, il convertit en

1. Sur cette activité diffuse, voir plus haut, p. 221-222.

2. Ce passage est tiré du *Xu Shuduan* de Zhu Changwen (1039-1098). Texte chinois : *Lidai* p. 331. "Concentration parfaite" est la traduction du terme *sanmei* 三昧, du sanscrit *samâdhi*.

3. Cité dans *Xiandai* p. 91, d'après le *Shufa ligou* de Pan Zhicong, d'époque Ming.

formes calligraphiques des images qui furent d'abord auditives. Sans le sens propre, ce genre de synesthésie resterait inexplicable.

Le pouvoir transformateur du corps propre se manifeste aussi dans un autre genre d'expérience. Il arrive qu'au cours de son apprentissage, le calligraphe découvre dans un geste qu'il voit faire à d'autres le secret de tel geste qu'il cherchait en vain à réussir en calligraphie. Huang Tingjian (1045-1105, Song) en donne un exemple :

À l'époque Yuanyou (1086-1093), j'avais le geste engourdi, mes mouvements n'allaient généralement pas jusqu'au bout. C'est sur le tard, en franchissant les gorges du Yangtsé, que j'observai comment les bateliers tiraient et poussaient à fond sur leurs avirons et que je compris (*wu* 悟) comment il fallait manœuvrer le pinceau. [1]

En observant les nautoniers manier leurs avirons, Huang Tingjian saisit soudain de l'intérieur les gestes qu'il doit faire pour exécuter une attaque, un développement et une terminaison. Voyant ces hommes agir de tout leur corps sur la godille et renverser son angle d'attaque chaque fois qu'elle parvient au bout de sa course, il *sent* l'opération et *sent* du même coup le secret de la manœuvre du pinceau. Il s'agit dans ce cas de la saisie d'un geste particulier par l'imagination motrice plutôt que du passage à un palier supérieur de l'activité, mais Huang Tingjian utilise aussi le mot *wu*.

D'autres fois, ce n'est pas un geste que le calligraphe capte ainsi, mais une certaine valeur expressive. L'ouvrage Song déjà cité rapporte que Wen Tong (alias Wen Yuke, 1018-1079, Song), connu comme peintre mais qui fut aussi calligraphe, "assista une fois à un combat de serpents et progressa dans l'art de la cursive " [2]. On imagine qu'il ait pu puiser dans ce spectacle une vigueur et une rapidité accrues de l'attaque et de la contre-attaque. L'*Histoire des Jin* relate que Wang Xizhi (321-379) aimait les oies. Ce goût est illustré par deux anecdotes, mais n'est pas expliqué et n'a pas besoin de l'être : on comprend qu'il admirait la force et la souplesse de leur cou et cherchait dans ses courbures le secret de l'expression calligraphique. [3]

Les serpents qui se dressent, le cou des oies qui compense à chaque pas le dandinement du corps sont de ces "moments expressifs" que l'imagination motrice saisit sur le vif et que le geste calligraphique restitue. Certains auteurs chinois désignent

Houang T'ing-tsien

1. Cité dans *Xiandai* p. 90, sans indication de source.

2. Cité dans *Xiandai* p. 91, d'après le *Shufa ligou*.

3. *Jinshu*, chapitre 80. Le fait est expliqué différemment dans le *Linquan gaozhi*, traité de peinture de Guo Xi (env. 1020-1090, Song) et de son fils Guo Si : "Si Wang Xizhi aimait les oies, c'est qu'il s'inspirait, pour former les caractères, de la ressemblance entre les ondoiements de leur cou et ceux du poignet qui fait tournoyer le pinceau" (chap. *Huajue* ; voir Yu Jianhua, *Zhongguo hualun leibian*, Pékin, 1957, vol. 1, p. 643). La technique de Wang Xizhi était celle du Moyen Âge, beaucoup plus libre que la technique classique qui s'est développée à partir des Tang ; voir à ce sujet p. 83, note 2.

ces "moments expressifs" par le mot *xiang* 象, que nous traduirons par "figures dynamiques". Dans ses *Principes essentiels de la calligraphie*, Ding Wenjun (1906 - ?) considère que la première qualité du calligraphe est de savoir *qu xiang* 取象, "capter les figures dynamiques" du réel pour les faire passer dans son écriture. Ce qu'il dit à ce propos mérite d'être cité [1] :

Ce qui compte en premier lieu dans les beaux-arts, c'est l'expression. Parce que l'homme est lui-même un être d'expression, les êtres qui ont de l'expression l'émeuvent, le réjouissent et lui paraissent beaux ou laids. L'écriture, qui sert à noter la parole et qui est en elle-même dénuée d'expression, ne peut donc avoir quelque beauté pour lui que si elle *figure* quelque chose.

Voici ce que je veux dire. Tout ce qui dans ce monde a de l'expression peut devenir figure : dans le domaine terrestre, les eaux qui coulent et les montagnes qui se dressent, les falaises qui se déchirent et les pics qui se dénudent ; dans le domaine céleste, les étoiles qui s'assemblent dans la Grande Ourse et celles qui se dispersent, le soleil qui se couche et la lune qui s'illumine en s'élevant ; dans le domaine humain, une jeune fille qui se pare la chevelure d'une fleur ou le guerrier qui brandit son épée ; dans le domaine des souffles, les vents qui passent et les nuages qui se retirent, les brumes qui prennent corps et les brouillards qui se défont ; dans le domaine des êtres vivants, le cygne qui traverse le ciel à tire-d'aile ou le nénuphar qui se laisse bercer par l'eau.

Quand nous percevons ces *figures* et que nous les intériorisons, nous les transformons en *figures prégnantes* que nous extériorisons ensuite de différentes manières dans les différents arts. (...) En calligraphie, nous les extériorisons par des points et des traits modulés. Distincte de l'écriture utilitaire, qui ne sert qu'à noter la parole et les faits, l'écriture en tant qu'art a pour vocation de rendre sensibles ces *figures prégnantes*. (...)

La calligraphie puise à la même source que la peinture, mais rejoint dans ses effets la musique. D'une part, peinture et calligraphie ont l'une et l'autre pour fonction première de figurer les choses et se servent l'une et l'autre de points et de traits pour le faire – la peinture en grande quantité, la calligraphie avec plus d'économie. Mais puisqu'en Chine, nous avons toujours considéré comme supérieure la plus grande économie des moyens, nous avons placé la peinture de simple représentation moins haut que la peinture d'expression et la peinture d'expression moins haut que la calligraphie, qui transmet l'expression

---

*siang*

Ting Wen-tsun

*ts'u siang*

1. *Principes essentiels de la calligraphie (Shufa jinglun)*, qui a paru en 1938 et qui a été réédité plusieurs fois depuis 1983 par le Zhongguo shudian de Pékin, est à mon avis le meilleur traité de calligraphie contemporain. Il comporte une partie historique de 84 pages et une partie systématique de 208 pages où l'on trouve un exposé des principes généraux de l'art calligraphique, une analyse excellente de la technique et des conseils concernant l'étude des œuvres. L'auteur se sert d'une langue classique toujours très précise. Le passage que je traduis ici figure au début de la seconde partie, pages 1-2, et traite de la première des cinq exigences fondamentales auxquelles le calligraphe doit satisfaire : après *quxiang* 取象 "capter les figures du réel", ce sont *ningshen* 凝神 "se concentrer", *jingshou* 精熟 "posséder le métier", *ju jingu* 具筋骨 "mettre de la force dans l'écriture" (littéralement : y mettre "du muscle et de l'ossature"), enfin *shan bianhua* 善变化 "savoir jouer le jeu des métamorphoses". Ce sont, autrement dit, la concentration, la maîtrise technique, la force et l'invention. Ding Wenjun a publié récemment un nouvel ouvrage, *Principes généraux de la calligraphie (Shufa tonglun*, Pékin, Éditions Renmin meishu, 1986, 169 p., 106 pl.) que je trouve très inférieur à l'ancien. Il est rédigé en chinois moderne.

de l'expression. [1] La calligraphie n'en procède pas moins de la même source que la peinture.

La musique se sert quant à elle des notes et du volume variable du son pour rendre sensibles des *figures prégnantes* variées à l'infini. La calligraphie rend manifestes ces mêmes images prégnantes, mais au moyen d'éléments graphiques d'épaisseur et de profil divers. La musique et la calligraphie ont en commun leur pouvoir d'abolir les formes extérieures et de fondre l'objectif et le subjectif. Schopenhauer [2] voyait dans la musique le plus noble des beaux-arts parce qu'elle n'exprime pas des figures prégnantes tirées du monde extérieur, comme les autres arts, mais directement les *figures de l'émotion*. Le plaisir et la colère, la tristesse et la joie, les sensations internes telles que fermeté et souplesse, repos et mouvement, auxquelles ni la peinture, ni la littérature ne sauraient donner forme, la musique peut en révéler tous les mouvements cachés, et la calligraphie possède ce même pouvoir merveilleux.

Ce beau texte, écrit en chinois classique, reprend, précise et développe des conceptions très anciennes. Il est centré sur la notion de *xiang*, "figure", que l'on rend le plus souvent par "signe" ou "phénomène". Cette notion comprend, de manière générale, tout ce qui se présente à la vue et porte en soi une signification mais elle revêt ici, à l'évidence, une signification dynamique : elle désigne ce qui se présente à la vue et, plus profondément, à l'imagination motrice sous la forme d'un mouvement expressif. Les montagnes *se dressent*, dit le texte, les falaises *se déchirent*, les pics *se dénudent* : le monde est fait de phénomènes dynamiques que le corps actif saisit dans leur mouvement et reproduit par le mouvement. Si le calligraphe peut s'inspirer du monde extérieur, c'est que son écriture se nourrit de ces figures mouvantes.

Lorsque le calligraphe capte une figure dynamique et l'intériorise, dit Ding Wenjun, elle devient "figure prégnante". Le terme chinois qu'il utilise, *yixiang* 意象, signifie littéralement la "figure (*xiang*) d'intention (*yi*)", c'est-à-dire la "figure porteuse d'intention" ou "grosse d'intention". L'expression désigne les figures dynamiques que nous conservons en nous et qui tendent spontanément à l'expression dès qu'elles sont réactivées : un geste que nous avons vu faire et auquel nous ne pouvons

*yi-siang*

1. "Peinture de simple représentation" est une traduction de *gongbi* 工笔, "pinceau travaillé", terme qui désigne, comme nous l'avons vu au chapitre 3 (p. 65-66), la peinture descriptive dessinée au pinceau, puis coloriée. "Peinture d'expression" est une traduction de *xieyi* 写意, "noter une impression", qui désigne la peinture au lavis, laquelle évoque plutôt qu'elle ne décrit. À ces deux termes, Ding Wenjun en ajoute un troisième qui est de son invention : "l'expression de l'expression", *xieyi zhong zhi xieyi* 写意中之写意, littéralement "l'expression à l'intérieur de l'expression". On ne saurait mieux situer la calligraphie par rapport aux deux grandes catégories de la peinture chinoise classique.

2. Schopenhauer a été introduit en Chine par l'historien, philosophe et critique littéraire Wang Guowei, qui est né en 1877 et s'est donné la mort en 1927.

DESSIN D'ENFANT,
*LE CHAT SAUTANT SUR LA
COMMODE*, vers 1976.
LI DI (SECONDE MOITIÉ DU
XII<sup>e</sup> SIÈCLE, SONG DU SUD),
*OISEAU PRENANT UN BAIN
(QINYUTU)*.
Le dessin et la peinture
appréhendent des formes
mais ne peuvent, comme
le fait la calligraphie, restituer
les figures dynamiques que
le corps propre saisit
dans le réel.

penser sans l'ébaucher intérieurement ; un moment expressif que nous avons intégré, celui du serpent qui se dresse ou celui du cou de l'oie, et que nous ne pouvons évoquer sans que naisse en nous l'envie de le reproduire par un geste expressif. C'est en ce sens que les figures captées par le corps propre sont "prégnantes", ou "grosses d'expression".

En introduisant ces figures dans l'écriture, le calligraphe la rend expressive et capable de nous émouvoir. Notre imagination motrice les y retrouve et s'émeut comme devant un spectacle réel. Parce qu'elle les y trouve plus pures et plus vigoureuses que dans la réalité même, elle a le sentiment de saisir dans la calligraphie la quintessence dynamique du réel. La calligraphie "fond l'objectif et le subjectif" comme le fait la musique. Les deux formes d'expression rendent sensibles les mouvements et les transformations que notre activité propre développe au contact du monde et par lesquels elle connaît le monde tout en se connaissant elle-même.

La calligraphie rend visible ce que nous ressentons en agissant et en voyant agir. Les textes anciens sont éloquents sur ce point. Certains caractères de cursive, dit par exemple un ouvrage du III<sup>e</sup> siècle, suggèrent le mouvement du phénix qui, alerté par un bruit, "ouvre ses ailes pour prendre son vol mais, à peine soulevé, se repose" [1]. Nous avons aperçu d'autres mouvements expressifs dans les caractères de Yan Zhenqing à la fin du chapitre 2 [1]. Le chinois possède un mot, *shi* 势, pour désigner

1. Citation tirée du *Caoshu* shi de Suo Jing (239-303, Jin occ.). Texte chinois : *Lidai* p. 19.

2. Voir p. 52-53.

*cheu*

ces "mouvements d'ensemble", ces mouvements du corps entier que le corps entier comprend. Ce sont ces *shi* que reproduisent les caractères calligraphiés, surtout en cursive. Chacun représente une "figure" (*xiang* 象) possédant un "mouvement d'ensemble" (*shi* 势). Pour "capter une figure" (*qu xiang* 取象), le calligraphe doit "capter un mouvement" (*qu shi* 取势). On raconte que, pour attraper le mouvement du caractère *zi* 子 ou du caractère *bu* 不 en cursive, Zhao Mengfu (1254-1322, Yuan) commençait par chercher de la main le mouvement de l'oiseau qui vole et que, pour réussir les caractères *wei* 為 ou *ru* 如, il essayait d'abord de reproduire en l'air le mouvement de rats qui font la culbute en jouant[1]. C'est du corps en mouvement que naît l'expression.

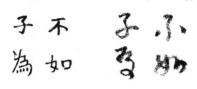

1. D'après Ding Wenjun, *op. cit.*, seconde partie, p. 3. Caractères en régulière à gauche, en cursive à droite.

Notons que cette saisie dynamique du réel joue un rôle important dans la musique de *qin* 琴, la plus élaborée des formes musicales chinoises. Les sept cordes de soie de cette cithare plate sont pincées de différentes façons de la main droite et pressées de diverses manières de la main gauche. De la combinaison des deux opérations résultent des sons discrets, mais très finement différenciés dans l'attaque, le timbre et la modulation. Or les anciens manuels de *qin* ne décrivent pas ces sons eux-mêmes, mais le geste par lequel le musicien les produit : tel son est produit par le geste de la "libellule effleurant la surface de l'eau", tel autre par celui du "coup de queue nonchalant de la carpe" ou par celui de la "mante religieuse qui happe une cigale". Ces évocations donnent des indications très concrètes. Quiconque a observé une carpe, une libellule et une mante retrouve par l'imagination motrice le geste à faire et produit le son voulu. Certains traités classiques caractérisent chaque type de son par une image de la position de la main, que viennent compléter des indications techniques, et par une image de l'animal en mouvement accompagnée d'un poème évoquant sa manière de se mouvoir. Pour l'imagination motrice, cette imagerie est plus éloquente que toute explication. "Les Anciens..., dit l'un de ces traités, figuraient les choses par le geste."[2]

2. Cette formule est tirée du traité anonyme d'époque Ming *Taiyin daquanji*, qui a été reproduit par le Zhonghua shuju de Shanghai en 1961 sous forme de trois fascicules reliés à l'ancienne, dans la collection *Zhongguo gudai banhua congkan* (c'est de cet ouvrage qu'est tirée la planche reproduite à la page suivante). L'édition reproduite date de la première moitié du XVIᵉ siècle. La phrase citée figure au tout début du deuxième fascicule. Sur le *qin*, consulter en premier lieu R. H. van Gulik, *The Lore of the Chinese Lute*, Tokyo, Sophia University and Charles E. Tuttle, 1969 (édition revue et corrigée d'un ouvrage de 1940) ; Kenneth J. De Woskin, *A Song for One or Two. Music and The Concept of Art in Early China*, Ann Arbor, University of Michigan, 1982 ; Georges Goormaghtigh, *L'Art du qin. Deux textes d'esthétique musicale chinoise*, Bruxelles, Institut belge des Hautes études chinoises, 1990. Sur les manuels illustrés, voir van Gulik, p. 117-123, et surtout DeWoskin, p. 130-136.

DEUX PLANCHES TIRÉES DU *TAIYIN DAQUANJI (Grand traité du son suprême)*, manuel de *qin* anonyme publié au XIVe siècle, sous les Ming. La planche de droite montre la position de la main qui permet de tirer d'une corde un "son flottant", c'est-à-dire d'en faire résonner la seule harmonique. L'action délicate exercée sur la corde, qui ne doit pas être pressée contre le corps de l'instrument, est assimilée au contact précis et léger de la libellule avec l'eau. Le poème qui sert de légende à l'image de gauche peut être rendu comme ceci :

> Libellules, sur l'eau vous volez,
> par instants vous la frôlez,
> et je m'inspire de vos figures
> quand j'effleure ma corde pour
> en tirer l'harmonique.

Ce procédé didactique n'est pas exploité de manière aussi systématique ni aussi raffinée dans les traités de calligraphie, mais il y est utilisé. L'un des plus anciens, le *Tableau des manœuvres du pinceau*, distingue sept éléments calligraphiques de base et caractérise chacun d'eux par une image dont certaines évoquent un "mouvement d'ensemble" [1]. Le point (a), dit le texte, "s'abat comme un rocher chutant du haut d'un sommet, cascadant

1. Texte chinois : *Lidai* p. 22. Voir aussi "Wei Fu-jen's *Pi Chen T'u...*" de Richard M. Barnhart.

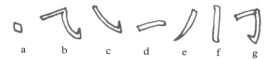

a     b     c     d     e   f     g

à grand fracas". Cette chute évoque à la fois le spectacle dont le calligraphe s'inspire, la sensation qu'il éprouve lors de l'exécution et l'effet calligraphique produit. Il en va de même du crochet articulé (b), qui "se développe comme une vague qui déferle ou comme le tonnerre qui roule", ou du grand crochet (c), "tendu comme une arbalète de trois mille livres juste avant la détente". Les autres images ont un caractère gestuel moins net. Elles évoquent plutôt des qualités plastiques correspondant à des sensations internes du corps propre. Ainsi le trait horizontal (d) se développe-t-il "comme un front de nuages barrant l'horizon sur mille lieues, indistinct par endroits mais parfaitement formé dans sa masse". Le jambage gauche (e) a l'allure d'une "corne de rhinocéros ou d'une défense d'éléphant", la verticale (f) a la fermeté d'un "tronc de glycine centenaire", la barre coudée (g) a les "articulations d'un arc puissant". Ces images, qui caractérisent les formes de la régulière plus que celles de la courante ou de la cursive, montrent que, dans le registre régulier, certains éléments (les points, les crochets, les courbes) sont plus dynamiques, d'autres (les droites simples ou coudées) sont plus statiques, mais que tous sont des formes que le corps propre *éprouve*.

Notons encore que la peinture chinoise classique se fonde également, dans une certaine mesure, sur une appréhension dynamique du réel. Elle s'exécute un peu comme la calligraphie et consiste aussi à extérioriser, à la faveur d'une intense mobilisation de l'activité propre, des formes naturelles préalablement intériorisées. Shitao (1641-1719 ?, début des Qing),    Cheu-t'ao
peintre de génie et grand théoricien de l'acte de peindre, parle ainsi de son expérience :

> Il y a cinquante ans, je ne m'étais pas encore mis dans les monts et les fleuves. Je ne les méprisais pas, non, mais je les laissais hors de moi mener leur existence séparée. Ils me chargent maintenant de parler pour eux. Ils sont renés en moi et moi en eux. À force d'aller voir toutes les cimes mémorables et d'en faire des croquis, ils sont entrés en moi, s'y sont fondus et procèdent maintenant de moi, Shitao. [1]

1. Voir Shitao, *Les "Propos sur la peinture" du moine Citrouille-amère*, traduits et commentés par Pierre Ryckmans, p. 64, texte chinois p. 145-146. Ma traduction diffère de celle de Pierre Ryckmans.

Les paysages réels dans lesquels le peintre s'est projeté au cours de ses voyages ont enrichi sa perception de lui-même et sa capacité d'exprimer cette perception dans sa création picturale. Or les formes qu'il a perçues et qu'il recrée sont dynamiques : "La mer puissamment déferle, écrit-il, les montagnes se tiennent en réserve. La mer engloutit et recrache, tandis que les montagnes se tiennent dans une attitude de respect. La mer manifeste à l'occasion sa puissance alors que les montagnes font circuler leur énergie au-dedans d'elles-mêmes..." [1] Ce sont bien des "figures dynamiques" que le corps propre saisit et recrée, en peinture comme en calligraphie. La différence est que le peintre, comme l'observe Ding Wenjun, ne peut s'affranchir de la représentation comme le calligraphe [2].

1. *Ibid.*, p. 89 et 154.

2. Rappelons le rôle joué par le mimétisme gestuel dans la formation du calligraphe, dont il a été question au chapitre 5, p. 155-156.
Le perfectionnement de soi par l'imitation d'une forme de vie supérieure ou simplement différente trouve son illustration la plus étonnante dans cette forme très ancienne d'exercice qu'est "l'imitation des cinq bêtes sauvages" (*wuqinxi* 五禽戲) et qui consiste à reproduire les mouvements, voire la *manière de se mouvoir* de l'ours, du tigre, du singe, du cerf et de la grue. Il s'agit par exemple de faire l'ours qui se dodeline, qui se dresse, qui donne des coups de patte, qui court, qui regarde derrière lui, qui se met en boule. Les postures et les mouvements se succèdent selon des séquences plus ou moins conventionnelles, mais ne sont bien exécutées que si l'adepte a observé les animaux en question et mobilise entièrement son imagination au moment de l'exécution.
Cette pratique, qui est attestée sous les Han, mais dont l'origine est plus ancienne, se rattache à la tradition taoïste. Elle a cependant un équivalent dans le confucianisme, qui prône l'acquisition de qualités morales par l'apprentissage des rites, qui considère cet apprentissage comme un processus d'assimilation mimétique du corps entier et n'accorde à l'instruction orale qu'un rôle secondaire. Xunzi (environ 298-235) est explicite là-dessus : "Quand l'homme de bien apprend, cela entre par les oreilles, s'accumule dans son for intérieur, se répand dans ses quatre membres et se manifeste dans ses faits et gestes : il parle à propos, il se meut avec justesse et devient exemplaire en tout. Mais quand c'est l'homme de peu qui apprend, cela lui entre par les oreilles et lui ressort par la bouche. Et comme il n'y a qu'une distance de quatre pouces entre l'oreille et la bouche, cela ne suffit évidemment pas à transformer de l'intérieur un corps de sept pieds !" (*Xunzi* 1) Le but est bien d'atteindre une sagesse qui s'exprime dans l'activité unifiée du corps entier. C'est pour cela que Mencius (environ 372-289) dit inversement : "Seul le Sage sait (véritablement) se servir de son corps." (*Mengzi* 7A / 38) Parce qu'elle n'est pas verbale, cette sagesse ne peut être transmise à la manière d'un savoir. Le Sage ne peut que la manifester et susciter chez d'autres le désir d'imitation. Les autres ne peuvent l'acquérir que par l'expérimentation mimétique (lire là-dessus Jean Levi, "Le silence du rite", in *Le Temps de la réflexion* VI,

Paris, Gallimard, 1985, p. 73-95). La sagesse confucianiste s'acquiert par l'imitation du Sage, la maîtrise taoïste par l'imitation de la nature. Dans l'une comme dans l'autre, seules comptent en définitive les qualités qui se manifestent dans l'activité spontanée de l'être entier. Il en va de même en musique, en peinture et en calligraphie. Ces conceptions se reflètent dans le vocabulaire. L'importance du mimétisme apparaît dans le fait que le verbe *xue* 学 signifie "imiter" aussi bien que "étudier" ou "apprendre". Le rôle du corps se manifeste dans le fait que *ti* 体, "le corps", prend en devenant verbe le sens de "comprendre par le corps" et signifie alors, à proprement parler, "faire dans son corps l'expérience de quelque chose". Cette acception est conservée dans les composés modernes *tihui* 体会 et *titie* 体贴 par exemple. *Ti* prend parfois le sens encore plus fort de "faire corps avec quelque chose" : les esprits "font corps (*ti*) avec les choses, on ne peut pas les en déloger", dit un texte ancien (*Zhongyong* 16). Il prend aussi le sens de "réaliser dans son corps" : "l'homme de bien réalise dans son corps (*ti*) la sensibilité morale (*ren*)", dit le *Livre des mutations* (*Yijing, Qian, wenyan*) ; "celui qui réalise dans son corps (*ti*) la pureté et la simplicité, dit Zhuangzi, on l'appelle l'homme réalisé (*zhenren* 真人)" (*Zhuangzi* 15). *Ti* peut aussi signifier "donner corps" et donc "manifester" : "le ferme et le souple en prenant corps manifestent (*ti*) l'action du Ciel et de la Terre", lit-on dans le *Livre des mutations* (*Yijing, Xici* A / 5). *Ti* peut avoir le sens de "manifester par ses actes" ou par sa manière d'être : "l'homme de bien est de bonne foi et le manifeste dans ses actes (*ti*)" (*Xunzi* 2). L'essentiel est toujours ce que le corps entier saisit, intériorise et manifeste ensuite spontanément. Au Moyen Âge le mot *ti* a pris sous l'influence de la philosophie bouddhique des acceptions plus abstraites dans lesquelles il n'y a pas lieu d'entrer ici.

La pratique de la calligraphie développe évidemment la faculté de saisir les figures mobiles du réel. Plus cette faculté croît, plus elle trouve à s'exercer hors de la calligraphie. Par jeu et par goût, le calligraphe se met à poursuivre dans toutes les situations possibles et imaginables son expérimentation imaginative. Il se livre à ce que certains auteurs ont appelé le "travail hors de l'écriture" (*ziwai gongfu* 字外功夫). Cette expression est calquée sur le "travail hors de la poésie" (*shiwai gongfu* 诗外功夫) dont parle le poète Lu You (1125-1210, Song du Sud) dans un poème de la fin de sa vie, *À mon fils Yu* [1] :

1. *Shi zi ru.* Le poème date de 1208.

> Quand je composais mes premiers vers,
> je ne cherchais que l'élégance.
> L'âge venant, j'ai mieux compris
> et mes poèmes m'ont parfois semblé montrer
> quelque grandeur ;
> des trouvailles sont apparues çà et là
> comme pierres qui émergent du courant et
> créent des remous.

Il parle ensuite de l'inégalable génie poétique de Li Bai et Du Fu et du moindre génie de quelques autres, puis termine en disant :

> La poésie n'est pas un jeu d'enfant,
> mais l'un des arts nobles.
> Si tu veux être poète, sache
> que le vrai travail se fait hors de la poésie.

Le "travail qui se fait en dehors de l'écriture" a souvent été évoqué, mais n'a jamais été décrit. Peut-être manquait-il, pour le faire, le langage développé dans le présent ouvrage. Nous avons vu plus haut que, parvenu à un certain stade, le calligraphe tirait parti de toutes les occasions qui se présentent, même en dehors de l'écriture, pour mobiliser ses énergies et pour intégrer plus complètement son activité.[1] Sa perception du monde extérieur se mue elle aussi en un champ d'expérimentation. Cela l'amuse d'appréhender plus vivement les choses, de les saisir dans leurs allures et leurs expressions. Il se prend au jeu, il participe avec une imagination de plus en plus agile à tous les spectacles et y capte avec une précision grandissante les figures qui resurgiront dans sa calligraphie. En promenade, par exemple, il voit un corbeau se poser à terre et réalise en lui-même cette opération à l'instant où il la voit. Cela lui donne le sentiment que la nature est devenue éloquente, qu'elle lui parle et qu'il la comprend. Cela lui donne l'occasion de procéder, non au "dérèglement de tous les sens", mais aux réglages et aux ajustements intérieurs les plus divers. Il accorde et combine toutes ses facultés pour les ramener progressivement à l'activité unifiée du corps propre, pour les y intégrer et pour saisir finalement le réel de manière immédiate et complète à travers cette activité unifiée.

Ce travail d'unification est nécessaire à tous les artistes. Dans le *Miroir de la fleur* (*Kakyô*), Zeami recommande à l'acteur de Nô de "relier par l'unicité de l'esprit ses dix mille moyens" et ajoute :

> D'une manière générale, (l'application de ce principe) ne doit pas être limitée à la scène. Jour et nuit, dans l'action comme dans le repos, il vous faut, sans jamais le perdre de vue, par un effort constant, relier (vos dix mille moyens). Si, de la sorte, vous employez toutes vos ressources sans jamais vous relâcher, vos facultés iront sans cesse croissant. Ces remarques constituent une tradition hautement secrète. L'exercice exige un travail acharné[2].

1. Voir en particulier p. 241-242.

2. *La Tradition secrète du Nô*, traduction et commentaire de René Sieffert, Paris, Gallimard, 1960, p. 131-132.

Le travail que Zeami enjoint à l'acteur d'accomplir en dehors de la scène est exactement celui que le calligraphe poursuit en dehors de l'écriture, qui consiste moins en quelque impitoyable discipline qu'en une recherche ludique par laquelle il remet en chantier son rapport à lui-même et au monde et renoue par conséquent avec l'aventure oubliée de l'enfance.

À mesure qu'il perfectionne son activité propre, les divers aspects de cette activité se modifient. Tantôt par gestation lente, tantôt par de brusques révélations. C'est au terme d'une insensible maturation, semble-t-il, que Zhang Xu a perçu avec une force si soudaine la scène de la princesse et du porteur. Tout porte à croire que c'est à la suite d'autres mûrissements qu'il a été bouleversé par les tambours et les flûtes, par la danse de l'épée.

Selon une idée très ancienne et profondément ancrée dans l'esprit chinois, l'écriture n'est pas faite de signes arbitraires, mais de représentations naturelles des phénomènes ou des expressions caractéristiques qui se dégagent d'eux, bref de leurs figures. Il n'est pas étonnant que les Chinois en aient attribué l'invention à un héros doué d'une double vue, possédant quatre yeux. Un texte d'époque Tang rapporte le mythe ainsi :

> L'écriture la plus ancienne est l'invention de Cang Jie, le devin de l'Empereur Jaune. Il avait quatre yeux, de sorte qu'il était voyant et pénétrait tout de son regard. Il observa au-dessus de lui les méandres de la constellation *Kui* et devant lui les signes de la tortue et les traces des oiseaux. Il recueillit tous les motifs qui avaient une vertu expressive et, les combinant, créa les caractères d'écriture [1].

1. Cette version du mythe est tirée du *Shuduan* de Zhang Huaiguan (Tang, première moitié du VIIIe siècle). Texte chinois : *Lidai* p. 157.

Ce Cang Jie n'est pas présenté comme un inventeur, comme quelque figure prométhéenne, mais comme un voyant. D'autres textes précisent qu'il s'est servi de deux de ses yeux pour observer le Ciel et des deux autres pour observer la Terre, ce qui lui a permis d'en avoir une vision unifiée. Puisque Ciel et Terre symbolisent dans la cosmologie chinoise les principes

CANG JIE, L'INVENTEUR MYTHIQUE DE L'ÉCRITURE : il a quatre yeux, et donc double vue. Gravure tirée du *Sancai tuhui*, encyclopédie illustrée du XVIe siècle, Ming.

de l'action (*yang*) et de la réaction (*yin*) dont les combinaisons produisent toutes choses, cela signifie que Cang Jie a saisi tous les phénomènes dans leurs totalités mouvantes et capté leurs *figures* pour les représenter par l'écriture, comme les calligraphes le font dans leur art [1].

Dans certaines des expériences évoquées plus haut, le calligraphe saisissait une figure seule, celle des bateliers maniant l'aviron par exemple. Dans d'autres cas, il saisissait un enchaînement de figures dans lequel l'élément isolé comptait moins que la suite des métamorphoses : celles de la scène du porteur et de la princesse, celles de la musique, de la danse de l'épée, des nuages d'été, du bouillonnement des eaux. Il arrive en effet que la perception coure, vole d'une figure à l'autre sans s'arrêter à aucune et les saisisse toutes, le corps actif gardant au passage l'expression quintessenciée de chacune et pouvant ensuite en reproduire sans faillir toute la série. Les trente-cinq aquatintes exécutées en une nuit par Picasso, au retour d'une corrida à laquelle il avait assisté à Avignon, sont un bel exemple de ce genre de restitution continuée de l'expérience. "Tant qu'il peignait, rapporte un témoin, le visage de Picasso avait la rigidité d'un masque. Mais son pinceau, palpitant de haut en bas, comme une longue aiguille de phonographe, semblait relié directement avec quelque chose qui vibrait au plus profond de son être." Son imagination motrice s'était emparée de la corrida et la recréait sur les plaques. Le régime exceptionnel de son activité propre, celui qu'il avait connu pendant la corrida et retrouvé en exécutant les lithographies, donnait à son corps une mémoire infaillible.

Les grands calligraphes ont cette même capacité de rendre, dans une sorte d'ivresse du corps créateur, l'expérience de la réalité dans son enchaînement continu. C'est ce pouvoir que l'écrivain Han Yu (768-824, fin des Tang) attribue à Zhang Xu dans un texte fameux, sa *Lettre d'adieu à l'abbé Gaoxian*. En voici un passage :

Tchang Su Kao-sien

> (2) Autrefois, Zhang Xu fut un grand maître de la cursive. Il ne pratiqua jamais d'autre art. Dès qu'il ressentait une émotion – joie ou colère, angoisse ou chagrin, allégresse ou dépit, nostalgie, ivresse ou

1. Ce mythe, qui est resté longtemps vivace puisqu'il est repris au début de presque tous les ouvrages rédigés au fil des siècles sur l'écriture, remonte probablement à un vieux fonds chamanique. Il explique la création de l'écriture par une expérience que le calligraphe réactualise lorsqu'il touche aux arcanes de son art. Voir Jonathan Chaves, "The Legacy of Ts'ang Chieh : The Written Word as Magic", in *Oriental Art* XXIII/2, 1977, p. 200-215. Je reviendrai sur ce thème au chapitre 8.

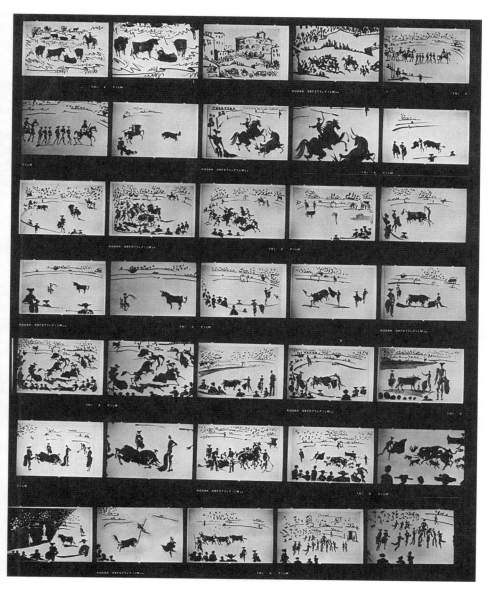

PABLO PICASSO, *LA TAUROMACHIE*, suite de 35 aquatintes exécutées en une nuit, en 1957. Planche photographique de David D. Duncan.

indignation – il l'extériorisait dans sa cursive. Il s'inspirait en même temps du monde extérieur. Tout ce qu'il percevait : les monts et les eaux, rochers et ravins, animaux de toutes sortes, les plantes avec leurs fleurs et leurs fruits, les astres, les constellations, le vent, la pluie, l'eau et le feu, le tonnerre et la foudre, la danse et le combat, tout ce qui change et se transforme entre Ciel et Terre, pour notre plaisir ou pour notre surprise – il mettait tout cela dans son écriture. C'est pourquoi sa calligraphie semble animée par les démons et les dieux et nous paraît insaisissable. Il lui consacra toute son existence et s'acquit le nom d'un grand artiste [1].

Han Yu s'adresse dans cette lettre à l'abbé Gaoxian, dont il juge la cursive très inférieure à celle de Zhang Xu. L'art de Zhang Xu est sublime, lui dit-il en substance, parce qu'il est un art passionné ; vous ne l'égalerez point, car vous adhérez à une religion dont l'inspiration centrale est le refus de la vie et que votre

1. *Song Gaoxian shangren xu.* Texte chinois : *Lidai* p. 291-292. Gaoxian, moine bouddhiste comme Huaisu, est aussi l'un des grands calligraphes des Tang et, comme lui, un maître de la cursive avant tout. Il ne subsiste de son œuvre qu'une seule pièce autographe incomplète, les *Mille caractères (Qianziwen)* en cursive conservés au Musée de Shanghai et que l'on trouvera reproduits, entre autres, dans la revue d'art *Yiyuan duoying* 2, 1978, p. 29-34. On ne connaît pas les dates de Gaoxian, mais on sait qu'il a reçu, de son vivant, un titre de l'empereur Xuanzong (r. 846-859). Il est donc un contemporain de Han Yu (768-824), mais plus jeune d'au moins une génération. Ce n'est pas à proprement parler une lettre d'adieu que lui adresse Han Yu, mais une sorte de bref essai que le poète lui dédie à l'occasion d'un banquet d'adieu. Ce genre littéraire, appelé *xu* "préface" parce que l'essai servait à l'origine d'introduction à un poème, était particulièrement apprécié sous les Tang et Han Yu en a composé un grand nombre, dont certains sont restés célèbres. Bien que l'occasion lui en soit chaque fois fournie par le déplacement d'un ami ou d'une connaissance, il s'en sert pour exprimer ses idées. On remarquera que dans la "préface" qu'il offre à Gaoxian, il critique la calligraphie du moine et, plus encore, le bouddhisme lui-même. Han Yu a été un adversaire déclaré du bouddhisme et l'avocat d'un retour aux traditions intellectuelles et littéraires proprement chinoises. On le considère comme le précurseur de la renaissance confucianiste de l'époque Song (960-1279). Les Chinois voient surtout en lui l'un de leurs plus puissants écrivains. Sur sa calligraphie, qui ne manque pas d'intérêt, voir *Shufa* 1980/6, p. 13-16. À une phrase près, que j'ai préféré résumer, je traduis la *Lettre d'adieu* en entier, mais j'en présente les trois parties principales dans l'ordre (2), (3) et (1) afin d'en faciliter l'intelligence. Dans son *Zhang Xu...*, Hsiung Ping-Ming en donne une traduction différente de la mienne (p. 117-119) et un commentaire auquel je renvoie le lecteur (p. 122-125).

écriture est donc condamnée à rester vide d'expression. [1] Voici la suite de la lettre :

> (3) Mais vous, mettez-vous dans votre cursive toute l'émotion qu'y mettait Zhang Xu ? Vous ne l'égalerez jamais si, au lieu de vous livrer tout entier comme il le faisait, vous vous bornez à l'imiter dans la forme. Pour vraiment l'égaler, il faudrait que vous agissiez jusque dans les plus petites choses selon vos tendances [2]. Il faudrait que vous brûliez intérieurement, que vous affirmiez vos désirs et votre volonté, que dans le contentement comme dans l'affliction vous sentiez fortement et que, le moment venu, tout cela se déverse dans votre écriture. C'est par cette voie-là que vous approcheriez de lui. Mais vous suivez celle du Bouddha, vous confondez la vie et la mort, vous fuyez tous les attachements, ce qui vous mène à une impassibilité où plus rien ne remue, à une indifférence générale où plus rien ne vous sourit. Cela ne peut avoir d'autre effet que de vous abattre, de vous jeter dans une désolation et une ruine qui finiront par être irrémédiables. Croyez-vous donc vraiment à une calligraphie désincarnée ? [3] – Mais il est vrai que les bouddhistes accomplissent toutes sortes de miracles et que vous entendez peut-être ces tours-là. Si c'est le cas, je ne préjuge de rien.

L'ironie de la phrase finale est impitoyable. Cependant, Han Yu n'en veut pas seulement à Gaoxian d'avoir fait tarir en lui les sources qui auraient dû nourrir sa création calligraphique. Il lui reproche d'avoir fait fausse route en cherchant à assurer son salut par la voie négative du bouddhisme. Dans l'opinion de Han Yu, le véritable détachement ne peut être réalisé que par la voie opposée, celle de l'accroissement et de la maîtrise de l'activité. Il exprime cette idée maîtresse dans la première phrase de son épître :

> (1) Lorsqu'on a mis toute son habileté et toute son intelligence dans l'exercice d'un art et que l'on agit spontanément sous la dictée du dedans, selon le mouvement de l'énergie intérieure, le pouvoir agissant est à son comble et l'indépendance est assurée [4] : aucune réalité extérieure n'a plus d'emprise sur notre esprit.

Et Han Yu de citer comme exemples les rois sages de l'Antiquité et d'autres hommes fameux – un archer, un boucher, un musicien, un médecin, un jongleur, un joueur d'échecs, un buveur :

1. Liu Xizai porte un jugement analogue lorsqu'il écrit dans son *Shugai*, § 42 : "Zhang Xu exprime la joie et la douleur dans son écriture, Huaisu n'exprime ni l'une ni l'autre." Texte chinois : *Lidai* p. 704.

2. Littéralement : "selon votre intérêt", "il faudrait que votre intérêt fût clair".

3. Plus littéralement : "En calligraphie, pourrait-on faire qu'il n'y eût pas de figures (*xiang* 象) ?"

4. Littéralement : "La force agissante (*shen* 神) est entière (*wan* 完) et la défense contre l'extérieur (*shou* 守) est solide (*gu* 固)." Juste avant, "l'énergie intérieure" est une traduction du mot *qi* 气.

Leur art était devenu pour chacun d'eux la source d'un plaisir inépuisable, de sorte qu'ils n'ont plus cherché leur bonheur ailleurs. Les
artistes qui le cherchent au-dehors et vont sans cesse d'une chose à
l'autre ne pénètrent guère au cœur de l'art et n'en goûtent jamais les
vraies délices.

C'est à la suite de cette admonition que Han Yu fait l'éloge de
Zhang Xu et le donne en exemple à son interlocuteur : "Autrefois,
Zhang Xu fut un grand maître de la cursive et ne pratiqua
jamais d'autre art..." Pour Han Yu, tout art digne de ce nom est
une pratique qui permet d'unifier l'activité et d'accroître en soi
la vie afin d'en réaliser toutes les virtualités. Il touche ici un
point fondamental, sur lequel la conception chinoise (qu'elle
soit confucianiste ou taoïste) et le bouddhisme sont en effet
incompatibles. Dans la *Lettre d'adieu*, il exprime de manière
forte le noyau même de la conception chinoise.

Dans son *Traité de calligraphie*, Sun Guoting décrit magnifiquement comment la "force agissante" d'un grand calligraphe
se manifeste dans son art. Ce passage figure à la suite d'un
passage où Sun Guoting parle de son itinéraire de calligraphe.
Il a commencé à s'exercer à quinze ans, il a travaillé pendant
vingt ans les œuvres des maîtres, mais il est loin d'être satisfait
et ne relâche pas son effort :

> Pendant toutes ces années, écrit-il, (...) j'ai observé (chez les maîtres)
> le jeu des terminaisons en pointe et en goutte, les effets du tonnerre
> qui roule et de la pierre qui chute dans l'abîme, les mouvements de
> l'oie sauvage qui vole à tire-d'aile et celui de la bête effarée qui se cabre,
> l'allure du phénix qui danse dans les airs et celle du serpent qui se
> dresse en sifflant, les figures de falaises abruptes et de pics dénudés, de
> vieux arbres surplombant le vide, des masses pareilles aux nuages bous-
> culés par l'orage, des éléments légers comme des ailes de cigales.
> Lorsque le geste se développe dans l'espace, les formes coulent de
> source ; lorsqu'il s'arrête, elles ont l'aplomb de la montagne. Finesse
> du premier quartier de lune à l'horizon, éparpillement des étoiles de la
> voie lactée (...) Tout cela va bien au-delà de ce que l'effort peut produire,
> et s'égale au grand surgissement merveilleux. On peut véritablement
> parler chez eux de pénétration supérieure et de technique accomplie,
> d'un esprit et d'une main pareillement libérés ! Leur pinceau ne bouge
> jamais sans raison, tous leurs mouvements obéissent à une dictée impé-
> rieuse. Pas un élément qui ne soit modulé par l'instrument, pas un
> point qui ne soit façonné par les retours de la pointe...

Ce que Sun Guoting dit dans sa prose somptueuse [1] peut être traduit en un langage plus analytique. Il perçoit dans l'écriture des maîtres la nature entière ou plus exactement le *jeu*, les *effets*, les *mouvements*, les *allures*, les *figures*, les *formes*, les *masses* de la nature entière – de la nature saisie par le corps et restituée par le geste. Deux images rendent avec une force particulière la valeur expressive du geste calligraphique : lorsque le calligraphe développe (*dao* 导) un élément dans l'espace, la forme "coule comme une source" (*quan zhu* 泉注) ; quand il s'arrête (*dun* 顿), elle a "l'aplomb d'une montagne" ou, plus littéralement, "repose comme une montagne" (*shan an* 山安). On n'exprime pas avec plus de bonheur ce qu'est la calligraphie pour celui qui la *sent*.

L'amateur discerne souvent dans une page de calligraphie tel élément qui se prolonge "comme le roulement du tonnerre" ou qui s'abat "comme un rocher chutant dans l'abîme" etc., mais ces analogies ne s'appliquent qu'aux parties. Si l'écriture représente la réalité, c'est surtout d'une autre façon. Chez les grands maîtres, dit Sun Guoting, la calligraphie "s'égale au grand surgissement merveilleux" – elle produit le même effet que la réalité même, dans son surgissement perpétuel, mais c'est en nous qu'a d'abord lieu le surgissement perpétuel [2]. Il prend sa source dans notre activité propre sans cesse renouvelée. Sans elle, le monde ne "surgirait" pas, il ne serait jamais "merveilleux". Du point de vue qui est ici le mien, l'écriture manifeste moins le surgissement du monde que celui qui s'accomplit continûment en nous et qui est au principe de toute notre expérience de la réalité.

Le seul manuscrit du poète Li Bai (701-762, Tang) qui soit parvenu jusqu'à nous est un quatrain calligraphié en cursive, conservé au Palais impérial à Pékin et reproduit ci-après, page 271. Cette pièce est aussi remarquable du point de vue littéraire et calligraphique que par la circonstance où elle semble avoir été composée. Il s'agit d'un quatrain en vers de quatre syllabes et non de cinq comme il est habituel sous les Tang, ce qui lui donne quelque chose d'abrupt et de définitif. En voici d'abord une traduction littérale :

1. *Le Traité* de Sun Guoting appartient au genre du *fu* 赋, du poème descriptif en vers libres. Texte chinois du passage traduit : *Lidai* p. 125, Ma p. 39.

2. "Surgissement perpétuel" est une traduction libre de l'expression *ziran zhi miaoyou* 自然 之 妙有, que l'on pourrait rendre plus littéralement par "le merveilleux 'il y a' qui procède de soi". Cette expression s'inspire, directement ou indirectement, du § 1 du *Laozi* : "La 'voie' dont on parle n'est pas la Voie, les noms qu'on lui donne ne sont pas son nom. 'Non-être' (*wu* 无) désigne l'origine de Ciel et Terre, 'être' (*you* 有) désigne la mère de toutes choses. Il faut se tenir dans le 'non-être' pour voir son action merveilleuse (*miao* 妙) et parmi les êtres pour voir ses manifestations. Bien que portant des noms différents, le 'non-être' et 'êtres' procèdent d'une même activité. Appelons-les le mystère (*xuan* 玄). Mystère des mystères, ils sont la porte de toutes les merveilles (*miao* 妙)." Cette traduction se fonde sur la ponctuation proposée par Chen Guying dans son *Laozi zhuyi ji pingjie*, Pékin, Zhonghua shuju, 1984, p. 53.

> Les monts sont hauts, les eaux sont longues,
> les figures des choses sont mille et dix mille.
> Si l'on n'a pas un pinceau vieux,
> ces formes limpides, comment les épuiser ?

Le premier vers décrit l'aplomb des montagnes et la course des eaux qui se prolonge au loin. Il évoque les forces dont on peut suggérer l'action en traduisant : "Les monts se dressent, les eaux s'écoulent". Dans le deuxième vers, nous retrouvons le mot *xiang* 象 rendu plus haut par "figure dynamique" : les "figures des choses" (*wuxiang* 物象) apparaissent par milliers et dizaines de milliers. Comme elles sont engendrées par les forces complémentaires du premier vers, nous pouvons risquer : "de là naissent des figures sans nombre". Le "pinceau vieux" *(laobi* 老笔) du troisième vers est un pinceau exercé, celui de l'artiste consommé ; nous avons vu que *lao* 老, "vieux", dénote l'idée de maturité. Je traduirai donc par : "sans un pinceau parfaitement exercé". Le quatrième vers commence par *qingzhuang* 清状, "formes limpides" : spectacle des formes engendrées continûment par les forces contraires et complémentaires du début et surgissant devant nous en métamorphoses innombrables. Ce sont les formes du monde extérieur et, plus encore, celles de l'activité propre qui s'y projette. Leur limpidité vient du dedans : elles sont éclairées de l'intérieur par leur propre lumière. On peut tenter d'exprimer tout cela par "ce surgissement limpide". Nous aboutissons ainsi à une traduction qui, sans avoir l'exemplaire brièveté ni le charme de l'original, donne une meilleure idée du sens :

> Les monts se dressent, les eaux s'écoulent,
> et de là naissent des figures sans nombre.
> Sans un pinceau parfaitement exercé,
> comment épuiser ce surgissement limpide ?

Dans la poésie chinoise classique, surtout dans ses formes courtes, les poètes placent volontiers à la fin du dernier vers le mot qui donne la clé du poème. Notre quatrain finit par *he qiong* 何穷, "comment épuiser ?". Il s'achève, autrement dit, sur l'idée que les métamorphoses de la réalité sont inépuisables. Malgré sa brièveté, il s'ouvre sur l'infini. Il se peut, en outre,

*siang*
*wou-siang*

*ts'ing-tchouang*

*he-ts'iong*

LI BAI (701-762, TANG), *SUR LA TERRASSE YANG (SHANG YANGTAI)*, quatrain écrit en cursive, vers 742-744. Unique autographe de Li Bai aujourd'hui conservé, d'authenticité douteuse. En haut à droite, titre de la main de l'empereur Huizong des Song (r. 1100-1125), écrit dans sa régulière de "métal émacié".

太白

十八日上陽臺書

筆清狀何窮

千萬非有老

山高水長物象

que la question du dernier vers soit rhétorique. Peut-être Li Bai suggère-t-il qu'il a lui-même la main parfaitement exercée et que son écriture s'égale en fait aux métamorphoses de la réalité. Prise ainsi, l'interrogation finale apparaît comme une affirmation cachée : "Je vous révèle à cet instant même, dans mon écriture, le surgissement limpide des choses".

Cette assurance prend un relief particulier lorsqu'on sait à quel moment ce poème semble avoir été écrit. Li Bai l'a daté en notant, à la suite du texte : "Écrit le 18ᵉ du mois, après être monté sur la terrasse du *Yang*." Cette terrasse se dressait dans les jardins du Palais impérial. Selon toute vraisemblance, Li Bai a été invité à y monter par l'empereur Xuanzong (r. 712-756) à l'époque où il était à son service, entre 742 et 744 [1]. Xuanzong, grand patron des arts et des lettres, était alors au faîte de sa gloire et la dynastie à l'apogée de sa puissance. Prié de composer un poème devant lui et sa suite, Li Bai saisit un pinceau et improvise. À première vue, son quatrain semble être un éloge de la vue dont l'auguste compagnie jouit du haut de la terrasse : il faut être un grand maître, dit Li Bai, pour chanter comme elles le méritent les splendeurs des parcs impériaux. Sous ce compliment transparaît cependant une idée plus forte : lorsqu'il est maître de son art, le calligraphe saisit dans son essence le spectacle du monde. Et comme Li Bai manifeste sa maîtrise du pinceau en écrivant ces mots, il fait, sous les yeux de l'empereur, la démonstration de ce qu'il affirme : si je n'avais pas la main supérieurement exercée, sous-entend-il, je n'épuiserais pas, comme je suis en train de le faire en votre présence, le spectacle limpide de l'univers.

La calligraphie confirme cette prétention. On y perçoit ce que Sun Guoting observait chez les grands artistes : les jeux, les effets, les figures de la nature entière. La liberté du geste est frappante. Qu'on la compare avec le titre ajouté à droite par l'empereur Huizong des Song (r. 1100-1125, Song du Nord). Son écriture est chargée d'énergie elle aussi, mais d'une énergie tendue qui retient l'émotion et la contrôle étroitement : une élégance sans défaut, dans ces formes acérées, mais aucun laisser-aller, aucune chaleur [2]. Les espaces intérieurs y sont resserrés et comme figés tandis qu'ils sont généreux chez Li Bai, en constante transformation. Le premier caractère (*shan* 山 "la montagne"), en haut à droite, est ramassé sur lui-même au point de ne plus avoir de forme extérieure. Li Bai assène d'entrée cette masse et ne bougera plus, semble-t-il ; il se fait tout de suite inamovible comme la montagne elle-même. Cependant, de ce caractère se dégage une fine courbe qui descend se nouer en un point, premier élément du caractère suivant (*gao* 高 "être

Suen-tsong

1. Voir Arthur Waley, *The Poeley and Career of Li Po*, Londres, Allen & Unwin, 1950, p. 19-26.

2. L'empereur Huizong a lui-même appelé ce style, dont il est le créateur et auquel il doit sa célébrité de calligraphe, "l'écriture de métal émacié", *shoujinshu* 瘦金书. Un exemple de sa cursive est reproduit à la page 109.

haut", "se dresser"). Ce déploiement se poursuit dans une barre somptueuse qui est l'équivalent d'une puissante note de violoncelle – équivalent du geste et du son. Le bref trait vertical qui vient ensuite est encore de la même force, puis le pinceau se dégage, le mouvement se délie et part à la conquête de l'espace. Son lyrisme se fait plus insouciant, aérien, et produit un effet de transparence après les masses sombres du début. À la suite des arrêts qui "pèsent comme une montagne", ce sont les développements qui "coulent comme une source". L'écriture naît de gestes *sentis* que nous *sentons* à nouveau. Chaque caractère est à la fois un signe et la manifestation sensible d'une subjectivité agissante.

Un "grand surgissement merveilleux" résulte de la variété des mouvements et des émotions qui se succèdent. Les cinq caractères de la deuxième colonne sont de dimensions très inégales : le premier (*qian* 千 "mille") est bref et trapu, le deuxième (*wan* 萬 "dix mille") a une stature imposante ; ils forment comme une reprise des deux caractères de droite. Le troisième (*fei* 非 "ne pas") est très raccourci, le quatrième (*you* 有 "avoir") minuscule, le cinquième (*lao* 老 "vieux") est envahissant et curieusement déséquilibré. Les caractères petits sont le produit de gestes contenus où le mouvement tend à se convertir en une sorte d'ivresse immobile pour celui qui écrit. Les grands naissent au contraire d'un moment de dépense, d'une énergie qui se décharge. Ces variations dénotent une extraordinaire plasticité intérieure, une aptitude exceptionnelle aux métamorphoses. *tsien*

Le *lao* du bas de la colonne porte sur le côté droit une excroissance dressée qui lui donne un air bouffon. Cet appendice inhabituel est l'effet d'une sorte de syncope, de l'accentuation inopinée d'un temps faible de l'exécution. Cet accent placé à contretemps semble trahir un mouvement d'impatience ou de rejet de la part de Li Bai, comme si son orgueilleuse affirmation de soi prenait un instant un tour agressif. Cette saillie est aussitôt compensée, de manière ironique, par une diagonale en retour excessivement fine, à son tour suivie de deux coups de pinceau horizontaux qui résonnent comme deux coups de cymbales. Li Bai brouille ses traces puis, stimulé par l'incident, donne un développement considérable aux deux caractères suivants (*bi qing* 笔清 "pinceau", "limpide"), en tête de la troisième *pi, ts'ing tchong he ts'iong*

*cheu-pa jeu*

colonne, de sorte qu'il ne lui reste plus beaucoup d'espace pour placer les trois derniers (*zhuang he qiong* 状何穷 "formes", "comment épuiser"). Il s'en tire en les réduisant à quelques volutes enjouées. Cette entourloupette finale semble mettre un comble à sa jubilation. Cela se voit à la fougue avec laquelle sont tracés les caractères suivants, *shiba ri* 十八日 (le 18ᵉ jour), en haut de la quatrième colonne. Il fait quasiment des sauts sur place, rapprochant tellement les éléments de ces trois caractères qu'ils sont près de n'en faire plus qu'un. L'énergie de ses mouvements verticaux est particulièrement sensible dans les deux points opposés du *ba* 八 (huit). Après le crescendo de *shang yangtai* 上阳台 ("monté sur la terrasse du *Yang*"), la colonne se termine par un *shu* 书 ("écrit") minuscule, posé là avec délicatesse et une sorte de dérision. Tout à gauche, Li Bai signe de son second prénom, *Taibai* 太白 (ou *Taibo*). Le *Tai* est libre et massif, le *bai*, dont on a coutume de réduire la taille et d'arrondir la forme, est au contraire large et carré : pas trace de fausse modestie dans ces deux caractères.

Il se peut que cette pièce soit un faux. Plusieurs indices jettent le doute sur son authenticité ; le quatrain ne figure pas dans les œuvres du poète [1]. Mais si cette œuvre est apocryphe, cela ne réduit pas sa portée. En un sens, si elle n'est pas de Li Bai, elle n'en est même que plus remarquable : ne montre-t-elle pas dans ce cas, d'une manière d'autant plus éloquente que son véritable auteur est resté caché, la conception que l'on s'est faite en Chine du génie calligraphique ?

1. Cette pièce est donnée pour authentique par Qi Gong, qui est une autorité en la matière (voir "Li Bai Shang yangtai tie moji", in *Qi Gong conggao*, Pékin, Zhonghua shuju, 1981, p. 264-268), mais cette authenticité est mise en doute par d'autres experts, paraît-il. La pièce ayant été offerte à Mao Tsé-toung par le particulier qui en était propriétaire, Qi Gong n'aurait pas pu ou pas voulu déclarer qu'il s'agissait d'un faux. Depuis lors le tabou, si c'en est un, n'a encore été brisé dans aucune publication. L'un des arguments contre l'authenticité de l'œuvre est que le poème ne figure pas dans les œuvres complètes de Li Bai. Elle n'est pas non plus mentionnée dans le *Xuanhe shupu*, le catalogue de la collection impériale de calligraphie paru sous le règne de Huizong, catalogue rédigé sous la direction de Huizong lui-même et généralement tenu pour très sûr. En outre, le rouleau se termine par un colophon de Huizong (cette partie n'est pas reproduite ici) où Huizong fait uniquement l'éloge d'un *autre* poème calligraphié par Li Bai. Qi Gong propose des explications de ces anomalies et insiste surtout sur la vraisemblance stylistique de l'œuvre, qui lui paraît être caractéristique de la manière des grands calligraphes du VIIIᵉ siècle.

Ce qui ne fait aucun doute, c'est que Li Bai a été calligraphe et parle de sa calligraphie dans ses œuvres. Sa *Ballade de la cursive* (*Caoshu gexing*) se termine par des vers que l'on peut approximativement rendre comme ceci : "Les Wang Xizhi, les Zhang Zhi, combien ont-ils été depuis des âges à jouir de réputations surfaites ! / Même Zhang Xu le fou ne compte plus pour rien depuis qu'il est mort de sa belle mort. / Je ne prendrai pour maître que moi seul, et non les Anciens. / Depuis toujours, en toutes choses, seul le naturel a compté. / Et que l'on ne vienne plus me parler de la danse de l'épée de la dame Gongsun !" Voir le bref article de *Shufa* 1979 /5, p. 25-26, qui présente l'autographe de Li Bai dont il est ici question, plaide en faveur de son authenticité et cite ce poème en entier.

MAINTENANT que nous savons comment naît la calligraphie, voyons comment l'œuvre achevée agit sur celui qui la regarde. Nous allons comprendre sans peine par quelles voies s'exerce son action, car elle met en jeu des mécanismes que nous connaissons déjà.

## L'ACTION DE L'ŒUVRE SUR LE SPECTATEUR

DIRE que l'œuvre agit sur le spectateur est une manière de parler. Elle n'aurait aucune action sur lui si ce n'était d'abord lui qui agissait en la regardant. C'est lui qui donne corps à chaque élément et au caractère entier, qui perçoit en lui un tout organisé et l'anime en y projetant son activité propre.

L'idée de projection ne figure pas dans les traités chinois, mais l'équivalence entre le corps humain et le caractère d'écriture y est présente depuis l'époque la plus ancienne. Elle apparaît notamment dans un passage fameux du *Tableau des manœuvres du pinceau*, d'époque Tang :

> Ceux qui ont de la force dans le pinceau donnent de l'ossature aux caractères, ceux qui en manquent leur donnent seulement de la chair. On dit d'une écriture qui possède une forte ossature et peu de chair qu'elle est "musclée" tandis qu'on appelle "cochons d'encre" les caractères qui ont beaucoup de chair et peu d'ossature. Une écriture pleine de force musculaire est une écriture accomplie, une écriture qui n'en a pas est une écriture malade. [1]

[1]. Texte chinois : *Lidai* p. 22, Hsiung p. 16.

L'ossature (*gu* 骨), le muscle (*jin* 筋), la chair (*rou* 肉) sont devenus très tôt des notions clés de la critique et l'on s'en est constamment servi pour définir certaines qualités esthétiques essentielles. Dans son *De l'écriture* (*Lun shu*), par exemple, Xu Hao (703-782, Tang) compare en ces termes les trois grands calligraphes du début des Tang : "Ceux qui disent que Yu Shinan

*kou, tsin, jô*

Su Hao

1. *Lun shu.* Texte chinois : *Lidai* p. 276, Hsiung p. 16.

2. *Shuduan*, fin du chap. *Miaopin.* Texte chinois : *Lidai* p. 192, Hsiung p. 16.

*sué*

a le muscle de Wang Xizhi, que Chu Suiliang en a la chair, qu'Ouyang Xun en a l'ossature voient tout à fait juste." [1] Zhang Huai-guan (VIIIᵉ siècle, Tang) observe de son côté : "Chez Yu Shinan, la force et la souplesse de l'ossature restent cachées alors que, chez Ouyang Xun, les os et les tendons sont visibles. Si l'on admet que l'homme de bien cache ses moyens, Yu Shinan est supérieur." [2]

Zhang Huaiguan et d'autres ont développé ces notions et leur ont donné un tour systématique. Sous les Song, Su Shi (Su Dongpo, 1036-1101) en élargit l'éventail lorsqu'il déclare, en une formule qui est devenue fameuse : "L'écriture doit avoir de la physionomie (*shen* 神), de l'énergie (*qi* 气), de l'ossature (*gu* 骨), de la chair (*rou* 肉) et du sang qui circule dans ses artères (*xue* 血). Si l'un de ces cinq éléments fait défaut, ce n'est pas de l'écriture." [3] Ce langage a encore été affiné par la suite, donnant lieu à des analyses de plus en plus subtiles des qualités esthétiques de l'écriture, mais aussi de la technique. Certains auteurs sont allés jusqu'à définir quelles étaient les parties du pinceau ou les composantes du geste qui produisaient l'os, le muscle, la chair, etc. Il en est parfois résulté des élucubrations dont la principale fonction semble avoir été de satisfaire l'esprit

3. Texte chinois : *Lidai* p. 313, Hsiung p. 16. *Shen*, le premier terme de l'énumération, est habituellement traduit par "esprit" mais désigne, plus généralement, toute manifestation née d'une synergie. Toute manifestation de cet ordre étant expressive, *shen* peut être traduit dans certains cas par "expression" ou, ici, par "physionomie". Dans le texte de Ding Wenjun cité à la p. 254-255, j'ai rendu par "expression" le mot *shenqi* 神气, littéralement "l'énergie d'expression", où figure le même *shen*. Dans un autre contexte, à la p. 248, j'avais traduit *shen* par "manifestation surnaturelle", "manifestation merveilleuse". À propos des termes suivants, il faut tenir compte du fait que les Chinois n'ont jamais fait de l'anatomie une discipline séparée et que les termes anatomiques qui, dans notre esprit, désignent des organes désignent principalement dans la langue chinoise ancienne des phénomènes énergétiques liés à ces organes d'une manière ou d'une autre. Ainsi "os" ou "ossature" (*gu*) désigne-t-il l'énergie concentrée qui porte, "muscle" ou " tendon " (*jin*) l'énergie qui déplace, "chair" (*rou*) l'énergie qui est en réserve et qui détermine la forme extérieure du corps. Les "souffles" (*qi*) sont les énergies qui circulent et transforment, autrement dit le métabolisme et la respiration. Quant au mot *xue*, "sang", je l'ai traduit par "sang qui coule dans ses artères" pour faire sentir que ce "sang" est moins un liquide qu'une circulation rythmée de la vie dans le corps. Sur ces conceptions, voir John Hay, "The Human Body..." (voir p. 236, note 2), p. 83-84.

de système de leurs inventeurs [1]. Cependant l'application des métaphores corporelles aux questions techniques peut être très éclairante. Liu Xizai (1813-1881, Qing) est profond lorsqu'il note : "Le calligraphe doit porter une égale attention à la force de l'ossature (*gu*) et au mouvement d'ensemble (*xingshi* 形势). Si l'on tient à décider lequel l'emporte en définitive, qu'on se rapporte à ce qu'en a dit l'empereur Taizong des Tang : *Cherchez la puissance de l'ossature, le mouvement d'ensemble viendra par surcroît.*" [2] Xu Hao donne un conseil de bon sens lorsqu'il dit : "Au début de l'apprentissage, il faut d'abord se préoccuper de l'os et du muscle ; car sans os, sans muscles, à quoi voulez-vous attacher la chair ?" [3]

L'application de la métaphore corporelle à l'écriture semble avoir découlé de celle de la physiognomonie à l'appréciation de l'écriture. À la fin des Han et au début du Moyen Âge (IIe, IIIe et IVe siècles), l'art de lire les visages a connu une grande vogue parce que, l'ancien système de recrutement des fonctionnaires étant tombé en désuétude, on a cru pouvoir trouver des hommes de talent pour les charges officielles en déduisant de leur physique leur caractère et leurs qualités morales. Cette physiognomonie était liée à d'autres sciences d'interprétation des signes telles que la géomancie ou l'art de juger les chevaux [4]. Lorsque la réflexion sur les formes calligraphiques a commencé à se développer au IVe siècle, sous les Jin, elle s'est donc engagée dans une voie toute tracée : elle a cherché dans les formes écrites les indices des mêmes qualités morales et spirituelles. Les caractères d'écriture ont été interprétés de la même manière que les caractéristiques du corps et du visage. On s'est habitué à apprécier leur qualité esthétique en la rapportant aux qualités de la personne, indistinctement physiques et morales, dont ils étaient la manifestation, et non par référence à quelque idée abstraite du "beau" (*mei* 美). Les Chinois ont toujours jugé de la calligraphie dans les termes où ils jugeaient des hommes, et, inversement, jugé des calligraphes d'après leur calligraphie. L'idée abstraite du *beau* ne jouait aucun rôle dans tout cela.

L'idée du *beau* nous arrête en effet au point précis où nous devrions commencer à étudier sérieusement les ressorts réels de l'effet esthétique. Dans sa lettre à Sophie Volland, Diderot

1. Voir Hsiung p. 18.

2. *Yigai*, chap. 5 ; *Shugai*, § 209. Texte chinois : *Lidai* p. 712. Il y a dans *xingshi* le mot *shi* dont il a été question aux pages 256-257.

3. *Lun shu*. Texte chinois : *Lidai* p. 276, Hsiung p. 16.

4. Zhang Huaiguan écrit, de manière caractéristique : "On prise les chevaux qui ont beaucoup de muscle et peu de chair, on fait peu de cas de ceux qui ont peu de muscle et beaucoup de chair. On juge de même en calligraphie" (*Pingshu yaoshilun* ; texte chinois : *Lidai* p. 229). Sur cette influence de la physiognomonie, voir J. M. Simonet, "Calligraphie chinoise et créativité", in *Art & Fact. Revue des historiens d'art, des archéologues et des orientalistes de l'Université de Liège*, 3, 1984, p. 144-145, et John Hay, "The Human Body...", p. 91.

se demandait ce qu'est un beau corps : c'est un corps bien fait, disait-il, un corps manifestement apte à remplir au mieux ses fonctions. [1] Ajoutons qu'il est beau dans les moments où il les remplit effectivement. Une fonction aussi simple que de se tenir debout est une activité qui suffit à soumettre toutes les parties du corps à une fin unique, à lui donner une entière cohérence et à en faire une figure intelligible. Rien n'est plus beau qu'un corps qui écoute, par exemple, car l'écoute unifie la posture et la rend expressive. Un corps bien fait agit sur nous parce qu'il nous suggère une activité bien organisée. Un corps mal bâti peut devenir beau lorsqu'il danse, un visage difforme peut être transfiguré quand il sourit : le sourire est toujours la manifestation d'une activité propre apaisée et jouissant d'elle-même. De manière générale, un corps nous paraît beau lorsqu'il suscite en nous une activité plus parfaite, c'est-à-dire mieux intégrée [2].

2. Cela vaut aussi pour l'architecture. Un édifice paraît beau lorsque sa vue suscite une activité plus intégrée du corps propre, qu'il nous donne un sentiment accru de notre propre existence et que nous projetons en lui ce sentiment. Les bons architectes l'ont toujours su, ou senti. La belle architecture crée un accord entre l'homme, l'objet et l'espace. Le corps propre se reconnaît dans le corps bâti. Celui-ci capte la lumière solaire, produit par son relief des jeux de lumière et d'ombre qui, en retour, donnent corps à tout l'espace. Le plaisir du spectateur, ou du passant, est augmenté par le sentiment qu'il partage cet espace avec d'autres.

Tant que les matériaux et les techniques ont été relativement simples, la construction est restée soumise à des lois et des mesures que le corps humain comprenait. Comme Diderot l'expliquait à Sophie Volland, nous avions en nous de quoi sentir le dôme de Florence (voir p. 50). L'architecture de fer de l'ère industrielle a produit des édifices intelligibles – des ponts, des gares, les Halles, la tour Eiffel, les premiers gratte-ciels de New York. Aujourd'hui, l'intelligence des formes

se perd. Les architectes disposent de moyens tels qu'ils peuvent faire fi des proportions et des équilibres que le corps pouvait rapporter à lui-même, et ne s'en privent pas. On voit se multiplier les édifices qui créent en nous des sentiments d'incompréhension et d'impuissance. Ils nous condamnent à nous déplacer dans des espaces hostiles, où nous sommes de trop. Un nouveau pas a été franchi quand les architectes se sont mis à travailler sur ordinateurs. Lorsqu'ils dessinaient, ils pouvaient méditer une forme, s'y projeter et la sentir. À l'imagination du corps propre, l'ordinateur a substitué une imagination artificielle qui crée des formes *ad libitum*. Beaucoup d'architectes (et des plus renommés) jettent leur dévolu sur celles qui n'ont jamais été pratiquées sans plus se soucier des effets qu'elles produiront. Le sens du corps disparaît d'autant plus complètement que le matériau n'importe plus. On demande à l'ordinateur de donner une forme et au matériau de la remplir. Peu importe si elle est compliquée : l'ordinateur calculera la conformation des pièces nécessaires. Pékin offre trois éminents exemples de ce dévoiement.

Le stade olympique de Herzog & de Meuron frappe d'abord par son affaissement central, qui suggère un siège défoncé. Quand on s'en approche, on note ensuite une sorte d'autisme : rien ne signale un possible passage vers l'intérieur. La forme de l'édifice fait qu'on ne peut pas le mesurer. De loin, il paraît petit mais, de près, il devient écrasant. Quand on pénètre à l'intérieur, la surprise est considérable : l'espace est immense, insoupçonnable du dehors. La structure extérieure est totalement inintelligible ; les explications des architectes n'y changent rien. Elle suggère un nid d'oiseau, mais rendu rigide par le coffrage métallique qui habille uniformément ses éléments enchevêtrés. Les Pékinois l'ont bien vu. On ne peut aimer cet objet. Il est laid.

Le Grand Théâtre National, de Paul Andreu, est une sorte de gigantesque cocon coupé en deux dans le sens de la longueur et posé sur une surface d'eau qui l'isole du reste du monde. Ici non plus, rien ne signale une entrée possible. Il faut passer sous le plan d'eau et trouver pour cela des escaliers qui descendent dans une sorte de fosse sans grandeur aucune, puis traverser une salle d'accueil basse et un long couloir vitré qui passe sous l'eau noire, le soir. Ce couloir mène à une sorte de puits d'où l'on s'extrait par des escaliers roulants, à droite et à gauche. Quand on accède enfin à l'intérieur de l'édifice, on ne se sent pas accueilli, mais *admis* après avoir été *soumis*, sans cérémonie aucune. On se demande si Paul Andreu est allé voir le Palais impérial, qui est à quelques centaines de mètres de là. La deuxième impression est la démesure de la voûte qui surplombe l'espace intérieur, et que la vue du cocon ne laissait aucunement présager. Elle embrasse les dômes des salles de 2416, 2017 et 1040 places qui sont réunies là. N'aurait-il pas mieux valu construire trois grands théâtres sépa-

rés, précédés chacun d'une entrée digne de ce nom, autour d'une place où l'on se serait croisé et prélassé ? C'eût été pour la ville un autre ornement que cette grosse bulle blanche dont il est impossible de deviner la fonction. Mais le régime craint plus que tout les rassemblements. À l'intérieur, quand on lève le regard, une troisième impression : dans l'enchevêtrement des escaliers suspendus et des galeries qui donnent accès aux étages supérieurs des trois salles, le visiteur ne trouve aucun repère, aucune perspective. Il est obligé de se fier aux panneaux indicateurs, quand il y en a, ou aux indications des hôtesses.

La tour de la télévision centrale, due à Rem Koolhas, a 51 étages et s'élève à 234 mètres. Elle a deux jambes et une sorte de torse. Les deux jambes sont écartées et fléchies comme celles de quelqu'un qui voudrait s'asseoir, mais le ferait avec peine. Elles sont asymétriques. Le torse bref qu'elles portent l'est aussi. Il est décentré et surplombe le vide. Dans tout l'édifice, aucun angle n'est droit, aucun plan n'est vertical ou horizontal, ou ne semble l'être. Cette construction absurde, qui produit une impression pénible, est complétée par une tour moins haute, d'une vingtaine d'étages, qui pourrait à peu près combler l'espace compris entre les deux jambes de la première. Le 9 février 2009, dans la soirée du nouvel an chinois, les dirigeants de la télévision nationale ont fait partir du sommet de la tour inférieure un feu d'artifice auquel des invités triés sur le volet devaient assister depuis le sommet de la tour principale. Les responsables avaient été prévenus que c'était dangereux parce que les travaux n'étaient pas terminés, mais n'en ont pas tenu compte. Sous les yeux des invités, la tour inférieure a pris feu et le spectacle a été impressionnant. Il a attiré tout Pékin cette nuit-là. Depuis lors, la tour inférieure est carbonisée, la

grande est vide. On ne sait ni ce qu'elles ont coûté, ni ce qu'elles deviendront. Vingt personnes ont été condamnées à de la prison ferme.

Voilà trois édifices conçus dans l'oubli le plus complet des principes qui sont fondamentaux en architecture comme ils le sont en calligraphie. On peut leur associer le pavillon chinois de l'Exposition universelle de Shanghai, de He Jingtang, qui est emblématique. C'est une parodie d'architecture traditionnelle, mais démesurée et faite pour écraser celui qui regarde.

Quand nous regardons une calligraphie, notre imagination motrice y perçoit des équilibres et des déséquilibres, des mouvements, des allures. Ainsi que l'écrit Jiang Kui :

Tsiang K'ouei

> Les caractères élancés ont le maintien du lettré élégant, les courts évoquent le physique énergique du lutteur. Certains sont émaciés comme le pauvre hère qui vit dans les bois ou gras comme de jeunes fats aristocrates. Certains ont la vigueur du guerrier prêt à tout, d'autres le charme d'une gracile jeune fille. Ils semblent tomber comme un immortel pris de boisson ou se tenir droits comme des sages. Chacun a sa posture propre. [1]

1. *Xu Shupu*, chap. *Fengshen*. Texte chinois : *Lidai* p. 393, Deng p. 116.

Nous entrons ainsi, par l'imagination corporelle, dans les allures et les postures les plus diverses, y compris celles qui ne sont pas les nôtres d'habitude. Lorsque nous sommes devant une calligraphie fortement individualisée, nous pénétrons ses dispositions intimes et les sentiments qui ont animé l'auteur au moment d'écrire. Car, comme l'explique Zhu Yunming (1460-1526), l'un des grands calligraphes de l'époque des Ming :

Tchou Yun-ming

> À chaque sentiment correspondent des formes caractéristiques. Lorsqu'on est content, les énergies sont en accord et l'écriture prend de l'ampleur. Lorsqu'on est indigné, elles se font brusques et l'écriture prend des formes tourmentées. Dans la tristesse, elles restent nouées et l'écriture a quelque chose d'empêché. Dans la joie, elles s'équilibrent et l'écriture devient gracieuse. Ces sentiments variant d'intensité, ces valeurs expressives sont plus ou moins prononcées, ce dont résultent d'infinies nuances. [2]

2. Propos cité dans le *Ligou shujue*. Texte chinois : Hsiung p. 62.

À en juger d'après ces lignes, on devrait toujours pouvoir retrouver dans l'écriture d'un véritable artiste les émotions qui l'ont inspiré. C'est ce que Sun Guoting semble affirmer dans un passage de son Traité qui a souvent été cité à ce propos :

Soun Kouo-t'ing

> Quand Wang Xizhi exécuta le *Panégyrique de Yue Yi*, il était rempli de tristesse ; quand il fit l'*Éloge d'un tableau de Dongfang Shuo*, il avait l'esprit habité de visions extraordinaires. Il s'ébattait insouciant dans le grand vide lorsqu'il écrivit le *Livre de la cour jaune*, il souffrait des tracas de la vie officielle quand il traça l'*Admonestation du Grand Maître*. Sa préface aux poèmes du *Pavillon des orchidées* est née d'un moment de sublime ravissement tandis que, dans le *Vœu présenté devant la tombe de ses parents*, il est déterminé et grave. Tout cela est aussi naturel que de rire dans la joie ou de soupirer dans l'affliction. [3]

3. Texte chinois : *Lidai* p. 128, Ma p. 72-73. Ma Guoquan fournit sur les œuvres citées dans le texte des explications que je renonce à reproduire ici.

La difficulté tient à ce que les œuvres citées par Sun Guoting, dans la mesure où elles nous sont encore accessibles à travers des copies ou des copies de copies, ne confirment pas ses interprétations. La fameuse *Préface au Pavillon des orchidées* (*Lantingxu*) mise à part, qui est en courante, ce sont des œuvres en petite régulière dont les valeurs expressives semblent très voisines les unes des autres. Peut-être faut-il imputer cette relative uniformité à la mauvaise qualité des copies. Il est plus probable qu'il faille comprendre autrement Sun Guoting. Lorsqu'on replace dans son contexte le passage que je viens de citer, on s'aperçoit qu'il affirme simplement, en fin de compte, que toute grande œuvre naît d'une émotion, quel que soit le genre adopté par le calligraphe. Les sentiments qu'il attribue à Wang Xizhi, il les déduit beaucoup moins des qualités esthétiques de son écriture que de la teneur des textes calligraphiés. Il suppose que Wang Xizhi était ému par leur contenu lorsqu'il les a écrits, et il a raison de le penser. Zhu Yunming parle d'expérience lorsqu'il note que "à chaque sentiment correspondent des formes caractéristiques", mais l'équivalence entre l'émotion et la forme ne vaut que jusqu'à un certain point. S'il est vrai que l'affectivité du calligraphe est toujours engagée dans l'acte d'écrire, il est aussi vrai que son affectivité est transformée par cet acte. S'il écrit sous le coup d'une forte émotion, le désordre de l'émotion est transformé par l'écriture en une activité orientée et organisée. Si l'émotion initiale transparaît dans l'écriture, c'est en général comme une *connotation* joyeuse ou mélancolique de la forme, pas plus. Il suffit de bien lire les textes, d'ailleurs, pour s'apercevoir qu'ils ne disent pas autre chose. Han Yu dit de Zhang Xu que "dès qu'il ressentait une émotion (...), il l'extériorisait dans sa cursive", mais ne soutient nullement que l'on retrouvait ensuite dans sa cursive le détail de ses émotions. Bien au contraire, puisqu'il conclut que "sa calligraphie semble animée par les démons et les dieux et *nous paraît insaisissable*" [1].

L'émotion est un émoi, un mouvement désordonné, créateur de tension et d'instabilité. Lorsqu'il se met à écrire, le calligraphe organise cet émoi et le transmue en une activité intégrée. Son émotion se fond dans une activité plus intense et plus équilibrée comme les couleurs se fondent dans la lumière blanche. Lorsque l'activité propre atteint son comble, elle retrouve donc

[1]. Voir p. 266.

le caractère émotionnellement indéterminé qu'elle avait dans le "grand calme". Elle redevient pure expérience de soi, détachée de toute cause extérieure. Il faut tenir compte de cela pour voir toute la complexité de la question de l'émotion en calligraphie. Lorsque Zhu Yunming parle des formes caractéristiques qui correspondent aux différents sentiments, il ne cerne qu'une partie du phénomène. Et il faut aussi tenir compte du mécanisme inverse. Chez le calligraphe exercé, le geste engendre l'émotion autant que celle-ci détermine le geste. Ce qu'il a éprouvé avant d'écrire est donc nécessairement modifié dans un sens ou dans un autre par l'écriture.

Mais revenons au spectateur. L'écriture expressive, qui est la trace d'une activité intense, suscite en lui une activité du même ordre. Il y répond selon la disponibilité du moment et selon la mobilité intérieure qu'il a acquise, le degré d'éveil de son imagination motrice. Le mouvement qui se développe en lui sous la dictée de l'œuvre l'émeut. Mais cette émotion est-elle celle du calligraphe, que l'écriture lui communique, ou celle qu'il portait en lui et que l'écriture active ? Elle est une combinaison des deux, un mélange dont la proportion varie, ce qui explique le caractère nécessairement subjectif et incertain des interprétations. Je réagis selon mon caractère, mon goût, mon degré de sensibilité autant que selon les circonstances où je me trouve. Cependant, si j'ai la sensibilité en éveil, l'œuvre induit en moi un dépassement comparable à celui qui s'est produit chez le calligraphe. S'ordonnant et s'intensifiant sous l'effet de l'œuvre, mon activité se mue en pure jouissance. Mes émotions s'unifient dans une expérience qui les dépasse et qui dure, soutenue par les formes.

Mais ce que je fais devant une œuvre calligraphique n'est pas autre chose que ce que je fais en présence de la réalité extérieure. C'est par le même mécanisme de projection que je donne corps à l'une et à l'autre, que je leur prête vie et que j'en fais des réalités sensibles pour moi. C'est par l'exercice du même pouvoir que je "réalise" l'une et l'autre. Et parce que nous investissons les signes calligraphiques de la même manière que le monde extérieur, ils deviennent pour nous des signes de la réalité même. Leur puissance vient de ce que chacun est à la fois le signe de telle idée particulière, en vertu d'une convention d'écriture, et le signe de la réalité elle-même. Il est, plus profondément encore, *signe du pouvoir que nous avons de produire la réalité sensible, et donc signe de nous-mêmes.*

Nous avons vu dans les premiers chapitres de ce livre que toute l'esthétique calligraphique avait pour fin la transformation du signe en une réalité sensible, située dans un espace en profondeur. C'est nous qui créons cet espace en y projetant la spatialité du corps propre, exactement de la même façon que nous créons l'espace extérieur. Notons qu'en Chine, l'espace calligraphique et l'espace pictural sont de même nature et se marient avec le plus grand bonheur, leur alliance rehaussant l'effet de profondeur [1]. La *Grenade* de Huang Shen (1687-1766, Qing) en offre un exemple parmi mille autres. L'alliance se fait d'autant plus naturellement que la technique et les moyens matériels sont à peu près les mêmes en calligraphie et dans la peinture chinoise classique. Elle n'a jamais pu se faire en Europe parce que l'écriture n'y a jamais été conçue pour "prendre corps" et que, à partir de la Renaissance jusque dans un passé récent, les peintres ont d'autre part tout fait pour objectiver l'espace, c'est-à-dire pour le représenter comme détaché de nous, existant en soi [2].

1. Sur ce mariage, voir Heike Kotzenberg, *Bild und Aufschrift in der Malerei Chinas*, Wiesbaden, F. Steiner, 1981. Cet ouvrage est plein d'intérêt mais pose mal, à mon sens, le problème de la spatialité spécifique qui est propre à la calligraphie et à la peinture chinoise classique.

2. L'essai que Michel Butor a consacré aux mots dans la peinture montre bien cette incompatibilité – et les astuces auxquelles on a recouru pour la résoudre. Voir *Les Mots dans la peinture*, Genève, Skira, collection "Les sentiers de la création", 1969.

HUANG SHEN
(1687-1766, QING),
*GRENADE* (*SHILIUTU*),
feuillet d'album.

IL Y A une parenté entre la manière dont le caractère calligraphique représente le corps propre et la représentation du corps humain dans la peinture chinoise. En Chine, les peintres ont avant tout cherché à se servir de la représentation extérieure du corps pour figurer l'activité du corps propre. Cette préoccupation contraste de manière frappante avec celle des artistes occidentaux de la Renaissance et des siècles suivants, qui ont au contraire fait porter tout leur effort sur la représentation du corps tel qu'on le voit de l'extérieur, autrement dit du corps objet. Inspirés par l'art antique, ils ont étudié le corps nu et sont parvenus à une connaissance extraordinairement précise de ses proportions, de ses formes et de sa mécanique. Le *Persée* de Benvenuto Cellini est un bel exemple de cet art. Ni les sculpteurs, ni les peintres ne seraient évidemment parvenus à une représentation aussi accomplie du corps humain s'ils n'avaient possédé un sens du corps très développé mais, selon l'esprit de leur temps, ils ont surtout cherché à exceller dans la reproduction fidèle du corps objet, qu'il fût vêtu, drapé à l'antique ou nu. Cette opposition entre la préoccupation dominante des peintres chinois depuis Gu Kaizhi (env. 345-406, Jin occ.) et celle qui a orienté les efforts des peintres occidentaux à partir de la Renaissance mériterait un développement spécial. Je me contenterai de l'ébaucher en comparant une œuvre du XVIᵉ siècle italien et une œuvre du XVIIᵉ siècle chinois dont le contraste est particulièrement éloquent.

BENVENUTO CELLINI, *PERSÉE*, 1554.

Kou K'ai-tcheu

Dans le *Bacchus* du Caravage les volumes du corps, le modelé de la musculature, les nuances de la carnation sont rendus avec une habileté consommée. Le peintre a fait dans cette représentation du corps dénudé et dans le reste du tableau la synthèse d'un grand nombre d'observations – d'un nombre beaucoup plus élevé, en fait, que le regard n'en pourrait recueillir d'un seul coup. Il a agi comme s'il avait voulu restituer par accumulation toutes les qualités du réel ; autrement dit, comme s'il avait voulu dépeindre, non ce que le regard saisit, mais ce que la réalité est en dehors de lui, objectivement. Le jeune homme est installé dans un espace qui est censé exister indépendamment du spectateur. Cet effet résulte de l'usage de la perspective (notons le raccourci des avant-bras) et de celui de la lumière qui traverse l'espace depuis une source située hors du

tableau, comme le montrent les ombres sur la table. Les objets prennent corps par l'éclairage extérieur auquel ils sont soumis.

Jusqu'ici, l'œuvre paraît entièrement cohérente. L'ambiguïté qui en émane semble provenir de la figure représentée, du charme équivoque de l'éphèbe, du contraste entre sa puissante musculature et la douceur féminine de son visage. Il a l'air rassasié et tend cependant une coupe pleine ; devant lui, la coupe de fruits déborde. Il rêve, l'œil fixé dans le vide, mais il exécute un geste ; ce geste semble arrêté, oublié, irréel. L'ambiguïté a aussi une source plus profonde, qui n'est pas dans le sujet représenté, mais dans le mode de représentation. Le jeune homme pose,

LE CARAVAGE, *BACCHUS*, vers 1589.

il a suspendu son activité pour s'offrir au regard. Cela l'enferme dans une passivité qui s'accorde mal avec son physique, avec son accoutrement, avec le vin et les fruits disposés devant lui. Le regard du peintre a arrêté la réalité pour mieux l'objectiver et y a introduit de ce fait quelque chose de faux.

La difficulté est plus fondamentale qu'il n'y paraît. Elle ne tient pas seulement au fait que l'activité du jeune dieu devait être interrompue pour pouvoir être représentée comme le peintre l'entendait, et qu'elle cessait par conséquent d'être une activité. Elle est inhérente à un certain type de rapport à l'objet. Le peintre cherche à montrer ce dernier tel qu'il est en lui-même, supposément. Il veut donner à la réalité objective, telle qu'il la conçoit, la plus grande présence possible. Il escamote de ce fait la dimension subjective du regard que nous posons sur les choses.

À partir de la Renaissance, les peintres ont tenté de représenter le monde tel qu'il est censé exister hors de nous. Mais, comme le monde sensible n'a pas de réalité en dehors du regard que nous posons sur lui, l'entreprise était vouée à l'échec. L'aventure de la peinture occidentale moderne l'atteste. Elle semble avoir longtemps eu pour moteur la recherche de moyens toujours nouveaux pour vaincre cette difficulté et pour rendre par des moyens toujours plus savants le monde objectif. La peinture du Caravage réunit la plupart des procédés qui ont été mis en œuvre à cette fin. À ceux que j'ai déjà nommés s'ajoutent la géométrisation, non seulement de l'espace, mais aussi des corps, qui leur confère

LE CARAVAGE, *LE MARTYRE DE SAINT MATTHIEU*, 1592-1595. Détail.

une sorte d'objectivité intelligible ; le clair-obscur et les éclairages violents, qui accroissent l'effet d'extériorité ; la dramatisation des expressions et des poses, conçues pour frapper l'imagination aussi fortement que possible ; enfin le recours à la séduction érotique ou à l'horreur. Le jeune garçon du *Martyre de saint Matthieu*, qui se détourne en criant d'une scène atroce tout en gardant les yeux rivés sur elle, réunit tous ces procédés. Bien d'autres œuvres du Caravage, de la *Décollation de saint Jean-Baptiste* au *David tenant la tête de Goliath*, pourraient servir d'exemples. Dans le *Persée* de Cellini, le sang gicle du cou de la Méduse qui gît contorsionnée sous le pied de son vainqueur. Pas besoin d'évoquer l'évolution subséquente de la peinture et de la sculpture, qui a produit tant de chefs-d'œuvre et tant d'obscénité.

Elle se poursuit de nos jours sous des formes de plus en plus perverties chez des "artistes" qui s'efforcent de dissocier définitivement de toute attache avec le corps propre la représentation de la réalité, qui s'acharnent à violenter notre sensibilité et finissent par tourner leur rage impuissante contre l'image du corps, voire contre le corps même.

D'un autre côté, Cézanne et les impressionnistes ont découvert la vérité subjective de la vision et, rompant avec une longue tradition picturale autant qu'intellectuelle, ont les premiers fondé leur peinture, en toute connaissance de cause, sur la vision réelle, qui a sa source dans le corps propre. C'est ce renversement qui a rendu possible les plus grandes créations picturales du XX^e siècle, par exemple celles de Bonnard et de Matisse. C'est ce renversement qui a créé chez nous les conditions d'une juste appréciation de la peinture chinoise et de la calligraphie.

L'ambiguïté profonde du *Bacchus* du Caravage ne tient donc pas seulement aux traits du personnage et à d'autres dissonances secrètes du tableau. Elle est inhérente à toute une tradition picturale qui s'est éprise de l'objet, en particulier du corps objet, et qui a cherché en lui, sans l'y trouver, la source de la réalité vécue.

Mais comment les peintres chinois s'y sont-ils pris pour représenter le corps propre, qui n'est pas visible au regard ? L'une de leurs ressources a été de figurer par le drapé du costume les flux d'énergie de l'activité propre. Ils ont fait du vêtement la métaphore du mouvement intérieur.

Chen Hongshou (1599-1652, fin des Ming) fournit un bel exemple de ce procédé dans *Les Quatre Joies de Nan Shenglu* dont la première partie est reproduite plus haut, à la page 223. Sur ce rouleau, Nan Shenglu, qui était un ami du peintre, est représenté quatre fois, dans ses quatre occupations favorites.

Tch'en Hong-chô

Dans le troisième de ces portraits, intitulé *Parlant musique*
(*Jiangyin* 讲音), les plis de sa robe décrivent d'amples volutes.
Il est assis sur une de ces pierres aux formes bizarres dont les
gens de goût aimaient orner leurs jardins. Son corps n'est pas
représenté, mais seulement *signifié* par le visage et la pointe
d'une chaussure couleur chair qui dépasse de la lisière inférieure du vêtement. Ces deux signes suffisent à transformer les
arabesques qui se développent entre les deux en une figuration
du corps et à suggérer une posture. Si l'on recouvre ces deux
éléments, en effet, toute référence au corps humain s'évanouit.
Le drapé n'a pas du tout la même fonction que celui du Caravage.
Tandis que les étoffes du *Bacchus* sont soumises à la loi de la
pesanteur et *reposent* sur sa couche, sur son épaule et son bras,
celles de Chen Hongshou sont animées de forces qui circulent
et tourbillonnent sans cause apparente. À la profondeur immobile du Caravage se substitue un mouvement étale comme on
peut en observer à la surface de l'eau ; nul volume, nulle profondeur n'est apparente. Ce qu'il y a d'étrange, c'est que ce

mouvement n'est l'effet d'aucun geste, d'aucune action manifeste. Le personnage tend l'oreille, son visage exprime une
extrême attention, un ravissement intense. Il semble écouter de
la musique (le titre le suggère) et les mouvements de sa robe
semblent être la forme visible des mouvements qu'il ressent.

Le paradoxe est que, dans
cette scène où l'on est censé
"parler musique", nul ne
parle. À la gauche du personnage, dans la direction d'où
semble venir le son se tient
une musicienne, concubine ou
courtisane, qui semble muette
elle aussi. Elle a près d'elle son
instrument, un *pipa*, mais il est
resté enveloppé d'une étoffe
précieuse, posé sur la table.
Dans ce silence, il doit donc
s'agir d'autre chose. Ce que
Nan Shenglu écoute est une
musique tout intérieure. Il est

CHEN HONGSHOU, *LES
QUATRE JOIES DE NAN
SHENGLU*, troisième portrait :
*Parlant musique*,
partie de gauche.

à l'écoute de l'activité du corps propre. L'idée que l'on puisse
*écouter* l'activité propre est familière aux Chinois. Ils appellent
"écouter au-dedans" (*neiting* 内听) l'attitude que l'on adopte
spontanément quand on concentre son attention sur l'activité
silencieuse du corps propre parce que cette attitude s'apparente
à celle de l'écoute musicale. Dans ce silence, Nan Shenglu perçoit, émerveillé, le spectacle ondoyant et divers d'un corps qui
s'est dissout en mouvement. Le seul point fixe qui subsiste est
son attention même, qui s'exprime dans son visage et surtout
dans son regard à la fois intense et absent. Il s'agit du "regard
en dedans" (*neishi* 内视) qui correspond à "l'écoute en
dedans" [1].

On ne conçoit pas de contraste plus complet entre la passivité du Bacchus, qui s'offre lascivement au regard, et l'intense
activité de Nan Shenglu, qui n'est préoccupé que de lui-même.
À l'art avec lequel le Caravage a représenté le corps saisi par un
œil étranger correspond le génie avec lequel Chen Hongshou a
su figurer le corps propre centré sur sa propre activité. Il l'a

1. Sur ces notions, voir l'étude
citée à la p. 186, note 2 (en particulier p. 15-16).

figurée telle qu'elle se perçoit lorsque toute opacité en a été éliminée et que, ne rencontrant plus d'obstacle, elle est devenue transparente à elle-même, pure luminosité sensible à soi. Les flux et reflux qui la parcourent obéissent aux impulsions rythmées de la respiration. Le siège de pierre représente l'ossature, surtout celle du bassin, telle qu'elle est perçue à ce moment-là. Lorsqu'on pratique l'art du souffle, elle apparaît en effet à un certain stade comme un support sur lequel et autour duquel les jeux de l'énergie se déploient sans y être liés de manière définie. Cette dissociation d'une carcasse inanimée, "pareille au bois mort" selon le *Zhuangzi* [1], et d'énergies pures, entièrement déliées, est tout à fait caractéristique. Cette animation prend des formes et des rythmes variés. Dans le premier portrait de Nan Shenglu (p. 223), l'écoulement régulier des plis et leur large étalement sur le sol suggéraient une activité paisible ; la blancheur de la page vierge évoquait l'indifférenciation du grand calme. Dans le deuxième portrait, ci-dessous, qui montre Nan Shenglu "chantant dans l'ivresse" ou "ivre de son chant" (*Zuiyin* 醉音), l'activité se divise et se démultiplie, elle fleurit et semble en même temps transporter le flâneur à travers l'espace. Dans le troisième (p. 288), la ronde des énergies s'est unifiée et amplifiée. Le titre parle de musique intériorisée. Le quatrième

portrait, ci-dessous, le représente "méditant". L'animation s'est apaisée, l'activité est à nouveau centrée sur elle-même. Elle semble avoir trouvé une assise définitive dans la feuille de bananier. Nan Shenglu a laissé derrière lui les accessoires de la culture, de l'esthétique et de la religion. Le petit Bouddha méditant, placé sur la table de pierre, est oublié.

Le contraste est également complet entre le parti que le Caravage tire de la surface de son tableau et l'usage que Chen Hongshou fait de la sienne. Le Caravage ne montre qu'une partie de son *Bacchus*, à travers une sorte de fenêtre ; la réalité est censée s'étendre au-delà. Le fait que l'œuvre soit savamment composée ne change rien à cette fiction. L'extériorité de la réalité représentée est accentuée par la lumière, qui tombe d'un point situé lui aussi hors du tableau. Chen Hongshou montre au contraire tout son personnage. Il le place au milieu d'un espace indéterminé. Il ne recourt à aucune des conventions dont le Caravage se sert pour imposer la fiction d'un espace objectif et y assigner leurs positions respectives à l'objet montré et au sujet qui le regarde. Il ne nous impose aucune contrainte, il nous laisse projeter librement notre activité dans le personnage et laisse le personnage agir sur elle. La luminosité qui se dégage de sa peinture ne résulte pas d'un éclairage. C'est celle-là

CHEN HONGSHOU, *LES QUATRE JOIES DE NAN SHENGLU*, deuxième et quatrième portraits : *Chantant dans l'ivresse* et *Méditant*.

même que nous percevons dans nos rêves et que nous projetons dans le monde, celle de notre *materia prima*.

Ce rouleau est l'une des expressions les plus achevées d'une tradition qui remonte à Gu Kaizhi (env. 345-406, Jin occ.), le premier grand peintre chinois dont on connaisse le nom et l'œuvre. Chen Hongshou s'inspire consciemment de cet ancien maître, de la vie intense qui anime les costumes flottants de ses personnages. Il lui fait d'autres emprunts qui expliquent le caractère archaïsant de sa peinture, qui est d'un archaïsme au second degré, et l'étrangeté dans laquelle elle baigne le plus souvent. Ce goût du bizarre est atténué dans *Les Quatre Joies de Nan Shenglu*, mais perce tout de même dans le personnage de la musicienne et dans le visage grimaçant du petit Bouddha, tout à la fin.

Le mouvement du costume n'offrant malgré tout que des possibilités limitées, les peintres chinois ont inventé d'autres moyens de visualiser la vie du corps propre. Le principal a été le paysage. Ils n'ont jamais procédé comme les Occidentaux dans ce domaine : ils n'ont jamais cherché à reproduire ce que l'œil voit devant un paysage réel ou, plus exactement, ce qu'il voit à l'intérieur d'un champ rectangulaire imposé au paysage réel. Ils ont étudié des paysages réels, ils s'en sont inspirés, mais ont toujours conçu l'œuvre elle-même comme une création de l'imagination. Elle a toujours été pour eux la représentation, non de vues quelconques, mais de l'interaction de la montagne (*shan* 山) et des eaux (*shui* 水) qui

*chan, choouei*

circulent autour d'elle sous forme de nuées, tombent en chutes ou coulent à ses pieds. La montagne et les eaux qu'imagine le peintre forment un univers qui se suffit au même titre que chacun des portraits de Nan Shenglu. L'effet de réalité que produit cet univers tient à ce qu'il invite le corps propre à se projeter et à se reconnaître en lui. Les peintres chinois avaient l'intuition du phénomène. Ils s'efforçaient, comme disait Shitao, de laisser "entrer en eux les monts et les fleuves" et de les faire ensuite "renaître d'eux" [1]. En les recréant selon leur imagination, ils cherchaient à exprimer le sentiment de la vie qu'ils avaient en eux. Le paysage tel qu'ils le concevaient était un merveilleux

1. Voir chapitre 7, p. 259. Notons que Shitao 石涛, le nom sous lequel le peintre est le plus connu, signifie "vague de pierre". Sur les noms de ce peintre, voir Pierre Ryckmans, Les "Propos sur la peinture" du moine Citrouille-amère, p. 175.

1. On utilise à propos de l'action stabilisatrice de la montagne le verbe *zhen* 镇, qui signifie "réprimer", "pacifier", "faire tenir en place". Le corps de celui qui médite est assimilé à une montagne : il assure lui aussi la paix. Sur l'assimilation du corps à la montagne et vice versa, qui est fondamentale dans la religion taoïste, voir Kristofer Schipper, *Le Corps taoïste*, Paris, Fayard, 1982, en particulier p. 148-149. Sur d'autres implications philosophiques et religieuses du thème de la montagne, voir l'étude de Paul Demiéville, "La montagne dans l'art littéraire chinois", reproduite dans Paul Demiéville, *Choix d'études sinologiques* (1921-1970), Leyde, Brill, 1973, p. 364-389. Sur les montagnes sacrées, qui sont des divinités, voir Édouard Chavannes, *Le T'ai chan. Essai de monographie d'un culte chinois*, Paris, Leroux, 1910.

Yen Wen-kouei

Kouo Si

moyen pour cela, un thème aux virtualités infinies et qui, pour cette raison, les a aussi durablement inspirés que le corps humain a inspiré les Occidentaux.

Si la montagne a pu être à la peinture chinoise ce que le corps humain a été aux arts occidentaux, c'est aussi que, depuis les temps les plus anciens, les Chinois ont vu dans les montagnes, non pas des accidents du relief terrestre, mais des corps pesant sur le monde et le tenant en place. Par une autorité qui était fonction de leur masse, elles faisaient échec aux forces du désordre qui habitaient la terre. Elles étaient tout naturellement assimilées à des "esprits" (*shen* 神), qui appartiennent à la catégorie *yang* et sont créateurs d'ordre, tandis que les forces telluriques étaient assimilées à des "démons" (*gui* 鬼), qui sont d'espèce *yin* et fauteurs de trouble. C'est dire que les connotations religieuses et philosophiques du thème de la montagne sont multiples [1].

Les trois paysages des pages précédentes donnent une idée de la richesse du genre. *Les Temples parmi torrents et montagnes (Xishan louguan)* de Yan Wengui (967-1044), l'un des maîtres du début des Song du Nord, suscitent en nous un élancement vertical. La montagne se soutient, immobile, par la vertu de sa propre énergie. Elle est à la fois imposante et légère. Elle nous rappelle des états de bonheur que nous avons connus face à de vraies montagnes. Cette œuvre nous révèle que la quintessence de notre bonheur est dans le corps propre et que nous pouvons à tout moment l'y retrouver. L'effet de lointain que le peintre a su produire est un appel aux lointains de notre spatialité intérieure, les eaux une invitation à éprouver la vie qui circule en nous. La "matière" des roches nous incite à accroître la sensibilité tactile par laquelle notre activité s'éprouve directement elle-même dans l'ensemble du corps propre. Pour que la magie de la peinture opère, il était en outre nécessaire que, dans cette œuvre d'imagination, tout fût parfaitement observé et contribuât donc à réveiller en nous le plus grand nombre possible de sensations anciennes, éprouvées au contact de paysages réels.

Dans le premier paysage, un rythme anime secrètement la masse de la montagne. Ses étagements arrondis créent une discrète pulsation cependant que la dimension verticale reste dominante. Dans *Premier printemps (Zaochuntu)* de Guo Xi (environ 1020-1090), autre grand maître des Song du Nord, la pulsation se fait plus puissante, les rondeurs se mettent à tournoyer, elles forment des tourbillons alternés. Du premier paysage au deuxième, la transformation est la même que du premier au deuxième portrait de Nan Shenglu. Dans les deux cas, l'animation qui habitait l'objet s'empare de lui et menace de le dissoudre en pur mouvement. Ici et là, le spectateur peut s'attacher à l'objet représenté ou se laisser entraîner par le mouvement et laisser l'objet s'y abîmer. La première lecture est statique, elle maintient l'objet ; l'autre est dynamique, elle le sacrifie au mouvement. Le spectateur est libre de s'en tenir à la première ou de se laisser aller à la seconde, qui le livre au jeu de la projection sauvage. Toute référence objective abolie, le paysage se mue alors en pure représentation de l'activité propre.

Dans la *Montagne au printemps* (*Chunshantu*), œuvre anonyme de l'époque Yuan (1279-1368), un pas de plus est franchi dans la dissolution de l'objet. Le mouvement qui s'emparait du deuxième paysage ne compromettait pas sa cohérence topographique tandis que, dans celui-ci, il n'y a plus moyen de reconstituer la configuration des lieux. Les eaux, les arbres, les roches ne sont plus que des figures en train de s'abolir dans la lumière. Les masses que l'on sentait remuées par des forces puissantes dans le paysage précédent sont réduites à des signes tourbillonnants, en passe de se résorber dans l'énergie pure. Cette œuvre saisit l'indicible beauté du monde lorsqu'il se résout en énergie lumineuse. Le secret de cette splendeur, dont nous portons tous en nous la mémoire, réside dans la luminosité de la *materia prima* qui, réconciliée avec elle-même sous l'effet du spectacle, se projette en lui. Le monde n'a plus qu'une présence évanescente, mais l'asymétrie de la composition lui donne quelque chose de vertigineux et d'imprévisible.

Ce dernier rouleau est attribué à (Yang Weizhen 1296-1370, Yuan), dont nous connaissons déjà la calligraphie. L'inscription qui figure au haut du tableau rappelle en effet son écriture. Il nous semble que, plus profondément, l'animation à la fois instable et lumineuse de ce paysage s'apparente à celle de l'*Invitation à souscrire* reproduite aux pages 122-123. Ce que cette dernière peinture montre en tout cas, c'est l'affinité qui lie en Chine le signe pictural et le signe calligraphique. Ils surgissent

Yang Wei-tchen

d'un même espace et sont les révélateurs d'une même activité primordiale.

Cela nous amène au troisième procédé que les artistes chinois ont inventé pour représenter le corps propre : le caractère calligraphié. Nous y retrouvons ce que nous avons déjà observé dans la représentation chinoise du corps humain et dans celle de la montagne, le même passage du corps statique au corps en mouvement, puis au mouvement pur. Dans une écriture relativement statique, l'identité du caractère est affirmée en premier lieu ; le mouvement reste subordonné et ne fait qu'animer discrètement les formes. Lorsque l'écriture se fait plus dynamique, le mouvement s'émancipe et finit, dans la cursive folle, par menacer cette identité. Comme la montagne, le caractère finit par se dissoudre en pure activité. De ce point de vue, la calligraphie est un équivalent des deux premiers modes de représentation de l'activité propre. Mais elle possède sur eux un avantage décisif.

La représentation du corps humain et celle de la montagne permettent en effet de visualiser l'activité propre, mais ne saisissent jamais qu'un état ou un moment de cette activité. Notre vie est cependant faite d'instants qui s'enchaînent, d'une activité qui ne cesse de se métamorphoser. La peinture est en principe impuissante à manifester cette continuité temporelle de l'expérience. André Thomkins a tout de même tenté de la rendre visible dans ses variations sur une étude de paysage d'Arnold Böcklin. Cette suite de neuf dessins montre les transformations auxquelles l'imagination soumet la réalité extérieure. Elle visualise les opérations auxquelles nous nous livrons sans cesse sur elle. Dans cette suite de fantasmagories, il enregistre avec une merveilleuse acuité comment la réalité sensible s'élabore en nous. Thomkins illustre le rôle que joue notre imagination dans la perception du

ARNOLD BÖCKLIN,
*ARBRE ET ROCHERS*,
VERS 1851.

monde extérieur et montre également, en passant, que le corps est une mémoire qui n'interprète pas seulement les données sensorielles selon son expérience individuelle, mais aussi selon des réminiscences culturelles.

ANDRÉ THOMKINS, *VARIATIONS D'APRÈS BÖCKLIN*, 1970.
Pour la suite, tourner la page.

Ces variations révèlent en même temps la limitation à laquelle sont soumis le dessin et la peinture : ils ne peuvent fixer qu'une suite de moments distincts choisis dans l'enchaînement des métamorphoses, ils ne peuvent saisir cet enchaînement dans sa continuité. La représentation de l'objet est par principe incompatible avec l'expression du mouvement et de la durée. Les peintres chinois ont tenté de résoudre la difficulté et ils y sont parvenus, jusqu'à un certain point, en développant le genre du paysage horizontal, qui est monté sur rouleau et se "lit" (c'est le terme chinois, *du* 读) de droite à gauche comme les manuscrits antérieurs à l'invention du livre. Ce genre majeur de la peinture chinoise classique, qui déroule devant le "lecteur" une suite ininterrompue de métamorphoses, n'a pas d'équivalent dans notre tradition. Il ne pouvait être inventé chez nous faute du format qu'offrait le rouleau chinois et faute aussi du paysage conçu comme une œuvre d'imagination plutôt que comme une vue de lieux réels.

On peut prendre la *Vue du Huangshan* (*Huang-shan tujuan*) de Shitao (1641-1719 ?, début des Qing) comme un panorama s'offrant d'un coup à la vue mais, dans la conception chinoise, on ne peut apprécier les richesses d'un tel rouleau qu'en le

LES TRACES DE L'ACTIVITÉ | 297

suivant attentivement dans son déroulement, en le parcourant
sans hâte, en se ménageant des pauses. On y est généralement
invité par un ou plusieurs personnages qui cheminent dans
le paysage ou s'y arrêtent pour le contempler. Ce sont des
personnages minuscules qui n'ont qu'une valeur de signe : ils
indiquent que ce sont des paysages humains [1]. Ils les humani-
sent comme le visage et la chaussure de Nan Shenglu, dans le
troisième portrait, humanisaient les volutes de la robe. Mais la
relation est inversée : alors que l'animation était située à l'intérieur des limites du corps, elle est maintenant projetée hors des
personnages, dans l'espace extérieur, et s'y transforme à mesure
que l'espace défile. Dans la *Vue du Huangshan*, on aperçoit un
promeneur solitaire traversant un pont, tout en haut à droite.
Après le pic où le mène cette fragile passerelle, aucun chemin
ne semble continuer. Il n'y a plus au-delà que la nature sauvage
et ses périlleuses transformations.

1. Cette présence humaine, ce
regard porté sur le paysage de
l'intérieur du paysage sont difficilement observables dans les
trois rouleaux des pages 292-293
à cause du format réduit de la
reproduction, mais ils y sont.

SHITAO (1641-1719 ?, QING),
*VUE DU HUANGSHAN*
(*HUANGSHAN TUJUAN*),
1700.

Le paysage horizontal semble échapper aux limitations des autres procédés de représentation du corps propre, mais il ne s'en libère qu'imparfaitement. La continuité de l'espace pictural trompe car, pour explorer tout à mon aise cet univers imaginaire et lui donner vie en m'y projetant, je suis obligé d'arrêter mon regard. Je peux choisir n'importe quelle partie, dans n'importe quel ordre. Lorsque le rouleau n'est pas trop long, je puis même en faire, en le regardant à distance, un seul espace animé. Telle est la liberté que me laisse la peinture, mais telle est aussi ma servitude : je ne puis entrer dans le tableau que par une succession plus ou moins rapide de projections fixes. Il n'y a donc tout compte fait pas de véritable représentation du mouvement dans ce genre pictural non plus.

Finalement, seule la calligraphie représente les états du corps propre dans la dynamique de leurs transformations. Il est vrai qu'en calligraphie le spectateur peut, comme en peinture, s'arrêter, aller et venir ou prendre du recul comme bon lui semble. Mais il peut aussi lire l'œuvre, la suivre dans le sens où le calligraphe l'a exécutée, se pénétrer dans l'ordre de chaque caractère. C'est paradoxalement grâce à la discontinuité qui est propre à la suite des caractères que la calligraphie réussit à rendre les transformations de l'activité. Quand il passe d'un caractère à l'autre, c'est-à-dire d'une *figure* à l'autre, le spectateur est obligé d'accomplir une transformation dont le calligraphe lui donne le point de départ et le point d'arrivée. Ces sauts stimulent son imagination motrice, autrement dit son

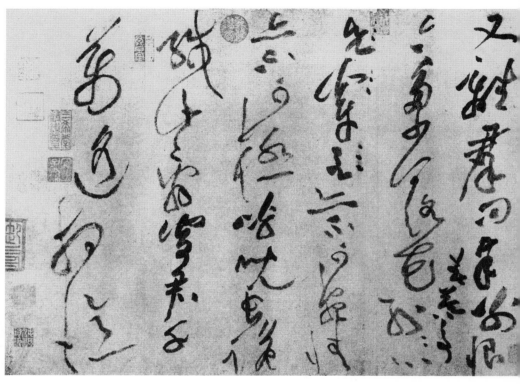

activité propre. D'un caractère à l'autre, il a le sentiment de faire un bond qui est en même temps une métamorphose. Les caractères lui apparaissent comme les traces qu'un danseur aurait laissées en touchant le sol et qu'il suit dans ses évolutions aériennes, partageant son ivresse. D'un caractère à l'autre, il reproduit en fait la danse du calligraphe. Si tel saut lui plaît, il le répète autant de fois qu'il en a envie.

Il peut reprendre deux, trois sauts consécutifs quand leur suite l'enchante. Le début d'une œuvre célèbre de Huang Tingjian (1045-1105, Song du Nord), *Souvenirs de promenades anciennes*, communique même au spectateur le moins averti la sensation d'une succession de prodigieuses envolées. L'effet est celui de ces valses qui vous entraînent d'une manière d'autant plus irrésistible qu'elles ne donnent le mouvement que de proche en proche,

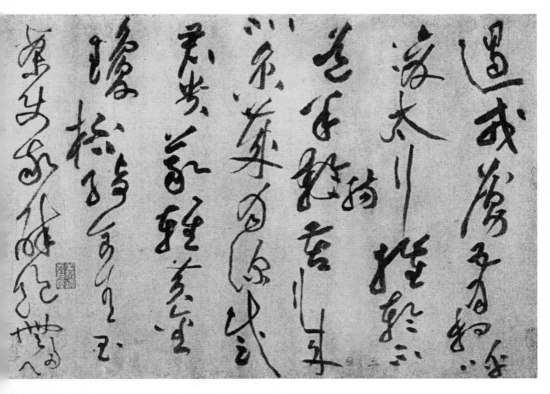

par des motifs rythmiques ramassés à l'extrême. Le plaisir est
à la mesure de notre activité.

La calligraphie tient donc son pouvoir suggestif de la discontinuité de sa forme. Les variations de Thomkins laissaient
présager que la discontinuité n'est pas une faiblesse, mais une
force. Pour imaginer le passage de l'une à l'autre, le spectateur
devait les faire vivre. Un dessin animé qui eût montré les transitions aurait tué l'effet. La calligraphie possède de ce point
de vue-là une force que n'ont habituellement ni le dessin,
ni la peinture.

À cela s'ajoute encore autre chose. Dans la peinture et le dessin, une fois que l'image est terminée, l'ordre dans lequel elle a
été exécutée n'est plus visible. Tous les éléments se présentent de
manière simultanée, ou du moins sans succession déterminée.

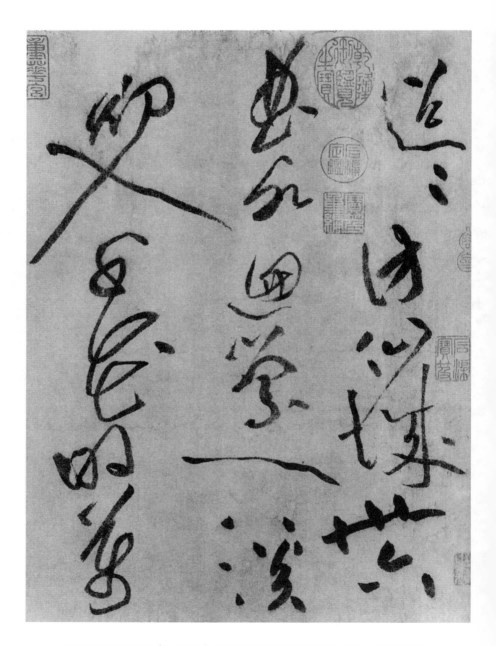

HUANG TINGJIAN (1045-1105), *SOUVENIRS DE PROMENADES ANCIENNES.*

En calligraphie, par contre, l'ordre des traits est toujours connu. La mémoire motrice reconstitue chaque geste sans hésitation. Le spectateur exercé reproduit aussi bien en lui le geste qui a tracé chaque élément que celui qui a mené de chaque élément au suivant. Il reconstitue dans sa durée l'activité qui fut celle du calligraphe. Il fait après coup ce que l'auditeur fait sur le moment en musique. En dernière analyse, c'est l'ordre des traits qui fait de la calligraphie une musique visible [1]. La calligraphie réussit en fin de compte ce qui n'est à la portée d'aucun autre art plastique : elle conserve du surgissement créateur une trace tangible qui permet au spectateur de revivre ce surgissement dans sa durée réelle.

Matisse s'est livré à une recherche qui l'a mené dans les parages de l'art calligraphique. Son cas est intéressant parce que, cherchant à exprimer cela même qu'exprime la calligraphie, il a été près d'en réinventer à sa façon les procédés. Il vaut la peine d'examiner brièvement jusqu'où il est allé dans cette voie.

À la fin de sa vie, dans son appartement de Nice, il avait au mur une enseigne chinoise de bois sombre, en largeur, ornée de quatre grands caractères gravés et dorés en creux, d'une écriture très quelconque [2]. Il devait avoir du goût pour ce spécimen de calligraphie extrême-orientale, mais ne semble pas avoir eu l'occasion de s'informer sur un art dont on ignorait à peu près tout en Europe à l'époque. C'est donc hors de toute influence, suivant la seule logique de sa propre recherche qu'il s'en est rapproché. Je pense surtout à ses dessins, qu'il ne tenait pas pour de simples esquisses, mais pour des œuvres achevées : "Mon dessin, disait-il, représente une peinture exécutée avec des moyens restreints." [3] Il lui est même arrivé de placer le dessin au-dessus de la peinture :

> Mon dessin au trait est la traduction directe et la plus pure de mon émotion. La simplification du moyen permet cela. Cependant, ces dessins sont plus complets qu'ils peuvent paraître à certains qui les assimileraient à une sorte de croquis. Ils sont générateurs de lumière ; regardés dans un jour réduit, ou bien dans un éclairage indirect, ils contiennent, en plus de la saveur et de la sensibilité de la ligne, la lumière et les différences de valeurs correspondant à la couleur, d'une façon évidente. [4]

1. La calligraphie possède même un avantage sur la musique. L'écoulement du temps est irréversible quand j'écoute quelqu'un jouer, je ne puis ni reprendre un passage, ni sauter d'un endroit à l'autre du morceau alors qu'en calligraphie, je suis libre de respecter l'ordre temporel, de le transformer à ma guise ou de l'ignorer. J'ai le choix entre la durée et l'espace. En musique, je n'approche de cette liberté-là que quand je joue moi-même.

2. Voir par exemple John Russell, *Matisse et son temps*, Time-Life international, 1972, photographie de la p. 182.

3. Henri Matisse, *Écrits et propos sur l'art*, Paris, Hermann, 1972, p. 200, note 62.

4. *Ibid.*, p. 159.

Matisse est en rupture avec la conception intellectuelle du dessin qui a prévalu depuis la Renaissance ; il ne s'en sert plus pour délimiter des surfaces, construire un espace et définir des objets auxquels la couleur ajoutera ensuite des propriétés sensibles. Au lieu d'être un point de départ, son dessin est un aboutissement. Il naît d'une exécution rapide dans laquelle s'accomplit une synthèse spontanée de toute l'expérience acquise au cours du travail exploratoire :

> (...) ces dessins sont toujours précédés d'études faites avec un moyen moins rigoureux que le trait, le fusain par exemple ou l'estompe, qui permet de considérer simultanément le caractère du modèle, son expression humaine, la qualité de la lumière qui l'entoure, son ambiance et tout ce qu'on ne peut exprimer que par le dessin. Et c'est seulement lorsque j'ai la sensation d'être épuisé par ce travail, qui peut durer plusieurs séances que, l'esprit clarifié, je puis laisser aller ma plume avec confiance. J'ai alors le sentiment évident que mon émotion s'exprime par le moyen de l'écriture plastique. Aussitôt que mon trait ému a modelé la lumière de ma feuille blanche, sans en enlever sa qualité de blancheur attendrissante, je ne puis plus rien lui ajouter, ni rien reprendre. La page est écrite ; aucune correction n'est possible. Il n'y a plus qu'à recommencer si elle est insuffisante comme s'il s'agissait d'une acrobatie [1].

1. *Ibid.*, p. 160.

Matisse exécute son dessin comme le calligraphe son écriture. Son dessin est une "écriture plastique", il aboutit à une "page écrite". Après s'être livré à un long travail préparatoire, il laisse courir sa plume et lui livre son émotion. Cette exécution ne tolère aucun repentir, elle est comme une "acrobatie". Elle s'accompagne d'une intense projection de l'activité propre dans la page blanche : son "trait ému", dit-il, s'inscrit dans la "blancheur attendrissante" de la page, dans la "lumière de la feuille blanche".

Matisse a souvent parlé des ressorts de sa technique. Ce qui lui importe le plus, dit-il, c'est de "travailler mon modèle jusqu'à ce que je l'aie suffisamment en moi pour pouvoir improviser, laisser courir ma main" [2]. Parlant de ses dessins : "C'est ce que j'appelle le cinéma de ma sensibilité. Mon étude faite, ou plutôt mon point de départ établi, je laisse courir ma plume au gré de son caprice... Cela m'amuse : j'ignore où je vais. Je m'en remets à mon inconscient et la preuve en est si

2. *Ibid.*, p. 196.

flagrante que, si l'on me dérange pendant l'opération, il ne m'est plus possible de retrouver le fil." [1] Cet inconscient n'est pas autre chose que le corps actif dont les pouvoirs ont été développés par le travail, et que Matisse cultivait en dessinant à l'occasion les yeux fermés. À un visiteur qui regardait une grande esquisse de tête de jeune fille dessinée directement sur la porte de la pièce, il explique : "J'ai fait ce dessin les yeux bandés. Après avoir travaillé avec un modèle toute la matinée je voulais savoir si je le possédais vraiment. Je me suis fait bander les yeux et conduire à la porte." [2] À un autre interlocuteur : "Certaines de mes gravures, je les ai faites après des centaines de dessins, après l'essai, la connaissance, la définition de la forme et, alors, je les ai faites les yeux bandés." [3] Les ressources qu'il mobilise sont celles de l'imagination motrice : "De même qu'en parlant d'un melon on se sert des deux mains pour l'exprimer d'un geste, les deux lignes qui délimitent une forme doivent la restituer. Dessiner est comme de faire un geste expressif, avec l'avantage de la permanence." [4] L'évocation de l'imagination motrice est encore plus concrète dans ces remarques-ci : "Ces vols successifs de colombes, leurs orbes, leurs courbes glissent en moi comme dans un grand espace intérieur. Vous ne pouvez pas vous figurer à quel point, en cette période de papiers découpés, la sensation du vol qui se dégage en moi m'aide au mieux à ajuster ma main quand elle conduit le trajet de mes ciseaux." [5] Lorsqu'il compose *Le Bonheur de vivre* (1906) ou *La Danse* (1910), il mime intérieurement le pas et chantonne l'air d'une sardane qu'il a vu danser par les pêcheurs de Collioure [6]. Dans toute une partie de son œuvre les formes naissent du geste, et, par-delà le geste, d'une intense activité du corps propre. Il a souvent le trac avant d'exécuter un dessin : avant de s'être complètement mis en branle, il craint de ne pouvoir rassembler ses forces et porter son activité au degré d'intensité voulu. Comme en calligraphie, il lui faut une mobilisation complète pour que le geste jaillisse [7].

Le geste du calligraphe et le geste de Matisse semblent avoir des fonctions fort différentes, puisque l'un trace un caractère tandis que l'autre dessine un objet. Mais l'écart est moins grand qu'il n'y paraît car, au fil de ses études préparatoires, Matisse a transformé la représentation de l'objet en une sorte de signe.

1. *Ibid.*, p. 165, note 13.

2. *Ibid.*, p. 263.

3. *Ibid.*, p. 263, note 6. Voir aussi p. 269. On cite le cas de calligraphes qui, ayant perdu la vue dans leur vieillesse, se sont exprimés avec autant de bonheur que lorsqu'ils voyaient. Voir à ce sujet *Xiandai shufa lunwenxuan*, p. 86.

4. Henri Matisse, *op. cit.*, p. 67.

5. *Ibid.*, p. 250-251. On sait que Matisse aimait passionnément les oiseaux et qu'il en avait toujours autour de lui. Les photographies d'Henri Cartier-Bresson le montrant avec ses colombes sont dans toutes les mémoires.

6. Gaston Diehl, *Henri Matisse*, Paris, Pierre Tisné, 1954, p. 104. Voir aussi Henri Matisse, *op. cit.*, p. 63, note 35, et p. 151, note 11.

7. Sur la naissance du geste, voir *ibid.*, p. 176, note 29.

Au moment décisif, il n'a plus à l'inventer, il l'exécute comme le calligraphe exécute le caractère. "Je suis allé des objets au signe", dit-il. "Il faut étudier longtemps un objet pour savoir quel est son signe", explique-t-il à un autre interlocuteur. Pour que ces signes aient une valeur expressive, l'artiste doit les dégager lui-même des objets : "Il faut étudier longuement, ne pas se hâter. Ainsi, celui qui commence par le signe aboutit très vite à une impasse." [1]

Matisse a plus d'une fois livré ses réflexions sur la genèse du signe. "Le caractère du dessin, écrit-il dans la préface d'un catalogue d'exposition, ne dépend pas des formes copiées avec exactitude sur la nature ou bien de la réunion de détails exacts patiemment assemblés, mais du sentiment profond de l'artiste devant les objets qu'il a choisis, sur lesquels son attention s'est arrêtée et dont il a à pénétrer l'esprit." Et il enchaîne : "Ma conviction sur ces choses s'est formée lorsque j'ai eu constaté que par exemple dans les feuilles d'un arbre – dans le figuier particulièrement – la grande différence de formes qui existe entre elles n'empêche pas leur réunion à un caractère commun. Les feuilles de figuier dans toutes les fantaisies de leurs formes restent bien des feuilles de figuier. (...) Il existe donc une vérité essentielle à dégager du spectacle des objets à représenter. C'est la seule vérité qui importe." [2] Cette vérité, c'est le caractère commun que chacun de nous a dégagé des feuilles de figuier qu'il a regardées et qui lui permet d'identifier celles qu'il voit. Le peintre reprend ce travail d'observation et de synthèse et le pousse jusqu'au point où il devient capable, non seulement de reconnaître, mais de produire des feuilles de figuier : non pas de reproduire telle feuille particulière, mais bien d'en *produire* une, c'est-à-dire de l'inventer d'une manière à la fois libre et conforme au caractère de la feuille de figuier. C'est alors qu'il en possède toute la "vérité".

De telles feuilles de figuier sont "vraies" parce qu'elles présentent le caractère de la feuille du figuier avec la plus grande évidence et la plus grande simplicité possibles et que le dessinateur a su leur donner vie par la spontanéité de son exécution. Nées de l'activité d'un corps sensible, elles expriment la vérité de notre rapport au réel. Si l'art imite la nature, dit Matisse, c'est "par le caractère de vie que confère à l'œuvre

1. *Ibid.*, p. 243 et 248. Voir aussi p. 17 et 249.

2. *Ibid.*, p. 172-173.

HENRI MATISSE, *FEUILLE DE FIGUIER*, 1948. Tiré d'une suite de motifs végétaux exécutés pour un numéro spécial de la revue *Verve*.

1. *Ibid.*, p. 323. Sur la spontanéité de l'exécution, voir aussi p. 300.

d'art un travail créateur. Alors l'œuvre apparaîtra aussi féconde, et douée de ce même frémissement intérieur, de cette même beauté resplendissante, que possèdent aussi les œuvres de la nature" [1] – qu'elles possèdent dans l'expérience que nous en avons dans certains moments de bonheur. Si la calligraphie imite la nature, c'est parce que le calligraphe y met aussi, grâce à la sensibilité et à la spontanéité de son exécution, ce frémissement qui nous saisit aux moments les plus émus de notre perception du réel.

Il est révélateur que Matisse donne souvent à ses dessins une organisation de l'espace semblable à celle de la calligraphie. Ses motifs végétaux sont des signes, des emblèmes complets auxquels les modulations de la ligne, l'aisance et l'ampleur du trait confèrent une vie intense. Ils surgissent, comme en calligraphie, du centre de l'espace. Ils ne comportent pas d'ombres, car aucune ombre ne saurait apparaître dans l'échange entre notre corps sensible, source de la lumière, et la surface blanche. Comme en calligraphie, le dépouillement de l'expression trompe. De nombreux éléments imperceptibles à première vue concourent à l'effet d'ensemble : la qualité du papier, les valeurs tactiles, les infléchissements et les tremblements de la ligne, la couleur de l'encre. C'est pour cette raison que ces dessins, comme les œuvres calligraphiques, ne conservent leur puissance et leur noblesse que lorsqu'ils sont reproduits avec le plus grand soin et dans leur format original.

2. *Ibid.*, p. 173, note 23. Dans le texte reproduit aux pages 172-175, "L'exactitude n'est pas la vérité", Matisse fait une distinction très proche de celle que les peintres chinois font depuis une époque ancienne entre *xing* 形, la "forme", la "ressemblance formelle", et *shen* 神, "l'expression". Ils sont tous d'accord pour dire que l'expression compte plus que la ressemblance extérieure. Sur la faculté de se projeter dans le corps de l'autre, voir l'anecdote contée à la p. 161, note 6, et ce propos, p. 61 : "J'ai à peindre un corps de femme ; d'abord j'en réfléchis la forme en moi-même..."

3. *Ibid.*, p. 181. Il s'agit de portraits.

Les portraits dessinés de Matisse sont aussi des synthèses vivantes réalisées d'un coup par l'artiste après un travail méthodique d'assimilation. Le processus d'élaboration consiste également à dégager d'une multitude d'expressions un caractère commun, puis de produire intuitivement les expressions caractéristiques du modèle. La réussite dépend en premier lieu de la capacité de l'artiste à se projeter dans le modèle : "C'est la qualité de cette projection qui donne vie, bien plus que la présence, sous les yeux de l'artiste, d'une personne vivante." [2] Lorsque l'artiste s'est assez pénétré des expressions de son modèle, le moment vient où, à la faveur d'une activité intense, le corps propre en fait la synthèse : "Ces dessins jaillissent d'une seule pièce, constitués d'éléments sans coordination apparente avec le travail d'analyse qui les a précédés..." [3] Comme les

motifs végétaux, ces portraits sont des signes qui surgissent du milieu de l'espace, animés d'une vie intense. Ils sont toujours le signe d'une individualité : "J'ai fini par découvrir, dit Matisse, que la ressemblance d'un portrait vient de l'opposition qui existe entre le visage du modèle et les autres visages, en un mot de son asymétrie particulière." [1] Il a si bien saisi la dissemblance du visage de Paul Léautaud, par exemple, que les portraits qu'il a faits de lui semblent exprimer la quintessence de son inoubliable physionomie. Ces portraits sont des signes, mais le signe n'y devient jamais convention. Il n'est que de regarder la suite des portraits de Léautaud ou d'autres séries de portraits que Matisse a faites, celles de Louis Aragon et d'Elsa Triolet par exemple [2], pour constater que dans chaque dessin le signe est réinventé pour produire un effet nouveau. On s'en apercevra en comparant l'exécution de la bouche, des narines ou des yeux par exemple, qui sont chaque fois réinterprétés. Cette réinvention permanente du signe situe Matisse tout près de la calligraphie.

Chez lui comme en calligraphie, le signe a une triple signification. Il évoque en premier lieu l'objet. Il fait ensuite sentir la main attentive, le geste délié, l'activité supérieurement exercée de celui qui l'a tracé ; il nous introduit dans l'activité propre de

HENRI MATISSE, *PORTRAITS DE PAUL LÉAUTAUD*, 1946. Tirés d'une suite de onze études pour un frontispice.

1. *Ibid.*, p. 177.

2. Voir Louis Aragon, *Henri Matisse, roman*, 2 vol., Paris, Gallimard, 1971, vol. 2, p. 48-54 et 61-66 ; collection Quarto, 1998, p. 485-490 et 500-504. Voir aussi Marguerite Duthuit-Matisse et Claude Duthuit, *Henri Matisse, l'œuvre gravé*, 2 vol., Paris, 1983, vol. 2, pl. 149-201. Voir également Pierre Schneider, *Matisse*, Paris, Flammarion, 1984, p. 336-337.

l'artiste. À travers elle, il nous fait enfin toucher la nôtre, il nous ramène à la source de toute compréhension vive de la réalité et nous y replonge pour notre plus grand bonheur.

Matisse a constamment cherché à montrer le monde tel que nous l'appréhendons par le corps propre. Il avait une conscience aiguë de l'essence imaginaire de l'espace. À Gaston Diehl qui lui demande si l'espace lui apparaît limité ou illimité, il répond : "L'espace a l'étendue de mon imagination." [1] Cela vaut pour l'espace du tableau comme pour l'espace réel : "C'est l'imagination qui donne au tableau espace et profondeur." [2] Par sa peinture, Matisse cherche à stimuler l'imagination spatiale du spectateur : "La dimension d'une toile importe peu, explique-t-il. Ce que je veux toujours donner, c'est la sensation d'espace, aussi bien dans la plus petite toile que dans la chapelle de Vence." [3] Il s'agit toujours, dans tout cela, de l'alchimie de notre expérience intime de la réalité, alchimie dont le corps propre est le lieu. "J'essaie de me comprendre, dit Matisse ; chacune de mes œuvres est une tentative en ce sens." [4]

Pour faire chanter l'espace, Matisse s'est servi de l'arabesque. Car "l'arabesque s'organise comme une musique", dit-il. "Les bijoux et les arabesques ne surchargent pas mes dessins, d'après

1. Henri Matisse, *op. cit.*, p. 244.

2. *Ibid.*, p. 121.

3. *Ibid.*, p. 154, note 14.

4. *Ibid.*, p. 242.

HENRI MATISSE, DESSIN À LA PLUME ET À L'ENCRE DE CHINE, 1936.

le modèle, car ces bijoux et arabesques font partie de mon orchestration." [1] Le bien-être que ressent cette femme étendue à gauche, elle le projette autour d'elle. Matisse se sert des motifs décoratifs qui l'entourent pour "orchestrer" cette animation bienheureuse de l'espace. Le caractère musical de cette animation tient au fait que c'est par une même projection du corps propre que nous créons l'espace imaginaire du tableau et celui de la musique. La répétition de l'arabesque introduit

1. *Ibid.*, p. 160.

RAOUL DUFY, *HOMMAGE À MOZART*, 1951.

en outre dans l'œuvre la durée qui est le propre de la musique, elle émancipe jusqu'à un certain point la représentation picturale de sa fixité. Jusqu'à un certain point seulement : Matisse a souvent exprimé dans ses toiles l'idée que la peinture contient en elle la musique, mais une musique prisonnière de l'immobilité propre à la représentation picturale et qui reste par conséquent silencieuse. Il a rendu cela visible dans le merveilleux *Intérieur au violon* (1917-1918), par exemple, où l'on voit l'instrument posé dans son étui bleu, sur une chaise, dans l'ombre d'une chambre protégée par ses persiennes closes de la lumière et de la chaleur extérieures. Matisse était musicien et a joué quotidiennement du violon jusque vers la cinquantaine. Chez Dufy, le passage de l'arabesque à la musique est suggéré par une partition où figure en grandes lettres le nom de Mozart. Le motif noir des six lettres donne l'idée d'un dépassement qu'il n'est pas dans le pouvoir du peintre d'accomplir réellement. Seule la calligraphie chinoise libère l'arabesque et en fait une musique visible, déroulant ses effets dans le temps. Que le lecteur, pour bien sentir le saut, reconsidère par exemple la femme étendue de Matisse, puis les *Souvenirs de promenades anciennes* de Huang Tingjian, à la page 302.

Voilà qui nous ramène à la comparaison entre la calligraphie et la musique. Lorsque je l'ai ébauchée au chapitre 4, je ne disposais pas encore des notions de corps propre, d'activité propre et de projection. Maintenant qu'elles nous sont devenues familières, complétons le rapprochement. Les phénomènes qu'elles recouvrent jouent en effet un rôle tout aussi fondamental en musique que dans l'art de l'écriture et forment leur commun dénominateur.

Au niveau le plus élémentaire, c'est par une projection analogue que nous donnons corps à l'élément calligraphique et à la note musicale, que nous faisons de l'un et l'autre un objet situé dans un espace imaginaire. C'est en vertu de propriétés comparables qu'un élément calligraphique et qu'une note musicale se prêtent à cette transformation et sont donc, dans la terminologie de Pierre Schaeffer, "convenables" ou non [1]. Ils nous émeuvent pareillement lorsqu'ils suscitent, en retour, une perception de soi complète et différenciée du corps propre. Rien ne nous donne une idée plus vive de réalité corporelle et de transparente présence à soi qu'une voix parfaitement timbrée.

C'est par la même imagination motrice que nous appréhendons le mouvement d'un caractère et la dynamique d'un motif musical. Ils ont la même nature double, ils sont à la fois mouvement et forme construite. En musique nous allons du mouvement à la forme, en calligraphie de la forme au mouvement, mais nous explorons dans les deux cas cet entre-deux de la forme et du mouvement où se jouent toute la musique et toute la calligraphie. Ici et là, l'émotion est liée aux motions que les formes suscitent dans le corps propre. [2]

1. Voir chapitre 4, p. 118.

2. Wittgenstein s'est demandé comment nous faisions pour comprendre et pour expliquer une phrase musicale : "L'explication la plus simple est parfois un geste, note-t-il ; une autre serait un pas de danse, ou des mots décrivant une danse." La *compréhension* n'est pas autre chose que l'activité que nous déployons en écoutant. "La phrase musicale est pour moi un geste, observe-t-il. Elle s'insinue dans ma vie. Je me l'approprie." Quant à *l'explication*, elle est une manifestation du mouvement intérieur par un geste, un pas de danse, une autre phrase musicale : c'est toujours le corps qui "explique". Wittgenstein exprime cela de la manière suivante : "La musique semble à beaucoup un art primitif, avec son petit nombre de sons et de rythmes. Mais elle n'est simple qu'à la surface tandis que le corps, qui a le pouvoir d'interpréter ce contenu manifeste, possède toute l'infinie complexité qui est apparente dans les autres arts et que la musique passe sous silence. Elle est en un sens le plus raffiné de tous les arts." Cet éloge de la musique pourrait être un éloge de la calligraphie. "Les sentiments, écrit encore Wittgenstein, accompagnent la compréhension d'une œuvre musicale comme ils accompagnent la vie." La force de la musique est dans sa gratuité, qui nous permet de

nous livrer en toute insouciance au jeu de l'interprétation et à jouir sans réserve, à ce moment-là, de notre propre activité. Elle réside aussi dans sa cohérence formelle, qui rend possible une interprétation *suivie* et donc une jouissance *continue* de nous-mêmes, dont le monde réel nous offre rarement l'occasion. La belle musique possède un inaltérable caractère de nouveauté parce que l'activité qu'elle suscite en nous est par essence toujours neuve. Nous n'éprouvons des sentiments de répétition, d'ennui et d'usure que lorsque notre conscience est coupée des sources profondes du corps propre. La musique nous remet en contact avec elles et nous y fait prendre un bain de jouvence. Mieux nous connaissons les mouvements et les gestes d'une composition musicale, plus nous en éprouvons de fraîcheur : "Je puis toujours réécouter une œuvre musicale que je connais (tout à fait) par cœur..., note Wittgenstein. Quand bien même je saurais à chaque instant ce qui vient après, ses gestes resteraient toujours pour moi des gestes. Je puis même être toujours surpris à nouveau. (En un certain sens.)" Une calligraphie de qualité a ce même pouvoir de toujours surprendre à nouveau les amateurs qui la connaissent le mieux. Ces citations sont tirées de *Vermischte Bemerkungen*, Francfort, Suhrkamp, 1977, p. 132, 139, 25, 28 et 139. Wittgenstein possédait des dons musicaux exceptionnels et la musique a occupé une place centrale dans sa vie, mais il s'est peu exprimé sur elle dans ses écrits, et l'a toujours fait avec sa retenue caractéristique.

Mais revenons à la peinture. Si Matisse ne s'était pas dégagé comme il l'a fait de l'esthétique occidentale classique et n'avait pas développé, pour saisir cela même qu'expriment les calligraphes chinois, une technique proche de la leur sur plusieurs points essentiels, nous apercevrions moins bien aujourd'hui ce qui distingue l'esthétique occidentale classique de l'esthétique chinoise. Il a su, mieux qu'aucun autre, mobiliser le génie du corps actif et révéler dans ses œuvres le rapport qu'il entretient avec la réalité sensible. Dans ses dessins, il a créé des signes qui, comme en calligraphie, renvoient simultanément à l'objet perçu et à l'activité propre par laquelle nous le percevons et lui donnons vie.

Ce faisant, il a mené à son terme une transformation qui se préparait depuis longtemps. Les peintres de la Renaissance ont voulu saisir le monde par la géométrie. Témoin, Piero della Francesca, cité plus haut, à la page 61. Témoin, le *Portrait de Luca Pacioli*, attribué à Jacopo de' Barbari [1], reproduit à la page suivante. Mais c'étaient de grands artistes. Ils ont su donner vie à l'abstraction, ou plus exactement lui donner corps en puisant aux sources du corps propre, de sa sensibilité, de sa spatialité. Nous avons vu Léonard de Vinci construire une scène au moyen

1. Sur Luca Pacioli, l'auteur de la *Divina proportione* et père de la comptabilité en partie double, voir Alfred W. Crosby, *La Mesure de la réalité*, Paris, Allia, 2003, chapitre 10, en particulier p. 207-218.

du dessin, puis l'animer par le mouvement et la couleur. Il allait de l'abstraction au concret. Il allait aussi de la construction statique à la métamorphose. Dans l'exemple montré à la page 63, cependant, cette dernière restait soumise au cadre que lui fixait une intelligence rigoureuse. Dans d'autres œuvres, Léonard a créé un rapport différent. Dans l'*Annonciation* ci-dessous, il offre une double transition, d'abord du paysage lointain (presque chinois) aux formes géométriques élémentaires des arbres du plan moyen, puis de ces formes élémentaires à la perspective rigoureuse du premier plan, matérialisée dans le mur et l'angle du bâtiment de droite. Les formes du fond semblent être encore en gestation et font appel à l'imagination mouvante du corps propre. Les formes arrondies et sombres des arbres invitent l'imagination à se fixer, à prendre corps de manière définie. L'architecture du premier plan, qui encadre l'ange et Marie, est tout à fait contraignante, définitivement soumise à la loi de la

LÉONARD DE VINCI,
*ANNONCIATION*,
VERS 1475-1478.

MAX ERNST,
*LA FEMME 100 TÊTES*, 1929.
11ᵉ planche.

DANS LE BASSIN DE PARIS, LOPLOP, LE SUPÉRIEUR DES OISEAUX,
APPORTE AUX RÉVERBÈRES LA NOURRITURE NOCTURNE

pensée abstraite. Le génie de Léonard a été de pressentir ce que le réalisme intellectualisé qu'il avait contribué à imposer présageait de restrictif et d'y avoir réintroduit subrepticement le merveilleux qui risquait d'être banni par l'usage prépondérant de l'intellect [1].

Au génie de Léonard répond quelques siècles plus tard celui de Max Ernst, chez qui les puissances secrètes du corps propre prennent leur revanche en subvertissant l'espace objectivé. Dans les collages de *La Femme 100 têtes* et dans leurs légendes [2], il a prophétiquement mis en scène la fin d'une aventure inaugurée

1. Je paraphrase ici Robert Lebel, *Léonard de Vinci ou la fin de l'humilité*, Paris, Presses du livre français, 1952 (collection "Le soleil noir"), p. 52. Cet opuscule m'a toujours paru remarquable.

2. Voir Max Ernst, *La Femme 100 têtes*, précédé d'un avis au lecteur d'André Breton, Bernier, Paris, 1929 ; nouvelle édition aux Éditions de l'Œil, Paris, 1956. Les légendes des 146 planches de Max Ernst ont été publiées seules, sans les images : Max Ernst, *Le Poème de la femme 100 têtes*, Paris, Jean Hugues, 1959. Elles m'apparaissent, sous cette forme, comme l'un des plus beaux mythes du XXᵉ siècle.

à l'époque de Léonard. Dans ces images, nous voyons la conscience diurne de l'intelligence retourner, dans un naufrage de rêve, à la nuit du corps. La 11e planche ("Dans le bassin de Paris, Loplop, le supérieur des oiseaux, apporte aux réverbères la nourriture nocturne") montre une méduse s'approchant du réverbère qui illumine un angle de la place du Louvre. Elle apporte la "nourriture nocturne" dont il semble avoir besoin pour éclairer de sa pâle lumière les façades classiques qui entourent la place. Les passants qui vont et viennent à cette heure tardive n'ont pas conscience de ce qui se passe. Ils ne se rendent pas compte que leur univers parfaitement réglé baigne dans une nuit sous-marine (Paris est un "bassin") dont peuvent surgir des formes autrement inquiétantes ou merveilleuses.

Ce collage est l'inversion de l'*Annonciation* de Léonard de Vinci. Dans l'*Annonciation*, on voyait surgir d'un fond d'activité encore indifférenciée un monde de formes parfaitement maîtrisées par l'intelligence. Ici, ces mêmes formes sont menacées de se dissoudre. Elles replongent dans la nuit dont elles sont sorties et ne sont plus éclairées que par une lumière sortie de cette nuit même. Cette réimmersion de l'espace intelligible, création de la conscience séparée, dans la nuit vivante du corps propre est prémonitoire. Comme d'autres œuvres fortes de notre siècle, elle marque la fin d'une période historique et semble annoncer quelque chose de nouveau.

### LES DEUX PÔLES DE L'ESTHÉTIQUE CHINOISE

J'AI parlé au chapitre 5 du moment où la personnalité profonde du calligraphe se fait jour, où une physionomie nouvelle apparaît dans son écriture et où s'y manifeste un style, signature inimitable d'un être singulier. Devant ce style, l'amateur a le sentiment que tout un homme lui devient visible, et ressent un plaisir de même nature que s'il se trouvait en présence de l'homme lui-même. Cette analogie entre le style calligraphique et l'expression spontanée de la personne n'est pas fortuite. "Le plaisir que me fait un homme par son être même, écrit Valéry, par son timbre, son abord, sa superficielle vie des yeux, son tour de parole, je lui en suis plus reconnaissant que d'un service rendu, et d'un bienfait volontaire. C'est un fait. Un tel homme communique la vie, augmente la mienne..." [1] Loin d'être une simple donnée de la nature, la manière dont une personne s'exprime dans sa physionomie, ses gestes, son allure est l'effet d'une synthèse qu'elle a accomplie, d'un style qu'elle a élaboré. Le corps humain est une œuvre où le caractère se manifeste par une certaine maîtrise du mouvement, par un bonheur du geste, par un style plus encore que par la parure ou l'absence de parure. Ainsi le goût que nous prenons au style d'une écriture calligraphique s'apparente-t-il tout naturellement à celui que nous éprouvons en présence d'une personne réelle.

Mais l'intérêt que nous ressentons spontanément pour les autres est variable. Il semble être plus ou moins grand selon que leur manière d'être reflète une synthèse plus ou moins accomplie. Certains êtres exercent sur nous un attrait puissant parce qu'ils nous révèlent une forme de vie mieux intégrée. Ce sont les êtres dont la personnalité profonde s'est affirmée, qui agissent en accord avec elle et qui en donnent une expression immédiate, pure de tout calcul. Il en va de même en calligraphie : les œuvres qui nous frappent le plus vivement sont celles où se manifeste une personnalité supérieurement intégrée, agissant selon ses besoins les plus profonds.

Cette affinité entre manière d'être et style calligraphique explique qu'en Chine, on a toujours été enclin à juger de la calligraphie comme on jugeait des hommes et qu'à travers les qualités d'une écriture, on a constamment cherché à juger la personnalité du calligraphe. Cette tendance n'a toutefois pas été sans créer quelques difficultés. Si le style manifeste l'homme, en effet, la qualité du style ne manifeste-t-elle pas nécessairement la qualité de l'homme ? Et cela n'entraîne-t-il pas qu'une belle calligraphie est nécessairement l'œuvre d'un homme bon, voire qu'un homme bon produit à coup sûr de la belle calligraphie ?

Les Chinois ont admis depuis une époque ancienne que les qualités formelles de l'écriture recouvrent d'une façon ou d'une autre les qualités morales de la personne, mais ils ont diversement interprété cette corrélation. Certains auteurs ont tenu la moralité pour décisive en calligraphie. Yang Xiong (-53 / +18) écrit, sous les Han : "L'écriture est la peinture du cœur. Dès

1. Paul Valéry, *Cahiers*, 2 vol., Bibliothèque de la Pléiade, Paris, Gallimard, 1973, 1974, vol. 2, p. 1374.

Yang Siong

1. Texte chinois : Hsiung p. 94.

2. Voir p. 157.

3. Texte chinois : *ibid.*, p. 95. Voir ci-dessus, p. 167-169.

4. *Dunyin shuyao.* Texte chinois : Hsiung p. 95.

qu'elle prend forme, elle révèle l'homme de bien ou l'homme de peu." [1] Elle révèle, selon les cas, une âme élevée ou une âme basse. Cette sévérité se retrouve chez d'autres. Selon Fu Shan (1607-1684), dont j'ai cité plus haut la confession [2], "il faut être homme avant d'être calligraphe..." Il mentionnait le cas de Zhao Mengfu, le calligraphe d'époque Yuan dont il a longtemps subi l'influence : "Il faut se rendre à l'évidence, écrit-il ailleurs. Zhao Mengfu a étudié toute sa vie Wang Xizhi mais, n'ayant pas la droiture requise, il a malgré tout donné dans la facilité. Quel avertissement : le moral se trahit infailliblement dans la main !" [3] Feng Ban (1602-1671), contemporain de Fu Shan, porte le même jugement : "Le caractère de Zhao Mengfu manquait d'ossature, de sorte que sa calligraphie n'a ni énergie, ni grandeur." [4]

Il est vrai qu'en dépit de son élégance consommée, le style de Zhao Mengfu est empreint d'une certaine mollesse et qu'issu de la famille impériale des Song, il a non seulement collaboré avec l'envahisseur mongol, mais l'a brillamment servi. On peut certes rapprocher ces deux faits, mais faut-il postuler de l'un à l'autre une relation de cause à effet ? Faut-il admettre qu'il y a chez tous les calligraphes une telle relation entre style et valeur morale ? Certains l'ont affirmé et le confucianisme bien-pensant a fini par en faire un article de foi, ce qui l'a mené à dénier toute qualité esthétique à la calligraphie des hommes dont il réprouvait la conduite et à prononcer pour cette raison des condamnations manifestement injustes. Le cas le plus connu est celui de Qin Gui (1090-1155), qui a été chef de gouvernement pendant dix-neuf ans sous le premier empereur des Song du Sud, après l'occupation du nord de la Chine par les Jin (1126), et a suivi une politique d'apaisement face à l'ennemi. Il a découragé toutes les tentatives de reconquête et fait mettre à mort Yue Fei (1103-1141), le général qui incarnait l'esprit de résistance. Qin Gui est devenu par la suite, chez les historiens et dans l'esprit populaire, l'incarnation de la traîtrise, Yue Fei celle du patriotisme. Comme ils avaient été l'un et l'autre d'excellents calligraphes, il a fallu faire l'éloge de la calligraphie de Yue Fei et ignorer celle de Qin Gui. Aujourd'hui, huit cents ans plus tard, on en est au même point : celle de Yue Fei est partout, celle de son bourreau n'est connue que de quelques initiés. Cette étroitesse d'esprit n'est cependant pas le fait de tout le monde. Un lettré d'époque mandchoue note

*(marginalia:)* Ts'in Kouei

*(marginalia:)* Yué Fei

avec satisfaction que, dans telle collection d'estampages, des œuvres de Qin Gui ont été incluses : "Ce n'est pas parce qu'on en voulait à l'homme qu'on a rejeté une belle écriture" [1], écrit-il. Su Shi (1036-1101) observe comment la confusion s'est installée : "Autrefois, dit-il, lorsqu'on s'intéressait à une écriture, on s'intéressait aussi à la vie que l'auteur avait menée et, quand on désapprouvait la vie, on cessait de faire grand cas de l'écriture, même si elle était d'une réelle qualité." [2]

L'erreur de la position dogmatique est de mesurer la valeur d'un homme à l'aune d'une morale *a priori*, valable pour tous. On peut observer cette réduction de l'éthique à une morale de convention dans l'interprétation qu'un confucianiste orthodoxe donne d'une anecdote célèbre. La tradition veut que l'empereur Muzong des Tang (r. 820-824) ait demandé un jour à Liu Gongquan (778-865) quel était le premier principe de la technique du pinceau et que le calligraphe lui ait répondu : "C'est l'esprit qui commande le pinceau. Quand l'esprit est droit, le pinceau l'est aussi (*xin zheng ze bi zheng* 心正則笔正)." [3] Xiang Mu (fin des Ming), auteur d'un traité de calligraphie imprégné d'un confucianisme très conservateur, commente l'anecdote en ces termes : "Je soutiens, quant à moi, que la rectitude de l'homme fait celle de l'écriture (*ren zheng, ze shu zheng* 人正則书正) (…) Cela concorde avec l'injonction du *Livre des poèmes*, 'n'ayez nulle mauvaise pensée', et avec celle du *Livre des rites*, 'soyez pondéré dans chacun de vos actes'. Le grand principe de la calligraphie tient dans cette unique formule." [4] La polysémie du mot *zheng* 正 (juste, droit, d'aplomb) autorise certes cette interprétation restrictive, mais ne l'impose nullement. La dimension éthique n'est pas absente de la formule de Liu Gongquan, mais elle a d'abord une signification psychologique : un "esprit droit" est un esprit bien réglé, autrement dit une personnalité bien intégrée. La plupart des auteurs admettent une relation entre le caractère du calligraphe et la qualité de son écriture, mais font preuve de plus de largeur d'esprit que Xiang Mu. Jiang Kui (env. 1155-1221, Song), par exemple, ouvre par ces mots le chapitre *Style* de sa *Suite au Traité de calligraphie* : "Le style dépend en premier lieu de l'élévation du caractère" – mais il ne s'arrête pas là et donne sept autres facteurs conditionnant à des degrés divers l'apparition du style authentique [5].

1. Texte chinois : *ibid.*

2. Texte chinois : *ibid.* La prudence de Su Shi apparaît aussi dans cette note, citée par Jean-Marie Simonet dans sa *Suite au Traité de calligraphie*, p. 243 : "En examinant une écriture, on peut déduire ce que son auteur est au moral ; l'homme de bien et l'homme de peu s'y révèlent à coup sûr, dit-on. Mais c'est une erreur. On ne peut pas plus juger des gens sur leur écriture que sur leur mine. Quand je regarde la calligraphie de Yan Zhenqing, je n'y vois pas seulement la valeur morale de l'homme : c'est sa prestance que j'ai toujours l'impression d'apercevoir en premier lieu..." (*Tiba "Ti Lugong tie"*).

3. Texte chinois : Hsiung p. 97.

Siang Mou

tcheng

4. *Shufa yayan*, chap. *Xinxiang*. Texte chinois : *Lidai* p. 531, Hsiung p. 98.

5. *Xu Shupu*, chap. *Fengshen*. Texte chinois : *Lidai* p. 392, Deng p. 116. Le mot *fengshen* 风神, que je traduis par "style", signifie plus précisément le "caractère qui devient visible (*shen* 神) dans le style (*feng* 风)".

Ce qui paraît certain, c'est que nous jugeons une écriture comme nous le faisons d'une personne, à l'action qu'elle exerce sur nous. Nous la trouvons émouvante, plaisante ou belle lorsqu'elle ordonne et unifie notre activité propre, qu'elle la met en état de mieux se percevoir, de mieux se connaître et de mieux jouir d'elle-même. La valeur éthique de cette expérience esthétique tient au fait que, pour parvenir à s'exprimer comme il l'a fait, le calligraphe a ordonné, unifié, augmenté sa propre activité, qu'à cette fin il a ordonné sa vie, combattu la hâte, la dispersion, l'inattention, renoncé aux vaines ambitions et aux soucis superflus ; bref, qu'il est devenu plus sage et meilleur [1]. Sans ce travail accompli sur lui-même, il n'aurait jamais développé ce style qui nous touche. Un style authentique est naturellement vrai et le calligraphe n'y atteint que s'il est lui-même devenu naturellement vrai. En ce sens, mais en ce sens seulement, tout style est moral [2].

Le style authentique est aussi moral par l'effet qu'il produit sur nous : sans que nous comprenions comment, il nous incite à réaliser nous-mêmes une forme de vie supérieure. Comme la musique selon Stendhal, la calligraphie nous "fait regarder comme possibles des choses que nous n'osions espérer" [3]. Elle ne nous donne pas seulement une certaine idée du bonheur, mais la représentation sensible d'un bonheur particulier, du bonheur que tel homme a connu en devenant lui-même – et nous livre ainsi le fin mot de celui dont chacun de nous porte en lui la promesse. Il y a dans tout style authentique une vérité que les dévôts n'ont jamais admise, quelle que fût leur obédience, et n'admettront jamais : il n'y a rien au-dessus d'un homme vrai.

Lorsqu'un amateur exercé découvre une nouvelle écriture, il n'a pas de plus grand plaisir que de prendre son pinceau et d'essayer de la reproduire. Quand il la montre à un autre ou la découvre en sa compagnie, leur plaisir est d'échanger leurs impressions, d'unir leur sensibilité et leur perspicacité pour mieux la sonder. Ce qui les intéresse avant tout, c'est de saisir dans le style les qualités de l'homme, de cerner ces qualités concrètes que les mots ne peuvent pas vraiment rendre et que le style, justement, montre. Leurs propos ressemblent souvent à ceux qu'on tient en musique. L'un dira par exemple, comme Stendhal à propos de Haydn : "Il me semble que la magie de ce style consiste dans un caractère dominant de liberté et de joie. Cette joie (…) est une exaltation tout ingénue, toute nature, pure, indomptable, continue…" [1] Puis leur langage se fera plus précis, leur intérêt se concentrera sur l'état d'esprit du calligraphe au moment de l'exécution ou sur des questions de forme et de technique. Il arrive aussi que l'on mette à l'épreuve le jugement de l'autre en lui soumettant une écriture inconnue et le priant de dire ce qu'il y voit. J'en montrais une à un ami chinois qui m'a dit : "J'ai l'impression d'avoir affaire à un homme très intelligent, mais peu profond." Je lui ai appris que le calligraphe était un homme foncièrement pessimiste, voire désespéré. Après avoir longuement reconsidéré l'écriture en silence, l'ami a repris : "Oui, cela se voit à ces quelques caractères mal formés. Car il y a deux raisons possibles aux caractères mal formés : l'incapacité technique – ou l'incapacité morale."

1. *Ibid.*, lettre VI.

À titre d'exemple, je vais présenter au lecteur une œuvre qu'il devinera sans difficulté. Elle est de Xu Wei (1521-1593), un essayiste, poète, dramaturge, peintre et calligraphe de la fin des Ming. C'est en peinture que ce génie prolifique, versatile et parfois débridé a exercé l'influence la plus durable, mais c'est en calligraphie qu'il estimait lui-même avoir le mieux réussi. Il n'a jamais rempli de fonction officielle, mais a été un conseiller apprécié à cause de son talent littéraire, de son intelligence et de son goût pour les affaires militaires. Il a servi notamment Hu Zongxian (1511-1565), le commandant des forces qui ont défendu les côtes chinoises contre les incursions dévastatrices des pirates japonais vers 1560. En 1565, Xu Wei est jeté en prison parce que son patron est tombé en disgrâce. Il se croit perdu, il simule la folie et tente de se suicider. Il explique ensuite que sa folie était jouée, mais devient de plus en plus instable et tourmenté. En 1566, il s'émascule et tue sa femme. Il fait sept ans de prison, mais reste actif et produit sans trêve. Pour ne pas avoir à diriger une maison, il mène ensuite une vie plus ou moins errante en vivant chez des amis, mais ne cesse pas pour autant de peindre et d'écrire.

Su Wei

Hou Tsong-sien

Le long rouleau dont voici quelques extraits a été découvert dans une tombe en 1966 et se trouve aujourd'hui au Musée de Suzhou. Le texte n'a pas grand intérêt. Il s'agit d'un poème d'inspiration taoïste intitulé *Chant du ciel azuré (Qingtiange)* où

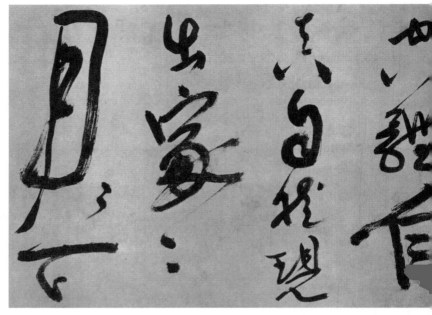

XU WEI
(1521-1593,
MING), *CHANT
DU CIEL AZURÉ
(QINGTIANGE)*,
extraits.
Longueur : 203 cm,
hauteur : 31 cm.

1. Le poème est de Qiu Chuji, *alias* maître Changchun (1148-1227, Song), un grand taoïste de l'école Quanzhen qui a fait un voyage mémorable en Asie centrale pour Gengis khan et a pu ensuite, grâce à l'appui de Gengis khan, donner au taoïsme, dans la Chine du Nord, un développement sans précédent. Voir Arthur Waley, *The Travels of an Alchemist. The Journey of the Taoist Ch'ang-Ch'un from China to the Hindukush at the Summons of Chingiz Khan*, Londres, Routledge and Kegan Paul, 1931. Il est possible que Xu Wei ait vu ou même eu sous les yeux le poème calligraphié par Qiu Chuji lui-même, ou une copie de l'autographe. Voir l'article de Zheng Wei dans *Wenwu*, 1980/12, p. 71-75.

sont décrits en formules assez conventionnelles les obscurcissements et les éclaircies du monde intérieur ainsi que les moyens d'assurer durablement sa limpidité [1]. L'écriture, par contre, retient l'attention. La dimension des caractères varie constamment et parfois de manière abrupte. Ils sont manifestement la projection d'une image du corps instable, d'un sens du corps profondément altéré. Comme Alice dans son rêve, Xu Wei semble avoir perdu la mesure de lui-même et des choses. Il semble entraîné dans une aventure qu'il ne contrôle pas. Le style change aussi, Xu Wei passe même sans transition d'un genre à un autre. Qu'on compare, dans l'extrait ci-dessus, le *zi* 自 ("soi") du bas de la première colonne, à droite, à celui du milieu de la deuxième : l'un en régulière, carré, rugueux, rempli d'énergie, l'autre en cursive, arrondi et se repliant sur lui-même. Dans le deuxième extrait (à droite), on voit, tout en bas à droite, un *shen* 神 ("esprit") cursif mais difforme suivi, en tête de la deuxième colonne, d'un *fu* 輔 ("seconder") exécuté en une régulière très classique et parfaitement équilibré. Juste après, Xu Wei se lance

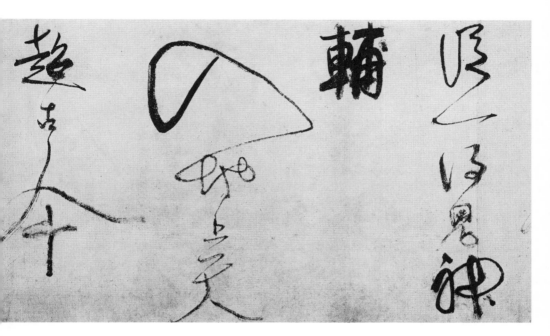

dans le déploiement démesuré du *ru* 入 ("pénétrer") de la troisième colonne. Son acrobatie aérienne s'empêtre dans le *di* 地
("terre") suivant, se convertit en chute libre dans le *shang* 上
("escalader") et se termine dans le *tian* 天 ("ciel") du bas de la
colonne, qui tente une sorte de grand écart maladroit pour arrêter la dégringolade. Le sens du corps si prononcé du *fu* 輔, en
haut à droite, s'est défait. Le bref extrait de droite est frappant
lui aussi : le *xian* 閒 ("oisif"), d'abord, qui appartient à la régulière par son profil pesant mais à la cursive par son exécution,
fait penser à un oiseau qui tenterait de s'envoler et qui, à cause
de son poids, n'y parviendrait qu'au prix d'un bruyant effort. Le
petit *chang* 唱 ("chanter") suivant est en cursive, mais reste
schématique. Le *hu* 壺 ("cruche") du bas est une forme archaï-
sante, dessinée plus qu'écrite, qui semble placée là par dérision
ou par nostalgie d'une naïveté perdue. Ce corps étranger, qui
détonne, rappelle les facéties de Miró.

   L'exécution manque aussi de constance. À certains moments,
Xu Wei est maître de ses moyens, il trouve en lui la volonté de

s'arrêter, de repartir, de terminer les formes. Puis, comme si l'effort lui avait trop coûté, il écrase ses caractères ou les bâcle pour se relancer ensuite de nouveau dans une cursive puissante. Cette instabilité est évidente dans l'extrait ci-dessus : après un *bai* 白 ("blanc") bien formé, au centre, viennent quelques caractères bâclés puis, en bas à gauche, un magistral *chi* 馳 ("galoper") exécuté en cursive. Xu Wei semble complètement indifférent aux jugements esthétiques conventionnels et s'abandonne sans retenue aux métamorphoses du fantasme. Son écriture est le vol d'un oiseau blessé au-dessus de l'abîme.

Ce rouleau représente un cas extrême, même dans l'œuvre de Xu Wei. L'aspect inquiétant de sa personnalité s'y manifeste de façon éloquente, mais la pièce n'étant hélas pas datée, nous ne pouvons pas la relier à tel moment précis de sa vie.

De nombreux auteurs semblent avoir considéré que l'art calligraphique culmine dans cette révélation d'un caractère, surtout s'il s'agit d'un caractère exemplaire, tandis que d'autres ont pensé qu'il avait pour vocation de manifester quelque chose de plus profond et de plus essentiel. On peut distinguer de ce point de vue, non point deux écoles, ce serait trop dire, mais deux familles d'esprits et rattacher la première à la tradition confucianiste, la seconde à la tradition taoïste. De manière générale, le confucianisme et le taoïsme forment deux pôles qui se complètent ou s'opposent selon les cas, en exerçant une attraction variable selon les époques, les milieux et les individus. À l'époque où ces deux pôles se sont constitués, au début de notre ère environ, il s'est créé entre eux une tension qui a profondément marqué toute l'histoire de la pensée chinoise [1]. Cette tension devait inévitablement marquer le domaine de l'esthétique en

[1]. Je touche ici à une question, ou plutôt à un ensemble de questions que nous avons soigneusement éludées jusqu'à maintenant. J'ai parlé de la calligraphie comme si tous les Chinois l'avaient plus ou moins pratiquée dans le même esprit et appréciée selon les mêmes critères. Or tel n'est pas le cas. L'opposition que j'introduis entre une conception (plutôt) confucianiste et une conception (plutôt) taoïsante de l'art calligraphique est nécessaire à l'intelligence des faits, mais n'est pas suffisante pour rendre compte de toute leur complexité – d'abord parce que le confucianisme et le taoïsme sont deux traditions riches en tensions et en tendances diverses et qu'en outre, elles se sont opposées, mais aussi fécondées l'une l'autre ; ensuite parce qu'elles n'expliquent pas tout et que d'autres éléments ont influencé l'art de l'écriture et la manière dont il a été apprécié.

C'est le mérite de Hsiung Ping-Ming d'avoir, le premier, défriché ce domaine en distinguant, dans son *Zhongguo shufa lilun tixi (Théories de la calligraphie chinoise)* (voir note bibliographique, p. 394), six principales formes de sensibilité qui constituent, pour ainsi dire, six filons de l'histoire de la calligraphie. En bref, la première attend de la calligraphie qu'elle reproduise des beautés qui sont déjà dans la nature ; la deuxième veut qu'elle crée, par les sortilèges de la forme, une réalité à part ; la troisième lui donne pour mission d'exprimer les sentiments, l'émotion. La quatrième est d'inspiration confucianiste et voit dans la calligraphie l'expression du caractère, de la personnalité morale. La cinquième, liée au taoïsme philosophique, demande à la calligraphie d'exprimer les élans d'une personnalité libérée de toute contrainte et de toute convention sociale et rejoignant dans ses ébats les secrets de la réalité même. La sixième, la plus difficile à saisir, est spécifiquement bouddhique ; elle produit une écriture en quelque sorte désincarnée – ce qui est une contradiction dans les termes. Nous avons vu ce qu'en dit Han Yu à la fin de sa lettre à l'abbé Gaoxian (voir chapitre 7, p. 267).

En distinguant ces six formes de sensibilité, Hsiung Ping-Ming a fait un utile travail de clarification et nous donne aussi le moyen de concevoir leurs combinaisons. On voit aussi pour la première fois, dans son ouvrage, que beaucoup des problèmes fondamentaux de l'esthétique calligraphique sont les problèmes de toute esthétique. Son ouvrage mériterait d'être traduit. Je m'en inspire dans cette brève opposition entre sensibilités confucianiste et taoïste.

général et celui de la calligraphie en particulier – aussi bien des idées concernant la calligraphie que la calligraphie même. Les théoriciens, les critiques, les calligraphes eux-mêmes se sont rarement réclamés explicitement de l'une des deux traditions à l'exclusion de l'autre mais, pour des raisons de conviction ou plus simplement de sensibilité, ils se sont presque toujours situés d'un côté plutôt que de l'autre.

J'aborde là une problématique qu'il est difficile d'esquisser brièvement sans tomber dans l'excès de simplification. Disons que le confucianisme se préoccupe avant tout de l'action de l'homme au sein de la société. Il se soucie de la responsabilité sociale, politique, voire historique de l'individu, du caractère qu'il doit posséder pour assumer cette responsabilité et de la manière de former ce caractère. Il attache de l'importance au naturel et à la sensibilité, mais à une sensibilité morale avant tout. Il produit des hommes dignes, voire graves, parfois tragiques dans la détermination avec laquelle ils défendent leurs idéaux – mais aussi des pédants et des cuistres.

L'esprit taoïste se méfie de ces préoccupations morales et politiques, qu'il tient pour étroites ou intéressées, et recherche une forme d'accomplissement qu'il juge plus élevée. Il la cherche dans le mépris des convenances, le dégagement, l'affirmation de l'autonomie personnelle. Selon lui, ces conduites sont justifiées par le fait qu'aucun des véritables problèmes de l'existence humaine ne peut trouver sa solution sur le plan de la morale conventionnelle ou de l'organisation sociale ou politique. La racine de tous les maux se trouve dans le rapport faussé que nous entretenons avec la nature et d'abord avec la nature dont nous sommes faits, c'est-à-dire le corps propre. À l'ambition du confucianisme, qui est de former des personnalités fortement intégrées et profondément pénétrées de leur responsabilité sociale, le taoïsme oppose une ambition plus difficile à réaliser : il invite l'individu à accomplir l'intégration des énergies du corps propre et à découvrir à la faveur de cette ascèse le secret de toutes les formes possibles d'intégration des énergies – individuelles ou sociales, naturelles ou surnaturelles.

Ces deux conceptions de l'homme et du monde possèdent chacune son système de valeurs et ont chacune, pour exprimer ces valeurs, un certain nombre de notions cardinales. Citons à titre d'exemple *zhonghe* 中和 "l'équilibre" (littéralement "être centré et accordé"), valeur centrale du confucianisme, et *ziran* 自然 "le spontané" (littéralement "procéder de soi ", "être ainsi par soi-même"), l'une des valeurs premières dans l'esprit taoïste. Il n'est pas étonnant que, parmi les théories critiques de la calligraphie, certaines mettent en avant des valeurs expressives d'inspiration confucianiste alors que d'autres placent au premier rang des valeurs expressives typiquement taoïstes – "l'équilibre" (*zhonghe* 中和) et la "fermeté" (*gangyi* 刚毅) les unes, le "spontané" (*ziran* 自然) et le "laisser-aller" (*fangyi* 放逸) les autres. Au Moyen Âge et sous les Tang, la mode était de classer les œuvres selon de savantes hiérarchies qui étaient inspirées dans leur forme par la hiérarchie des fonctionnaires impériaux [1]. Divers auteurs ont établi différentes échelles de valeurs plus ou moins complexes. Or les uns ont réservé la première place aux "œuvres de génie", *shenpin* 神品, les autres aux "œuvres libérées", *yipin* 逸品 – choix conforme à une attitude plus confucianiste chez les premiers, une sensibilité d'inspiration plus taoïste chez les seconds [2]. *Shenpin* contient le mot *shen*, "esprit", que nous avons traduit en d'autres occasions par "force agissante" ou par "puissance merveilleuse", et qui désigne ici le génie individuel qui manifeste dans l'écriture sa puissance en même temps que sa singularité. Les *shenpin* sont, en ce sens, des "œuvres de génie". *Yipin* contient le mot *yi*, qui renvoie à ce qui "se dégage", "s'échappe", "évolue librement", à ce qui semble détaché de tout et divinement à l'aise – mot que le plus simple est de traduire par "libéré". Les *yipin* sont des "œuvres libérées".

Dans l'écriture même, l'esprit confucianiste se manifeste par le sens de l'équilibre, par des formes denses et solidement charpentées (même en cursive). Le style y apparaît comme l'expression d'un caractère, d'une personnalité marquée par une histoire individuelle et par l'histoire de son temps. Les œuvres de Ouyang Xun (p. 46-47), de Yan Zhenqing (p. 51, 55), de Fu Shan (p. 170) en sont des exemples. L'esprit taoïste ne néglige nullement l'équilibre, la solidité, le travail sur la forme, mais s'intéresse surtout à ce qui vient après : à l'éclosion de la spontanéité, à l'émergence de la force agissante qui entraîne le calligraphe au-delà de lui-même. Yu Shinan (558-638) est celui des grands maîtres du début des Tang qui, dans son

*tchong-he*
*tseu-jan*

1. C'est la hiérarchie des "neuf grades" (*jiupin* 九品), qui a été créée sous les Wei (220-265), à l'époque des Trois Royaumes, et qui est restée en vigueur jusqu'à la fin de l'empire. Ces grades ont souvent été subdivisés en deux, voire en trois sous-grades.

2. Voir Hsiung p. 122-126.

1. *Bisuilun*, chapitre *Qimiao*. Texte chinois : *Lidai* p. 113, Hsiung p. 119. La notion d'"action spontanée", *shenyu*, provient d'un texte de Zhuangzi dont je présente une traduction au chapitre 9, p. 362. *Shenyu* 神遇 signifie littéralement la "rencontre par l'esprit" et se réfère, comme on le verra, au moment où l'esprit agissant trouve de lui-même son objet.

classicisme, incarne nettement cet esprit-là : "L'art d'écrire relève des premiers mystères, écrit-il. L'effort y est impuissant, tout y dépend de l'action spontanée. La réussite doit venir d'elle-même, on ne peut la vouloir." [1] Parmi les œuvres reproduites ici, celles de Zhang Xu (p. 246-247) et de Yang Weizhen (p. 122-123) représentent le mieux cette tendance. L'écriture toute en légèreté de Chu Suiliang (596-658, Tang), ci-contre, appartient à la même famille.

Les esprits taoïsants ont donc demandé à la calligraphie plus que la manifestation d'un caractère, ils en ont attendu la révélation des ressorts mêmes de la vie. Ils se sont fondés pour cela sur les expériences subjectives que les calligraphes font dans l'exercice de leur art. Ces expériences étaient l'affinement progressif de l'activité propre, ses transformations successives, le grand calme et l'apparition de la force seconde, bref toute l'alchimie du corps propre dont il a été question au chapitre 7. C'était l'activité supérieure que réalisent les grands maîtres quand leur écriture "s'égale au grand surgissement merveilleux". Toutes ces expériences ont cette caractéristique commune de se produire dans le tréfonds de la subjectivité et de pourtant paraître impersonnelles : l'activité subjective semble se fondre dans la réalité même.

Du point de vue taoïste, l'œuvre est censée initier le spectateur aux formes supérieures d'activité dont le calligraphe a le secret. Elle doit produire en lui l'ivresse qui a transporté le calligraphe au moment d'écrire. Souvenons-nous de Zhang Xu, que les œuvres de Zhang Zhi jetaient dans la folie d'écrire. La pratique de la calligraphie avait porté à un tel degré sa mobilité intérieure et son imagination gestuelle que l'écriture d'un grand maître le mettait en transe. Une scène de rue, une exécution musicale, une danse le bouleversaient tout autant. C'est un fait que quiconque a l'imagination vive et sent la calligraphie peut être bouleversé par elle dans certaines circonstances.

Il faut prendre "bouleverser" à la lettre, car il arrive qu'une œuvre saisisse le spectateur et le mette en mouvement tout entier, qu'elle déclenche en lui une circulation intérieure généralisée. Tout devient transformation, métamorphose, enchantement silencieux. Il assiste comblé, hors du temps semble-t-il, au spectacle d'un renouvellement perpétuel. Par une sorte de phénomène de résonance, l'activité pure dont l'œuvre est la trace ressuscite en lui. Tel est le "pouvoir merveilleux" d'une œuvre supérieure sur un corps sensible.

La peinture chinoise classique a parfois le même pouvoir. Je me souviens d'un moment de bouleversement prolongé que j'ai connu devant un rouleau vertical de Guo Xi (environ 1020-1090, Song), *Vallée solitaire (Yougutu)*, dans l'ancien Musée de Shanghai. Je le regardais depuis quelques minutes lorsque le paysage a pris subitement vie, s'est mis à opérer. Les monts se métamorphosaient en eaux, les eaux en monts. Les formes figuratives se muaient en formes abstraites et celles-ci en formes figuratives. Le "pouvoir merveilleux" a duré longtemps, tant que je fixais le tableau, et reprenait lorsque j'en avais détourné le regard. Cette expérience extraordinaire a duré jusqu'à ce que je me lasse.

La même chose se produit en musique. J'en ai fait l'expérience en écoutant le violoniste Gérard Poulet jouer les trios en mi bémol majeur et en si bémol majeur de Schubert à Genève, en 1985. Le musicien m'avait frappé dès son entrée en scène par une expression où semblaient se concentrer un extraordinaire pouvoir d'agir et une non moins extraordinaire capacité de jouir de l'action. Dès les premières mesures, une activité prodigieuse s'est dégagée de lui. Quand il jouait ou qu'il écoutait jouer ses partenaires, il était si manifestement habité par la musique que les sons qu'il tirait de son instrument semblaient comme un effet accidentel. Il exultait, il semblait saisi par une folie qui le plaçait au-dessus de Schubert lui-même. J'exultais moi aussi, je me sentais transporté par la même folie. J'étais devenu mouvement, transformation, activité sans reste, et l'émotion agissait en moi comme elle ne l'avait jamais fait auparavant.

De telles expériences naissent de la conjonction d'un grand art et d'un état de réceptivité particulier. Dans ces moments privilégiés, l'activité propre est si intense et si complètement

1. Dans la Chine antique, il est naturel que ce soit la musique qui serve d'exemple. Sur ce caractère paradigmatique de la musique en Chine ancienne, voir Kenneth J. DeWoskin, *Song for One or Two. Music and the Concept of Art in Early China*, University of Michigan, Ann Arbor, 1982.

2. *Zhuangzi*, chap. 14 : *Tianyun*, 3ᵉ partie. Ce texte ne porte pas de titre, mais il est souvent appelé *La Musique de Xianchi (Xianchi zhi yue)*. D'après les commentateurs anciens, ce nom, évoqué au début du texte, est celui d'une musique légendaire composée par le non moins légendaire Empereur Jaune.

ts'in

3. J'omets ici un passage de 35 caractères (de *Fu zhilezhe* à *taihe wanwu*) qui est manifestement une interpolation. Les mots placés entre parenthèses sont ajoutés pour rendre la traduction française plus claire.

4. J'omets quatre caractères (*yinyang tiaohe*), qui semblent être une interpolation.

unifiée que c'est le corps entier qui entend ou qui voit – qui est soudainement doué de voyance.

Tels sont les faits sur lesquels se fonde avant tout l'esthétique taoïsante. Cette conception de l'esthétique est exposée dans un passage du Zhuangzi qui traite de musique, mais résume de manière quasiment définitive une conception valable pour tous les arts supérieurs. [1] Ce texte n'est pas l'œuvre de Zhuangzi lui-même, mais d'un auteur inconnu qui oppose à la théorie confucianiste de la musique, formulée au IIIᵉ siècle avant notre ère dans le *Livre de la musique (Yueji)*, aujourd'hui perdu, une théorie taoïste [2]. Il s'ouvre sur la scène suivante :

> Beimen Cheng interrogeait l'Empereur Jaune. "Vous entendant jouer la musique de Xianchi au milieu de la nature sauvage, lui dit-il, la première fois je fus saisi d'effroi, la deuxième je me sentis défait, enfin je fus égaré, désemparé, incapable de me ressaisir."

Beimen Cheng est un personnage fictif. Le texte ne précise pas de quel instrument joue l'Empereur Jaune. Supposons qu'il joue du *qin*, l'antique cithare à sept cordes, posée devant lui. À la remarque de Beimen Cheng, il répond en ces termes :

> "C'est ce que tu devais ressentir. Car, bien que jouant de manière toute humaine, j'ai réglé mon jeu sur l'action du Ciel, j'ai puisé dans l'énergie pure. [3] (Sous mes doigts) les saisons alternaient, les êtres naissaient (et mouraient), l'épanouissement entraînait le déclin et le déclin l'épanouissement, le déploiement des formes amenait leur destruction et cette destruction leur redéploiement. J'alternais les timbres purs et impurs [4]. Les sons coulaient, s'étendaient. Je réveillais les animaux hibernants comme le font le tonnerre et la foudre au printemps. J'achevais sans conclure, j'ouvrais sans ouverture, ma musique mourait et renaissait, tombait et reprenait son essor, constante seulement dans ses infinies métamorphoses et constamment imprévisible. Tu ne pouvais qu'être saisi d'effroi."

Dans un premier temps, l'Empereur Jaune a respecté dans son jeu les formes que l'esprit humain reconnaît aisément - les cycles des saisons, de la vie et de la mort, de la gloire et du déclin. Mais parce qu'il s'est inspiré de l'action créatrice du Ciel et qu'il a puisé aux sources de l'énergie pure, ces formes se sont enchaînées si parfaitement qu'elles ont cessé de servir de repères et que l'esprit de l'auditeur, privé de ses cadres familiers, a été saisi d'effroi. L'Empereur Jaune poursuit ainsi :

"J'ai ensuite joué des rapports du *yin* et du *yang*, de la splendeur combinée du soleil et de la lune. Mêlant les longues et les brèves, les douces et les fortes, j'ai unifié les métamorphoses, mais sans me lier. Quand il y avait vallée, je remplissais la vallée. Quand il y avait ravin, je m'insinuais dans le ravin. Je ne laissais intervenir ni mes sens, ni mon esprit et me coulais dans les choses. Sous le charme de mes mélodies et de mes rythmes, les esprits se terraient dans l'obscurité et les astres suivaient leur cours au plus juste. Je m'arrêtais aux limites du fini, mais ma musique déroulait à l'infini ses effets. C'est en vain que tu cherchais à comprendre, que tu cherchais à voir, que tu cherchais à suivre. Tu étais là, confondu, sur une voie qui ne menait nulle part, tu gémissais sur ton accoudoir de bois [1]. Tu avais l'esprit limité par ce que tu cherchais à comprendre, la vue bornée par ce que tu cherchais à voir et tes efforts n'allaient pas au-delà de ce que tu poursuivais toi-même, de sorte que tu n'avais aucune chance de me rejoindre. Ton corps a cependant commencé à se dissoudre et tu t'es mis à épouser le mouvement. C'est pour cela que tu t'es senti défait."

Le musicien pousse plus loin la dissolution des formes, il intensifie les métamorphoses. Il en a le pouvoir parce qu'il "ne laisse intervenir ni ses sens, ni son esprit", littéralement : parce qu'il "obture ses cinq sens et retient son esprit", autrement dit parce qu'il concentre entièrement son attention sur ce qui se passe en lui. S'agit-il d'une musique tout intérieure ? Les phrases suivantes le suggèrent : sous l'effet de cette musique, apprenons-nous, les esprits vitaux restent à leur place et les énergies lumineuses du dedans, représentées par les astres, circulent chacune dans leur voie. Mais le musicien n'en agit pas moins sur celui qui l'écoute. Sa musique surgit des profondeurs de son corps et s'adresse, non pas à l'esprit, mais au corps de l'autre. L'esprit de l'auditeur est déconcerté par les énergies qu'il sent se réveiller en lui. Son corps perd à son tour sa fixité, il "se défait", il "commence à se dissoudre", à "épouser le mouvement". L'Empereur Jaune enchaîne :

> "Puis j'ai aboli toute inertie, j'ai laissé aller les rythmes. Il y eut comme un surgissement primitif, une polyphonie sans forme, un déploiement continu sortant d'une obscurité silencieuse. Cela se mouvait dans l'illimité tout en se maintenant dans un abîme ombreux. On eût dit la vie, on eût dit la mort. Cela semblait devenir fruit, puis finir en fleur – allant, coulant, s'épandant, se déplaçant en dehors de toute norme. Les esprits communs reprochent au Sage ce jeu qui les déroute.

1. Allusion au début du chapitre 2 du *Zhuangzi*, où l'on voit un penseur qui se tient appuyé sur un accoudoir, c'est-à-dire sur un petit meuble posé sur la natte, à même le sol, et qui se fatigue vainement l'esprit.

Car le Sage entre dans les mouvements de la nature et leur obéit tout entier. Il ne laisse pas son esprit s'échapper, ni ses sens s'égarer au dehors. Il ne dit pas un mot mais, dans son for intérieur, il exulte. C'est cette joie qu'on appelle la "musique céleste". Shennong [1] l'a chantée en ces termes : inaudible, invisible, elle remplit Ciel et Terre, elle embrasse l'Univers. Tu as voulu m'écouter, mais ma musique ne t'a offert aucune prise et tu t'es senti perdu."

Le musicien a fait un pas de plus dans l'exploration de l'activité propre. Il la perçoit maintenant directement dans ses transformations, il la voit dans son renouvellement perpétuel. Cela lui réussit parce qu'il "ne laisse pas son esprit s'échapper, ni ses sens s'égarer au-dehors". La "musique céleste" 天樂 dans laquelle il est entraîné est une musique intérieure, silencieuse. Elle n'est autre que la *materia prima* qui se perçoit elle-même. Elle remplit Ciel et Terre parce que le corps propre ne connaît pas de limites spatiales quand il est absorbé en lui-même. Le musicien exulte parce qu'il connaît la pure jouissance de soi. Le texte joue sur les mots *yue* "musique" et *le* "joie", qui s'écrivent avec le même caractère 樂 [2]. Quant au mot *tian* 天, il peut être traduit par "céleste", mais aussi par "naturel", "spontané". Le musicien exulte – et déroute tout à fait son auditeur. L'Empereur Jaune termine ainsi :

2. Ce caractère semble représenter à l'origine un instrument en bois à cordes de soie, peut-être l'ancêtre du *qin* ; voir J. K. DeWoskin, *op. cit.*, p. 58.

> "Par la musique, j'ai commencé par te jeter dans l'effroi, et tu t'es cru la victime d'un maléfice. J'ai relâché mon jeu, et tu as commencé à perdre pied [3]. J'ai joué l'égarement et tu as sombré dans l'abêtissement. Par cet abêtissement, tu as rejoint la *Grande activité*. C'est en se laissant porter qu'on entre dans la *Grande activité*."

3. "Et tu as commencé à perdre pied" : littéralement "et (la musique) a commencé à t'échapper".

Après lui avoir inspiré une sorte de terreur panique, après lui avoir fait perdre pied, le musicien a fait sombrer son auditeur dans l'abêtissement (*yu* 愚), c'est-à-dire au fond du corps propre où réside la source de la "Grande activité", le *dao* 道. Au terme de ce processus de dissolution, l'auditeur a rejoint en lui-même l'origine de toute réalité et de toute forme.

Ce texte nous a menés au cœur de la pensée taoïste et nous permet de mesurer ce qui sépare une esthétique d'inspiration confucianiste d'une esthétique taoïsante : la première voit dans l'art un moyen d'instaurer l'ordre et l'équilibre dans l'homme, la société et le gouvernement, l'autre voit en lui le moyen de se dégager de tout cela pour régresser vers les sources de la vie. Cette opposition présente quelque analogie avec celle de l'art apollinien et de l'art dionysiaque selon Nietzsche. Sur une fresque du Yonglegong, temple du sud du Shanxi, on voit deux personnages connus du panthéon taoïste : à droite Zhongli Quan, un immortel, à gauche Lü Dongbin, qui deviendra

FRESQUE DU YONGLEGONG, TEMPLE TAOÏSTE DU SHANXI, fin de l'époque mongole, XIVe siècle : Lü Dongbin et son maître Zhongli Quan.

immortel à son tour [1]. Ce dernier est venu voir son maître dans la montagne pour lui demander de l'initier aux secrets de l'alchimie interne. Il se tient droit, dans une attitude de respect, les mains jointes dans sa robe de lettré blanche à bords noirs. Il semble étranger au monde qui l'entoure, aux forces sourdes des eaux, de la roche et du bois. Il est un corps étranger et paraît étranger à son corps, dont on ne voit que le visage pâle. Le maître se fond au contraire dans la nature. Son laisser-aller, le désordre de sa tunique, de sa chevelure et de sa barbe abondante, l'accord entre le vert de l'habit et celui des aiguilles de pin et des mousses, la parenté de son teint basané et de l'humus le montrent assez. Ses pieds, ses mains, son ventre rond sont bien visibles et tout respire en lui l'aise et la puissance. Lü Dongbin semble pris dans un rêve tandis que dans les yeux du maître perce une terrible présence d'esprit. Rien n'exprime de manière plus saisissante le regard que l'initié taoïste jette sur l'homme commun, prisonnier de la règle sociale et d'un rapport aliéné à lui-même.

1. Le Yonglegong 永乐宫 "Palais de la joie éternelle", se trouve près du bourg de Ruicheng, dans l'extrême sud-ouest du Shanxi. La construction de ce grand temple a commencé en 1247, à l'époque où les Mongols tenaient déjà le nord de la Chine et patronnaient le taoïsme, et s'est poursuivie jusqu'à la fin de leur dynastie en Chine, en 1368. Les fresques sont bien conservées et forment l'une des expressions les plus impressionnantes de l'art religieux en même temps que l'un des sommets de toute la peinture chinoise. Elles couvrent les parois intérieures de quatre édifices imposants. Celles du deuxième édifice, le Palais des Trois Purs, *Sanqingdian*, représentent l'assemblée des divinités taoïstes : 294 personnages hauts de plus de deux mètres, massés les uns derrière les autres sur quatre rangs, tous débordants de vie. Du point de vue de l'art de la composition, de la splendeur des couleurs, de la sûreté du dessin, cette assemblée soutient la comparaison avec les plus grands chefs-d'œuvre de la Renaissance italienne. Le troisième édifice, *Chunyangdian*, est consacré à Lü Dongbin, l'un des Huit Immortels. Les fresques qu'on y voit sont également un chef-d'œuvre. Elles relatent pour la plupart les faits et gestes que la légende attribue à Lü Dongbin. Ce sont 52 tableaux, habilement liés par des artifices de paysage, qui représentent chacun, avec autant de verve que de minutie, un épisode de sa vie. Dans ces scènes, le réel et le miraculeux s'entremêlent constamment. Elles comportent souvent des dizaines de personnages diversement impliqués et des vues plongeantes sur des villes, des palais, des monastères. Par leur réalisme, elles constituent un très précieux document sur la vie quotidienne en Chine à l'époque mongole. La fresque reproduite à la page précédente est à part. Elle orne la face nord de la cloison placée derrière l'autel. – Il n'existe hélas encore aucune publication en langue occidentale sur le Yonglegong. Les deux principales publications chinoises sont le grand *Yonglegong* illustré de 196 planches en noir et blanc et en couleurs, publié en 1964 par les Éditions Renmin meishu de Pékin et un numéro spécial de la revue *Wenwu*, août 1963. Voir la notice du Guide Nagel *Chine*, Genève, 1966, p. 947-956.

Avant d'entrer dans la légende et de devenir l'une des figures les plus populaires du panthéon taoïste, Lü Dongbin (littéralement : Lü l'hôte des cavernes) est un personnage historique, né en 755, sous les Tang. Avec son maître Zhongli Quan, il fait partie des Huit Immortels (*baxian* 八仙). Comme la plupart des divinités taoïstes, ces huit personnages hauts en couleur ont été des mortels avant d'atteindre l'immortalité. Sur cette compagnie hétéroclite et fort gaie, voir par exemple K. Schipper, *Le Corps taoïste*, Paris, Fayard, 1982, p. 209-213.

IL MANQUE quelque chose d'important à ce que j'ai dit dans ce chapitre de l'action de l'œuvre sur celui qui la regarde. J'ai supposé jusqu'ici un spectateur sensible et cultivé, mais qui n'appartenait à aucune époque, ni à aucune nation particulière. La question qui subsiste est de savoir si la calligraphie n'a pas sur un Chinois une action supplémentaire, si elle ne réveille pas en lui des résonances qu'elle ne rencontre pas en nous. N'y aurait-il pas en tout Chinois une sensibilité, une mentalité, des idées qui créeraient entre la calligraphie et lui un accord plus profond que celui qui s'établira jamais entre elle et un Occidental ?

Pour répondre, il faut commencer par noter une disposition de l'esprit chinois qui semble permanente et paraît présente dans toutes ses expressions majeures. Il conçoit la réalité comme un surgissement continu, comme un perpétuel passage du virtuel à l'actuel, comme une succession de figures ou de configurations naissant de manière ininterrompue d'une source invisible et insituable, intérieure à la réalité même. Cette conception me semble inspirée par le spectacle de l'activité propre qui se déploie continûment en nous et qui s'appréhende directement elle-même quand le monde extérieur s'estompe. Il me semble que les Chinois ont tiré leur conception de la réalité et de son dynamisme interne de l'aperception que le corps propre a de lui-même. [1]

Dans cette conception, la réalité surgit d'un fond indifférencié. Elle se manifeste d'abord sous une forme embryonnaire, prend corps et se réalise enfin tout à fait. Une fois réalisée, elle est condamnée à disparaître et à être remplacée par une réalité nouvelle, surgie dans l'entretemps. Ce cycle s'accomplit sur place, dans un espace sans limites extérieures. Le paragraphe 25 du *Laozi* décrit ainsi cette réalité qui émerge, prend forme, prend corps et disparaît :

> Quelque chose d'indistinct se forme avant même le Ciel et la Terre. Silencieusement, subtilement, cette chose se développe et suit son cours, elle circule sans relâche. On peut la considérer comme la mère du monde. Comme j'ignore son nom, je l'appelle la "Voie" et je la dis "grande". Elle est grande et s'épanche, s'épanche et s'étend, s'étend et se résorbe (...)

1. En formulant cette thèse ainsi, je laisse de côté la question de la genèse de cette conception et de son histoire, que je ne puis traiter dans ce cadre-ci.

*Lao-tseu*

1. *Zhuangzi*, chapitre 18 : *Zhile*, 2ᵉ partie.

Tchouang-tseu

Houei Sheu

Le *Laozi* parle du devenir de la réalité tout entière. Le Zhuangzi parle en termes voisins du devenir d'un être particulier. Zhuangzi a perdu sa femme. Hui Shi, son maître et ami, vient lui présenter ses condoléances et le trouve assis par terre en train de chanter en frappant la cadence sur le cul d'une jarre. Il lui reproche son inconduite et Zhuangzi lui répond [1] :

> "Quand elle est morte, crois-tu que je n'ai pas été affligé ? Mais je me suis rendu compte qu'il fut un temps où sa vie n'était pas encore, où même aucune forme n'était encore apparue, où même aucun souffle ne s'était manifesté. (Je me suis rendu compte) que quelque chose qui a d'abord été caché dans l'indistinction première s'était transformé en souffle, que ce souffle avait pris forme, que cette forme avait pris vie et que maintenant, par une nouvelle transformation, elle avait passé dans la mort, tout comme se suivent les quatre saisons...

Dans cette vision, la forme précède l'existence pleinement réalisée. Elle est un stade intermédiaire entre l'indifférenciation dont tout procède et l'être achevé. Elle est le moment transitoire où, dans l'énergie indifférenciée, des courants d'énergie (des "souffles") se forment, se combinent en figures et forment la réalité nouvelle à l'état naissant. Il est caractéristique qu'on ne dise pas en chinois qu'une forme, une figure ou un signe ont une "signification", mais qu'ils ont une "intention" (*yi* 意) : forme, figure et signe sont conçus comme un moment du passage du virtuel à l'actuel.

mang-hou
ts'i, sing, sheng
seu

Le *Zhuangzi* parle de l'indistinction première (*manghu* 芒芴), des souffles (*qi* 气), de la forme (*xing* 形), de l'être vivant (*sheng* 生) et de sa mort (*si* 死). Chez d'autres philosophes les termes sont différents, mais le processus est fondamentalement le même. Il me semble être toujours conçu d'après le processus d'émergence des formes au sein du corps propre. Qu'on se souvienne de la description que j'ai donnée de la genèse du geste au chapitre 7. Dans l'activité diffuse du corps propre s'ébauche une mobilisation musculaire encore trop légère pour produire un geste, mais suffisante pour en suggérer l'idée. De cette ébauche de geste naît à l'instant suivant, si nous le voulons, le geste réel. Dans ce processus, l'image mentale est le moment transitoire où des courants d'énergie se combinent et forment une figure grosse d'intention. Entre la conception chinoise de l'émergence de la réalité et notre intuition de l'émergence du geste, l'analogie est frappante [2].

2. Voir chapitre 7, p. 243.

L'idée que le signe est une réalité à l'état naissant est présente dans le *Livre des Mutations* (*Yijing*). Les 64 hexagrammes qui en *Yi-tsing* forment le noyau le plus ancien sont censés représenter chacun une situation en train de poindre. Ces hexagrammes sont issus d'un art divinatoire qui a joué dans la Chine archaïque un rôle très important. On sait que les devins de la cour royale des Shang (XVᵉ-XIᵉ siècles) ont eu une influence déterminante sur la formation de bon nombre de conceptions chinoises fondamentales. À l'époque la plus ancienne, ils interrogeaient les craquelures produites par l'action du feu sur les os d'animaux sacrifiés et tiraient de la forme de ces craquelures des indices du bon ou du mauvais accueil que les dieux avaient fait aux sacrifices offerts. À partir de là, ils ont progressivement mis au point une méthode destinée à sonder systématiquement les intentions des dieux puis à sonder, plus abstraitement, les forces invisibles à l'œuvre dans l'univers. Ils ont soumis à l'épreuve du feu des os plats, puis des écailles de tortue en suivant des procédures de plus en plus formalisées, interprétant les signes formés par les craquelures de manière de plus en plus fine et les transcrivant en clair, par colonnes parallèles, sur l'os ou l'écaille même [1]. Ils ont développé ainsi un système de signes qui, dans leur esprit, n'étaient pas des conventions arbitraires, mais les émanations naturelles de configurations d'énergie en germe dans la réalité même. Ils en sont logiquement venus à concevoir cette réalité, non plus comme déterminée par des volontés divines mais, de façon tout à fait impersonnelle, comme formée de configurations d'énergie s'engendrant les unes les autres. Ils ont engagé ainsi la civilisation chinoise dans une voie originale du point de vue de la sensibilité religieuse autant que du point de vue intellectuel. Et ils sont devenus les inventeurs de l'écriture chinoise quand ils se sont aperçu, on ne sait trop comment, que les signes qu'ils avaient l'habitude de manier pouvaient être mis en correspondance avec les mots monosyllabiques de leur langue et pouvaient donc servir à reproduire la parole.

L'activité des devins de l'époque archaïque ne s'est pas arrêtée là. Cherchant à rationaliser leurs pratiques, ils se sont mis à étudier les propriétés formelles de leurs systèmes de signes et se sont trouvés engagés par là dans des spéculations numériques d'une abstraction croissante. C'est ainsi qu'est né, probablement

1. À la suite d'une découverte fortuite faite en 1899, puis de fouilles systématiques menées à partir de 1927 sur le site de l'ancienne capitale des Shang, près d'Anyang dans le nord du Henan, on a retrouvé plus de 100 000 de ces pièces, dûment datées et archivées, couvrant une période allant de 1350 à 1150 environ. Environ 50 000 d'entre elles ont été publiées et étudiées à ce jour. Pour en savoir plus, voir Léon Vandermeersch, "De la tortue à l'achillée", dans Jean-Pierre Vernant *et al.*, *Divination et rationalité*, Paris, Seuil, 1974, p. 29-51.

vers le début du premier millénaire, le cycle des 64 hexagrammes. La spéculation s'est poursuivie et a finalement pris le pas sur la pratique divinatoire. Les fruits en ont été systématisés dans les commentaires qui ont été ajoutés au noyau ancien du *Livre des Mutations* à la fin de l'Antiquité préimpériale et qui en constituent depuis lors une partie intégrante.

Dans ces textes tardifs, l'invention du cycle des hexagrammes est attribuée rétrospectivement à un Sage omniscient qui l'aurait conçu d'un coup. L'élaboration réelle du système, qui s'est étendue sur de longs siècles, est remplacée par une invention fictive, attribuée au Sage qui perçoit les réalités en germe, avant qu'elles n'affleurent et ne deviennent visibles pour le commun des mortels, et qui crée pour représenter ces réalités naissantes un système de signes complet.

Cette invention est censée avoir été précédée de celle des huit trigrammes, système plus réduit et donc plus proche encore de l'origine. Cette première invention est logiquement attribuée à un tout premier héros civilisateur, Fu Xi, antérieur à Huangdi, l'Empereur Jaune, et à Shennong, le Divin Laboureur. Nous lisons dans le *Livre des Mutations* :

Fou Si, Houang-ti<br>Chen-nong

> Autrefois, quand Fu Xi régna, il regarda vers le haut et observa les figures (*xiang*) du Ciel, il regarda vers le bas et observa les choses (*fa*) de la Terre ; il observa les manifestations du monde animal et les variations du monde végétal ; il s'inspira, tout près, de son propre corps et, plus loin, des réalités extérieures et, de tout cela, tira les huit trigrammes. [1]

1. *Yijing* section *Xici* II/2.

Ce mythe est bâti sur des notions tout à fait abstraites. Les "figures" (*xiang* 象) sont les phénomènes qui surgissent, les "choses" (*fa* 法) sont ces mêmes phénomènes sous leur forme achevée. Le Ciel est le fond d'où ils surgissent, la Terre le lieu où ils prennent une forme arrêtée. Fu Xi observe donc l'infinie variété de leurs manifestations, remonte de ces manifestations au stade de leur première différenciation et la représente au moyen des huit trigrammes. Il est intéressant de noter que, dans cette invention, il s'inspire "tout près de son propre corps et, plus loin, des réalités extérieures".

*siang*

À cette même époque, à la fin de l'Antiquité préimpériale, apparaissent des spéculations analogues sur l'origine de l'écriture. Elles sont présentées elles aussi sous forme de mythe et résumées dans un texte important, la *Postface* que Xu Shen (30-124), le grand lexicographe de l'époque des Han, a ajoutée à son dictionnaire, le *Shuowen jiezi*[1]. Il reprend le mythe de Fu Xi tel qu'on le trouve dans le *Livre des Mutations*, mentionne ensuite Shennong, le Divin Laboureur, qui se serait servi de cordelettes nouées pour enregistrer les faits notables de son gouvernement, et en vient à l'invention de l'écriture proprement dite, attribuée à Cang Jie, l'homme aux quatre yeux que nous avons déjà rencontré[2]. Voici ce qu'il en dit :

> Cang Jie, le devin de l'Empereur jaune, se rendit compte, en observant les traces des oiseaux et des animaux sauvages, que divers motifs pouvaient représenter différentes réalités et, le premier, inventa l'écriture. (...) Il s'inspira d'abord de la forme de chaque catégorie d'êtres et appela *wen* 文 (caractères simples) les signes qu'il en tira. Il combina ensuite les formes et les sons et appela *zi* 字 (caractères composés) ces combinaisons. Les *wen* furent appelés ainsi parce qu'ils étaient les manifestations premières des êtres, les *zi* furent appelés ainsi parce qu'ils se multiplièrent avec le temps. On appela *shu* 书 (écriture) les caractères écrits sur le bambou et la soie. *Shu* (l'écriture) n'est pas autre chose que *ru* 入 (la ressemblance).

Les caractères simples (*wen*) sont donc des signes naturels. Ce sont des sortes de traces, comme celles des oiseaux et des animaux sauvages, mais qui, pour ainsi dire, préfigurent les phénomènes au lieu d'y renvoyer après coup. Le mot *wen* désigne en premier lieu le dessin ou le motif qui apparaît à la surface d'un objet ou résulte d'un ensemble d'objets : la veinure de la pierre, le jeu des vagues sur l'eau, la configuration mouvante des étoiles. Le *wen* est l'affleurement visible d'un dynamisme caché. Les devins de l'époque archaïque désignaient par ce terme les craquelures révélatrices qui se formaient à la surface des os et des écailles divinatoires. Ils appelèrent *wen* les signes d'écriture, qui étaient à leurs yeux des signes de même nature. En définissant les *wen* de l'écriture comme des "manifestations premières des êtres" (*wuxiang zhi ben* 物象之本), Xu Shen rend donc explicite une idée qui semble avoir été présente dès le début de l'écriture en Chine. Il distingue entre *wen*, caractères simples, et *zi*, caractères composés ou, si l'on s'en tient à l'étymologie graphique du mot, "caractères enfantés" (le caractère *zi* représente un enfant sous un toit). À partir de la fin de l'Antiquité,

Su Chen

1. Voir Kenneth L. Thern, *Postface of the Shuo-wen Chieh-tzû : The First Comprehensive Chinese Dictionary*, Madison, University of Wisconsin, 1966 (Wisconsin China Series 1). Sur le *Shuowen*, comme on l'appelle communément, voir chapitre 1, p. 20.

2. Voir p. 263.

cette explication de l'invention de l'écriture a été communément accepté. Elle semblait exprimer une vérité essentielle.

Il faut tenir compte de tout cela pour comprendre ce que la calligraphie a représenté aux yeux des Chinois de culture traditionnelle. On voit qu'elle s'est nourrie d'une conception du signe qui était l'un des fondements de leur civilisation. À partir du moment où elle est devenue un art conscient de son autonomie, au III<sup>e</sup> siècle de notre ère, elle a constamment eu pour vocation de donner vie aux signes d'écriture afin de faire d'eux ce qu'ils étaient dans leur principe : des réalités vivantes à l'état naissant.

Les calligraphes ont eux-mêmes établi l'équivalence entre le surgissement des phénomènes et le surgissement des caractères. Ils y ont vu deux processus de même nature. Liu Xizai (1813-1881, Qing) exprime cette idée avec sa concision coutumière :

Liô Si-tsai

> Dans les *Mutations*, le Sage s'est servi de figures pour manifester complètement les intentions. Les "intentions" sont le moment premier, la calligraphie en procède. Les "figures" sont le moment second, la calligraphie les actualise. [1]

1. *Yigai* Chap. 5 : *Shugai*, § 1. Texte chinois : *Lidai* p. 681.

Liu Xizai retrouve dans l'activité du calligraphe le processus même par lequel sont censés naître les phénomènes. On comprend qu'il ait placé cet aphorisme en tête de son *Aperçu de la calligraphie* (*Shugai*), cinquième partie de son *Aperçu des arts* (*Yigai*).

Il résume ainsi une conception hautement intellectualisée de la calligraphie, celle d'un critique, d'un lettré, d'un philosophe du XIX<sup>e</sup> siècle qui surplombe une longue tradition de réflexion esthétique. Aux époques plus anciennes, au Moyen Âge surtout, la calligraphie a baigné dans un univers beaucoup plus religieux. Avant que ne naisse la calligraphie proprement dite, l'écriture avait été un moyen privilégié de communication avec les divinités et les esprits, avec toutes les forces occultes. Telle avait été sa vocation à son origine. Les faits qui attestent la permanence de cette fonction sont nombreux. Les principaux documents écrits de la dynastie des Zhou occidentaux (XI<sup>e</sup>-VIII<sup>e</sup> siècles avant notre ère) conservés sous leur forme originale sont des inscriptions en grande sigillaire coulées au fond de vases de bronze. Ce sont des serments, des formules de donation ou d'investiture, des décisions de justice prononcées solennellement à la cour

VASE DE L'ENVOYÉ SONG (SHISONGGUI), VASE SACRIFICIEL DE BRONZE, Zhou occidentaux, environ 800 avant notre ère. Inscription en grande sigillaire coulée au fond du vase, de manière à ce que les divinités en prennent connaissance lorsqu'elles consomment l'offrande.

royale ou dans une cour seigneuriale, lors d'un rite célébré devant le temple des ancêtres, et reproduites ensuite au fond de vases cultuels qui servaient à présenter des offrandes aux ancêtres. "On inscrit le texte des grandes conventions sur les vases qui servent au culte des ancêtres, dit un commentaire des *Rites des Zhou* (*Zhouli*), parce qu'on veut que les dieux les observent." [1] Si ces formules avaient été destinées aux humains, elles auraient été placées sur le flanc des vases. Elles étaient coulées à l'intérieur pour que les esprits ancestraux en prennent connaissance lorsqu'ils finissaient de consommer l'alcool, le gruau ou les autres mets qui leur étaient offerts et se portent garants du respect des décisions prises. L'écriture a eu bien d'autres fonctions religieuses. L'une des pratiques les plus répandues dans l'Antiquité semble avoir été l'inscription de proclamations ou de serments sur des tablettes qui étaient enterrées auprès d'un animal sacrifié afin d'être portées à la connaissance des puissances vengeresses du monde chthonien. À l'époque impériale, les souverains qui ont fait l'ascension du Taishan, la montagne sacrée de l'Est, pour annoncer solennellement au Ciel la réussite de leur dynastie, faisaient graver leur message sur des tablettes de jade qui étaient enfouies au sommet de la montagne [2]. Les stèles que Qin Shihuang, l'unificateur et premier empereur

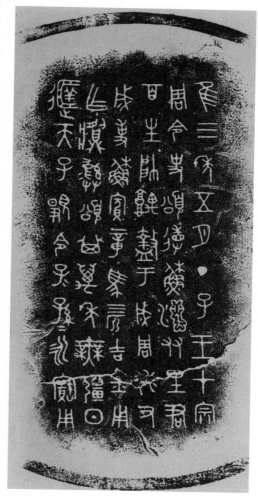

1. Jacques Gernet, "Écrit et histoire", in *L'Intelligence de la Chine, le social et le mental*, Paris, Gallimard, 1994, p. 351-360.

2. Sur ce rite solennel, voir E. Chavannes, *Le T'ai chan* (voir ci-dessus p. 294, note 1).

de la Chine (r. 221-210), a fait ériger sur les quatre montagnes sacrées pour proclamer l'ère nouvelle s'adressaient moins aux hommes qu'aux orients que ces montagnes personnifiaient et à l'ensemble des puissances invisibles [1].

1. Le texte des proclamations est conservé. Des stèles, il ne reste que deux fragments dont un est reproduit au chapitre 4, p. 134.

Jacques Gernet observe dans son article sur les fonctions psychologiques de l'écriture en Chine (voir p. 341, note 1) que le nom écrit a toujours été tenu dans la Chine traditionnelle pour une représentation suffisante de la personne, spécialement de l'esprit d'une personne défunte. Il était considéré comme doué d'une efficace supérieure aux représentations peintes ou sculptées. Dans les cultes, les ancêtres étaient représentés par des tablettes : il suffisait d'y inscrire leurs noms pour les y faire entrer. Les dieux qui veillaient aux portes des maisons et en interdisaient l'accès aux génies malfaisants étaient tantôt figurés en peinture, tantôt seulement par leur nom écrit. Le grand caractère *fo* "Bouddha", reproduit au chapitre 1, p. 19, est un bel exemple de cette puissance du signe.

Le signe d'écriture n'était pas seulement un moyen de communication avec les puissances invisibles, mais aussi un moyen d'action sur elles. On tentait d'orienter le destin d'une personne en choisissant pour son nom des caractères auspicieux ou tel caractère comprenant l'élément (le métal, le feu, l'eau par exemple) susceptible de contrebalancer telle influence néfaste. La personne pouvait tenter de corriger sa destinée en modifiant ultérieurement la composition graphique de ces caractères. On trouve beaucoup d'exemples de telles pratiques dans la littérature. Toutes montrent que le signe était censé posséder un pouvoir de réalisation latent. Comme Jacques Gernet l'a relevé, les signes d'écriture "servent couramment en Chine (...) à l'expression des vœux. Les caractères signifiant bonheur, longévité, succès dans la carrière mandarinale, richesse sont reproduits à satiété sur les bijoux, les vêtements, le mobilier, et sous des formes extrêmement variées. Cet usage est particulier à la Chine et on n'en a d'équivalent dans aucune civilisation où l'écriture est une décomposition phonétique du langage." (p. 39) L'emploi de l'écriture s'est donc progressivement laïcisé, mais la sécularisation n'a jamais été complètement consommée. Lothar Ledderose a par exemple montré que dans les collections impériales de bronzes archaïques, d'inscriptions anciennes, de calligraphies et de peintures s'est perpétuée une idée religieuse très ancienne, celle du pouvoir par les *signes révélés*. Voir "Die Kunstsammlungen der Kaiser von China", dans L. Ledderose, *Palastmuseum Peking : Schätze aus der verbotenen Stadt*, Francfort, Insel, 1985, p. 41-47.

Dans la religion taoïste, qui naît au IIe siècle de notre ère, sous les Han orientaux (25-220), et ne cesse de se développer ensuite durant le Moyen Âge (220-581), en particulier sous les régimes aristocratiques du Sud, l'écriture apparaît dans de nouvelles fonctions. L'art de la calligraphie prend un essor sans précédent sous les Jin orientaux (317-420), dans de grandes familles aristocratiques qui sont pour la plupart adeptes de la

Voie des maîtres célestes (*Tianshidao*), forme dominante du taoïsme à cette époque. C'est le cas de la famille Wang à laquelle appartiennent Wang Xizhi (321-379) et son fils Wang Xianzhi (344-388), dont nous avons vu l'importance dans l'histoire de la calligraphie [1]. Yang Xin (370-442), qui a commenté le premier leurs œuvres et dont les appréciations ont fait autorité, était un disciple de Wang Xianzhi en calligraphie, mais aussi un prêtre taoïste. Son grand-père avait eu des révélations, qu'il avait écrites sous la dictée de forces occultes. Yang Xi (330-386), un autre contemporain des deux Wang, a eu lui aussi des révélations qu'il a notées dans un état de transe et qui sont devenues par la suite les textes fondateurs d'une nouvelle forme de taoïsme, dit du Maoshan. Les manuscrits de ce Yang Xi ont été rassemblés et édités par Tao Hongjing (456-536), l'une des figures dominantes du taoïsme médiéval, sous le titre de *Zhen'gao, Révélations des parfaits*. Tao Hongjing a établi cette édition avec le plus grand soin. Il donne la date de la plupart des révélations et fournit des précisions sur les circonstances dans lesquelles elles se sont produites. Yang Xi les aurait écrites sous la dictée d'immortels qui lui rendaient visite de nuit, le plus souvent d'une femme miraculeusement belle qui lui guidait la main pour écrire. Pour expliquer que des êtres célestes puissent faire des révélations aux humains par le moyen de l'écriture, Tao Hongjing soutient qu'il existe une écriture primordiale, intelligible aux seuls êtres célestes, puis différents types d'écritures accessibles aux initiés selon leur degré d'initiation, enfin les formes d'écriture connues des humains. Cette hiérarchie savante reproduit de toute évidence le processus de l'émergence des signes à partir de l'activité primordiale.

Tao Hongjing avait sous les yeux des manuscrits de Yang Xi en cursive et en régulière, les premiers notés au cours des révélations, les seconds transcrits en clair après coup. Chaque caractère suggère "une apparition suspendue dans le vide, dit-il ; il possède une beauté qui ne saurait être l'effet de l'art et ne peut être que l'œuvre du Ciel" [2]. Tao Hongjing estimait que la calligraphie de Yang Xi égalait celle des deux Wang. Une copie du *Livre de la cour jaune* (*Huangtingjing*) en petite régulière attribuée à Yang Xi, conservée dans une collection d'estampages du XVIIe siècle, est en effet stylistiquement proche de Wang Xizhi. Aucun exemple

Yang Sin

[1]. L'essentiel de l'information présentée dans ce paragraphe et les deux suivants provient de l'étude très fouillée de Lothar Ledderose, "Some Taoist Elements in the Calligraphy of the Six Dynasties", in *T'oung Pao* LXX, 1984, p. 246-278.

Yang Si

T'ao Hong-tsing

[2]. Texte chinois : *ibid.*, p. 257.

de sa cursive n'est parvenu jusqu'à nous, mais il y a des raisons de penser qu'elle s'apparentait à celle de Wang Xianzhi. Il semble que le style agile et souple de ce dernier ait été directement inspiré par la sténographie utilisée dans ces *Révélations*.

Les rapports qui unissent la calligraphie et le taoïsme au Moyen Âge ne s'arrêtent pas là. Tao Hongjing a été l'éditeur des textes révélés de Yang Xi, mais aussi le meilleur connaisseur de la calligraphie des deux Wang, en particulier un juge incontesté en matière d'authenticité des œuvres. En suivant dans les deux domaines une même méthode critique, il a jeté les bases d'une importante tradition religieuse et en même temps celles d'une tradition calligraphique qui devait jouer un rôle très important. Il a lui-même été un grand calligraphe. On lui attribue une

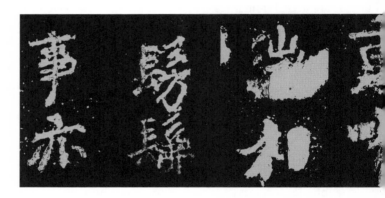

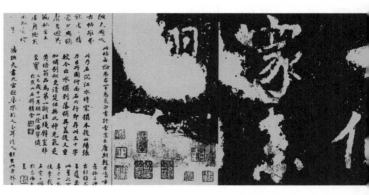

œuvre puissante qui a fasciné tous les amateurs au fil des siècles, l'*Épitaphe pour une grue* (*Yiheming*). Une partie est reproduite ci-dessous.

Au IVᵉ siècle, ce n'est donc plus l'écriture en tant que telle qui remplit une fonction religieuse, mais l'art calligraphique sous la forme que nous lui connaissons aujourd'hui. La fonction religieuse et la qualité esthétique sont alors intimement liées. La dimension religieuse prédomine chez Yang Xi tandis que, chez les deux Wang et d'autres, l'expérience religieuse se mue en expérience esthétique. À cette époque, on voit ce passage du religieux à l'esthétique s'accomplir parallèlement en peinture, en poésie et en musique. L'esthétique et la réflexion sur l'esthétique deviennent pendant cette période des expressions majeures

*ÉPITAPHE POUR UNE GRUE* (*YIHEMING*), ATTRIBUÉ À TAO HONGJING (456-536, LIANG), estampage d'époque Song, extrait. Cette inscription a exercé sur les calligraphes une fascination durable.

1. Texte chinois : voir appendice I, p. 390. Qi Baishi confie à Hu Tuo, en 1943 : "La peinture est un art de la solitude. Pour pouvoir s'y consacrer, il faut avoir l'esprit pur et dégagé, être indifférent à la réputation et aux avantages matériels. Là où les maîtres d'hier et d'avant-hier excellent, il faut se mettre à leur école et lorsqu'on les égale, ne pas se vanter. Là où ils sont insuffisants, s'en détourner sans médire d'eux. Ensuite, qu'on observe les transformations incessantes de la nature et l'on finira tout naturellement par *avoir des démons et des dieux dans le poignet.*" Texte chinois : Wang Zhende, Li Tianxiu ed., *Qi Baishi tanyilu*, Zhengzhou, Éditions Henan renmin, 1984, p. 9.

*t'ong-tseu, tsi-t'ong*

*fa-cheu*

2. Pour un exposé plus détaillé, voir John Lagerwey, "Taoist Priesthood", dans *The Encyclopedia of Religion*, sous la direction de Mircea Eliade, 16 vol., Londres, New York, Collier Macmillan, 1987, vol. II, p. 547-550, et K. Schipper, *op. cit.*, chapitre 4, p. 65-99.

de la culture des hautes classes. Mais le processus de sécularisation de l'esthétique est lent. Sous les Tang, l'idée que l'artiste est mû par des forces surnaturelles est encore très présente. Lorsque Han Yu dit de la calligraphie de Zhang Xu qu'elle "semble animée par les démons et les dieux", il ne s'agit pas encore d'une simple figure de style. Même à partir des Song, lorsque les lettrés se font une conception de plus en plus intellectualisée de l'activité créatrice, ces idées ne disparaissent pas tout à fait. Elles correspondent après tout à un aspect important de l'expérience créatrice. Le peintre Qi Baishi (1863-1957) n'a-t-il pas gravé sur l'un de ses sceaux cette devise : "Œuvre des démons, non des hommes" [1] ?

Après la conjonction du taoïsme religieux et de la calligraphie au Moyen Âge, les deux s'éloignent l'un de l'autre. L'écart se creuse encore quand, à partir des Song (960-1279), la calligraphie devient pour l'essentiel une affaire de lettrés ; leur formation confucianiste les détourne autant du taoïsme religieux que leur rang dans la société les éloigne des cultes populaires. De son côté, le taoïsme ne produit plus de calligraphes inspirés comme Yang Xi. Cependant le signe écrit y garde un rôle central, dont il faut dire un mot.

La religion taoïste est un univers complexe. Elle est apparue au IIe siècle de notre ère, sous la dynastie des Han orientaux, mais contient dès ce moment-là de nombreux éléments plus anciens. Elle prend par la suite des formes diverses, qui se constituent en traditions séparées et complémentaires, et s'incorpore à toutes les époques de nombreux cultes populaires.

Dans ce monde foisonnant de croyances et de pratiques apparaît un trait relativement constant. On y aperçoit une division du travail et une hiérarchie des rôles entre médiums, maîtres et prêtres [2]. Les médiums (*tongzi* 童子, *jitong* 乩童) sont les officiants les plus humbles de la religion populaire. Ce sont des illettrés auxquels un maître (littéralement un "maître des méthodes", *fashi* 法师) a enseigné la technique de la transe et par l'intermédiaire desquels s'expriment les divinités lorsqu'elles sont interrogées sur des questions précises. Dans la plupart des cas, ces médiums ne parlent pas, mais écrivent : par mouvements saccadés, ils tracent des signes sur un plateau recouvert de sable par exemple (les techniques sont nombreuses). Cette écriture primordiale, encore indistincte, doit ensuite être interprétée par le maître qui assiste à cette séance d'écriture automatique. Sa fonction le place au-dessus du médium : c'est lui qui convoque les esprits ou les divinités, puis les remercie. C'est lui, surtout, qui interprète les signes. Il est un initié qui connaît les secrets de l'écriture primordiale. Nous retrouvons ici deux traits qui nous sont désormais familiers : les divinités s'expriment par signes et les signes commencent par émerger de l'invisible sous une forme indistincte, puis prennent forme et deviennent intelligibles pour l'initié. Dans le domaine religieux, les deux moments du processus sont du ressort de deux officiants différents.

Le prêtre (*daoshi* 道士) agit à un niveau supérieur, celui de la religion taoïste proprement dite. Il ne sait pas seulement lire les signes, comme le maître, mais aussi les produire et agir par eux sur le réel. Il a en quelque sorte l'avantage de celui qui sait écrire sur celui qui sait seulement lire. Par la maîtrise complète des pouvoirs du signe, il passe aussi bien de l'invisible au visible que du visible à l'invisible. Ne pouvant donner en quelques mots une idée des rituels très élaborés qui expriment symboliquement son action, tentons de définir au moins le principe de certains rites majeurs : le prêtre officie sur un autel (une sorte de scène) représentant l'univers ; il est revêtu d'une robe figurant également l'univers ; lui-même symbolise l'univers et en forme le centre. Par l'activité de son corps propre, il se fait centre de l'activité de l'univers, autrement dit du *dao* 道 – il "fait corps avec le *dao*" (*ti dao* 体道), disent les textes – puis, en faisant circuler les énergies (ou "souffles", *qi* 气) de son corps, en y dénouant et renouant des configurations d'énergies, il règle celles de l'univers – il se "substitue à l'action transformatrice du Ciel" (*dai tian xing hua* 代天行化). Il rétablit en faveur de la communauté qui a fait appel à lui et le paye pour ses services le bon fonctionnement des forces cosmiques.

Les configurations d'énergie qui se nouent et se dénouent dans le corps du prêtre, source et centre momentanés de l'univers, peuvent être révélées par des signes écrits. Ce sont les *fu* 符, les écrits magiques dont le taoïsme fait grand usage aussi bien dans le cadre des rituels que pour exorciser, guérir, protéger, réconcilier, etc. dans la vie quotidienne [1]. Ces écrits magiques

*tao-cheu*

*t'i tao*
*ts'i*

*tai t'ien sing houa*

1. Voir K. Schipper p. 21, 66-67, 88, 90, 102, 123-124. Voir aussi John Lagerwey, "Écriture et corps divin", dans *Le Temps de la réflexion*, VII, Paris, Gallimard, 1986, p. 275-285.

sont tenus pour efficaces parce qu'ils sont vus comme des réalités en train de naître, émergeant à peine de l'invisible activité universelle. Les termes par lesquels on les désigne sont révélateurs : ce sont des "écritures célestes" (*tianshu* 天书), des "écritures de nuages" (*yunshu* 云书, *yunzhuan* 云篆) ou encore des "signes vrais" (*zhenwen* 真文). Certains sont destinés à être conservés, d'autres n'agissent que lorsqu'on les fait retourner à l'état invisible. Pour les reconvertir en énergie pure, il suffit de les brûler et de les laisser partir en fumée. Cette combustion s'apparente à ce qui a été considéré depuis une époque ancienne en Chine comme l'acte religieux par excellence – brûler du parfum. Le fidèle qui brûle du parfum transforme en effet un objet tangible en volutes de fumée, c'est-à-dire en signes qui retournent à l'indistinct.

*t'ien-chou*
*yun-chou, yun-tchouan*
*tchen-wen*

Certains de ces écrits magiques, surtout ceux de l'école Qingwei, dits "écritures de nuages", sont d'une réelle beauté. Ceux du grand maître Chen Rongsheng se signalent par un sens de

Ts'ing-wei

DEUX ÉCRITS MAGIQUES, *FU*, EXÉCUTÉS PAR CHEN RONGSHENG, maître taoïste de l'école des Maîtres célestes (Tianshidao) à Taiwan.

l'espace et une sensibilité du pinceau qui les rapprochent de la calligraphie. Mais, dans l'ensemble, ces écrits sont dénués de style. Dans le taoïsme populaire, l'efficace magique est inhérente au signe et ne dépend pas de la qualité esthétique de son exécution. Parce que le signe est d'essence impersonnelle, on ne lui demande pas cette qualité individuelle qui est le propre du style authentique. Il est par conséquent dans l'ordre des choses que la religion taoïste, qui fait grand cas de la magie du signe, se désintéresse dans l'ensemble de l'art calligraphique. Cette désaffection tient aussi à ce que le taoïsme religieux a été dès son origine hostile à la tradition confucianiste et s'est toujours méfié des idées, des formes de discours et des formes d'autorité liées à la prééminence de l'écrit dans le confucianisme. Lorsque la calligraphie est devenue un art de lettrés, il était naturel qu'il s'en soit désintéressé, ou qu'il en ait même pris le contre-pied. Il y a dans la plupart des écritures magiques un "mauvais goût" calligraphique évident et peut-être intentionnel.

Même si le taoïsme religieux a fécondé la calligraphie à un certain moment de son histoire et si le taoïsme philosophique a imprégné la sensibilité de certains calligraphes, l'art de l'écriture est principalement lié, dans son ensemble, à la tradition lettrée confucianiste.

Tandis que le taoïsme vénère le signe, le confucianisme vénère les textes. Les signes sont, dans le taoïsme, des manifestations de forces impersonnelles et intemporelles tandis que les textes du confucianisme sont des documents historiques témoignant des débuts d'une tradition morale et politique. À l'époque impériale, la permanence de l'ordre fondé sur cette tradition constitue, pour ces confucianistes, la preuve tangible de son excellence. En outre, ni la continuité de la civilisation chinoise dans le temps, ni sa continuité dans l'espace n'étaient concevables sans l'extraordinaire instrument d'unification qu'a été l'écriture. Ces faits expliquent assez tout le respect qu'ils ont voué aux écrits fondateurs de leur tradition et, plus fondamentalement, à l'écriture.

Ils étaient d'accord avec les taoïstes pour voir dans les signes des figures dérivées de la réalité même des choses, mais s'en distinguaient par l'accent qu'ils mettaient sur le rôle de l'homme dans cette dérivation. Les trigrammes, les hexagrammes, les caractères d'écriture étaient pour eux l'œuvre d'anciens sages qui avaient su percevoir la réalité des choses et l'exprimer par des formes organisées. Ils considéraient de même que les principes sur lesquels était fondée la civilisation chinoise étaient dans la nature, mais qu'il avait fallu que des hommes d'une sagesse supérieure les y trouvent et les transposent sur le plan humain. Ces hommes sages étaient les initiateurs de la tradition dont ils étaient les dépositaires. Les livres confucianistes étaient les actes de cette période fondatrice [1].

1. Cette tradition remonte pour l'essentiel aux hommes qui ont fondé la dynastie des Zhou, au XI$^e$ siècle avant notre ère, et aux institutions politico-religieuses qu'ils ont créées à ce moment-là. Les livres confucianistes, ce sont principalement le *Livre des Mutations* (*Yijing*), le *Livre des Poèmes* (*Shijing*), le *Livre des Documents* (*Shujing*), le *Livre des Rites* (*Liji*) et les *Printemps et Automnes*, ou *Annales de Lu* (*Chunqiu*). Ils rassemblent des textes de la première moitié du premier millénaire avant notre ère qui ont été complétés et organisés à la fin de l'Antiquité préimpériale et sous les Han.

Ces penseurs confucianistes se sont attachés à la notion de *wen* 文 parce qu'elle rendait compte de ce passage de la nature à la culture, par l'effet d'un dynamisme inhérent à la réalité même. C'est ainsi que le mot a pris le sens de "civilisé" (dans l'acception la plus large du terme) ou "civil" (par opposition à *wu* 武, "martial", "militaire"), mais aussi celui de "élégant" ou "orné" (par opposition à *zhi* 质, "brut", "nu"). Par une autre voie, *wen* en est venu à désigner non seulement l'écriture mais, selon les cas, le texte, la composition littéraire, les belles-lettres. Les confucianistes anciens voyaient en effet dans l'expression littéraire un autre affleurement spontané. Leur théorie de la création littéraire montre qu'ils n'ont pas considéré la littérature comme le domaine de la fiction, des artifices de l'imagination ou des constructions de l'intellect, comme l'ont fait les théoriciens occidentaux depuis Platon et Aristote, mais comme l'émanation naturelle de la subjectivité lorsqu'elle s'émeut au contact des choses. La littérature était à leurs yeux la fine fleur d'un pouvoir d'épanouissement propre à l'homme et, plus profondément, propre à la réalité [1].

tcheu

Le prestige dont l'écriture a joui en Chine tient à ce qu'elle a été considérée comme une manifestation de ce pouvoir. Elle est toujours apparue aux Chinois comme un accès à la source tandis qu'en Occident l'écriture ou, plus exactement, les écritures sont apparues comme de simples techniques de notation des langues parlées. Elles reflétaient une diversité voulue par Dieu pour punir le genre humain d'avoir tenté de remonter jusqu'à lui lors de la construction de la tour de Babel. Dans notre tradition, l'écriture n'est pas un accès à la source, mais au contraire le signe d'une rupture qui a coupé le genre humain de ses origines et ruiné son unité. Même lorsqu'elle est écriture sainte, elle n'a chez nous qu'un statut ancillaire. Elle enregistre la parole divine mais n'a aucune part, en elle-même, au pouvoir créateur du Verbe.

Pour eux, l'idée que l'écriture touche aux origines est vraie en plus d'un sens. L'étude des étymologies graphiques leur a permis de remonter à la période formatrice de leur civilisation et d'en reconstituer au moins partiellement les techniques, les mœurs et les représentations religieuses. L'origine et l'évolution historiques des caractères font depuis au moins deux millénaires

1. Sur cette conception de la création littéraire, voir François Jullien, "L'œuvre et l'univers : imitation ou déploiement", dans *Extrême-Orient Extrême-Occident* n° 3, Université Paris VII, 1983, p. 37-88. Voir aussi, du même auteur, l'étude citée à la p. 241, note 1, et l'étude de D. Pollard citée dans la même note.

l'objet d'une science nommée *wenzixue* 文字学 [1], "science de l'écriture", que nous pourrions appeler "graphologie" ou "grammatologie" si ces vocables n'avaient pas déjà d'autres acceptions. L'épigraphie s'est développée précocement, à partir des Song (960-1279) surtout. L'étude des écritures anciennes a joué un grand rôle en calligraphie, comme nous l'avons vu. Certaines ont exercé une véritable fascination sur des générations d'artistes.

À l'échelle de l'histoire de Chine, cette nostalgie des écritures anciennes est toutefois un phénomène relativement récent. Sous les Han, au Moyen Âge et sous les Tang, les calligraphes ne songent pas à pratiquer les genres tombés en désuétude. Ce sont des époques où la Chine jouit de la plénitude de ses pouvoirs créateurs et où les calligraphes ne se soucient guère de faire retour sur le passé. Lorsque Taizong, le deuxième empereur Tang (r. 626-649), hausse les œuvres de Wang Xizhi au rang de modèle idéal et crée pour la première fois un classicisme en calligraphie, il s'agit plus d'un choix et d'une orientation donnée à l'évolution que d'un retour en arrière. On voit certains calligraphes pratiquer les genres anciens (la sigillaire, la chancellerie) sous les Tang, les Song, les Yuan et les Ming, mais le phénomène reste marginal. Ils les pratiquent davantage par goût de la virtuosité que pour y chercher un renouvellement profond de la sensibilité. Cependant, l'idée de répertoire se développe. Sous les Yuan et sous les Ming, on voit certains maîtres s'exercer dans tous les grands genres légués par l'histoire et les mettre sur le même plan, du moins en principe.

Le retour aux écritures anciennes – c'est-à-dire à la sigillaire de l'Antiquité, à la chancellerie des Han, aux premières formes de la régulière, conservées sur les stèles du Moyen Âge, antérieures au classicisme des Tang – devient par contre une tendance dominante au XVIIIe siècle. La redécouverte de ces formes anciennes est contemporaine d'une évolution analogue sur le plan des idées [2]. À cette époque, les lettrés s'engagent en effet dans une vaste révision de la tradition confucianiste. Ils rejettent les formes spéculatives qu'elle a prises sous les Song et les Ming et s'efforcent de remonter aux sources. Aux grands systèmes interprétatifs succède l'étude philologique des textes fondateurs. Ce grand mouvement est patronné par les empereurs mandchous, qui tiennent à la fois à se concilier les lettrés

*wen-tseu-sué*

1. Cette désignation est moderne. En langue classique, on parle de "philologie" (*xiaoxue* 小学, littéralement "petite étude") et on y inclut l'étude des étymologies graphiques et de l'histoire de l'écriture.

2. Voir là-dessus Lothar Ledderose, *Die Siegelschrift (Chuan-shu) in der Ch'ing-Zeit, Ein Beitrag zur Geschichte des chinesischen Schriftkunst*, Wiesbaden, F. Steiner, 1970, et Willibald Veit, *Siegel und Siefelschrift der Chou-, Ch'in- und Han-Dynastie*, Wiesbaden, F. Steiner, 1985.

chinois et à les occuper, mais n'est pas sans avoir dans l'esprit de certains lettrés une dimension morale cachée : celle d'une quête des vertus premières et irréductibles de la nation chinoise.

C'est dire que les artistes des XVIII^e et XIX^e siècles posent sur les écritures anciennes un regard nouveau. Ils collectionnent les estampages et les étudient en érudits, ils s'exercent à les reproduire en calligraphes et à se pénétrer de leur esprit. Il en résulte un enrichissement stylistique, une diversification des moyens d'expression qui représentent une nouvelle étape dans l'histoire de leur art. Le renouvellement tient aussi au fait que les écritures dont ils s'inspirent, notamment les stèles et les inscriptions votives du Moyen Âge, sont souvent de facture grossière. La manœuvre du pinceau a été freinée par l'encre épaisse qu'exige l'exécution à même la pierre. Les formes ont été simplifiées ensuite par le ciseau du graveur. Au XVIII^e siècle, les effets dus à la manière de ces artisans, ou à leur gaucherie, deviennent

INSCRIPTION VOTIVE DE LONGMEN, 498, Wei du Nord. Détail d'un estampage.

des sources d'inspiration pour les calligraphes qui travaillent au pinceau. Les accidents de la pierre, qui donnent à certains estampages un charme particulier, leur suggèrent aussi des effets nouveaux. On voit se répandre le goût pour les inscriptions à demi effacées, rongées par le temps. Ces signes tout juste lisibles sont comme le dernier écho d'un passé idéalisé et, simultanément, comme la manifestation initiale d'une puissance créatrice originelle. Le goût des écritures érodées a la même ambivalence que la nostalgie des ruines de notre époque romantique.

Il faut dire que la calligraphie gravée dans la pierre a souvent un grand charme. La dureté de la pierre et l'animation des formes écrites produisent le paradoxe d'une sorte de frémissement inaltérable,

STÈLE DE YIN ZHOU (YIN ZHOU BEI), 177, Han orientaux. Détail d'un estampage.

d'une vie intense et pourtant mise définitivement hors de portée des atteintes du temps. Lorsqu'il s'agit de calligraphie rupestre, comme il en existe de si merveilleux exemples à travers la Chine, l'effet est encore plus saisissant. Les caractères gravés à même le rocher semblent figurer le lieu d'où surgit toute la nature environnante, voire toute la réalité visible. Certaines de ces inscriptions, qui transfigurent le paysage entier, doivent être comptées au nombre des expressions les plus remarquables du génie chinois [1].

CALLIGRAPHIE RUPESTRE :
LE CARACTÈRE *SU* 穌
"renaître", taillé
dans la falaise
à proximité du grand
Bouddha de Leshan,
au Sichuan.

Le goût des écritures anciennes gravées dans la pierre s'est traduit dans la gravure des sceaux, qui a été pratiquée par un nombre croissant de calligraphes à partir du XVIIIᵉ siècle et qui est même devenue la forme d'expression privilégiée de quelques grands artistes. C'était le moyen rêvé de recréer en petit (mais non pas en moins puissant) les effets des inscriptions sur pierre. L'art du sceau présentait en outre le merveilleux avantage de pouvoir se pratiquer à peu de frais, bien que sur de la vraie pierre, et de pouvoir être reproduit à plaisir lorsque la gravure en valait la peine. Son développement s'est bien sûr accompagné d'une curiosité nouvelle pour les sceaux anciens. Ceux des Han sont devenus la source d'inspiration majeure.

1. À ma connaissance, il n'existe aucun ouvrage, en aucune langue, sur ce sujet merveilleux.

Avant le XVIIIᵉ siècle, les calligraphes qui pratiquaient les genres anciens le faisaient par goût de la virtuosité, sans chercher à exprimer autre chose que ce qu'ils exprimaient en régulière, en courante ou en cursive. L'originalité des maîtres des XVIIIᵉ et XIXᵉ siècles a été de manifester par le truchement des écritures anciennes une sensibilité esthétique nouvelle. À partir des formes coulées dans le bronze ou taillées dans la pierre, ils ont renouvelé le langage du pinceau. Cette reconquête créatrice du passé s'est faite en plusieurs étapes. Jin Nong (1687-1763) et Zheng Xie (Zheng Banqiao, 1693-1765) inventent les premiers des formes de chancellerie tout à fait personnelles, sévères pour

Tsin Nong
Tcheng Sié, Tcheng Pan-ts'iao

Teng Cheu-jou, Wou Si-tsai
Tchao Tchen-ts'ien

l'un, délurées pour le second. Deng Shiru (1743-1805), Wu Xizai (Wu Rangzhi, 1799-1870) et Zhao Zhiqian (1829-1884) remontent plus haut : ils se mettent à l'école de la sigillaire de l'époque Qin, dite "petite" (*xiaozhuan*) bien qu'elle soit monumentale d'esprit. Tout en respectant son caractère austère et ses proportions allongées, ils lui infusent une vie entièrement nouvelle. Deng Shiru, dont le nom signifie "comme la pierre" (*shiru* 石如), joue admirablement de l'expressivité du pinceau, de la sinuosité des lignes et des échanges entre les éléments noirs et les espaces blancs, auxquels il confère une densité extraordinaire. Comme cela se voit dans le caractère *long* 龍 "dragon" reproduit en frontispice à la page 6, ou dans les caractères *yi* 醫 (医) "médecine" et *meng* 蒙 "recouvrir" reproduits ci-contre,

CARACTÈRES EN PETITE
SIGILLAIRE DE DENG SHIRU
(1743-1805, QING), 1804.

il manie en maître les déséquilibres et leur fait produire de subtils vertiges. Il a été l'un des grands créateurs de l'histoire de la calligraphie. He Shaoji (1799-1873) pratique moins les genres anciens, mais participe à sa manière aux mêmes recherches. Comme on le voit à droite, il libère complètement la régulière des canons classiques auxquels elle était soumise depuis les Tang et réussit à lui donner une fraîcheur toute neuve. Dans ses meilleures œuvres il semble rejoindre, au-delà des âges classiques, le passé éter-

He Chao-tsi
Wou Tch'ang-chouo

nellement présent où l'homme inventa les premiers signes.

Wu Changshuo (1844-1927) fait un pas de plus dans la réinvention des écritures anciennes. Il s'inspire, lui, de la grande sigillaire (*dazhuan* 大篆) de l'Antiquité préimpériale, notamment des fameuses *Inscriptions sur tambours de pierre*. En reproduisant au pinceau leurs formes puissantes, il forge un style d'une profonde originalité. Lui aussi transfigure ses modèles. Il a des audaces (équilibres instables, dissymétries, semblants de régression de l'écriture vers le dessin) qui ne se trahissent pas ouvertement et créent dans l'écriture une vie d'autant plus intense. Wu Changshuo a été reconnu de son vivant comme un très grand artiste et compte depuis lors, en Chine et au Japon, comme l'un des deux ou trois maîtres les plus importants de

径续绕於清溪
深處翠陰茂密
中有架裳坐蒲

HE SHAOJI (1799-1873, QING), *INSCRIPTION DE LA RENCONTRE DES BEAUX ESPRITS DANS LE JARDIN DE L'OUEST* (*XIYUAN YAJI TUJI*), d'après Mi Fu (1051-1107, Song du Nord), extrait.

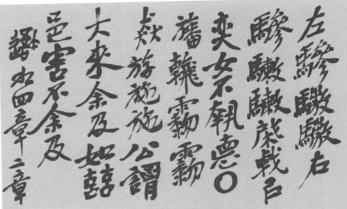

WU CHANGSHUO
(1844-1927), *ÉTUDES DES
TAMBOURS DE PIERRE*
(*LIN SHIGUWEN*), 1909.
Extrait.

*TAMBOURS DE PIERRE*,
IVᵉ siècle avant notre ère.
Détail.

l'époque contemporaine. On l'admire autant pour sa peinture que pour sa calligraphie et ses sceaux. Il incarne à la perfection un type d'artiste spécifiquement chinois, à la fois érudit, lettré, calligraphe, peintre et poète. C'est un signe de notre déplorable ignorance que jamais la moindre publication n'ait paru sur lui en Occident.

C'est à dessein que j'ai placé ici quelques mots sur cet artiste. Son œuvre me semble en effet montrer mieux qu'aucune autre ce que la calligraphie représente en fin de compte pour les Chinois de culture traditionnelle. Si l'œuvre calligraphique a sur eux un effet particulier, c'est qu'ils ont le sentiment de percevoir en elle l'origine lointaine de leur civilisation en même temps que le fond le plus intime de leur subjectivité individuelle. Ils pressentent devant elle l'identité fondamentale des deux choses. L'œuvre calligraphique les confirme dans leur conviction que la civilisation chinoise est fondée, dans ses premiers principes, sur un paradigme inaliénable qu'ils portent en eux.

L'œuvre calligraphique les confirme en outre dans une idée que toute la tradition leur inculque – ou leur inculquait : la nécessité d'accomplir un patient travail sur soi-même pour accéder aux sources vivifiantes de la culture, enfouies dans le passé, et à celles de la subjectivité, enfouies dans le corps propre. L'œuvre leur rappelle peut-être, sans qu'ils s'en rendent compte, que la culture est nécessaire pour mettre en valeur les ressources cachées du corps propre et que les pouvoirs créateurs du corps propre sont à l'origine de toute véritable culture.

Un caractère calligraphié est donc finalement pour eux comme le chiffre de leur identité. Le rite de l'écriture, qu'ils l'exécutent ou qu'ils y assistent, est pour eux la célébration de leur appartenance à une civilisation unique.

## IX. LA DOUBLE SIGNIFICATION
## DE L'ART DE L'ÉCRITURE

LORSQUE j'avais seize ou dix-sept ans, la Kunsthalle de Bâle a montré une exposition de calligraphie chinoise. Les œuvres que j'y ai vues m'ont fortement attiré. Elles me semblaient receler une promesse informulée qui a été pour quelque chose dans la décision prise quelques années plus tard d'étudier le chinois. Je me suis lancé à ce moment-là dans une aventure dont je n'imaginais pas les conséquences et dont je ne vois pas encore le terme. Sur un point cependant, la boucle est bouclée : je crois savoir aujourd'hui ce que promettaient ces caractères. J'ai le sentiment d'avoir percé le secret dont ils étaient le chiffre et j'ai tenté de le faire comprendre dans ce livre.

Après avoir commencé mes études à Paris, je les ai poursuivies à Pékin, de 1963 à 1966. J'ai tenté de trouver quelqu'un qui veuille bien me montrer le maniement du pinceau, mais en vain. J'ai buté sur la rigidité des structures de l'université de Pékin et l'isolement imposé en ce temps-là aux étudiants étrangers. La calligraphie était révérée en secret et condamnée en public comme le vain passe-temps des classes dirigeantes de l'Ancien Régime, dont le peuple révolutionnaire n'avait pas à se soucier. Seule était visible, partout, celle de Mao Tsé-toung, qui exécutait ses poèmes classiques dans une cursive impétueuse. On a su plus tard qu'il s'inspirait d'originaux d'époque Tang que lui prêtait le Palais impérial. Je suis donc resté sur ma faim.

Des années plus tard, poursuivant à Kyoto des études devenues impossibles en Chine, j'ai rencontré Huang Junshi, un jeune Chinois cultivé, originaire de Hong Kong, qui m'a montré comment se manie le pinceau. En quelques heures, que dis-je : en quelques dizaines de minutes, il m'a révélé l'essentiel de la technique, qu'il maîtrisait parfaitement. Grâce à lui, j'ai très rapidement saisi ce que j'avais vainement cherché à comprendre en lisant divers manuels. Au sortir de notre première séance, je suis allé au Pain quotidien, un café proche de l'université

Houang Tsun-Cheu

de Kyôto, et j'ai jeté sur le papier le plan d'un livre sur la calligraphie : celui que j'aurais voulu avoir et qui m'avait manqué. Ce fut l'idée du présent ouvrage, très exactement. C'était en 1969. À l'époque, j'ai aussi profité des publications japonaises, alors bien plus nombreuses qu'en Chine, en particulier de collections très complètes de reproductions des classiques.

Dans les années 80, j'ai repris l'idée du livre et je me suis mis au travail. J'avais continué à étudier la calligraphie, à côté d'autres choses. La reprise de la vie intellectuelle en Chine s'accompagnait d'un intérêt nouveau pour l'art de l'écriture. De bonnes revues paraissaient, quelques précieux ouvrages de référence ont vu le jour. J'avais continué à m'entraîner au maniement du pinceau, de façon épisodique, et j'avais acquis une certaine maîtrise. J'avais observé les étapes de ma progression et analysé les difficultés sur lesquelles j'avais buté. Comme il arrive quand on écrit et qu'il faut s'exprimer de façon précise, la rédaction de l'ouvrage m'a amené à réfléchir à mon expérience et à clarifier ma pensée. Cela m'a conduit à des découvertes qui ont créé, après la publication du livre en 1989, une situation paradoxale.

Les découvertes que j'ai faites ne concernaient pas seulement l'activité du calligraphe, telle que je l'avais explorée jusqu'à un certain point et telle qu'en parlaient les calligraphes à travers les siècles. Elles touchaient à notre activité en général, à ses différentes formes et aux passages d'une forme à l'autre, au rôle de l'apprentissage, à la nature du geste, etc. Après la parution du livre, je me suis tourné vers ces questions fondamentales et j'ai délaissé la calligraphie. Je n'avais plus touché mes pinceaux depuis le moment où j'avais entrepris la rédaction de l'ouvrage, faute de temps. Je ne les ai pas retouchés depuis – faute de temps, mais aussi faute de compagnie. La calligraphie, qui est en elle-même une pratique solitaire, ne peut se développer sans les encouragements et les critiques d'amis qui savent l'apprécier. Sans doute suis-je aussi devenu un juge trop sévère. Pour avoir trop regardé les classiques, pour les avoir trop analysés, je ne me pardonnais plus mes propres faiblesses et j'ai préféré arrêter.

Ensuite, une autre évolution s'est faite. Avec le recul, la calligraphie a commencé à m'apparaître sous un jour nouveau. Je ne reniais rien de ce qu'elle m'avait appris, ni des plaisirs qu'elle m'avait procurés, mais elle m'a de plus en plus semblé former un monde clos, condamné en quelque sorte à une éternelle répétition du même. Était-ce parce que j'en avais fait le tour ? Était-ce qu'après en avoir été épris, je portais sur elle un regard plus mûr ? Peut-être. Mais ce changement était surtout lié à un changement plus vaste, celui de mon rapport avec le passé chinois dans son ensemble. J'ai commencé à voir en elle un art *achevé*, dans le double sens que peut revêtir ce mot : porté une fois pour toutes à la perfection, et non susceptible de renouvellement. J'ai commencé à la percevoir, en outre, comme *l'expression* d'un monde clos. Je me suis aperçu que l'art de l'écriture, tel que les calligraphes l'ont conçu depuis des siècles, était intimement lié à un ordre culturel, social et politique, celui de la Chine impériale, et qu'il lui était lié de façon intime et nécessaire. Cette vision nouvelle, que j'ai exprimée pour la première fois dans la postface jointe à *L'Art chinois de l'écriture* en 2001, a paradoxalement renouvelé mon intérêt pour la calligraphie. Par ce biais, le travail que je lui avais consacré s'est trouvé repris, de façon inattendue, dans le cadre d'une réflexion plus récente sur le passé chinois et, plus particulièrement, sur l'histoire de la philosophie chinoise. Aujourd'hui, cet art revêt à mes yeux deux significations distinctes, mais liées entre elles.

## L'IDÉE DE L'ACTIVITÉ PARFAITE

EN EXPLORANT l'art chinois de l'écriture, par la pratique et par l'étude des œuvres, j'ai été constamment guidé par ce que les calligraphes ont dit de leur expérience. Je me suis familiarisé avec leurs idées et avec certaines conceptions qui en formaient le soubassement. L'une d'elles est la conviction, partagée par tous à des degrés divers, que nous pouvons, non seulement préserver, mais développer et affiner la vie qui est en nous.

Cette conception a été exprimée de façon parfaite dans un texte célèbre de Zhuangzi – si célèbre, hélas, qu'il est devenu Tchouang-tseu difficile de bien le lire et d'en mesurer la portée. Tous les calligraphes qui se sont exprimés sur leur art l'avaient en mémoire et je n'ai cessé d'y penser moi-même. En voici une traduction. Puisse le lecteur la lire avec toute la fraîcheur d'esprit nécessaire. Le dialogue est imaginaire, mais le prince dont il est question est un personnage historique. Il a été le souverain du royaume de Wei de 369 à 319, du vivant de Zhuangzi :

Le cuisinier Ding dépeçait un bœuf pour le prince Wenhui. On entendait des *hua* quand il empoignait de la main l'animal, qu'il retenait sa masse de l'épaule et que, les jambes arc-boutées, l'immobilisait un instant du genou. On entendait des *huo* [1] quand son couteau frappait en cadence comme s'il eût accompagné la danse du "Bosquet des mûriers" ou le rythme de la "Tête de lynx".

1. Ces deux onomatopées suggèrent un bruit léger, semblable à un souffle.

– Oh ! Que c'est admirable ! s'exclama le prince ; je n'aurais jamais imaginé pareille maîtrise !

Le cuisinier posa son couteau et répondit :

– Ce qui intéresse votre serviteur, ce n'est pas simplement la technique, c'est le fonctionnement des choses. Lorsque j'ai commencé à pratiquer mon métier, je voyais tout le bœuf devant moi. Trois ans plus tard, je n'en voyais plus que certaines parties. Aujourd'hui je le trouve par l'esprit sans plus le voir de mes yeux ; mes sens n'interviennent plus, mon esprit agit comme il l'entend et suit de lui-même les linéaments du bœuf. Lorsque ma lame tranche et disjoint, elle suit les failles et les fentes qui s'offrent à elle. Elle ne touche ni aux veines, ni aux tendons, ni à l'enveloppe des os, ni bien sûr à l'os même. Les bons cuisiniers doivent changer de couteau chaque année parce qu'ils taillent dans la chair. Le commun des cuisiniers en change tous les mois parce qu'ils charcutent au hasard. Mais avec ce couteau, qui lui sert depuis dix-neuf ans, votre serviteur a dépecé plusieurs milliers de bœufs et sa lame est encore tranchante comme au premier jour. Car il y a des interstices entre les parties de l'animal et le fil de ma lame, n'ayant pas d'épaisseur, y trouve tout l'espace qu'il lui faut pour évoluer. C'est ainsi qu'après dix-neuf ans, elle est encore comme fraîchement aiguisée. Quand je rencontre une articulation, je repère l'endroit difficile, je le fixe du regard et, agissant avec une prudence extrême, lentement je découpe. Sous l'action délicate de la lame, les parties se séparent avec un *huo* léger comme celui d'une poignée de terre que l'on pose sur le sol. Puis, mon couteau à la main, je me redresse, je regarde autour de moi, amusé et satisfait et, après avoir nettoyé la lame, je la remets dans son fourreau.

Le prince Wenhui s'exclama :

– Admirable ! En écoutant le cuisinier Ding, j'ai compris l'art de nourrir en soi la vie !

Trois phrases de ce dialogue ont particulièrement retenu mon attention : celles où le cuisinier résume son apprentissage. "Quand j'ai commencé à pratiquer mon métier, dit-il, je voyais tout le bœuf devant moi. Trois ans plus tard, je n'en voyais plus que certaines parties. Aujourd'hui je le trouve par l'esprit sans plus le voir de mes yeux ; mes sens n'interviennent plus, mon esprit agit comme il l'entend". J'ai trouvé là une idée essentielle, celle de l'apprentissage conçu comme une succession de formes d'activité de mieux en mieux intégrée et impliquant, non seulement une efficacité croissante, mais aussi, pour celui qui agit, un rapport chaque fois modifié entre lui-même et l'objet sur lequel il agit [1]. Cette idée m'a amené à mieux observer les progrès que je faisais moi-même dans le maniement du pinceau et à mettre de l'ordre dans mes observations. Il en est résulté les réflexions que j'ai faites sur l'acquisition de la technique, au chapitre 5 (p. 109-111), et sur le processus d'intégration dont naît le geste calligraphique, au chapitre 7 (p. 158-159).

La troisième phrase du cuisinier m'a donné l'idée d'une forme particulière d'activité qui résulte d'une intégration supérieure de toutes les forces et de toutes les facultés de celui qui agit, celle dont les calligraphes parlent lorsqu'ils évoquent les moments les plus intenses de leur expérience. Je reprends ce que j'en ai dit au chapitre 7 (p. 163-165) :

> "Quand ils parlent de force, ils ont parfois à l'esprit un autre phénomène, une sorte de force seconde qui se manifeste en eux lorsqu'ils sont parvenus à la maîtrise complète de leurs moyens et semble être d'une autre nature que la force musculaire. Cette force seconde naît d'un effet de synergie. Lorsqu'elle apparaît, le calligraphe a le sentiment que tout effort cesse. En mobilisant complètement toutes les parties de son corps, il a si bien réduit l'effort demandé à chacune d'elles que l'effort, soudain, semble entièrement aboli. Parce qu'elle est la résultante de toutes les énergies conjuguées et n'émane donc plus d'aucune énergie particulière, la force seconde donne l'impression d'agir d'elle-même. Comme elle procède d'un effet d'ensemble, elle n'a plus d'origine localisable ni d'orientation ; on ne sait plus d'où elle vient, ni où elle va."

Cette "force seconde" ou "force agissante", je ne l'ai pas moi-même connue dans le maniement du pinceau, il s'en est fallu de beaucoup. Mais j'en ai observé la manifestation dans d'autres domaines, par exemple chez les grands musiciens, et dans certaines

1. Voir l'analyse de ce texte proposée dans *Leçons sur Tchouang-tseu*, Paris, Allia, 2002, p. 15-20.

activités quotidiennes. Quand je *parle*, par exemple, le langage m'obéit entièrement et "mon esprit agit comme il l'entend". Il arrive que, "repérant un endroit difficile, je le fixe et, agissant avec une prudence extrême", je choisisse mes mots. Le phénomène est le même. La différence est que la parole me semble être une activité naturelle, alors qu'elle m'est *devenue* naturelle – tandis que le geste calligraphique ne m'est pas devenu vraiment naturel, et que je suis rempli par conséquent d'admiration quand je vois un calligraphe complètement maître de ses moyens. C'est l'admiration du prince devant l'action du boucher.

Une autre chose a retenu mon attention dans ce dialogue : la souveraine aisance avec laquelle le cuisinier répond au prince. Il suspend son action, "pose son couteau" et s'exprime posément, sans la moindre obséquiosité. Quand il parle, son aisance est la même que quand il dépèce. Il a fait de son métier un art, et de cet art un moyen de connaissance. Il le dit d'entrée au prince : ce qui l'intéresse, ce n'est pas la technique, mais le "fonctionnement des choses", c'est-à-dire, comme il l'explique ensuite, les différentes formes d'activité dont il a fait la conquête et les modifications concomitantes qu'il a observées dans son rapport à lui-même et à l'objet. Ces formes d'activité, ces modifications, il les a appréhendées de l'intérieur, dans l'action même. Il en est devenu capable parce que, à partir d'un certain degré de maîtrise, nous commençons à *voir* ce que nous faisons sans que cela n'interrompe notre action. La conscience se fait spectatrice d'une activité devenue autonome ou presque. Telle est la forme de connaissance à laquelle le cuisinier est parvenu et qui seule l'intéresse [1]. Cette distanciation intérieure, au sein de l'action, s'accompagne d'une joie particulière. Elle transparaît à la fin du dialogue lorsque le cuisinier "se redresse, regarde autour de lui, amusé et satisfait, et, après avoir nettoyé sa lame, la remet dans son fourreau".

La conclusion n'est pas moins remarquable. L'exclamation du prince est déconcertante. Quel rapport, en effet, entre ce que vient d'expliquer le cuisinier et "l'art de nourrir en soi la vie" (*yangsheng* 养生) ? Pour comprendre, il faut se souvenir d'une idée qui est au cœur des conceptions médicales chinoises : nous allons à la mort en nous laissant gagner par la division et l'inertie, à la vie en unifiant et en intensifiant notre activité

[1]. Sur cette forme de connaissance, voir *Leçons sur Tchouang-tseu*, p. 67-69.

propre. La santé est plus qu'une simple absence de maladie. Elle est l'accomplissement des virtualités du corps propre, esprit et corps confondus. Cette idée est ancienne. Nous en avons l'une des premières expressions dans ce texte de Zhuangzi.

La scène du début est tout aussi frappante. En découpant son bœuf, le cuisinier semble exécuter une danse. Son geste en impose par sa précision, son économie, son rythme [1]. Celui du calligraphe produit le même effet. Il en impose parce qu'en lui se concentrent toutes les ressources et toutes les facultés de celui qui écrit. La parenté va plus loin puisque le geste du calligraphe ressemble à une danse, aussi bien pour celui qui écrit que pour celui qui regarde, du fait que la technique du pinceau exige à tout instant des combinaisons de mouvements verticaux et latéraux. Le couteau du cuisinier frappait en cadence, dit le texte, "comme s'il eût accompagné la danse du *Bosquet des mûriers* ou le rythme de la *Tête de lynx*". Ces titres évoquent les airs solennels que l'on jouait dans les cours princières, lors des grandes cérémonies. Pour les contemporains de Zhuangzi, l'association de ces rites ancestraux et d'un cuisinier était à la fois naturelle et paradoxale. Dans les cultes aristocratiques, qui étaient encore vivants à l'époque, les sacrifices sanglants jouaient un rôle central. La distribution des viandes y avait une fonction symbolique essentielle. Elle était minutieusement réglée, afin que chacun reçût exactement les morceaux correspondant à son rang, le degré de cuisson correspondant à sa dignité. Aux ancêtres allaient les parties les plus précieuses, au peuple les restes. Les cuisiniers princiers étaient donc des sacrificateurs. Cette idée allait tellement de soi qu'à une haute époque, un cuisinier-sacrificateur en chef a pu être assimilé à un premier ministre et qu'un bon premier ministre a pu être comparé à un cuisinier-sacrificateur exemplaire, qui réglait le cours des choses par une distribution irréprochable des viandes [2]. Ce qui devait étonner les contemporains de Zhuangzi, c'est que le cuisinier, à la suite du compliment du prince, non seulement s'arrête et prend la parole, mais tient un discours où il n'est question ni de sacrifices, ni de gouvernement. Il lui parle d'une expérience personnelle dont il a manifestement tiré une autonomie intellectuelle complète et qui fait virtuellement de lui l'égal du

1. Un témoignage de l'ethnologue Jean Gabus atteste que le dépeçage peut être un spectacle et ressembler à une danse. Voici ce qu'il écrit dans *Touctou. Chez les hommes qui vivent loin du sel* (Neuchâtel, Attinger, 1943, p. 21), parlant des Esquimaux parmi lesquels il a vécu : "Nous passons des heures à triturer de la chair rouge sur la glace, à découper, à tailler... non pas grossièrement à coups de hache, mais au couteau de chasse, au *pillaout* qui est court, ramassé, toujours aiguisé comme un rasoir et sans rapport avec le *pana* ébréché ou couteau à neige, ni avec l'*oulou*, le couteau des femmes. Le *pillaout* est un instrument de précision, un scalpel de chirurgien qui détache proprement et avec art les longs filets enchâssés entre l'épine dorsale et le dessus des côtes, les cuissots, les omoplates en forme de spatule, la précieuse dentelle de graisse autour de l'estomac et des intestins... Entre les mains des Esquimaux, entre leurs mains menues d'artiste, de fin de race, la lame tourne autour des jointures, elle vire, elle glisse avec autant de grâce qu'une danseuse de ballet qui pirouetterait sur un air de valse !"

2. Sur cet arrière-plan, voir le commentaire que Romain Graziani a donné de ce texte dans *Fictions philosophiques du "Tchouang-tseu"*, Paris, Gallimard, 2006, chapitre 1. Sur l'importance des sacrifices, voir "Le Rite, la norme, le Tao. Philosophie du sacrifice et transcendance du pouvoir en Chine ancienne", in *Religion et société en Chine ancienne et médiévale*, publié sous la direction de John Lagerwey, Paris, Institut Ricci / Le Cerf, 2009. Voir aussi l'étude de Gilles

Boileau, "Confering meat in archaic China : between reward and humiliation", in *Études asiatiques*, Berne, 2006, n° 4, p. 737-772.

1. Les deux mots *Pao Ding*, traduits ici par "le cuisinier Ding", peuvent aussi se comprendre comme *paoding*, "un simple cuisinier". Dans le premier cas, *ding* est un nom de famille, qui existe en chinois. Dans le second, *ding* est pris dans le sens courant de "serviteur", de "petit exécutant". Le choix de la première lecture se justifie par le fait que d'autres artisans sont nommés de la même façon, par leur nom de famille, dans le *Zhuangzi*.

2. Voir chapitre 7, p. 267.

3. Voir plus haut, p. 180.

WU ZHEN (1280-1354, YUAN), *SOÛTRA DU CŒUR* (*XINJING*), calligraphie en cursive, extrait.

prince. [1] Il a tout appris par lui-même, sans le secours d'aucun maître. L'extraordinaire est que le prince, qui lui a adressé un compliment sans doute sincère, mais qui devait rester sans conséquence, s'incline à la fin et indique, par sa remarque sur "l'art de nourrir en soi la vie", qu'il l'a écouté avec la plus grande attention.

Ce dialogue est justement célèbre parce qu'il exprime, avec une force qui n'a jamais été égalée par la suite, une idée qui a joué un grand rôle dans l'histoire de la pensée chinoise. Nous l'avons trouvée dans la lettre de Han Yu à l'abbé Gao Xian, un millénaire plus tard : "Quand on a mis toute son habileté et toute son intelligence dans l'exercice d'un art et qu'on agit spontanément sous la dictée du dedans, selon les mouvements de l'énergie intérieure, le pouvoir agissant est à son comble et l'indépendance est assurée : aucune réalité extérieure n'a plus prise sur votre esprit." [2] L'accomplissement des virtualités que nous portons en nous apporte non seulement la santé, la longévité et la jouissance de soi, mais aussi l'autonomie.

Cet idéal de l'activité parfaite (je l'appellerai ainsi) forme l'un des noyaux de la pensée chinoise, de l'Antiquité préimpériale jusqu'à nos jours. On la trouve dans le confucianisme comme dans le taoïsme. Dans les deux traditions, il s'agit d'atteindre, par l'exercice, une perfection qui se manifestera par une activité spontanée de l'être entier. Pour l'une comme pour l'autre, le corps et l'esprit sont deux aspects d'une même réalité perfectible, deux aspects que la grande affaire n'est pas d'opposer, mais d'unir. Le sage taoïste est un homme qui a rétabli dans son corps la circulation des souffles dérangée par les contraintes de la vie en société et en qui la nature est redevenue pleinement agissante. Confucius est parvenu, vers les soixante-dix ans, à "suivre les mouvements de son cœur sans plus enfreindre aucune règle" [3] : à force de s'exercer, il a réalisé l'activité parfaite telle que se la représentent les confucianistes, il agit naturellement selon les rites dans toutes les circonstances de la vie sociale. Ce noyau commun se retrouve peu ou prou dans toutes les expressions de la pensée chinoise, et il est très présent dans l'esprit des calligraphes, comme nous l'avons vu. Leur expérience pratique les a convaincus de sa validité.

Or, en m'initiant à leur art, de façon certes limitée, mais selon leurs exigences traditionnelles, et en étudiant en même temps

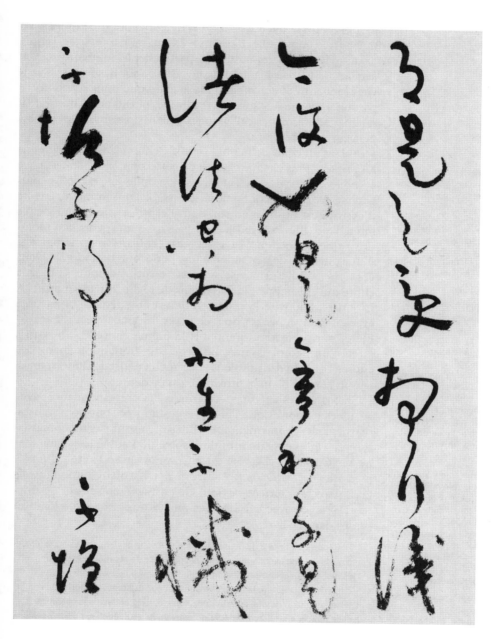

1. *Éthique*, Partie V, Proposition 40. Traduction de Robert Misrahi, Paris, Presses universitaires de France, 1990, p. 319.

2. Partie III, Définition des affects II et III. *Ibid.*, p. 207.

3. Partie III, Définition générale des affects. *Ibid.*, p. 222 et note p. 420.

4. Partie II, Définition VI. *Ibid.*, p. 102.

5. Paul Valéry, *Cahiers*, Bibliothèque de la Pléiade, Paris, Gallimard, 2 vol, 1973 et 1974 ; vol. I, p. 701. Je m'aperçois que j'ai donné à cette phrase un sens tout différent de celui qu'elle a dans son contexte. L'erreur est ancienne. Je ne la corrige pas, car je tiens à la signification que je lui ai donnée depuis longtemps.

6. *Die Lehrlinge zu Sais*, chapitre 2. Voir Novalis, *Werke*, Munich, Beck, 1981, p. 120 et 113, 115. La traduction d'Armel Guerne (Novalis, *Œuvres complètes*, Paris, Gallimard, 1975, 2 vol. ; voir vol. I, p. 60 et 54-56) est mauvaise ; elle ne permet pas de comprendre la pensée qui s'exprime dans ce texte.

7. Par exemple, celui de Sun Guoting, cité p. 177-178, ou celui de Ding Wenjun, p. 254-255.

leurs idées, j'ai découvert que cette conception centrale avait une portée universelle. J'ai élargi le champ de mon observation. Je suis passé d'un apprentissage particulier à l'apprentissage en général, du geste calligraphique au geste en soi, des formes d'activités rencontrées en calligraphie à celles que nous rencontrons partout. Et je me suis aussi aperçu que les phénomènes qui avaient retenu l'attention des calligraphes étaient présents chez certains penseurs occidentaux.

Ils sont au cœur de la philosophie de Spinoza, qui écrit dans *L'Éthique* : "Plus chaque chose a de perfection, plus elle est active et moins elle est passive ; et inversement plus elle est active, plus parfaite elle est." [1] Pour Spinoza, le passage à une forme supérieure d'activité est un bien en soi, dont l'esprit a une connaissance immédiate : "La *Joie*, dit-il, est le passage d'une perfection moindre à une perfection." Inversement, "la *Tristesse* est le passage d'une plus grande perfection à une perfection moindre." [2] Dans ces passages, l'esprit se saisit, avec le corps, comme "quelque chose qui enveloppe plus ou moins de réalité qu'auparavant" [3]. En outre, l'activité la plus grande est en adéquation parfaite avec les déterminismes du réel, et révèle donc le réel : "Par réalité et par perfection, j'entends la même chose" [4]. Spinoza a atteint une connaissance réfléchie du "fonctionnement des choses" qui n'a d'équivalent chez aucun penseur chinois, mais, sur un certain plan, la proximité est évidente.

Chez d'autres auteurs occidentaux, les correspondances avec les idées chinoises que j'ai mises en lumière sont nombreuses, mais éparses et fragmentaires. Elles n'en sont pas moins saisissantes. Témoin, cette intuition isolée de Paul Valéry dans l'un de ses *Carnets* : "Le réel est en rapport avec l'acte ; il *lui est proportionnel*" [5]. Dans un autre registre, voici ce que Novalis écrit dans les *Disciples de Saïs*. Ce passage [6] entre tout de suite en résonance avec certains des plus beaux textes que j'ai présentés dans ce livre [7] :

> Lorsque l'homme de pensée (...) se fait artiste et s'engage à bon droit dans la voie active et tente, par un usage habile de ses mouvements intérieurs, de ramener l'univers à une figure simple, énigmatique, lorsqu'il danse pour ainsi dire la nature et transcrit par des mots la courbe de ses mouvements, l'amant de la nature admire cette audacieuse entreprise et se réjouit d'assister à ce développement du génie humain. L'artiste a

raison de placer au-dessus de tout l'activité, car il est lui-même activité, il est production qui se connaît et se veut telle. Son art consiste à se servir de son outil pour reproduire le monde à sa manière. C'est pourquoi l'activité devient le principe de son univers, et c'est pourquoi son univers est son art.

Dans un autre passage des *Disciples*, Novalis parle de l'éveil et du développement du sens propre par où commence nécessairement l'apprentissage de l'activité créatrice, et des changements que ce développement produit dans notre rapport à nous-mêmes et au monde :

(L'homme) apprendra-t-il à sentir ?[1] Ce sens merveilleux, le plus naturel de tous, il le connaît encore peu : par lui reviendrait pourtant le temps ancien, le temps désiré ; son élément est une lumière intérieure qui se diffracterait en couleurs plus belles, plus fortes. Les astres se lèveraient en lui, il se remettrait à sentir le monde entier de manière plus vive et variée que son œil ne lui montre aujourd'hui limites et surfaces. Il deviendrait le maître d'un jeu sans fin, il oublierait tous les vains efforts en une jouissance éternelle, se nourrissant d'elle-même et croissant sans cesse. La pensée n'est que le rêve de ce sentir-là, elle est un sentir défunt, une vie affaiblie et décolorée.

1. "Lernt er nur einmal fühlen ?" Le verbe *fühlen* est plus riche en résonances que *sentir*, il exprime plus fortement l'expérience dont il s'agit ici.

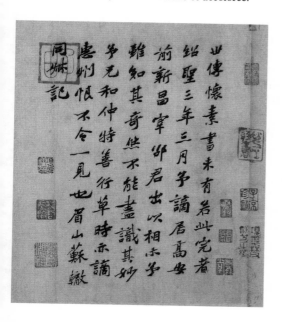

Sou Tche

SU ZHE (1039-1112, SONG DU NORD), COLOPHON ajouté à la *Présentation autobiographique (Zixutie)*, de Huaisu, reproduite en partie aux pages 246-247. Su Zhe écrit : "Aucun des autographes de Huaisu qui nous sont parvenus n'a la perfection de celui-ci. Au 3e mois de l'an 3 de l'ère Shaoxing (1096), alors que j'étais en poste à Gao'an après ma dégradation, monsieur Shao, ancien préfet de Xinchang, me l'a fait voir. J'ai compris qu'il s'agissait d'une œuvre extraordinaire, mais je n'ai pas su en pénétrer tout le mystère. Mon ami Hezhong, qui est un maître de la courante et de la cursive, se trouvait justement à Huizhou, dégradé comme moi : quel dommage qu'il n'ait pu l'apercevoir. Noté par Su Zhe, de Meishan." Su Zhe est le frère aîné du poète et calligraphe Su Shi (Su Dongpo, 1036-1101).

1. Voir le texte étonnamment
proche cité dans *Leçons sur
Tchouang-tseu*, p. 117-118.

(...) Mais voici ce qui est très remarquable : c'est dans ce jeu seulement que l'homme prend véritablement conscience de sa nature
propre, de sa liberté spécifique, et qu'il a le sentiment de sortir d'un
profond sommeil, d'être enfin chez lui dans ce monde et de voir s'éclairer son univers intérieur. Il a le sentiment d'avoir atteint une sorte de
perfection lorsqu'il parvient, sans gêner ce jeu, à sentir et penser tout
en laissant ses sens remplir leurs fonctions pratiques. Les deux ordres
de perception y gagnent : le monde extérieur devient transparent, le
monde intérieur se diversifie et se charge de sens et l'homme se trouve
au milieu des deux, faisant l'expérience intime de la liberté la plus parfaite et du plus jubilatoire sentiment de puissance. [1]

Novalis décrit avec acuité la connexion essentielle qui lie
notre activité propre à notre perception de la réalité, intérieure
autant qu'extérieure, et le perfectionnement possible de cette
activité propre. Il est tout près des auteurs chinois que j'ai cités.

Nous avons rencontré l'alchimie qui, dans sa forme la plus
noble, enseignait le moyen "d'améliorer notre nature et de la
conduire à sa plus grande perfection", pour citer la *Production de
l'esprit* de l'Abbé Saunier de Beaumont [2]. Par leur langage hermétique, les alchimistes de la Renaissance et de l'époque des
Lumières se protégeaient contre les foudres de l'Église, qui com-
battait impitoyablement toute doctrine affirmant que l'homme
peut parfaire sa nature par ses propres moyens. Spinoza lui-même
a été sur ce point d'une prudence extrême. Il savait qu'il s'atta-
quait à la racine même de l'autorité religieuse. Le scandale qu'il
a provoqué, malgré sa sagesse, a été à la mesure de son audace.
Ce qu'il a fait, il a pu le faire grâce à la liberté qui régnait dans
les Provinces-Unies de son temps, conquise contre l'Espagne
catholique. Quant à la position de l'Église, elle était logique. Elle
venait de loin, notamment de la lutte acharnée et finalement vic-
torieuse de Saint Augustin contre le pélagianisme. Pélage, son
contemporain, enseignait que la nature de l'homme est bonne,
qu'il est libre et que le vrai chrétien est *emancipatus a Deo*, "émancipé de Dieu" comme un fils était "émancipé" face à son père
lorsqu'il était majeur, en droit romain. Pélage s'inspirait de cette
parole de Jésus : "Soyez parfaits comme votre Père céleste est parfait !" [3] Non. Désormais, les chrétiens seraient au contraire des
enfants, ceux de leur mère l'Église. Ils seraient des pécheurs et
Dieu serait pour eux "l'unique source de vie" [4].

2. Voir chapitre 6, p. 215, note 1.

3. Matthieu v, 48.

4. Voir Peter Brown, *La Vie de
Saint Augustin*, Paris, Le Seuil,
1971, p. 418.

À ces rapprochements, je pourrais en ajouter d'autres, avec les réserves nécessaires. Je reviens cependant à la façon dont je suis passé, dans mon observation, du particulier au général. Pour réunir les données que je recueillais dans mon expérience et dans celle des autres, telle qu'ils la décrivaient, et pour les mettre dans un certain ordre et leur donner par là un sens, j'ai trouvé des mots [1]. Les mots que j'ai trouvés ont créé des associations d'idées qui se sont révélées justes, c'est-à-dire vérifiables. Sans l'avoir voulu, je me suis trouvé en possession d'un petit ensemble de termes qui rendaient compte d'un grand nombre de faits d'expérience. Ils en rendaient compte de façon cohérente et nouvelle. Et c'étaient des faits fondamentaux et universels. C'est à partir d'eux que j'allais montrer au lecteur occidental les ressorts de l'art chinois de l'écriture.

Avec le recul, la notion "d'activité" m'apparaît comme la plus importante des idées qui me sont venues. J'en ai fait la catégorie la plus générale, celle qui embrasse toutes nos formes d'activité et, partant, tous les rapports à nous-mêmes et au monde [2]. Je l'ai introduite au chapitre 6 en proposant de nous concevoir nous-mêmes comme "de l'activité", plus précisément comme "une activité qui est sensible à elle-même et se perçoit elle-même" (p. 186). J'ai proposé de parler "d'activité propre" et de lui reconnaître des "qualités essentielles" [3]. La catégorie de "l'activité" permet de mettre en rapport l'ensemble des phénomènes que nous sommes susceptibles de connaître, "objectifs" et "subjectifs". Elle fournit leur dénominateur commun. L'autre idée importante est celle du "corps", qui est entièrement redéfini.

L'aventure s'est poursuivie dans l'étude du *Zhuangzi*. Je me suis aperçu que les idées que j'avais trouvées permettaient d'interpréter certains textes de cet ouvrage de façon plus précise et plus profonde qu'on ne l'avait fait jusqu'alors et qu'en retour, ces textes enrichissaient mes idées. Elles se sont développées et précisées. Dans les *Leçons sur Tchouang-tseu* sont venues s'ajouter la notion des "régimes de l'activité" et le corps défini comme une "activité propre connaissable et inconnaissable" (p. 143) ou, dans une autre formulation, comme "l'ensemble des facultés, des ressources et des forces, connues et inconnues de nous, que nous avons à notre disposition ou qui nous déterminent" (p. 145). Dans les *Études sur Tchouang-tseu*, j'ai étudié,

1. J'ai suivi la méthode de Pascal, qui dit dans *De l'esprit de géométrie* (au début de la première partie) que "les définitions sont très libres, et ne sont jamais sujettes à être contredites ; car il n'y a rien de plus permis que de donner à une chose qu'on a clairement désignée un nom tel qu'on voudra. Il faut seulement prendre garde qu'on n'abuse de la liberté qu'on a d'imposer des noms, en donnant le même à des choses différentes."

2. Elle invite à concevoir la nature, la matière, la réalité entière comme de l'activité.

3. Qui sont, entre autres, la spatialité (p. 188), l'affectivité (p. 225-226), la variabilité et la perfectibilité (p. 214-215). J'ai introduit d'autres notions, par exemple la "projection" (p. 185-186, 188), "l'imagination spatiale" et "l'imagination motrice" (p. 242-243).

entre autres, le rôle que les régimes de l'activité jouent dans les rapports entre les personnes et le sujet conçu comme un aller et retour entre le déterminé et l'indéterminé.

Depuis lors, l'exploration qu'ont rendue possible mes quelques mots s'est poursuivie à travers le *Zhuangzi* et hors de lui. Je vois peu à peu se dessiner un paradigme, c'est-à-dire "une idée de l'homme qui soit comme un modèle de la nature humaine auquel nous puissions nous référer" [1]. On voit que, si j'ai délaissé la calligraphie, c'est aussi parce que cette étude s'est poursuivie sous une autre forme.

1. Spinoza, *L'Éthique*, *op. cit.*, p. 225

Telle est donc la première signification que la calligraphie a gardé pour moi : celle d'un art savant, subtil, parfois puissant quand on le comprend bien, et qui donne accès à l'un des noyaux de la pensée chinoise traditionnelle, que j'ai appelé "l'idée de l'activité parfaite". Sa deuxième signification m'est apparue plus récemment. Je vais dire au lecteur comment.

## L'ENVERS DE L'IDÉE

AUJOURD'HUI, la calligraphie s'éloigne. Pendant des siècles, le pinceau a été l'unique instrument de l'écriture, il était dans toutes les mains qui écrivaient, la technique que j'ai décrite était un savoir-faire communément partagé. Tout le monde savait apprécier une belle écriture, qui témoignait d'un degré de culture et d'accomplissement personnel. Dans la bonne société, il était aussi important de bien manier le pinceau que de bien parler, sinon plus. L'écriture pratiquée pour elle-même, comme un exercice bienfaisant, comme un passe-temps ou comme un art, y était une chose familière, comprise de tous. Elle était moins accessible que le violon chez les tziganes ou le *bel canto* en Italie, mais faisait tout autant partie des mœurs.

Au XX$^e$ siècle, cependant, les crayons et les stylos ont progressivement remplacé les pinceaux, dans les villes d'abord, puis dans les campagnes. Les écoles ont maintenu un temps l'initiation à la technique du pinceau, à cause de sa valeur formatrice et de la compréhension qu'elle donne de la forme des caractères. Mais elles l'ont fait de plus en plus difficilement, et l'ont peu ou prou abandonnée. Ce sont parfois les familles qui se sont chargées de transmettre cette pratique, encore que ce soit devenu rare. L'usage généralisé de l'informatique a maintenant soulagé les jeunes Chinois du souci de bien écrire, même au stylo. Ils écrivent de plus en plus mal. Aujourd'hui les notes et affiches manuscrites qu'on voit dans les rues, les boutiques et les restaurants sont le plus souvent navrantes. On les remplace, quand on peut, par des textes composés sur ordinateur. À l'époque de mes études, les enseignes étaient encore l'œuvre d'artisans qui étaient de bons calligraphes. Ce sont maintenant des alignements de caractères en plastique achetés dans les supermarchés de la décoration. À Hong Kong et Taiwan, l'évolution s'est faite dans un plus grand respect de la tradition, mais l'aboutissement est à peu près le même [1].

La calligraphie a certes été remise à l'honneur en Chine à partir des années 80, mais dans un esprit qui n'est plus celui de la tradition. Elle a été rangée parmi les beaux-arts. Un nombre grandissant de calligraphes se présentent comme des artistes au même titre que les peintres et les sculpteurs. Ils exposent comme leurs confrères, publient des recueils de leurs œuvres, participent à des concours et reçoivent des prix, occupent des postes dans l'Association chinoise de calligraphie ou dans des associations régionales. Ils ont commencé à gagner de l'argent, parfois beaucoup [2]. Les prix qu'atteignent les œuvres les plus cotées sont commentés comme ceux de l'immobilier. Ils s'expriment en termes de surface, tant de *yuan* le pied carré [3]. Parallèlement, la calligraphie a commencé a être enseignée dans les écoles des beaux-arts. Cette institutionnalisation a débuté dans les années 80. La calligraphie ne s'est jamais si bien portée, mais elle est devenue un art académique, aussi bien quand elle est pratiquée de façon classique que lorsqu'elle se veut non conventionnelle. Elle a aussi fait son entrée dans les musées. Hélas, rien n'est plus ennuyeux qu'une salle où se suivent des manuscrits de calligraphes, éclairés en outre par une lumière artificielle. L'art chinois de l'écriture n'est pas fait pour être montré de cette façon-là. Autrefois, les œuvres de prix n'étaient jamais exposées de manière permanente, sauf quand il s'agissait de stèles ou d'inscriptions sur rocher. Elles étaient déroulées à l'occasion, quand leur propriétaire désirait en jouir seul ou partager son plaisir avec d'autres amateurs. Certains grands rouleaux pouvaient

1. Ce que je disais plus haut, à la p. 170, de l'enchantement partout présent de la calligraphie n'est donc plus vrai – mais j'ai gardé ce passage en souvenir du passé. Aujourd'hui, la laideur a gagné.

2. Aujourd'hui (en 2010) Shen Peng, le président de l'Association chinoise de calligraphie, demande dix à vingt mille *yuan* (soit environ 1100 à plus de 2200 euros) par caractère de grand format.

3. Il faut se souvenir que, sous l'Ancien Régime, il était au-dessous de la dignité d'un lettré d'accepter de l'argent pour sa calligraphie. On ne faisait exception que lorsqu'il vivait dans un grand dénuement ou qu'il était reconnu comme un artiste exceptionnel et qu'il était devenu, chose rare, une sorte de professionnel.

orner des demeures de façon plus durable, mais ils s'intégraient au cadre de l'architecture traditionnelle.

Paradoxalement, le renouveau de la calligraphie fait donc apparaître ses limites. La quantité produit un effet de répétition qui était absent lorsque les moyens de reproduction étaient réduits et que les œuvres étaient rares. En outre, l'impossibilité dans laquelle est cet art de s'émanciper des caractères d'écriture crée aujourd'hui un sentiment d'enfermement. Les essais de renouvellement que tentent certains calligraphes, parfois intéressants, ne font que mieux révéler cette limite infranchissable. Quand on la compare avec d'autres formes d'expression actuelles, la calligraphie semble frappée d'une secrète impuissance. Cette impression est renforcée par le discours apologétique qui l'accompagne de façon de plus en plus insistante. Elle est le premier des arts, rappelle-t-on sans cesse, le plus noble de tous, en qui se manifeste en outre la quintessence de la civilisation chinoise. Elle est ainsi devenue le refuge d'un certain conservatisme culturel. Cette évolution m'a gêné, puis m'a fait réfléchir.

Je me suis aperçu que cette sorte de culte n'était pas nouveau et qu'il avait accompagné la calligraphie durant toute son histoire. À partir de ce moment-là, des éléments épars sont entrés en relation dans mon esprit. Cela s'est passé comme si m'apparaissait soudain, devant une mosaïque, un motif plus vaste que ceux que j'y avais vus jusqu'alors. Un motif composé d'un beaucoup plus grand nombre de petites pierres, mais qui était simple en lui-même, et que je vais donc pouvoir exposer au lecteur de façon assez brève.

Mais je m'arrête d'abord sur un point de méthode. Le motif que j'aperçois ne saurait être *démontré*. Je veux dire par là que sa pertinence ne peut pas être prouvée à partir des faits isolés. Elle résulte d'une vue d'ensemble, c'est-à-dire de *relations* devenues manifestes pour moi. Cela signifie-t-il qu'il s'agit d'une simple interprétation, voire d'une idiosyncrasie ? Je préfère dire qu'il s'agit d'un phénomène de "compréhension". Je "prends ensemble" un certain nombre d'éléments. Je les réunis en un tout, ou en une *image* [1], et par là leur donne un sens qu'ils n'avaient pas séparément. Cette "compréhension" est une "synthèse", mot qui signifie "poser ensemble". Elle est l'une des synthèses possibles.

[1]. Je m'inspire de L. Wittgenstein, notamment de remarques qu'il fait dans ses *Recherches philosophiques* (voir en particulier dans la 2ᵉ partie, section XI). Il observe que "voir" a deux acceptions très différentes selon qu'il s'agit de voir un objet que l'on a devant soi ou de voir une ressemblance (entre des visages, par exemple) ou un rapport. "Je vois !", dit-on à l'instant où on l'aperçoit. Une *image* s'est formée qui n'existait pas l'instant d'avant. Wittgenstein parle aussi de "l'apparition d'un aspect", "Aufleuchten eines Aspekts".

La difficulté est de faire apercevoir à autrui le motif que l'on voit soi-même. Il faut pour cela solliciter son *imagination*, qui est la faculté par laquelle s'accomplit la compréhension. Dans ce livre, j'ai fourni au lecteur des éléments. Je vais tenter de lui faire appréhender les relations que je vois entre eux [1]. Voici ceux qui se sont associés dans mon esprit :

1. L'art de l'écriture a d'abord consisté à *donner corps* au caractère. C'était une question de lisibilité. Celui qui écrit donne corps au caractère grâce au sens du corps qu'il a en lui. L'art du calligraphe consiste ensuite à *donner vie* au caractère et à la page écrite. Il le fait en projetant dans son écriture la vie qui anime le corps propre. Ces données se dégagent aussi bien de l'analyse des formes que des propos des calligraphes.

2. L'Antiquité préimpériale et l'époque des Han ont produit de très belles écritures, mais à usage religieux ou solennel, et sans que leurs auteurs ne soient connus. C'est à l'extrême fin des Han (tombés en 220) et sous les Jin (265-316) qu'apparaît un art de l'écriture pratiqué à titre individuel, par des artistes soucieux d'accomplissement personnel et qui laissent un nom. C'est à ce moment de l'histoire que se forme l'idée d'un *art de l'écriture*. Sous les Jin, cette idée est étroitement liée à l'écriture comme *révélation religieuse* : l'écriture est d'origine transcendante. Ce moment particulier de l'histoire de la calligraphie, placé sous le signe du taoïsme, exercera une influence durable sur cet art, même lorsque la relation avec le taoïsme aura depuis longtemps disparu.

3. Ce seront d'autres conceptions, plus anciennes, qui viendront ensuite soutenir l'idée que dans l'art de l'écriture se manifeste quelque chose de fondamental, voire d'intemporel. Le mythe de Cang Jie, l'homme aux quatre yeux, a accrédité l'idée que l'écriture dérive sans solution de continuité de l'ordre des choses inscrit dans la nature. Ce passage est conçu comme un déploiement, comme la manifestation de ce qui était caché et devient visible. Ce mythe, qui s'impose au début des Han [2], est en accord avec l'idée du *wen* développée par les penseurs confucianistes de cette époque et avec d'autres spéculations du début de l'ère impériale. Il rejoint une conception du signe qui remonte à certains philosophes de la période qui ont précédé l'empire.

4. Les idées que les calligraphes ont associées par la suite à leur art ont été d'une remarquable stabilité. Elles sont présentes

[1]. Il objectera peut-être que je puis avoir choisi les éléments en vue de mon idée générale, ou que je les ai taillés pour cela, ou que j'en ai négligé, voir caché d'autres qui n'y entraient pas. Je lui dirai, pour ma défense : 1. que cet ouvrage a été écrit avant que je n'aperçoive le motif ; 2. que j'ai analysé certains éléments d'assez près pour qu'il puisse juger par lui-même si je leur ai fait violence en les taillant ; 3. que le motif est suffisamment vaste pour que le défaut de tel ou tel élément n'en compromette pas l'ensemble ; 4. que je suis prêt, bien entendu, à reconsidérer le motif s'il me montre que j'ai laissé de côté des éléments qui sont incompatibles avec lui et que j'ai donc "mal vu". Il va sans dire que le motif, tel que je le vois, est appelé à être corrigé ou complété.

Ts'ang Tsié

[2]. Il est mentionné chez plusieurs auteurs de la fin de l'Antiquité préimpériale, notamment chez Han Fei et Xun Zi.

dans tous leurs écrits, des Tang jusqu'à l'époque contemporaine, mentionnées de façon routinière ou traitées de manière plus réfléchie. Nous en avons rencontré une expression hautement intellectualisée chez Liu Xizai, au XIXᵉ siècle : la calligraphie, dit-il, "actualise les 'figures' de la réalité". Elle manifeste le passage du virtuel à l'actuel qui est au principe de toute réalité.

À ces éléments-là, d'autres sont venus s'ajouter. Les conceptions qui sont devenues à la longue le soutien de la calligraphie proviennent toutes, me suis-je dit, de la période de gestation de l'empire et de ses débuts sous les Han. Avant de devenir la justification de la calligraphie, elles ont contribué à l'instauration de l'ordre impérial, puis à sa perpétuation. En 221 avant notre ère, l'empire est né dans la violence et *de* la violence. Pour rendre durable le nouveau pouvoir, les premiers empereurs et leurs associés l'ont présenté comme un phénomène conforme à la nature des choses. Ils ont tout mis en œuvre pour qu'il apparaisse comme une émanation de la réalité même. Il fallait aller plus loin : faire en sorte que, non seulement le pouvoir, mais l'ordre social tout entier apparaisse comme l'émanation d'un ordre du monde immuable. Cette entreprise a été accomplie sous le premier empire, celui des Han, dans tous les domaines de la vie sociale, religieuse et intellectuelle. La nouvelle classe dirigeante a *rendu impensable* l'idée que les hommes sont libres de créer les rapports sociaux et les institutions qui leur conviennent, selon leurs désirs et leurs besoins. Elle a banni l'idée qu'ils instituent par eux-mêmes les conventions nécessaires à la vie en société, et possèdent donc le pouvoir de les modifier ou de les abolir pour lui en substituer d'autres. L'ordre qu'elle imposait découlait, soi-disant, d'un monde immuable et *un*. De cette gigantesque mutation idéologique est né ce que les Chinois eux-mêmes ont considéré depuis lors comme "la civilisation chinoise", et ce qu'ils nous ont appris à considérer comme tel. [1]

Or le rôle de l'écriture a été de toute importance dans cette mutation. Dès le commencement de l'empire, elle est devenue l'un des premiers instruments du nouveau pouvoir et l'une de ses principales expressions. Sur les stèles officielles d'époque Han, les caractères semblent exprimer un ordre qui sort du fond des âges. Quand la dynastie s'écroule, en 220, et quand, au siècle suivant, l'espoir d'un retour à l'ordre impérial s'estompe, la culture

1. Cette thèse est elle-même un "motif" qui m'est apparu peu à peu et qui représente la "compréhension" à laquelle je suis parvenu. Je l'ai exposée pour la première fois dans la postface ajoutée à ce livre en 2001, puis reprise dans *Études sur Tchouang-tseu*, Paris, Allia, 2004 (p. 185-186) et *Contre François Jullien*, Paris, Allia, 2006 (p. 16-19). J'ai pris l'habitude de parler "d'idéologie impériale" pour résumer ma pensée. Dans "Essai sur l'histoire chinoise", seconde partie de *Chine trois fois muette*, Paris, Allia, 2000, j'ai présenté sous un autre jour l'histoire chinoise ancienne, mais les deux visions ne sont pas incompatibles.

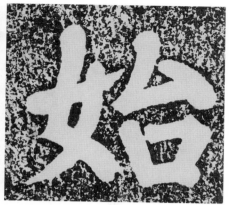

chinoise se transforme en profondeur, mais sans que soit remis en question le cadre fixé par l'idéologie impériale. C'est à ce moment-là que l'art calligraphique devient conscient de lui-même et prend véritablement son essor. Dans les milieux aristocratiques du Sud, les calligraphes font de l'écriture, non plus une expression muette de l'ordre impérial, mais une manifestation de la réalité même. L'essentiel est maintenu : l'écriture émane sans solution de continuité de quelque chose d'invisible, de primordial et d'éternellement présent. Cet approfondissement est intégré plus tard, sous les Tang, à un culte de la calligraphie patronné par les souverains eux-mêmes et formant à nouveau une expression majeure de l'idéologie impériale [1]. Depuis lors, l'idée que la calligraphie touche aux sources de la civilisation chinoise a toujours été présente. C'est ainsi que le caractère calligraphié est devenu, pour les Chinois de culture traditionnelle, le "chiffre de leur identité". Il l'était en effet, à cette réserve près qu'il ne s'agissait pas d'une culture immémoriale, mais de celle de l'époque impériale. L'idée était fondée tant qu'a duré l'ordre ancien. Wu Chang-shuo est pour moi le dernier très grand artiste qui ait vécu de cette tradition et l'ait fait vivre. Je l'admire beaucoup. En calligraphie, je lui associe Yu Youren.

Cette idée n'est plus vraie depuis que l'ordre ancien a disparu, ou ne l'est plus de la même façon. Le discours apologétique est désormais un discours décalé. Lorsqu'elle est célébrée comme le premier des arts, comme celui qui manifeste la quintessence

1. C'est pourquoi, à partir des Tang, de nombreux empereurs ont été des calligraphes de premier ordre. Voir, à titre d'exemples, les œuvres reproduites p. 105, 109, 172. Ils ont mis un point d'honneur à exceller dans cet art parce qu'il avait une signification idéologique centrale. Les précepteurs de la cour veillaient à ce que les princes fussent parfaitement formés en la matière.
Je mentionne, sans l'avoir lue, l'étude de John Hay, "De Kangxi Emperor's Brush Traces. Calligraphy, Writing and the Art of Imperial Authority", in Wu Hung and Katherine R. Tsiang, *Body and Face and Chinese Visual Culture*, Cambridge (Mass.),

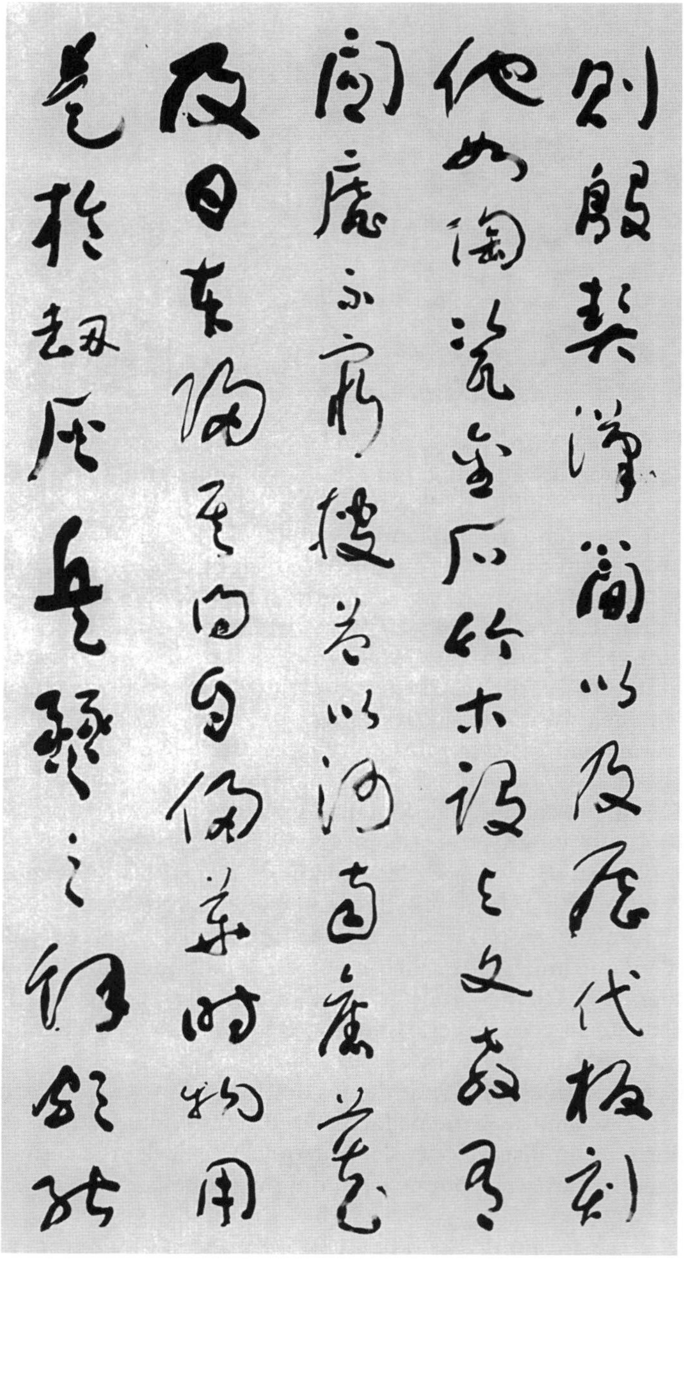

YU YOUREN (1878-1964),
*INSCRIPTION
COMMÉMORANT
L'INAUGURATION DU MUSÉE
NATIONAL D'HISTOIRE
(GUOLI LISHI BOWUGUAN
JIANGUANJI)*,
Taipei, 1962. Extrait.
Dans cette cursive réduite
à l'essentiel, l'extrême
simplicité s'allie
à une merveilleuse
liberté d'allure.

de la civilisation chinoise, la calligraphie devient l'expression d'un enfermement. Elle devient même l'emblème d'un conservatisme culturel qui ne s'accorde que trop avec l'atmosphère de restauration qui règne aujourd'hui en Chine. Cela malgré le grand talent, la fraîcheur de beaucoup de calligraphes actuels. Malgré les plaisirs qu'elle procure et la valeur formatrice qu'elle conserve [1].

Ma compréhension de l'histoire de la calligraphie et l'idée que je me suis faite de l'histoire chinoise dans son ensemble, à partir du début de l'empire, se sont rencontrées et ont produit la vision que j'ai aujourd'hui de la calligraphie. Elle m'apparaît désormais comme un art savant, subtil et parfois puissant, certes, mais aussi comme l'expression d'un ordre qui ne reviendra plus. Rétrospectivement, son rapport intime avec l'ordre ancien est devenu évident. En donnant aux caractères d'écriture l'apparence de formations émergeant spontanément du vide, elle suggérait que *tout ce qui était institué l'était en accord, par émanation, avec le fond même de la réalité*. Telle a été sa signification idéologique et la raison de son extrême valorisation sous l'Ancien Régime.

Ma compréhension s'est étendue à d'autres domaines. L'histoire de la calligraphie et du rôle qu'elle a joué dans la Chine d'époque impériale a rencontré une réflexion sur le langage que j'ai développée par ailleurs, dans l'étude du *Zhuangzi*. Ne fallait-il pas s'attendre à ce que, dans un monde où l'écriture était présentée comme un phénomène de nature, le langage fût conçu lui aussi comme un phénomène de nature ? Par un détour inattendu, l'étude de la calligraphie m'a ramené à une thèse que j'ai formulée ainsi dans les *Études sur Tchouang-tseu* [2] :

> De ce monde de l'idéologie impériale sont exclues deux idées qui ont joué un rôle fondamental dans la tradition occidentale : celle du langage comme *logique* ou *discours*, c'est-à-dire comme système autonome, mais correspondant d'une façon ou d'une autre à l'organisation de la réalité ; et la *parole* en tant que pouvoir de s'adresser librement à autrui et de créer par là des situations nouvelles, entre deux personnes ou plusieurs. L'absence de ces deux idées en a rendu impensable une troisième, pour nous capitale : que *tout être humain* détient, du fait qu'il est doué du langage et qu'il est sujet de la parole, un même pouvoir de commencer, de créer ou de définir.

Havard University, Asia Center, 2005, p. 310-334. Je n'ai pas lu non plus Richard C. Kraus, *Brushes with Power, Modern Politics and the Chinese Art of Calligraphy*, Berkeley, University of California Press, 1991.

1. Hsiung Ping-Ming (1922-2002), qui a été le premier à introduire l'étude de la calligraphie dans l'université française et dont j'ai cité le très stimulant essai (voir ci-dessus, p. 325), était lui-même calligraphe. Cela ne l'a pas empêché d'exprimer ce doute, à la fin de sa monographie sur Zhang Xu : "Si le génie chinois se manifeste avec éclat dans la calligraphie, cet art, presque totalement absent dans les autres cultures, lui pose aussi des problèmes complexes et graves. L'écriture est une création de l'homme, mais façonnée par la collectivité et la tradition, elle exerce aussi un pouvoir tyrannique sur lui. La création y est difficile. Nous écrivons comme nos ancêtres des Tang il y a plus de mille ans. Est-il nécessaire de continuer à cultiver un art qui nous enchaîne impitoyablement à la tradition ?" (*Zhang Xu et la calligraphie cursive folle*, p. 241). Quelques mois avant sa mort, il m'avait invité à lui rendre visite là où il vivait, non loin de Paris. Il a disparu avant que je n'aille le voir. Je me demande depuis lors s'il ne souhaitait pas revenir sur ce doute. Je ne le saurai jamais.

2. P. 187. J'ai modifié légèrement la formulation.

L'autonomie de la parole et du langage est l'un de nos présupposés essentiels. Il implique une rupture, ou du moins une discontinuité entre le langage et le reste de la réalité. Dans la conception chinoise d'époque impériale, c'est au contraire l'idée de la continuité qui s'impose. Le langage apparaît comme le phénomène momentané, transitoire, sans consistance propre. Il apparaît surtout comme un phénomène naturel.

1. *Ibid.*, p. 182-185.

2. *Que les choses sont produites par le langage. Un essai philosophique de Tchouang-tseu* (titre provisoire), à paraître aux éditions Allia en 2011.

J'ai expliqué dans les *Études* comment une telle conception a pu prendre naissance, paraître plausible et finalement s'imposer [1]. Quant à ma thèse, je sais qu'elle repose sur une certaine vision de l'histoire de la pensée occidentale et procède en même temps d'une prise de position philosophique. Je reprendrai cette problématique dans un prochain ouvrage, qui aura pour objet la philosophie du langage de Zhuangzi [2]. Je montrerai que l'on trouve dans le chapitre 2 du *Zhuangzi* une conception du langage et de la parole apparentée à celle qui a prévalu dans le monde occidental. J'avancerai l'idée que cette conception de Zhuangzi, originale et puissante, a cessé d'être comprise en Chine à partir du moment où s'est imposée l'idéologie impériale. Cela non par accident ou par quelque étourderie des commentateurs, mais parce que cette idéologie a rendu la position de Zhuangzi *inconcevable* pour eux. Si cette hypothèse se confirme, s'il s'avère que cette idéologie a fait du langage un simple phénomène naturel, alors nous pourrons considérer comme deux aspects complémentaires de cette idéologie le culte de l'écriture, célébré par la calligraphie, et le déni dont le langage et la parole ont été l'objet. Nous pourrons aussi nous demander si ce déni n'est pas l'une des clés qui nous faisaient défaut pour comprendre l'histoire de la pensée chinoise de l'époque impériale et porter sur elle un jugement. Il se pourrait même que les particularités qui nous déconcertaient le plus dans les principales formes qu'a prises cette pensée découlent, non d'un fait positif, mais de ce qui, de notre point de vue, constitue un *manque*.

Dans cette vision plus large de l'histoire de la pensée chinoise, d'autres relations sont apparues. J'ai commencé à voir sous un jour nouveau l'idée de l'activité parfaite. Le perfectionnement dont elle est l'aboutissement idéal, me suis-je dit, est un perfectionnement solitaire. Il conduit à la formation d'un sujet qui agit de façon supérieurement efficace, certes, en faisant le meilleur usage de ses énergies, mais qui agit *seul* ; qui devient, en d'autres termes, une monade totalement indépendante. L'idée de l'activité parfaite implique donc, ai-je conclu, une conception du sujet dans laquelle le rapport à autrui ne joue aucun rôle. [1]

Et je vois maintenant un rapport entre cette conception du sujet et l'effacement du langage. Le langage est le moyen que nous avons de définir, de créer, de nous entendre et de nous séparer, de nous retrouver à nouveau. Quand il est absent, ou tenu pour secondaire, le sujet ne peut être qu'une monade, et cette monade peut chercher son salut de deux façons seulement. La première est de s'intégrer à un ordre qui prescrit à chaque monade la place qu'elle occupera et les relations qu'elle aura avec les autres monades. Durant toute la période impériale, la fonction du confucianisme a été de définir, de justifier et de perpétuer un tel ordre. Cette fonction est manifeste dans le confucianisme d'époque Han, qui a fourni l'un des fondements de l'idéologie impériale. Elle est centrale dans les formes plus intellectualisées que le confucianisme a prises à partir de son renouveau sous les Song [2] et qui sont devenues la forme nouvelle de l'idéologie impériale. A l'échelle de l'histoire, le taoïsme religieux apparaît comme une variante. Le rôle de la monade est le même.

L'autre voie du salut est l'identification de la monade individuelle au Grand Tout, à l'Un, à la monade absolue. Cette identification a pris de nombreuses formes. La recherche de l'activité parfaite en a été une. La mystique, dans toutes ses variantes, en a été une autre. La loyauté inconditionnelle à l'endroit de l'empereur et de l'empire en était une autre, puisqu'ils étaient la réalisation de l'Un, du Grand Tout. Cette identification-là a revêtu une importance particulière pour les classes dirigeantes, mais s'imposait à tous, même à ceux qui vivaient loin du pouvoir ou s'en tenaient éloignés volontairement, ou encore à ceux qui l'ont contesté.

Les deux voies du salut ne s'excluaient pas. On peut même dire que les multiples combinaisons qu'elles offraient permettent de rendre compte d'à peu près toute l'histoire de la pensée chinoise durant la période impériale. Peut-être faut-il en ajouter une troisième : le bouddhisme primitif, celui du Petit Véhicule, proposait le salut par la critique des apparences et le retour au vide. Son influence n'a pas duré. Il a été transformé, par le Grand Véhicule, en un autre retour au Grand Tout. J'ajoute que la conception monadique du sujet a produit accessoirement un trait remarquable

1. Le passage du *Tongshu* calligraphié par Dong Qichang, reproduit à la p. 121, est caractéristique à cet égard.

2. Autrement dit dans le néo-confucianisme, qu'il vaudrait mieux appeler le "confucianisme philosophique".

du caractère chinois : une extraordinaire capacité de résistance – mais de résistance monadique, qui ne crée pas de nouveaux rapports et ne change rien au Tout.

Depuis que j'ai aperçu ces relations, je pense comprendre par où la calligraphie a été liée à l'ordre culturel, social et politique de la Chine impériale et en a même été une expression privilégiée. Je vois aussi, maintenant, que l'idée de l'activité parfaite, si présente dans l'esprit de ses praticiens, a un envers, qui est la conception monadique du sujet. J'ai le sentiment d'avoir mené à son terme l'étude de cet art, commencée il y a plusieurs dizaines d'années : d'avoir acquis le détachement et la profondeur de champ qui me permettent d'en saisir aussi bien la richesse que la signification cachée, indissociable d'un monde du passé.

Pour terminer, je ferai deux remarques. L'effacement du langage et la conception monadique du sujet, que je considère comme deux caractéristiques de l'idéologie impériale, me sont apparus avec netteté à partir du moment où je les ai conçus comme des positions philosophiques, opposables à d'autres positions philosophiques, dont celles qui étaient les miennes. Mais peut-être devrais-je dire, plus précisément, qu'à mesure que j'avançais dans l'étude de la pensée chinoise traditionnelle, j'ai éprouvé un besoin grandissant de me situer philosophiquement et que, à mesure que j'y suis parvenu, le contenu philosophique de la pensée que j'étudiais m'est apparu clairement. Il y a une leçon à tirer de cette expérience. Je pense que ce passage à la formulation philosophique est nécessaire pour comparer, comprendre et se prononcer sur le fond.

L'autre remarque est que les civilisations sont critiquables, qu'elles le sont au même titre que les religions, les philosophies, les institutions et tout ce que l'esprit humain a créé. [1]

1. Sur la façon dont la critique peut être menée, voir les brèves *Notes sur Tchouang-tseu et la philosophie* qui paraissent chez le même éditeur en même temps que ce livre-ci.

APPENDICES

# NOTE SUR LA GRAVURE DES SCEAUX

JE N'ENTRERAI ici ni dans la longue histoire du sceau chinois, ni dans la technique de la gravure des sceaux, qui mériteraient toute une monographie. En attendant qu'un traité complet soit publié sur le sujet en une langue occidentale [1], on se rapportera pour plus de détails au chapitre que R. H. van Gulik y consacre dans *Chinese Pictorial Art*, p. 417-457. Pour le lecteur qui n'a pas cet ouvrage sous la main, voici quelques indications succinctes.

La figure que l'on voit ci-dessous montre, à l'échelle 1 : 1, l'extrémité des ciseaux (*dao*) d'acier trempé dont se sert le graveur. Ils ont une quinzaine de centimètres de longueur, ils sont biseautés aux deux bouts et entourés dans leur partie médiane, sur environ dix centimètres, d'un cordon de soie très serré qui permet aux doigts de maintenir une prise ferme sans se blesser aux arêtes. Le graveur a généralement sous la main des ciseaux de différentes largeurs, allant de un à cinq millimètres de large environ.

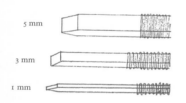

Il tient le sceau de la main gauche et l'outil de la main droite, entre le pouce, l'index et le majeur, à la manière dont nous tenons un crayon mais avec cette différence que le majeur, au lieu de rester replié, s'avance vers l'avant du ciseau comme l'index. L'annulaire, lui, touche par-dessous le sceau tenu dans la main gauche et règle la coordination des deux mains.

Lorsque le graveur attaque la pierre, il doit fournir un effort considérable des deux bras, des épaules et du thorax. Il a les pieds d'aplomb, le corps droit comme pour l'écriture au pinceau, les avant-bras légèrement appuyés contre le bord de la table ou tout à fait levés. Il entaille la pierre à quarante-cinq degrés avec l'angle du biseau et va d'un seul coup au bout du trait, quelle que soit la dureté du matériau. Cela coûte un effort qui fait souvent perler la sueur. Il retourne le sceau et refait le parcours en sens inverse, de manière à obtenir une taille en v.

1. À ma connaissance, il n'existe que la thèse de Lothar Wagner, *Die ganze Welt in einem Zoll : ein Beitrag zur chinesischen Siegelkunde*, Université de Heidelberg, 1987.

S'il n'atteint pas du premier coup un résultat satisfaisant, il approfondit l'entaille par de nouveaux allers et retours ou la corrige par endroits. Il fait les courbes en combinant l'action du ciseau et de la rotation du sceau dans la main gauche. D'autres manières d'entailler la pierre sont également pratiquées.

Ts'ing-t'ien Il faut évidemment que la pierre ne soit pas trop dure et que son grain soit fin. La plus appréciée est celle de Qingtian, dans le Fujian, qui est régulière et douce ; elle ne s'en va pas en éclats, mais en fine poudre. Elle a de belles couleurs où se mêlent les bruns, les jaunes, les gris verdâtres et les roses. L'ivoire est utilisé, mais moins fréquemment. La taille des pierres dures telles que le jade est l'affaire d'artisans spécialisés.

Ce qui compte, ce sont le geste et l'expressivité du geste. L'amateur s'efforce de réaliser la gravure par un petit nombre de mouvements puissants, surtout quand il pratique la gravure en creux – celle qui, une fois appliquée sur le papier, donne une surface rouge et des caractères se détachant en blanc. S'il pratique la gravure en bosse, qui donnera des caractères rouges sur fond blanc, il déli-

mite d'abord par quelques fortes incisions la forme des caractères, puis s'occupe d'évider les surfaces. Parce qu'il tient avant tout à l'énergie du geste, qui provient des deux bras et des deux épaules, l'artiste se garde bien d'utiliser une commodité dont se servent de leur côté les artisans : une sorte de petit établi consistant en un cube de bois massif dans l'ouverture duquel ils fixent le sceau au moyen d'un jeu de coins et qu'ils maintiennent en place de la main gauche sur la table. La mobilité du geste n'est évidemment pas la même [1].

La plupart des graveurs exécutent d'abord un dessin au pinceau sur un bout de papier de riz très fin et, après avoir humecté la face de la pierre, y font adhérer le dessin *à l'envers* ; ils gravent ensuite la pierre en suivant le dessin. Les artistes plus expérimentés tracent leurs caractères au pinceau sur la pierre. Les meilleurs travaillent directement au couteau, en inversant mentalement l'image, et parviennent à faire passer dans la

1. Un petit établi de ce type est reproduit dans R. H. van Gulik, *Chinese Pictorial Art*, p. 430.

gravure une part de la spontanéité qu'ils mettent dans leur calligraphie.

La gravure des sceaux est pour le calligraphe une manière d'étudier les formes les plus anciennes de l'écriture chinoise. Il arrive qu'on grave de la régulière ou de la chancellerie, mais on

  se sert le plus souvent de la sigillaire, qui tient de là son nom, ou des formes tout à fait archaïques de l'écriture. En explorant l'esthétique des écritures anciennes, le calligraphe accroît ses connaissances historiques, il enrichit son imagination et sa sensibilité. Il remonte vers les formes primitives dont l'énergie semble d'autant plus puissante qu'elle est plus contenue. Tandis que le pinceau est l'instrument du mouvement, le travail à même la pierre semble le meilleur moyen de gagner cette région première où l'acte est encore un noyau énergétique ramassé sur lui-même, quasiment statique.

Il arrive aux graveurs de sceaux de commenter leurs œuvres en gravant sur l'une des faces du sceau de petites inscriptions (*biankuan* 边款) que l'on peut ensuite, comme ci-dessus, reproduire par le procédé de l'estampage. De gauche à droite : les principaux éléments de la régulière incisés dans la pierre à titre d'exercice, une inscription en sigillaire et une en chancellerie, quatre caractères en cursive.

La complémentarité de l'encre et de la pierre se manifeste aussi dans la calligraphie achevée, que l'artiste termine par l'apposition d'un sceau. Aux formes déliées du pinceau, le sceau oppose l'énergie *liée*, mère de toute forme. Aux formes déployées, il oppose l'énergie concentrée dans un champ minuscule. Il est remarquable que l'espace où se développe l'écriture calligraphique ne soit pas délimité (par quatre droites tracées au pinceau, par exemple), alors que l'écriture gravée est toujours enserrée dans les limites étroites d'un carré ou d'une autre forme géométrique. L'art des sceaux s'apparente à l'art de la façade dans l'architecture occidentale classique. Il cherche à créer par l'organisation d'une surface un effet d'équilibre animé, et donc un effet de profondeur *sui generis*. Malgré les surfaces minuscules qu'il occupe, c'est un art monumental.

Les œuvres calligraphiques sont généralement signées et datées au pinceau, mais ne sont véritablement achevées que lorsqu'elles portent le sceau du calligraphe. Sur le sceau figure son nom ou l'un de ses noms d'artiste. Il lui arrive d'en placer deux ou trois, portant deux ou trois de ses noms d'artiste ou le nom de son cabinet de travail. Il en possède souvent tout un choix de diverses grandeurs, taillés en bosse et en creux, dont il se sert selon l'effet qu'il veut produire. Le sceau n'est pas placé au hasard, mais de manière à corriger un déséquilibre ou à mettre un accent. [1]

Certaines œuvres sont littéralement couvertes de sceaux de toutes grandeurs : ce sont les estampilles des collectionneurs qui en ont été les propriétaires, souvent intentionnellement placées de manière qu'il soit impossible de les enlever sans abîmer l'œuvre. C'était pour les propriétaires une manière de se prémunir contre le vol tout en immortalisant leur nom. [2] Parfois ces sceaux sont laids et mal placés. Ceux que l'empereur Qianlong (r. 1735-1796, Qing), grand amateur de calligraphie, a imposés sur toutes les grandes pièces de la collection impériale sont d'une désastreuse vulgarité [3]. Mais la multiplication des sceaux

1. Le seul bel exemple, dans ce livre, est le feuillet d'album de Huang Shen reproduit à la page 283.

2. Voir Victoria Contag et Wang Chi-chuan, *Seals of Chinese Painters and Collectors of Ming and Ch'ing Periods* (1966), édition revue et augmentée, Hong Kong, 1982, 68/7826 p.

3. On en voit notamment sur les reproductions des pages 108 (en haut à gauche), 125 (en haut à droite), 247 (en haut à gauche), 302. Il y en a, peu visibles, sur d'autres œuvres reproduites ici. Sur plusieurs d'entre elles figurent deux, voire trois sceaux de Qianlong.

Ts'ien-long

peut aussi produire un effet heureux. Ils donnent de la profondeur à l'espace dans lequel ils semblent suspendus, ils
accroissent sa luminosité et sa transparence et rendent plus forte
la présence des caractères écrits au pinceau. Les contrastes de
dimension et de couleur créent des tensions qui renforcent
l'œuvre. Les formes serrées et encadrées de l'écriture sigillaire
mettent en valeur la liberté d'allure de l'écriture à l'encre [1].

Il y a aussi la beauté intrinsèque des sceaux, dont l'amateur
ne manque pas de prendre note. Ce sont les calligraphes des
Ming (1368-1644) et des Qing (1644-1911) qui ont pris l'habitude d'apposer un sceau au bas de leurs œuvres, d'attacher de
l'importance à la qualité de ces sceaux et, souvent, de les graver
eux-mêmes. À la fin des Ming, la gravure des sceaux devient un
art en soi. Des artistes se distinguent, leurs créations sont collectionnées et différentes écoles se forment. Ce développement
est lié au regain d'intérêt que les lettrés éprouvent à cette
époque pour les écritures anciennes et dont il est question ailleurs (voir p. 351-357). Les artistes graveurs élargissent leur
registre en gravant des fragments de poèmes, des formules philosophiques, des maximes ou des réflexions lapidaires. Il est
arrivé que ces réflexions soient ensuite publiées dans l'œuvre
littéraire de l'artiste. Celles du peintre Qi Baishi (1863-1957),
qui fut aussi un grand graveur de sceaux, permettraient de
reconstituer son portait moral et les étapes de sa vie. En voici
quelques-unes qui se passent de commentaires. Les numéros
entre parenthèses renvoient aux gravures reproduites [2] :

1. Voir par exemple les extraits
des *Souvenirs de promenades
anciennes* de Huang Tingjian
reproduits aux p. 300-302.

2. Ces devises et les sceaux reproduits sont tirés du *Qi Baishi
shiwensjike ji* édité par Chen Fan,
Hong Kong, Éd. Shanghai shuju,
1965.

I

Je suis de Xiangtan, près de Changsha,
   en Chine 中国长沙湘潭人也
Petit je pendais mon livre à la corne du
   buffle 吾幼挂书牛角
On en veut à qui dépasse 行高于人，
   众必非之
À quoi bon le renom 何要浮名
La pauvreté ne me tuera pas (1)
   穷（窮）不死
Fermer sa porte 杜门

2

3

4

5

6

7

Pas de pensée inutile 心无妄思

Quelle honte si ceci était connu 惭愧世人知

Il se repose sur les Han (2) 赖汉(賴漢)

Il a tout oublié des Han 不知有汉

Mes quatre audaces 四不怕者

Ceci sort de chez un grand artisan 大匠之门

Je peux tout faire mais je ne fais pas n'importe quoi 无所不能，有所不为

Les démons sont sans mérite 神鬼无功

Œuvres des démons, non de l'homme 鬼神使之，非人工

S'emparer du secret de la nature (3) 夺(奪)得天工

J'ai toute la création sous la main 万象在旁

Cabinet de la joie des pierres (4) 乐(樂)石室

Travail de la pierre (5) 石工

Pierre mûre (6) 煮石

Percevoir la saveur 知味

Pour le vulgaire ceci n'est rien 流俗之所轻也

L'œil sûr distinguera le vrai du faux 有眼应识真伪

Je pense à toi dans la courette, sous le poirier en fleur 梨花小院思君

Le vieillard riche de ses trois cents sceaux de pierre 三百石印富翁

À quatre-vingt-dix ans 年九十

Vieillard de quatre-vingt-douze ans 九十二翁

À moitié sourd (7) 半聋(聾)

Vieux, Baishi s'amuse 白石年老自娱

Je suis vieux mais plein de vigueur ; nulle envie d'immortalité 年高身健不肯神仙

Où va mon chemin ? 吾道何之

# NOTE BIBLIOGRAPHIQUE

JE ME BORNE à présenter ici les principaux ouvrages dont je me suis servi dans la rédaction de ce livre, il y a un quart de siècle. Ils formeraient encore aujourd'hui, à peu de chose près, la base d'un travail de même nature.

### Textes

Il faut citer en premier lieu deux précieux recueils de textes auxquels j'ai fait référence dans les notes par les mentions *Lidai* et *Xiandai*. Le premier, *Textes anciens sur la calligraphie, Lidai shufa lunwenxuan* 历代书法论文选 (Shanghai, Éd. Shuhua 书画出版社, 1980) reproduit 95 textes allant du IIe siècle de notre ère au début du XXe, dus à 69 auteurs ; il compte 888 pages de texte serré, sans annotations. Le second, *Textes contemporains sur la calligraphie, Xiandai shufa lunwenxuan* 现代书法论文选 (même éditeur, 1980) reproduit 27 études sur l'histoire de la calligraphie, son esthétique et sa technique parues en République populaire de Chine ; il compte 404 pages et 104 planches.

*Lidai*

*Xiandai*

Un troisième volume est venu s'y ajouter, dans lequel je n'ai pas puisé parce qu'il a paru après la première publication de ce livre-ci. Il s'agit d'une *Suite aux Textes anciens sur la calligraphie, Lidai shufa lunwenxuan xubian* 历代书法论文选续编 (même éditeur, 1993) qui réunit 45 textes de 43 auteurs et compte 930 pages.

Une traduction française des deux recueils de textes anciens occuperait au moins trois mille pages de texte serré, sans notes. Cela donne une idée de l'importance de la littérature que les calligraphes ont consacré à leur art dans le passé [1].

Ces deux volumes rendent caduques d'autres collections plus anciennes. En revanche, ils ne remplacent pas les éditions annotées de textes particuliers, avec ou sans traduction en chinois moderne. Certaines m'ont été d'un grand secours, notamment deux précieuses éditions du *Traité de calligraphie* Sun Guoting : Zhu Jianxin 朱建新, *Sun Guoting Shupu jianzheng* 孙过庭书谱笺证 (Pékin, Éd. Zhonghua 中华书局, 1963) et Ma Guoquan 马国权, *Shupu yizhu* 书谱译注 (Shanghai, Éd. Shuhua, 1980).

[1]. Je n'ai pas eu entre les mains un recueil plus récent, *Textes des Han et du Moyen Âge sur la calligraphie et la peinture* 汉魏六朝书画论 (Changsha, Éd. Hunan meishu, 2004). Les textes sont commentés, les passages difficiles sont accompagnés de traductions en chinois moderne.

Le premier cite de nombreuses sources anciennes, mais ne fournit pas de traduction en chinois moderne. Le second est accompagné d'une utile illustration analytique et comporte une traduction moderne. J'ai également consulté l'étude détaillée de Roger Göpper, *Shu-p'u, Der Traktat zur Schriftkunst des Sun Kuo-t'ing*, Wiesbaden, F. Steiner, 1974. Autre ouvrage qui m'a été très utile : une édition commentée et illustrée, avec traduction moderne, de la *Suite au Traité de calligraphie* : Deng Sanmu 邓散木, *Shufa xuexi bidu, Xu Shupu tujie* 书法学习必读，续书谱图解 (Hong Kong, Éd. Taiping 太平书局, 1962). Je me suis référé à cet ouvrage par la mention "Deng". J'ai aussi tiré profit de la thèse de Jean-Marie Simonet, *La* Suite au Traité de calligraphie *de Jiang Kui (1155-1221)*, soutenue en 1969 à l'École nationale des Langues orientales vivantes, à Paris. Il est regrettable que ce travail de pionnier n'ait pas été publié.

Deng

## *Périodiques*

J'ai beaucoup appris en lisant les revues spécialisées qui ont commencé à paraître en Chine à l'époque où je préparais cet ouvrage. Trois d'entre elles étaient des revues générales : *Shupu* 书谱 (Hong Kong, Éd. Shupu 书谱出版社, six numéros par an à partir de 1974), *Shufa* 书法 (Shanghai, Éd. Shuhua, six numéros par an à partir de 1978) et *Zhongguo shufa* 中国书法 (Pékin, Association des calligraphes de Chine 中国书法家协会, quatre numéros par an à partir de 1982). Elles publiaient des études historiques, des présentations d'œuvres anciennes et contemporaines, des débats d'idées, des textes anciens annotés. *Shufa yanjiu* 书法研究 (Shanghai, Éd. Shuhua, quatre numéros par an à partir de 1979) publiait des débats d'idées et des discussions savantes, en petit format et sans illustration. *Shufa congkan* 书法丛刊 (Pékin, Éd. Wenwu 文物出版社, deux numéros par an à partir de 1981) était consacrée à l'histoire de la calligraphie et à la présentation d'œuvres anciennes conservées dans les musées chinois. *Yiyuan duoying* 艺苑掇英 (Shanghai, Éd. Renmin meishu 美术出版社, quatre cahiers de grand format par an en moyenne, à partir de 1986) faisait connaître les trésors picturaux et calligraphiques des musées chinois, notamment des musées de province, par des reproductions de grande qualité, en noir et blanc et en couleurs, accompagnées de notices succinctes.

Je n'avais pas à ma disposition les revues spécialisées qui paraissaient à Taiwan et au Japon.

### Reproductions

Importantes aussi, les collections de reproductions. Celles des Éditions Wenwu, de Pékin, étaient les meilleures. Elles reproduisaient les œuvres dans leur format d'origine, sur papier de riz, dans des fascicules reliés à l'ancienne. Il faut aussi citer celles des Éditions Nigensha 二玄社, de Tokyo, maison spécialisée dans les publications sur la calligraphie. Elles étaient moins belles, mais avaient l'avantage de former des collections très complètes. En 1982, les Éditions Wenwu ont publié de magnifiques collections d'œuvres calligraphiques anciennes conservées dans les musées de Pékin (Palais impérial), Shanghai et Shenyang, en fascicules reliés à l'ancienne, sous emboîtages traditionnels. Depuis lors, les reproductions se sont multipliées, chères ou bon marché, mais n'ont plus jamais atteint cette qualité-là. À l'époque, je me suis aussi instruit en consultant le *Shodo zenshu* 书道全集, ouvrage de base qui n'avait pas son pareil en Chine (Tokyo, Éd. Heibonsha 平凡社, 3ᵉ édition 1966-1969, 28 volumes dont 15 consacrés à la calligraphie chinoise, 11 à la calligraphie japonaise et 2 aux sceaux). L'ouvrage de Shen C.Y. Fu *et al.*, *Traces of the Brush, Studies in Calligraphy,* New Haven, Yale University Press, 1977, à la fois catalogue d'exposition et recueil d'études savantes, m'a toujours paru exemplaire par la qualité des reproductions.

### Ouvrages de référence

Il faut mentionner en premier lieu le dictionnaire de calligraphie *Shogen* 书源 de Fujiwara Kakurai 藤原鶴来 (Tokyo, Éd. Nigensha, 1970), le meilleur du genre. On y voit comment un caractère a été écrit par différents calligraphes à travers les âges. Les caractères sont reproduits en blanc sur fond noir, dans la grandeur de l'original, avec mention de l'auteur et de l'œuvre dont ils sont tirés ; on en a vu des extraits plus haut, aux p. 34 et 115. Une édition pirate a paru en République populaire de Chine sous le titre *Zhongguo shufa dazidian* 中国书法大字典, sans lieu, Éd. Guanghua 光华出版社, 1980 ; tous les caractères empruntés à des œuvres japonaises y ont été remplacés par des exemples chinois. Le *Zhongguo shufa dacidian* 中国书法大辞典 (Hong Kong, Éd. Shupu, 1984, 2 vol.) est un gros dictionnaire encyclopédique des calligraphes, des œuvres, de la terminologie esthétique et technique, etc., compilé sans beaucoup d'efforts rédactionnels, mais utile.

*Monographies*

Il en est deux auxquelles j'ai attaché un prix particulier. D'abord l'essai stimulant que Hsiung Ping-Ming 熊秉明 a consacré aux différents types de sensibilité présents dans l'histoire de la calligraphie : *Théories de la calligraphie chinoise, Zhongguo shufa lilun tixi* 中国书法理论体系, Hong Kong, Commercial Press 商务印书馆, 1984. J'y ai fait référence par la mention "Hsiung". Sur cet ouvrage et sur Hsiung Ping-Ming, voir p. 325, note 1, et p. 379, note 1. Ensuite le *Shufa jinglun* 书法精论 de Ding Wenjun 丁文隽 (1938). Ces *Principes essentiels de calligraphie*, qui datent de 1938 et qui ont été réédités par les Éd. Zhonguo shudian 中国书店 de Pékin en 1983, constituent le meilleur traité de technique calligraphique que je connaisse ; voir p. 254, note 1.

Hsiung

Les principales autres monographies citées sont celles de Hsiung Ping-Ming sur Zhang Xu (p. 245), de Lothar Ledderose sur Mi Fu (p. 157), du même auteur sur les sigillaires de l'époque Qing (p. 351), de Heike Kotzenberg sur le rapport entre l'image et le texte chez les peintres d'époque Ming (p. 283), de R. H. van Gulik sur le moyens matériels et les techniques des peintres et des calligraphes (p. 67), de T.H. Tsien sur les instruments et les supports de l'écriture à l'époque ancienne (p. 66), celle de Francis W. Paar sur le *Qianziwen*, ou le *Classique en mille caractères* (p. 136). On retrouvera d'autres ouvrages cités au moyen des index. Le traité de cursive de Yu Youren est mentionné à la p. 106, le manuel d'écriture cursive usuelle de Wang Fang-yü à la p. 107.

Les principales études parues dans des revues savantes sont celles de Richard M. Barnhart (p. 230), S. Miyashita (p. 236), John Hay (*ibid.*), David Pollard (p. 241), Jonathan Chaves (p. 264), Jacques Gernet, (p. 341), Lothar Ledderose (p. 242, 243), Léon Vandermeersch (p. 337), John Lagerwey (p. 347).

Divers ouvrages chinois sont cités aux p. 38, 43, 76, 100, 104, 106, 152, 176, 177, 253, 254, 274, 346, 389. Des articles parus dans des revues chinoises sont cités aux p. 136, 177, 241, 274.

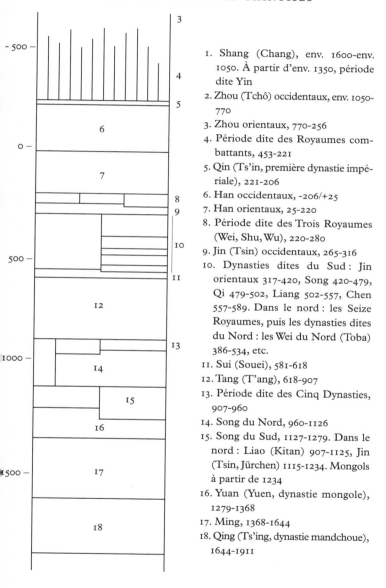

1. Shang (Chang), env. 1600-env. 1050. À partir d'env. 1350, période dite Yin
2. Zhou (Tchô) occidentaux, env. 1050-770
3. Zhou orientaux, 770-256
4. Période dite des Royaumes combattants, 453-221
5. Qin (Ts'in, première dynastie impériale), 221-206
6. Han occidentaux, -206/+25
7. Han orientaux, 25-220
8. Période dite des Trois Royaumes (Wei, Shu, Wu), 220-280
9. Jin (Tsin) occidentaux, 265-316
10. Dynasties dites du Sud : Jin orientaux 317-420, Song 420-479, Qi 479-502, Liang 502-557, Chen 557-589. Dans le nord : les Seize Royaumes, puis les dynasties dites du Nord : les Wei du Nord (Toba) 386-534, etc.
11. Sui (Souei), 581-618
12. Tang (T'ang), 618-907
13. Période dite des Cinq Dynasties, 907-960
14. Song du Nord, 960-1126
15. Song du Sud, 1127-1279. Dans le nord : Liao (Kitan) 907-1125, Jin (Tsin, Jürchen) 1115-1234. Mongols à partir de 1234
16. Yuan (Yuen, dynastie mongole), 1279-1368
17. Ming, 1368-1644
18. Qing (Ts'ing, dynastie mandchoue), 1644-1911

# INDEX DES PRINCIPAUX AUTEURS
## ET ARTISTES OCCIDENTAUX MENTIONNÉS

# BREF INDEX THÉMATIQUE *

* On a regroupé ici quelques thèmes qui n'apparaissent pas dans la table des matières. Ils ne sont pas présentés dans l'ordre alphabétique, mais par associations d'idées. Les références renvoient aux principaux développements dont le thème fait l'objet.

Suite à la p. 406.

# TABLE DES ILLUSTRATIONS

## Œuvres occidentales

Steinberg, Saul, *The Line*, 1959. Encre sur papier. Extrait de *The Labyrinth*, New York, Harper, 1960. Photo : BnF. © The Saul Steinberg Foundation / Artists Rights Society (ARS), New York / Adagp, Paris, 2010......................................................................59, 60

Thomkins, André (1930-1985), *Variations d'après Böcklin*, 1970. Aquarelle, crayon, crayon lithographique. 29,5 x 20,9 cm ; 24,9 x 21,9 cm. Bâle, Oeffentliche Kunstsammlung, Kupferstichkabinett. Photo du musée. © Adagp, Paris, 2010.............................296-299

### Documents divers

Toutes les autres figures sont de l'auteur.

# TABLE DES MATIÈRES

ACHEVÉ D'IMPRIMER
DANS L'UNION EUROPÉENNE
POUR LE COMPTE DES ÉDITIONS ALLIA
EN OCTOBRE 2010

ISBN : 978-2-84485-331-8
DÉPÔT LÉGAL : OCTOBRE 2010